'한국근대문학과 중국' 자료총서 **9**

기행문 Ⅱ

최 일·박미혜 엮음

역락

『'한국근대문학과 중국' 자료총서』편찬위원회

위원장: 김병민

위　원: 이광일 최창륵 최　일 장영미 박설매 김　강

편찬자 소개

김병민 연변대학교 조선언어문학학과 교수. 문학박사.

이광일 연변대학교 조선언어문학학과 교수. 문학박사.

최창륵 남경대학교 한국어문학과 교수. 문학박사.

최　일 연변대학교 조선언어문학학과 교수. 문학박사.

장영미 연변대학교 조선어학과 교수. 문학박사.

박설매 연변대학교 조선언어문학학과 부교수. 문학박사.

김　강 연변대학교 조선언어문학학과 전임강사. 문학박사.

배　홍 연변대학교 조선언어문학학과 전임강사. 문학박사.

김은자 하얼빈이공대학교 조선어학과 전임강사. 문학박사.

조영추 연세대학교 국어국문학과 박사.

박미혜 성균관대학교 국어국문학과 박사과정 수료.

'한국근대문학과 중국' 자료총서   09

기행문 II

최 일 · 박미혜 엮음

역락

한국근대문학과 중국체험서사

― 서문을 대신하여 ―

김병민

1. 중국체험의 의미

한·중 문화 교류는 수천 년의 유구한 역사를 가지고 있다. 특히 한국은 한자, 유·불·도, 각종 문물제도를 중국으로부터 수용함으로써 한(漢)문화권에 편입된 뒤 한(漢)문화를 중심으로 한 동아시아문화권의 형성과 발전에 중요한 역할을 하게 되었다. 따라서 한국문학의 발전 역시 중국문학 및 문화와 불가분의 관계에 놓이게 되었다.

한국문학의 발전에 있어서 역대 한국인들의 중국체험은 한국 한(漢)문학 전통의 확립에 결정적인 역할을 했다. 한국문인들의 중국체험은 다양한 양상을 보이고 있는바 최치원 등을 비롯한 문인들의 유학(留學)체험, 혜초, 의상 등을 비롯한 불교 문인들의 구도(求道)체험, 정도전, 허균, 김만중, 홍대용, 박지원 등을 비롯한 문인들의 사행(使行)체험 등을 들 수가 있다. 이들은 중국을 체험하는 과정에 중국의 문인들과 다양한 교류를 진행하게 되었고 한중 문학의 쌍방향적 영향관계를 밀접히 했다. 실제로 한국문학에서 굴지의 작가로 불리는 최치원, 이제현, 허균, 김만중, 박지원 등의 문학은 중국 문학 및 문화와 깊은 연관성을 보여주고 있다. 한국문인들은 중국체험을 통해 자신들의 창작을 전개해갔고 또한 창작을 통해 그들의 문화의식 즉 세계인식과 시대인식을 구축해 가기도 했다. 최치원의 한시가 『전당시』에, 이제현의 사가 『강촌총서』에 수록되었으며 김만중의 경우 중국체험과 중국문화 수용을 통해 세계적 영향을 지닌 『구운몽』을, 박지원의 경우는 사행체험을 통해 세계 기행문학의 백미로 불리는 『열하일기』를 창작했다. 최치원, 이제현, 김만중, 박지원의 문학이 세계적인 명작이 되기에 손색이 없다고 할 때, 한국문학 발전에 있어서 중국체험은 큰 의미를 가진다고 할 수 있다.

중국체험은 한국 문인들에게 시간과 공간에 대한 새로운 인식을 심어주었고 자아와 타자에 대한 새로운 인식을 불러일으키기도 했다. 예를 들어 18세기 후반기 '북학파'의 맹주들인 박지원, 박제가 등이 중국체험을 통해 전통적인 문화의식에서 탈피하여 자본시장의 형성과 과학문명에 대한 인식을 얻고 중세의 몰락과 근대의 여명을 확인한 것은 시대를 앞서나간 문화적 초월이라고 할 수 있다. 그것은 말 그대로 국가 간의 경계, 문화 간의 경계, 민족 간의 경계를 넘어설 수 있었던 탈경계 체험의 산물이라고 하겠다.

20세기를 전후하여 한국은 근대 식민지체계에 편입되기 시작하여 1910년 '한일합방'으로 일제의 식민지로 전락되고 말았다. 망국을 전후한 시기부터 중국은 한국독립투사들의 항일투쟁의 정치적 공간과 근대적 이민의 생활공간이 되기도 했다. 따라서 한국근대문학은 중국의 문학 및 문화와 더욱 밀접한 연관을 맺게 되었고 보다 더 새롭고 다양한 발전 양상을 보여주게 된다.

따라서 한국근대문학과 중국과의 관련양상에 대한 연구는 비단 한·중 근대문학교류사 연구뿐만 아니라 한국문학사 연구에 있어서도 지극히 중요한 가치가 있다고 할 수 있다. 현재까지 이에 대한 한국 학계의 연구는 대체적으로 한국근대문학의 공간적 이동이라는 시각에서 접근하여 중국에서 벌어졌던 한국문인들의 문학을 '이민문학' 혹은 재외 한국근대문학의 범주에 두고 고찰하였다. 반대로 중국 학계에서는 중국에 이주한 한국문인들의 문학을 '조선족문학' 혹은 그 전사(前史)로 범주화하고 연구를 해왔다. 이러한 연구는 한민족문학의 연구에서 극히 중요한 작업임이 분명하며 또한 현재까지 괄목할 만한 성과를 거두었다. 하지만 한국문학의 공간적 이동으로만 접근하게 되면 인적 교류, 이론과 사상의 유동 내지는 상상력의 탈경계 등 한·중 근대문학 교류의 보다 다양한 차원의 문제들을 간과하게 된다. 한 마디로 한·중 근대문학 교류는 문학의 공간적 이동의 시각보다는 탈경계 연구(Border—crossing studies)의 시각에서 접근하는 것이 더 효율적이라고 할 수 있다. 이른바 탈경계 연구는 민족, 국가, 언어, 문화, 이데올로기 및 윤리 등의 탈경계 그리고 그 과정에서 문화적 재건, 융합 및 가치창조를 밝히는 새로운 연구 시각이다.

근대 전환기 및 근대과정에서 이루어진 한국문학의 중국과의 교류는 고금의 인류문학사에서 보기 드문 문학적 현상이었으며 일종의 '증후성(Symptomatic)'을 가진 문학적 사건이라고 할 수 있는바 다음과 같은 특징을 띄고 있다. 우선, 교류의 지속시간이 길고 방대한 양의 텍스트를 형성하였다. 다음으로 그 교류는 일방적인 영향관계가 아닌 쌍방향적인 상호작용의 관계였다. 끝으로 그 교류는 '중심'과 '주변'의 관계가 아닌 '주변'과 '주변'의 관계였다. 그중 탈경계 서사(beyond boundaries narrative)로 특징지어지는 한국근대문학의 중국체험서사는 한국문인들의 중국을 매개로 한 전통, 근대 그리고 미래와의 대화였다. 바로 이러한 의미에서 한국근대문학과 중국과의 문학·문화적 대화는 지극히 생산적인 것이었으며 근대 동아시아의 정신적 가치를 보여주는 소중한 유산이라고 할 것이다.

한국문학의 근대화 과정에서 일본을 통한 서양문학사조, 유파, 관념, 형식 등의 수용이 큰 역할을 하였음은 분명하나 식민지 출신의 한국문인들에게 있어 식민 종주국 일본이 생산적 가치를 가진 이상적인 공간이 될 수는 없었다. 오히려 비슷한 운명에 처한 중국이 생산적인 정치·문화공간이자 생존·생활공간이 될 수 있었다. 중국에 대하여 느낄 수 있었던 시대적 동질감과 유대감은 일본이 갖추지 못한 요소들이었다. 따라서 한국인들은 중국을 독립투쟁의 전장, 근대문명의 '박물관', 평등한 대화와 교류의 장소로 인식하였던 것이다. 한국근대문학과 중국과의 교류는 한국문학의 근대화 과정을 이해하는 데 있어 중요한 가치가 있을 뿐만 아니라 나아가 오늘날 한국과 주변의 관계를 이해하는 데 있어서 상당한 현실적 가치가 있다고 해야 할 것이다. 이에 『'한국근대문학과 중국' 자료총서』는 한국문인들이 중국과의 교류과정에서 생산한 중국서사와 한국문인들에 의한 중국문학 번역과 소개 등 텍스트를 그 대표성과 중요도에 따라 선별적으로 수록하였다.

2. 저항과 항일체험서사

항일서사는 한국의 독립투사들이 중국에서의 반일활동에 근거한 탈경계 서사로서 의열단(義烈團), 한국애국단(韓國愛國團), 독립군(獨立軍), 유격대(遊擊隊), 조선의용대/의용군(朝鮮義勇隊/義勇軍), 한국청년전지공작대(韓國青年戰地工作隊), 한국광복군(韓國光復軍), 중국국민군(中國國民軍), 팔로군(八路軍), 항일연군(抗日聯軍) 등 항일부대의 활동과 밀접히 연관되어 있으며 소설, 시, 수필 등 장르를 포함하고 있다.

소설로는 중국에서 전개된 한국의 반일독립운동을 소재로 한 신채호, 최서해, 강경애, 심훈, 장지락 등의 작품이 있다. 우선 아나키즘계열의 항일투쟁을 반영한 소설로는 신채호의 「용과 용의 대격전」, 장지락의 「기묘한 무기」 등이 대표적이다. 신채호의 소설 「용과 용의 대격전」은 환상적인 구조 속에서 일제 침략자를 상징하는 미리와 한국 민중을 상징하는 드래곤 사이의 격전을 그리면서 민중의 승리를 확인하고 있다. 「꿈하늘」(1916)에서 신채호가 국민국가 상상을 보여주었다면 「용과 용의 대격전」에서는 무산민중 주체의 민족국가 상상을 보여주었다고 할 수 있다. 장지락의 소설 「기묘한 무기」는 1922년 김익상 등 한국의 반일지사들이 상하이 황포공원에서 일제 육군대장 다나카를 저격한 사건을 다룬 단편소설로 1930년 북경에서 창작된 작품이다. 이 소설에는 사회주의, 아나키즘, 인도주의 등 다양한 사상들이 혼재되어 있다. '만주'지역에서 전개되고 있던 독립투쟁을 소재로 한 소설로 최서해의 「해돋이」와 강경애의 「모자」, 「축구전」 등이 있다. 「해돋이」는 생활에 시달리다 독립운동에 투신한 주인공 만수의 형상을 통하여 '만주' 지역 한국 이주민들의 일제와 그 주구들에 대한 분노와 항거를 보여주고 있다. 강경애의 「모자」는 간도지역에서 벌어진 항일유격투쟁을 배경으로 하면서 희생된 남편의 못 이룬 뜻을 어린 아들로 하여금 이어가게 하겠다는 한 어머니의 불굴의 의지를 보여주고 있고 「축구전」은 일제의 주구들이 조직한 축구경기에 참가하여 경기는 졌지만 민중들에게 반일정신이 살아있음을 보여준 진보적인 한국 이주민 중학생들을 그리고 있다.

반일투쟁 승리의 강력한 의지를 표출한 시작품으로는 신채호의 「매암의 노래」, 이육사의 「청포도」, 김창숙의 「넋이여 돌아오라」, 이두산의 「당신은 의용의 전사래요」, 문정진의 「4명의 열사를 추모하여」 등을 들 수 있다. 이두산의 시 「당신은 의용의 전사래요」는 중국에서 활약하고 있는 항일부대 '조선의용대'의 영용한 모습과 필승의 신념을 노래하면서 항전의 승리와 조국 귀환의 절절한 정감을 읊고 있다. 김창숙의 시 「넋이여 돌아오라」는 중국 하르빈에서 독립운동을 지도하다 일경에 체포되어 옥사한 독립투사 김동삼을 기린 시로 일제에 대한 불타는 적개심과 구국의 염원을 노래했다. "신계(神溪)는 목 메이고/ 한수(漢水)는 슬픈데/ 한 치의 묻을 땅이 없어/ 다비(茶毘)에 부치더니/ 아, 나라 찾을 그날/ 다가오리니/ 넋이여 돌아오라/ 주저치 말고"라고 하면서 전편에 걸쳐 혁명동지에 대한 뜨거운 애도 그리고 원수격멸의 의지를 그려내고 있다.

이밖에 항일투쟁의 제일선에서 싸운 군인들의 실기, 수필 등은 실제적인 체험을 기록했다는 의미에서 상당한 가치를 가진다. 예를 들면 '조선의용대' 대원들이 창작한 「전선에서의 조선의용대」, 「중국 전장에서의 조선의용대」, 「화평촌통신」 등은 항일전장에서 조선인 대원들의 대적 무장선전, 중국 항일부대와의 협동작전, 민중교육 등 상황을 그려내고 있는바 한국 근대 독립투쟁의 역사와 한중관계를 조명함에 있어서도 중요한 가치를 가진다고 할 수 있다. 중국에서 전개된 한국인들의 독립투쟁을 반영한 작품 『청산리 혈전실기』, 「조선혁명일사」 등과 신채호의 수필 「단아잡감록」, 「조선의 지사」, 이두산의 연작수필 「억(憶)」(「산중 40일」, 「중국 항전에 참가하다」 등 11편) 등 작품들은 중국에서 한국 독립지사들의 투쟁과 생활 그리고 그들의 정신적 궤적을 반영하고 있다는 의미에서 높은 문학적 가치를 가진다고 할 수 있다.

3. 정착과 이민서사

한국근대문학의 탈경계 서사에서 가장 많은 비중을 점하는 작품은 한국 이주민들이 중국에서의 생존체험을 소재로 한 이민서사로 그 주제적 경향에 있어서도 다양성을 보이고 있다.

우선, 한국 이주민과 중국인들과의 갈등은 이민서사에서 가장 많이 보이는 소재이다. 토지의 주인인 중국인들은 '지주'의 신분으로 등장하여 민족·계급이라는 이중적인 갈등구조를 이룬다. 최서해의 소설 「홍염」, 강경애의 소설 『소금』 등이 대표적이다. 「홍염」의 중국인 지주 '은 서방', 『소금』의 중국인 '팡둥'은 토지의 주인이라는 절대적 우위를 이용하여 한국 이주민들을 억압하고 있고 극한적인 생존환경에 처한 한국인 이주민들의 자연발생적인 항거가 계급적 인식으로 나아가게 된다. 이런 의미에서 중국으로의 이주는 한국작가들로 하여금 계급적 대립에 의한 억압의 보편성을 확인할 수 있게 하였고 나아가 현실 인식에 대한 깊이와 정확도를 획득할 수 있게 하였다.

다음으로, 중국에서 새로운 삶의 터전을 건설하려는 정착의식을 그린 작품들이 많이 있다. 안수길의 「벼」, 「북향보」 등과 현경준의 「선구시대」, 이기영의 『대지의 아들』, 『처녀지』 등 소설이 대표적이다. 안수길의 「북향보(北鄕譜)」는 주인공 정학도를 비롯한 이주민들이 어려운 여건 속에서 '북향농장'을 운영하는 과정을 통해 '만주'에 뿌리를 내려야 한다는 정착의식 혹은 지역의식(locality)을 상징적으로 보여주고 있다.

하지만 '만주'의 실질적인 지배자가 일제였기 때문에 '만주'를 향한 정착의식은 '상상적인 탈식민'으로 흐르게 되고 자칫하면 '만주'에서의 일제의 식민주의 담론에 포섭되게 된다. 마약중독자들을 '만주국' 건설에 필요한 인재로 '갱생'시키는 과정을 그린 현경준의 「유맹」, '내부 식민주의'적인 시각에서 원시적인 초원에 사는 몽고인들을 '개량' 하는 주인공의 노력을 그린 한찬숙의 「초원」 등이 대표적이다. 이러한 정착의식은 일제에 대한 철저한 순응으로 타락하는 경우도 있어 박영준의 「밀림의 여인」과 같은 노골적인 친일문학작품을 낳기도 했다. 그럼에도 이러한 작품들은 '태평양전쟁' 이후 일제의 전시총동원체제 등 특수한 시대적 상황 속에서 한국문학의 현실대

응의 다양한 예시를 보여준다는 점에서는 상당한 가치가 있다.

　중국 도시에서의 한국 이주민들의 삶을 그린 작품으로는 주요섭의 「봉천역식당」, 김광주의 「북평서 온 영감」, 「남경로의 창공」 등 소설이 있다. 주요섭의 「봉천역식당」은 화자가 봉천역 식당에서 우연하게 만난 한 한국 여인의 10년간의 변화를 그리고 있다. 처음 만났을 때 이 여인은 행복이 넘쳐흐르던 처녀였으나 점차 남성의 노리개로 전락하여, 나중에는 우울한 모습으로 목석처럼 변해버리고 만 비참한 운명을 그리고 있다. 김광주의 「북평서 온 영감」은 살 길을 찾아 '만주'와 북경 등지를 전전하다가 상하이에 온 한국 이주민의 정신적 소외를 보여준 작품으로서 식민주의와 봉건주의의 이중적 억압 하에 놓인 한국 이주민의 삶을 그리고 있다.

　한국 시인들의 중국체험도 주목되는 바이다. 백석, 유치환, 이용악, 서정주 등은 중국체험을 통해 상상력의 확장, 이미지의 다양화 나아가 민족적, 시대적 인식의 전환을 이루게 되었다. 백석은 「조당(澡堂)에서」란 시에서 목욕탕의 벌거벗은 중국인들을 보면서 이방인인 '나'와 중국인들 사이의 역사와 문화, 언어와 몸짓, 그리고 표정 등의 차이를 느끼다가 인간은 결국 벌거벗은 우스운 몸에 지나지 않는다는 초월적 인식에 이르고 있다. 서정주는 취직을 위해 8~9개월 간 중국에 있었던 체험을 바탕으로 "저 만치의 쑥대밭 언덕에서는/ 역시나 때 절은 靑衣의 한 滿洲國 아줌마가/ 누구의 것인가 새 棺널 하나를 앞에 놓고/ <끅! 끅! 끄르륵……/ 끅! 끅! 끄르륵……>/ 꼭 그런 소리로 울고 있었다./ 우리 단군할아버님의 아내가 되신/ 그 잘 참으신 암곰님처럼/ 씬 쑥과 매운 마늘 많이 자신 소리 같았다."(「만주제국 국자가(局子街)의 1940년 가을」) 등 살아서 숨 쉬는 이국 이미지를 창조했다. 또 이용악은 중국 '만주'에서 목격한 망국노의 슬픈 모습을 "울 듯 울 듯 울지 않는 전라도 가시내야/ 두어 마디 너의 사투리로 때 아닌 봄을 불러줄게/ 손때 수집은 분홍

댕기 휘 휘 날리며/ 잠깐 너의 나라로 돌아가거라."(「전라도 가시내」)와 같은 주옥같은 시구에 담아내고 있다. 그런가 하면 유치환은 중국체험을 바탕으로 대체로 여성적인 한국 근대 시단에서 「생명의 서」, 「바위」와 같이 단연 돋보이는 역동적인 시를 써낼 수 있었다.

4. 타자와 중국서사

한국문인들의 중국체험은 중국과 중국인을 소재로 한 다양한 문학작품들의 출현을 가능토록 하였다. 이러한 작품은 중국에서의 전통문화체험을 통한 동양문화의 가치에 대한 재인식, 자본주의적 근대체험을 통한 서양적 가치에 대한 비판, 반식민지 반봉건 사회체험을 통한 현실사회의 부조리에 대한 비판, 항일투쟁체험을 통한 한·중 연대의식 등 다양한 주제를 표현하고 있다.

우선, 전통문화체험을 통한 동양적 가치의 재발견을 보여준 작품으로는 정래동의 수필집 『북경시대』, 한설야의 수필 「연경의 여름」 등과 주요섭의 소설 「진화」, 「죽마지우」 등을 들 수가 있다. 정래동과 한설야 등은 수필창작을 통하여 중국 전통문화의 거대한 힘에 대하여 예찬하였고 주요섭은 소설 「진화」에서 중국문화의 전통성을 인정하면서 동양의 정신적 가치를 발견하려고 했으며 소설 「죽마지우」에서는 북경을 자신의 정신적 고향으로 묘사하는 등 다원적인 문화정체성을 보이기도 했다.

다음으로, 반식민지 반봉건 사회체험을 통한 현실비판을 보여준 작품으로 심훈, 피천득, 박세형 등의 시편들과 최독견의 「벌금」, 주요섭의 「살인」, 「인력거꾼」, 강노향의 「상해야화」 등 소설 작품들을 들 수가 있다. 심훈은 시

「북경의 걸인」에서 걸인의 형상을 통해 하층민에 대한 동정을 보여준 동시에 동등한 운명에 놓인 자기 민족의 고통도 하소연하고 있다. 피천득의 시 「1930년 상해」는 옷을 전당 잡혀 먹을거리를 사야 하는 현실과 곧 팔려갈 어린 생명을 시적 대상으로, 하층민들의 비참한 생활에 대해 공소하였고 박세영의 시 「북해와 매산」은 군벌혼전으로 피폐해진 북경의 암울한 현실을 비판하였다.

이와 더불어, 최독견과 주요섭은 소설 창작을 통해 제국주의 침략과 문화 헤게모니로 하여 식민지화된 상하이 도시문명의 가치결손에 대하여 비판함과 동시에 하층민들의 소외를 적나라하게 폭로하고 있다. 이러한 소설들은 참신한 시각과 심각한 문제의식을 보여주고 있는바, 최독견은 소설 「벌금」에서 중국옷을 입고는 공원으로 들어갈 수가 없는 현실과 서양 여인이 개에게 먹이던 빵조각을 고맙다고 받는 중국인 여성을 통해 굴욕적으로 살아가야 했던 하층민에게 연민의 정을 보이고 있으며 중국의 반식민지 사회현실을 신랄하게 비판하고 있다. 또한 강노향은 소설 「상해야화」에서는 조계지 프랑스인 집에서 노예살이를 하는 중국인과 프랑스 여인의 부정당한 관계 등을 통해 서양의 가치결손과 식민지 조계지에서의 남성의 소외 내지는 타락을 보여주기도 했다. 한편, 주요섭은 소설 「살인」에서 도시 최하층 기생인 우뽀의 형상을 통해 버림받고 소외당한 하층민들의 운명을 보여주면서 그들의 각성을 촉구하기도 했다. 작가의 다른 한 소설인 「인력거꾼」 역시 자본주의 문명이 최하층 인간에게 들씌운 불행에 대하여 묘사하고 있다.

이처럼 상기 다양한 소설작품들은 근대 도시인 상하이를 배경으로 그 속에서 살아가는 하층민들의 불행한 운명, 특히는 생존권을 박탈당하고 소외되어가는 인물들을 통해 식민주의의 죄행을 공소하고 있다. 물론 이러한 문제의식은 한국문인들의 중국에서의 근대적 도시체험에서 얻어진 것이라 해야 할 것이다.

또한, 유자명, 이두석, 이관용, 문일평, 이광수, 최남선, 주요섭, 김광주, 정래동, 강경애 등 쟁쟁한 한국문인들의 수백 편의 기행문들에서는 중국체험과 시대인식이 다양하게 보이고 있다. 즉 이러한 기행문은 중국전통문화와 서양문명에 대한 새로운 인식, 시국에 대한 인식과 비판, 망국 국민으로서의 애환, 민족에 대한 뜨거운 사랑, 민족독립에 대한 열망 등으로 일관되어 있다. 특히 이러한 기행문들은 근대 중국사회를 인식하는 역외시각(域外視角)으로서 귀중한 문헌적 가치가 돋보이는 바이다.

5. 가치 수용으로서의 번역과 비평

한국근대문학과 중국의 관련 양상은 중국근대문학에 대한 번역과 비평에서도 잘 드러나고 있다. 한국에서의 중국근대문학작품에 대한 번역은 주로 양건식, 정래동, 유수인, 이육사, 김광주 등 중국 유학경력이 있는 문인들에 의해 전개되었다. 소설로는 루쉰의 「아Q정전」, 「광인일기」, 「고향」, 궈모뤄(郭沫若)의 「목양애화(牧羊哀話)」, 딩링(丁玲)의 「떠나간 후」, 위다푸(郁達夫)의 「피와 눈물」, 린위탕(林語堂)의 「북경호일」, 샤오쥔의 「사랑하는 까닭에」 등이 있으며, 시작품으로는 후스(胡適)의 「등산」, 「11월 24일 밤」, 궈모뤄(郭沫若)의 「봄 맞은 여신의 노래」, 「죽음의 유혹」, 쉬즈모(徐志摩)의 「가거라」, 「우연」, 주즈칭(朱自淸)의 「잠자라, 작은 사람아」, 저우쭤런(周作人)의 「소하」 등이 있으며, 연극으로는 궈모뤄(郭沫若)의 「탁문군 삼경」, 톈한(田漢)의 「상상의 비극」, 어우양위첸(歐陽予倩)의 「반금련」 등이 있다. 그 외에도 루쉰 등의 산문이 번역 소개되었다.

이외, 중국근대문학과 관련된 비평으로는 양건식의 「호적 씨를 중심으로 한 중국의 문학혁명」(1920, 번역문), 김태준의 「문학혁명 후의 중국문예관」
(1930), 정래동의 「중국 양대 문학단체 개관」(1931, 번역문), 「노신과 그의 작품」
(1931), 「중국문단의 신작가 파금의 창작태도」(1933), 김광주의 「중국 좌익문
예운동의 과거와 현재」(1931), 이육사의 「노신 추도문」(1936) 등이 있다.

　이러한 중국근대문학 작품의 번역과 비평을 통해 한국 근대 문인들의 중
국문학에 대한 인식과 수용 자세, 한국 근대에 있어서의 중국의 사회사상과
미학사상이 미친 영향, 나아가서 한국 근대 문학번역사와 문체의 변천과정
도 이해할 수가 있다. 주지하다시피, 한국 근대 문인들은 대부분 일본을 통
해 서구문학을 수용하였고 또한 서구문학에 대한 번역과 소개도 적지 않게
진행한 바이다. 그럼에도 프로문학 등 특수한 영역을 제외하고는 한국 근대
문단에서 일본문학이 별로 번역·소개되지 않았음은 주목이 필요한 대목이
다. 이에는 식민지시기라는 특수한 시대적 상황 속에서 형성된 이질감과 거
부감이 작용했을 것이다. 이러한 점을 염두에 둘 때 한국에서의 중국 근대문
학의 전파와 수용은 근대 한국 문인들이 중국 근대작가들과 함께 20세기의
동아시아적 가치를 창출하고 공유하고자 한 시대의식과 무관하지 않을 것이
다. 바로 이런 의미에서 중국근대문학에 대한 번역·소개와 비평은 한국근
대문학과 중국근대문학, 나아가 중국과의 관련을 해명하는 데 불가결한 중
요한 영역이기도 하다.

6. 편찬 동기와 총서의 구성

　일찍 2014년 연변대학 통문화센터에서는 중국어로 된 『'중국현대문학과
한국' 자료총서』(1~10권)를 간행한바 있다. 베이징에서 열린 이 총서의 출판
기념 좌담회에서 중국의 근대문학 연구자들은 필자에게 『'한국근대문학과

중국' 자료총서』를 편찬할 것을 제안한 바가 있다. 이에 상기 자료집 편찬의 중요성과 절박성을 깊이 인식하게 된 나머지 편찬위원회를 묶어 총서의 편찬사업을 시작했다. 한국근대문학과 중국 관련 자료는 이미 적지 않은 자료집에서 수록되기도 한 바이다. 예하면 연변대학 문학연구소에서 편찬한 『중국조선족문학대계』, 북경민족출판사에서 편찬한 『중국조선족 문학유산 정리편찬』 등에 수록된 적지 않은 작품들은 편찬자 나름의 시각에 따라 중국조선족문학의 출발점으로 인식되어 중국 조선족문학 권역에 귀속시켰지만, 한국근대문학사에 있어서도 중요한 작가와 작품들이다. 물론 상기 자료집들은 한국근대문학과 중국 관련 연구를 위해 정리된 자료 총서가 아니며 한국근대문학과 중국과의 관련 양상을 살피기에는 전체적이지 못함도 짚고 넘어가야 할 것이다.

한국근대문학과 중국 관련 연구는 1990년대부터 학계의 주목을 받기 시작하여 적지 않은 연구 성과를 내고 있다. 그럼에도 아직까지 중요한 자료들에 대한 발굴과 정리가 진일보 요청되고 있으며 일부 연구들은 충분한 자료적 검토가 확실하지 못한 점도 없지 않다. 이러한 상황은 한국근대문학과 중국 관련양상의 전반적 검토와 연구의 심화에 장애로 작용하고 있으며, 이에 본 자료집은 그에 대한 극복을 목적으로 하고 있다.

『'한국근대문학과 중국' 자료총서』는 편찬 의도를 구현하기 위해 작품 선정에서 첫째로, 한국근대작가들의 중국체험을 바탕으로 중국의 시간과 공간에서 벌어진 인물과 사건들이어야 하며, 둘째로, 중국인들의 생활 혹은 중국에서의 한국인들의 생활을 소재로 해야 하며, 셋째로, 중국체험을 기반으로 하는 동서양 관련 문화인식을 다룬 작품도 가능하다는 원칙을 지키고자 했다. 한편, 편찬과정에서 적지 않은 애로에도 봉착하였는바, 일부 작품들은 당시의 중국 경내에서 꾸려진 신문, 잡지들에 발표되었으나 신문과 잡지의 보존상태가 완전치 못하여 그 전모를 알 수가 없으며, 아울러 신문, 잡지의 경우 여러 곳의 도서관과 서류관에 분산되어 있었다. 또한 일부 작품들은 유고로서 분실된 것도 있었기 때문에 편집자들은 이러한 난제를 풀기 위해 국내외 도서관들을 찾아다녀야 했고 따라서 관련 인사들을 찾아 방문하기도 해야 했다. 비록 편찬자들이 많은 노력과 심혈을 기울였지만 아직 미비한 점이 적지 않다.

본 총서는 총 16권으로서 창작편 11권(소설 4권, 시 3권, 기행문 2권, 정론·실기·수필·희곡 2권)과 비평집 5권이다. 편집과정에서 편찬자는 발표 당시의 원본 형태를 그대로 보여주기에 노력을 경주하였으며, 섣불리 개정이나 첨삭을 시도하지 않았다.

본 총서는 편찬과정에서 국내외 많은 한·중 문학관계를 연구하는 전문가들의 열정적인 관심과 도움을 받았으며 특히 국내외 도서관, 서류관의 지지와 성원을 받은 바 있다. 총서의 편집에 도움을 주신 모든 이들에게 진심으로 되는 감사를 드리는 바이다. 앞으로 본 총서가 한·중 문학관계 연구자들과 독자들에게 도움이 되기를 진심으로 바라며, 미진한 점에 대해 전문가들과 독자들의 기탄없는 비평을 기대하는 바이다.

2020년 2월 1일

차례

일러두기

1. 본 총서는 1919년 중국의 '5·4운동' 전후시기부터 시작하여 1948년 남북한 단독정부 수립에 이르기까지 중국인 및 중국에서의 체험을 소재로 창작한 문학작품 중 문헌적, 문학적 가치가 높은 작품들을 수록하였다.
2. 본 총서는 총 16권으로 구성되었는바 소설(1~4권), 시(5~7권), 기행문(8-9권), 평론(10-14권), 정론·실기·수필·희곡(15-16권)으로 나누었다.
3. 초간본을 저본으로 하여 원본의 표기를 최대한 보류하는 것을 원칙으로 하였으나 일부 초간본을 확인할 수 없는 작품의 경우 초간본에 가장 가까운 판본을 수록하였다.
4. 독자들의 읽기와 이해를 돕기 위하여 표기법은 아래와 같은 원칙을 적용하였다.
   - 근대 모음을 현대 모음으로 바꿨다.

     예: ·→ㅏ
   - 근대 겹자음을 현대 겹자음으로 바꿨다.

     예: ㅺ→ㄲ, ㅽ→ㅃ
   - 띄어쓰기는 현행 한국어 표기법의 기준을 따랐다.
   - 소설의 경우 문장부호를 현행 한국어 표기법의 문장부호로 통일하였다. 대화는 " ", 간행물과 단행본의 명칭은 『』, 기사와 작품의 명칭은 「 」, 음악작품의 제목은 < >, 연극작품은 ≪ ≫로 통일하였고, 명확하지 않으면 ⟪ ⟫를 사용하였다.
   - 기행문, 평론, 수필, 정론, 시가, 희곡의 경우 원본의 문장부호를 보류하였다.
   - 원본에서 판독이 불가한 문자는 □로 표시하고 판독 불가한 문자가 1행 이상일 경우에는 주해에 "이하 × 자 판독 불가"를 밝혔다.
   - 원본의 오탈자, 오식은 보류하고 해석이 필요한 경우에는 주해에 "편자 주"를 밝혔다.

     예: 1) "淅江"은 "浙江"의 오식 — 편자 주
5. 외래어는 원본의 표기를 보류하였다.
6. 인명, 지명 등 고유명사는 원본의 표기를 보류하였다.
7. 한자는 원본의 표기를 보류하였다.

기행문 Ⅱ

南中國耽奇旅行: 二百 寺刹의 大村落인 普陀山

崔昌圭

普陀山을 向하야 배에다 몸을 실고

찌는 듯이 물크는 上海의 酷暑를 避하야 浙江省 普陀山으로 向하기는 八月 三日이엇다。寧波行 新寧紹라는 배가 十六鋪碼頭를 出帆하기는 午後 五時。듣든 바와 같이 寧波 上海 間의 連絡船은 배도 淨潔하고 待遇도 좋거니와 또 比較的 船價도 싸다。一泊 二食 셈인데 官艙에 三元。吳淞을 나서 陸地가 멀어지자 해가 기우러지며 바람결이 커저 上海를 떠나 온 듯이 시원하다。房안의 扇風機도 停止시키고 까뭇까뭇이 보이는 漁船조차 시원한 바람결에 그만 조름을 도을 뿐이다。

×

搖亂한 大鑼 소리와 喧噪한 高喊소리에 눈을 떳을 때는 이미 배가 甬江口의 鎭海港을 떠나려 할 때엿다。다시 甬江을 逆行하야 寧波에 到着되기는 午前 六時。鎭海서부터 한 時間、上海서부터 열세 時間 航程이다。

即時 普陀行 三北이라는 배를 갈어탄 後 寧波를 떠나기는 同 七時。이 배는 다시 甬江을 내려가서 普陀山으로 가게 됨으로 鎭海 寧波 間은 군길이엇

다. 甬江 西岸에는 無數한 穀食덤이도 같고 집 같기도 한 것이 많이 보인다. 알아보니 魚藏氷庫다. 生鮮이 많은 곳이라 別로 奇異한 일은 아니나 그 貌樣이 처음보는 사람에게는 무엇인지 얼핏 알기 어려울 만큼 또 그 數爻가 많은 만큼 어지간이 興味를 끈다.

×

甬江을 나선 배는 東으로 東으로 向한다. 내려쪼이는 햇볕에 바닷물이 프르럿다 누르럿다 變하고 또 變한다. 물결이 잔잔하므로 옆에서 麻雀 하는 소리밖에는 들리는 것이 없다 次次 섬이 나선다. 하나 둘 셋 열 수물 …… 배는 이리 돌고 저리 피하며 헷처나간다. 섬이라야 形容만으로 오직 山 뿐이다. 그나마 나무도 시원치 못하야 別한 興味가 없다. 그 보다는 大陸편으로 멀리 보이는 天臺山 줄기에 蜿蜿함이나 보인다.

數없는 漁船을 지나치며 舟山 列島 中의 最大 島인 定海에 到着되기는 바로 正午. 여기저기 鹽田이 數없이 보인다. 소금은 이곳 所産 中의 大宗이라 한다. 여기도 天主教 뾰죽집이 보인다. 佛教가 세인 곳일 것이 分明함에 不拘하고 信者 數爻에 잇어서는 天主教徒가 佛教徒와 伯仲을 다툴 만하다 한다. 天使의 날개도 어지간이 無所不至하거니와 南無阿彌陀佛을 암만 불러 봐야 別無 신통하야 그만 또 한 번 속아보는 셈치고 聖子와 聖神으로 背逆한 것이 아닐가 그러타 하면 다음은 어디로 가야 할 것인가.

×

房艙에 二 元 좀 남줏이 받는 배에서 茶房錢으로 적어도 一 元은 내노라고 茶房들이 서든다. 달라는 대로 주지 않고 말기는 말엇지만 後에 알고 보니 船價와 同額이라 한다. 寧波 普陀 間의 定期船이 이 배 하나인 關係라는 이보다 普陀 來往하는 船客이 大部分 佛供 드리러 가는 사람들로 特히 善心을 쓰기 爲하야 넉넉히 주어온 탓이라 한다.

汽船에서 내려 다시 木船으로 올나탄 後 上陸되는 곳은 短姑道頭. 즉 普陀山의 南端 一角이다. 예서 다시 驕子로 白運臺라는 庵子로 가서 行裝을 풀엇다. 定海서부터 한 時間 上海서부터 滿 二十 時間 航程이다.

觀音靈場의 傳說

豫想 以上의 不潔은 더욱이 飮食物에 嘔吐가 날 지경이다. 便所 關係로 파리가 꼬여들어 이로 날닐 수가 없다. 저녁에는 또 모기가 어지간히 많다. 客이 많아서 좋은 房은 다 찻는지 房도 여러 날 居處하기에는 괴러울뿐더러 밤새도록 麻雀 하는 소리에 절간에 와서 자는 맛을 맛볼 수 없다.

할 수 없이 다음날 佛首庵이라는 그 옆 절로 올마오고 말엇다.

×

普陀山은 普陀洛山 或은 補陀 또는 補陀路迦山이라 稱하며 淛[01]江省 定海縣의 舟山列島 中의 一 小島로 주위 六十餘 里의 南北으로 길이 퍼젓으며 其中 最高峰인 菩薩頂은 海拔 一千 尺에 達한다. 五臺山、峨眉山과 아울러

---

01 "淛"은 "浙"의 오식 - 편자 주.

中國 三 名山의 하나이며 九華山을 合하야 四 名山의 하나가 된다。佛說에 依하면 地藏、普賢、文珠[02]、觀音은 地水火風에 配應할 것으로 九華는 地、峨眉는 火、五臺는 風、普陀는 水에 配應된다 한다。

이에 다시 普陀山이 觀音道場으로 開山된 傳說은 이러하다。즉 五代 때 梁의 貞明 二年에 日本 僧 慧鍔이라는 者가 五臺山으로부터 觀音像을 한 個 얻어가지고 日本으로 가려고 寧波서 배를 타고 이 섬을 지나치자 배가 이곳 에 꽉 붓고 떠나지 아니하야 或是 龍神이 배에 실은 物件을 願하야 그런가 보다 하고 船中의 物件이란 物件을 다 집어 바다로 더저도 그래도 배가 떠나 지 않으므로 그러면 必是 觀音이 이곳에 머므르고 싶은가 보다 하야 觀音을 陸地로 옴겨 모서 보자 배가 그대로 떠나고 말엇는데 그때 이 섬 潮音洞에 살든 張 某라는 者가 自己 집에 모서 놓고 「不肯去觀音」이라고 이름을 부치 어놓은 것이 始初라 한다。

大小寺刹 二百餘

그 後 宋代 神宗 元豊 三年에 改築되어 寶陀觀音寺라 改稱된 後 數次 火 災와 寇亂을 當하엿으나 그 동안 虛傳이 虛傳을 加하야 佛道信仰者로 하야 금 적어도 一生에 한번은 供香하여야 福을 받는 것으로 믿어지고 말아 現在 大寺 三、小寺 七十二、茅蓬이 一百三十餘 都合 大小 寺刹이 二百餘 個에 이르는 大繁昌을 이루게 된 것이라 한다。

大寺는 普濟寺、法雨寺、慧濟寺의 三 寺로 其 中 普濟寺가 크며 俗稱 前

---

02 "珠"는 "殊"의 오식 - 편자 주.

寺라 하며 法雨寺가 다음 가는데 後寺라고도 한다. 普濟寺는 寺 自體가 큰 關係가 잇겟지만 恒常 數百 名의 僧侶가 잇는 巨刹로 亦是 普陀山의 中心이 되어 이 절 附近은 小市街의 觀이 잇으리만큼 俗化되어 잇다. 이에 比하야 法雨寺는 그래도 그윽한 품이 절 맛이 난다.

×

큰 절은 큰 절로서의 偉力이 잇으나 數많은 적은 절들은 웬만하여서는 大寺에 눌리어 客을 끄는 수가 없어 할 수 없이 考慮에 考慮를 거듭하야 案出한 것이 特異性의 添加이엇다. 日 磐陀庵의 放生池。日 紫竹林의 潮音洞。日 西方庵의 觀音跳。日 煙霞館의 仙人井 等 …… 求景 온 사람이 이러한 名稱에 끌리어 온 바에야 하고 한 번 들러보게만 만들어놓으면 그만이다. 例를 들건대 紫竹林의 潮音은 海岸 岩礁의 洞穴 속으로 湖水가 치밀어 들어오는 光景이며 西方庵의 觀音跳라는 것은 海岩石石에 발자죽을 피놓고 觀音菩薩님의 발자죽의 靈跡이라 하야 그 앞에 香爐가 놓엿을 뿐이다. 勿論 奇異하다고 생각하는 사람에게는 奇異도 하고 風景도 좋은 곳이니 興趣도 자어내일 것이다. 甚至於 梵音洞 같은 곳은 이 亦是 潮水가 洞窟 속으로 처들어오는 壯觀이 主宰임에 不拘하고 그 우에다 小庵을 지어놓아 求景도 못하게 만들엇다. 이와 같이 過猶不及之嘆을 禁치 못하게 하는 곳도 잇을이만큼 各 大小 寺刹의 生存競爭은 尖銳化 되어잇다.

될 수 잇는 限度까지 信徒 乃至 客의 주머니 떨기 爲하야 供香、納錢、獻物 以外에 왓다간 紀念格밖에 안 되는 寺印 한번 찍어주고 또 돈을 받는다. 其他「募化築道」이니「募化金裝」이니 써 놓고 절 門 들어오는 길을 築道하여달라는 것 佛像을 나무로 깎어만 놓고 鍍金하여달라는 것 等等으로 善男

善女의 名譽心을 誘惑한다. 돈을 많이 디려 齊 올리도록 하는 同時에 金品을 多數히 獻納시키는 것은 勿論이며 大小 寺刹의 乞僧은 乞僧을 낳게 한다. 島內 어느 道邊 어느 寺刹 門前 치고 乞僧 없는 곳이 없다. 普濟寺 門前에는 數百의 乞僧의 鬧雜을 본다. 한 名에 銅錢 한 푼식을 준다 하여도 적지 않은 額數에 達할 것이다. 이에도 不拘하고 銀錢을 주는 善女도 잇고 또 最高 記錄으로 一 元짜리 紙票도 뿌린 善男이 잇다고 한다. 時節만 되면 數百 數千의 善男善女가 모여드는 곳이라 길바닥에 우득히 서고만 잇으면 銅錢도 들어오고 銀錢도 들어오는 以上 구타여 힘든 일버리 할 것 없이 그저 圓頂緇衣를 唯一한 資本으로 삼고 입으로 南無阿彌觀世音菩薩만 부르면 그만인 極樂世界를 이루울 수가 잇어 結局 乞僧은 乞僧을 낳어 적어도 普陀山 數千 僧侶 中 僅僅 住持 其他 極少數를 除한 外의 多大數의 僧侶는 乞僧化하고 만 것이라고 본다. 物慾에 눈이 어두운 僧侶들이라 普陀山 數百 寺刹을 代表할 普濟寺 大法堂의 天井에 거미줄 쓴 것이 보일 理가 없다. 절이란 절은 부처님을 모시기 爲하야 지엇다는 것보다 客을 모시기 爲하야 지어놓앗다고 하리만큼 旅館化 하엿으며 旅館式 建築에까지 가까웁다. 大刹에는 各其 自家用 發電機로 電燈의 架設을 본다.

僧侶의 一 小島

普陀山은 一面 避暑地로 또 海水浴場으로 이름이 잇다. 그러나 避暑地라고 하기에는 너무 더웁다. 華氏 八十 度의 暑氣에 또 濕氣가 많아 무턱무턱한 便으로 이따금식 불어오는 海風쯤으로는 避暑라고 하기 어렵다. 또 海水浴場으로서는 千步沙와 金沙의 두 모래밧이 잇어 저윽히 얼는 보기에는 海水浴場 같아 보이나 潮水가 너무 세여서 危險性이 많다. 또 避暑客이나 海

水浴客 等의 近代式 손님을 치루기에는 各 寺의 旅館 設備는 너무도 舊式이다. 아직까지는 아모래도 普陀山의 存在價値는 觀音菩薩의 靈驗 以上을 넘지 못한다고 본다. 勿論 風景으로서의 名勝地라고도 할 수 잇다. 그러나 오직 風景으로만 論之한다면 아모 것도 아니라고 하여도 過言이 아닐 것이다.

普陀山은 一個 小 山島다. 山島라고 하여야 奇巖絶壁의 純全한 石山도 아니며 또 樹林 鬱蒼한 幽雅味도 맛볼 수 없다. 그저 無味淡淡한 一個 小山이다. 그러타고 多少 平坦한 곳이 잇어 田畓을 볼 수 잇나 하면 그러치도 못하다. 오직 아모 奇構 없는 보잘것없는 小山이다. 그러나 섬이니 만큼 岸邊에 부드치는 波濤聲、岩石에 부서지는 波濤霧가 壯觀이 아니라고는 할 수 없으며 이 山中의 最高峰인 佛頂山 마루에 올라서서 茫洋한 大海에 點點한 島嶼와 그 사이를 出沒하는 漁船을 眺望하는 風致가 좋지 안타고 할 수는 없다. 그러나 이만한 景致는 普陀山만에서 볼 수 잇는 것이 아니며 또 같은 景致 中에서 普陀山이 더욱 좋다고도 하기 어려운 以上 아모래도 普陀山은 觀音靈場으로서의 普陀山이 唯一한 普陀山의 存在價値다.

×

따라서 普陀山이 今日의 隆盛을 보게 된 것도 그 歷史가 近 千 年의 長久함에도 不拘하고 淸朝로부터 始作된 것이 亦是 佛道的 背景으로서만이 發達의 重要 素因이 되엇섯음을 알 수 잇다. 또 淸朝 末期에 이르러 大發展을 본 後 民國 以後 國民政府가 어떠한 程度까지의 壓迫을 加하려 한 것도 事實이나 이미 確乎한 基礎가 선 것에는 草創期의 國民政府로서는 거이 손을 대일 實力이 없엇다. 이에 普陀山이 今日까지 그대로 아니 더욱 더욱 發展되어 온 것이다. 그리고 一面으로 海賊의 亂을 別로히 크게 받지 아니한 것은 觀

音菩薩의 靈異한 神秘力의 傳說로서 愚昧한 海賊으로 하야금 敢不生心케 한 것이라 한다. 이리하야 普陀山은 確乎不拔한 實力을 掌握하게 된 것이다.

따라서 現在의 普陀山은 僧侶의 天地다. 島內의 政治、經濟、治安、敎育 모도가 大刹의 專制 下에 잇다. 大刹이라 함은 普濟寺와 法雨寺의 兩 刹로 中部 以南은 普濟寺 以北은 法雨寺의 소속이다. 島內뿐만이 아니라 上海、寧波、杭州 寺[03] 大都市에는 直屬寺 乃至 聯絡되는 寺刹이 잇어 그 勢力이 擴大되고 잇다.

監獄 넌센스

佛道가 看板이라 어떠튼 外面으로는 佛道的 形式을 가추어야 하겟으므로 肉食은 禁止되고 제 時間에는 誦經하여야 한다. 그러나 客은 끌어야 되는 以上 此限에 不在하는 엑셉슌[04]이 없을 수가 없다. 肉食이 아닌 것인 以上 중이라고 술 못 먹을 理由가 없으며 貪財가 아닌 以上 중이라고 娛樂的으로 打麻雀[05] 못하라는 法이 잇을 理가 없다. 況 客에 잇어서이랴. 이만한 光景은 朝鮮서도 볼 수 없는 것은 아니지만 豫期 以上의 俗化인 것이 틀림없엇을 뿐이다. 數百 寺刹 中에 唯獨 西方船이라는 道敎 廟宇가 한 個 잇다. 이 것도 생각다 생각다 못하여 洋灰로 배 모양으로 집을 지어놓아 지나가는 사

---

03 "寺"는 "等"의 오식 - 편자 주.

04 "엑셉슌": Exception - 편자 주.

05 "打麻雀": 마작놀이 - 편자 주.

람으로 하여금 꼭 디려다보지 아니할 수 없게 만[06]든 것으로서 이 佛敎의 聖地에 이것이 存在하는 理由는 道敎 亦是 佛敎와 同根異枝라는 苟且한 看板이다. 이것도 佛道 그 自體로서는 外道이나 道敎 亦是 相當한 勢力을 가지고 잇어 左右치기 信者가 相當히 많은 綠故를 看破한 狡策일 것이다.

×

海岸 岩石이나 山道 岩壁 等 到處에 刻字가 數多한 것은 東西가 一般이다. 또 여에 多少 外貌의 奇異와 場所의 偶然 等으로부터 許多 傳說을 蛇足시키어 原始 宗敎學者나 社會學의 헛수고를 끼치는 것도 一般이다. 盤陀石、雲扶石 等이 一例다.

또 特別한 修道僧이 잇어 房 밖으로 문을 잠그고 房 속에 獨居하야 外界와의 接觸을 끊고 그 속에서 佛經 三昧 속에서 몇 해를 지내는 者도 잇다. 勿論 食器를 出入할 만큼 門 구녁을 뚤너놓앗스며 또 그 구녁으로 面會도 하고 接客도 한다. 始作한지 三 年 된 者도 잇고 五 年 된 者도 잇어 아직도 數 三 年式은 더 잇겟다고 한다. 먹는 것은 그 절에서 주기도 하고 또 自費라고도 하나 結局 왓든 손님의 善心裡에 延命하는 것이 事實이다. 道通한 後에는 무슨 佛이 되는지는 알 바가 아니나 自己 自身으로서는 多少 所得이 잇기에 이 즛을 하고 잇을 것이라고 생각된다. 하다못해 道僧의 稱呼만 이라도 ―. 中國사람이 佛敎 믿는 것은 朝鮮사람이 믿는 것、즉 死後의 幸福을 求함보다 現在 사라잇는 동안의 富貴功名을 爲하는 것이다. 돈 잘 벌게、벼슬 잘 하게、아들 많히 낳게 等等의 五福 亦是 부처님께 비는 것이다. 死後 極樂보다 爲先 現世의 極樂을 맛보겟다는 所願이 가장 濃厚하다. 亦是 佛敎

---

06 "말"은 "만"의 오식 - 편자 주.

도 中國化한 것이니。現在의 中國 佛教가 가장 鞏固한 地盤을 가지고 잇는 所以가 여기 잇는 것이다。失業 時代 中에 넌센쓰가 아닌 以上 또 監獄에 들어갈 일이 하고[07]나 많은 이 世上에 自己 房에 쇠 잠그고 스스로 가치어잇어 그것으로 먹고 사라가는 수는 여기가 아니고는 못 볼 求景이다。

異國 飲食의 가지가지

이곳 오는 사람들이 大槪 돈 잇는 사람들이며 또 돈 쓰려 오는 사람들이라 절에서 대접하는 飲食도 훌륭하다。勿論 素食이나 蓮實、龍眼肉、荔枝 等 먹기에 未安한 것이 적지 아니하며 間食을 많이 하는 習慣이 理由도 되겟으나 朝飯 前에 한 가지 겻두리 밤참 等 하로 六 食의 待遇이다。饌은 素菜이나 可能한 限度까지 肉饌의 慾望을 滿足시키기 爲하야 外樣으로나마도 肉饌같이 보이게 한다。밖으로 도야지고기같이 두부로 닭고기같이 만들어 놓는다。그러나 이만큼 巧妙히 發達된 原因만은 亦是 아쉬운 肉에 對한 慾望에서부터 나온 것이 事實일 것이다。이 素菜料理의 發達은 料理 方法의 發達만이 아니라 材料에 잇어서도 亦是 發達되엇다。같은 豆腐라도 形形色色이며 또 朝鮮서 먹지 안는 蔬菜도 여기서는 먹여주는 것이 많다。一例를 들면 朝鮮서는 꽃이나 닙으로 손톱에 물드리는 所用밖에 없는 鳳仙花 나무가 예서는 그 줄기를 먹을 수 잇다。따라서 배추밧이 存在하는 동시에 鳳仙花밧도 存在하는 것이다。

---

07 "고"는 "도"의 오식 - 편자 주.

×

結局 普陀山은 所謂 佛地다。 그래도 上海、寧波、杭州、紹興 等의 大都市가 가까우며 아울러 人口가 稠密한 江蘇、浙江의 兩 省에 富裕한 信家가 많은 關係로 아직도 生命이 길 것임은 事實이나 避暑地로나 海水浴場으로는 期待할 바이 못된다.

萬一에 오직 佛地로서만의 普陀山이라 하면 中國으로 하여금 오직 無益有害한 存在이다。 中國革命이 完成 統一되는 날이면 普陀山의 存在는 抹消될 것이다.

×

中途 發病으로 寧波에서 一泊한 後 上海로 直回하야 豫定 旅程이든 紹興 莫于[08]山 等을 못보고 온 것은 遺憾이며 寧波 所見은 다음 機會에 改稿하기로 한다.

—『東光』, 第30號, 1932년 1월

---

08   "于"는 "干"의 오식 - 편자 주.

間島 風景

姜敬愛

어실어실한 이른 새벽에 會寧을 떠나 上三峯을 향하여 닷는 경편렬차는 豆滿江을 외인편에 끼고 돈다 붉은 물이 핑핑 돌며 꾸불꾸불 구비처 흐르는 豆滿江! 호탕한 長江을 련상하고 드럿 것만은 지금에 보니 長江엔 어김업슬 망정 놀날 만큼 좁다랏타. 이 江을 새이로 완연히 눈 압헤 보이는 저편! 이편과는 山色좃차 확연히 다른 中國의 따! 듯든 바의 間島다.

내가 間島에 드러오기는 생각하니 지난해 느진 봄날이엿다. 흰옷 입고 밧 가는 농부가 저편에 보일 때 이편 강변에서 읍막 짓고 미간지를 이루워 먹는 농부와 다름업슬 것이나 별로히 애닯고도 반가운 듯한 정서가 내 가슴속을 글거준다. 더구나 빨간 저고리에 남치마 입은 계집애가 혼자 산비탈로 타박타박 거러가는 것이 보일 때 마음속이 선듯할 만콤 그 애의 신변이 위태함을 늣겨지는 동시에 그 애가 퍽도 용감해 보이며 아즉까지 머리ㅅ속에 깁히 색여두엇든 권총 들고 國境을 엿보는 청년의 자태는 점점 희미하게 머러가는 듯하다.

강변에 휘느러저 바람에 흔들리는 버들가지를 바라보며 숨차게 닷는 긔차는 上三峯을 썩 지나 豆滿江의 국제철교를 우릉우릉 건너서 圖們江岸站에 이르럿다. 눈에 얼핏 띄운 것은 국경을 수비하는 中國 헌병과 순경의 색

다른 복색이다. 단총을 엽헤 찬 것과 오른편 억개에서 외인편 아래까지 내려 맨 가죽 끈 꼭 신문에서 보든 蔣介石 張學良 等 中國 군벌의 사진 그대로이다. 그러나 그 차림에 맛지 안는 서투른 동작이 어김업시 우리 고향에 잇는 포목상 하는 德生東 료리업 하는 春香園 배채 재배하는 王 書房과 틀님업슴에 나는 속으로 우슴이 캉 치밀어 올너옴을 겨우 참엇다. 그러나 그들을 경멸히 보다는 큰 봉변이다.

승객이 天圖車로 옴겨 타기 전에 그들은 수하물을 일일이 조사한다. 역시 내에게도 딸려와서는 유달리 벌컥 뒤집어본다. 만일 資本論 가튼 것을 가지고 잇다가는 큰일이다. 이 사정을 도중에서 미리부터 드럿든 나는 집에서 가지고오든 웬만한 서적을 會寧서 도루 집으로 부쳐버린 것을 이 자리에서는 다시 업는 요행으로 생각하엿다. 軍警은 다음 청년에게로 가서 힐란을 부리고 잇다.

나는 겻헤 안진 사람에게 『언제나 이갓치 경계가 심하냐?』 물은즉 『五卅暴動 後 中國人과 朝鮮人을 막론하고 더욱 청년에 대하여는 저 모양으로 엄밀히 조사한다』고 하엿다.

오전 열시 삼십분에 긔차는 圖們江岸站을 출발하엿다. 차안에는 여전히 순경 두 명이 경계한다. 차장은 약종행상모자 가튼 것을 쓰고 차표 검사를 하며 지나친다. 그럴 때마다 그의 압뒤로 순경이 호위하여준다.

객차는 몹시도 허러서 그런지 흔들림에 따라 히룩해룩 하는 것이 방금 쓰러질 듯이 생각키워진다. 차창에 전개되는 兩面의 경치? 나무 한 폭이 볼 수 업는 붉은 開墾地가 막연히 보일 뿐이엿다. 따라서 휭 맴도리를 치고 도라가는 밧이 강 저편으로 이따큼 동포의 농촌! 그 가운데에 中國人 地主의 두틈한 집이 석겨 뵈인다.

방금 내 몸을 싯고 닷는 이 天圖鐵路는 공사비를 헐게 한 탓인지 개간공

사는 제략되고 선로는 경사지를 빙빙 돌아 올으고 나림으로 불과 六十 里 되는 龍井市까지 세 시간만에야 겨우 도착되엿다. 광막한 큰 들을 닷는 호마차의 속도보다 조금도 빨은 것이 업고 나지막한 산비탈을 안고 도는 것까지도 꼭 호마차와 흡사하다.

一千九百三十一年! 버들가지는 신록을 방사하며 志士의 핏점을 석거 흐르고 흐르는 豆滿江변에서 나붓기든 봄날 그때! 三民主義를 부르짓고 新興中國을 謳歌하며 西伯利亞 차듸찬 바람을 막으려 놉다른 행벽을 쌋기에 열중하엿든 그때도 벌서 넷날이다. 보라!! 지금 極東의 정세는 엇더케 변하엿느냐? 의문의 「마 ― 크」를 머리ㅅ속에 그려놋코 송구영신인 이때에 다닥첫다.

고요히 잠드러가는 龍井 市街! 찌르릉 울리는 滿洲의 독특한 호마차의 종소리가 말구비와 차박휘 소리의 석겨 간혹 들릴 뿐이다. 개털모자에 총을 메고 골목골목에서 파수 보는 中國 순경 典當鋪에 권총강도 든 것도 모르고 얼빠지게 서잇다.

적막한 공긔를 깨트리고 自働車『오트바이』 소리가 요란히 들린다. 領事館 武裝警官隊의 ××! 그들은 매일 밤 이럿케 청년남녀를 ×××하여 ××하기에 ××하엿다.

中國 保衛團의 무법한 압박과 착취에 신음하는 농민! 그들을 본숭만숭 동포애좃차 싸느리 식어버린 자와 고리대금업자는 코허리에 안경을 걸고 주판만 드려다본다. 호모래에 눈보라 석겨 불니우는 선풍에 휩싸여 각층 게급은 극단과 극단에서 血戰亂鬪를 하고 잇다. 爆彈의 熔裂 拳銃의 亂射 등은 항다반의 일이다.

이것은 間島의 風景을 단편덕으로 그려본 데 지나지 못하나 이럿타고 나는 間島에 다대한 촉망을 가젓스며 장래를 긔대하는 사람은 아니다. 다시금 그리울 것은 산명수려한 三千里江山 따라서 그 속에서 꾸준히 싸워주는 동지가 퍽도 그리우며 그들의 운동에 만흔 긔대와 촉망을 갓고 잇다.

　더욱 朝鮮 女性 同志에게 바라는 것은 항상 마음을 튼튼히 하고 百尺竿頭에 다시 한 보를 내집허주기를 …… 긔대와 희망이 넘치는 一千九百三十二年을 마즈며 뛰는 가슴을 누르고 그만 붓을 놋는다.

― (새해를 마즈면서) ―

―『新女性』, 第6卷 第1號, 1932년 1월호

滿洲國遊記

安東縣에서 林元根

第一信

一〇、六、밤

北行 액쓰푸레쓰[01]는 콘떡터 — [02]의 스타트、씨그날[03]을 때라 커다런 音響의 波汶을 京城驛 하늘에 그리우고 밤길의 코쓰를 달니기 始作하얏다.

풀랫홈의 雜踏하던 人波도 離別을 슬허하는 젊은이들의 戀戀한 속살거림도 언으듯 瞬間의 파노라마씨 — ㄴ[04]으로 化해 바리고 마럿다. 밤길의 暗黑을 뚤코 달니는 汽車는 오즉 그의 스피드를 더할 뿐이엇다 그리고는 間間히 미련스럽은 소래를 질너 沿線의 沈黙을 깨트리엇다 그리고 또 旅客의 困한 잠을 뒤흔들어 깨엇다.

밤! 어두운 밤이다 나의 몸을 실은 764號 바고늬는 定員을 훨신 超過하리만치 大滿員이엇다 그런 까닭에 나는 끗々내 편안한 자리를 찾지 못하고 한

---

01 "액스푸레쓰": 영어 ex·press - 편자 주.

02 "콘떡터 — ": 영어 contactor - 편자 주.

03 "스타트, 씨그날": 영어 start signal - 편자 주.

04 "파노라마 씨 — ㄴ": 영어 panorama scene - 편자 주.

쪽 椅子가에 거터 안저 그대로 말뚝잠을 자지 안으면 안 될 形便이엇다.

자최 업시 깁허가는 츠렌⁰⁵의 밤은 임이 새로운 날의 새벽 세시를 마지하엿다 周圍의 사람들은 모다 잠에 醉하엿다 혹은 안즌 채로 혹은 누은 채로 가지々々의 야릇한 形象으로 꿈나라를 헤매이엇다 그러나 나의 두눈은 맛치 밤하늘의 『좀생이』와도 가치 깜을々々 반짝이는 夜光을 發하고 잇섯다 나의 神經은 異常한 興奮과 感激으로 그 한밤을 밝히려는 것이엇다.

그들 — 일흔 사람들을 護送하고 도라오는 四、五 人의 警官 떼는 나와 二、三 間을 隔한 저쪽 越便에 자리를 定하고 조을고 잇섯다 한 사람의 巡査部長과 그 남아지 몃 사람의 손에는 녹쓰른 쇠手錠이 들녀잇섯다 엇떤 어머니의 貴엽은 아들로서 엇떤 大罪를 犯한 사람이엇는지.

내 눈압헤 버러진 이 一 幅의 장면은 사라진 나의 녯 記憶을 今時로 소래처 불너내엇다 내가 지금 몸을 실어 달녀가는 이 길은 틀님업는 그 녯날의 『가싀』길이다 저편에 안즌 저들은 分明히 그해 그날에도 이 몸을 저가치 護送하던 그들이다.

雲煙過看! 光陰은 빠르다 그는 임이 八 年 前의 먼 녯일이엇다 轉々無爲하는 人生의 살림은 나 自身의 살아온 道程은 비록 그동안만 하여도 헤아릴 수 업는 만흔 눈물과 우슴을 지어내엇다 그려나 그는 반드시 우리의 共同生活體를 爲하야 나 自身을 爲하야 아모런 푸로그레스⁰⁶의 足跡을 남겨준 것은 아니엇다.

汽車는 다라낫다 通學生의 한 部隊 손은 조용하던 室內의 아츰 공기를 별안간 어지럽게 만들엇다.

---

05 "츠렌": 영어 train - 편자 주.

06 "푸로그레스": 영어 Progress - 편자 주.

나는 이곳 ― 平壤驛에서 지난 한 밤의 파스트[07]를 깨트리엇다 간단한 것이엇스나 一金 五拾 錢也의 和食『미소시루』[08]는 꽤 감칠맛이 잇섯다.

○ 懷中時計 한 박아치

그는 分明히 曲折이 잇는 女性이다 그는 確實히 거의 絶望에 갓가운 커다런 悲哀에 사로잡힌 人間이다 바로 나의 마즌便 椅子에 자리를 定하고 안즌 그는 京城驛을 떠날 때부터 그가 平壤驛에 이르러 下車하기까지 팔다리 한아를 꼼작달삭 아니하는 것은 물론 자리에 안즈면서부터 車窓에로 얼골을 파뭇은 그대로 맛치 化石人間 갓흔 姿勢를 取하고 잇섯다 나의 注意는 모다 그 一身에게로 끌니우고 마랏다 나는 발바당 밋흐로부터 머리끗까지 그의 外相을 檢索하엿다.

그는 二十 四五 歲의 靑年 女性이엇다. 허푸수한 그의 머리맵시 거츠른 손길 넙적기름한 발모양 갑싼 人造絹 치마적삼『검버섯』이 안질만한 볏에 끄으른 色 검은 그의 얼골 假作을 꾸미지 못하는 天眞한 그의 表現、이 모든 것들은 直覺的으로 그가 엇던 農村女性 中의 한사람인 것을 가라치엇다.

『대관절 저의 가는 길이 어느 곳인가? 무엇 때문에 저와 가치 失望과 悲哀에 잠겨 잇슬가?』나는 여러 가지로 自問自答을 하엿다. 彼女의 엽헤는 四十 假量의 허름한 洋服쟁이 紳士 두 사람이 서로 相對하야 자리를 차지하고 잇섯다. 그러나 그들은 彼女와는 아모런 因緣이 업는 것 가치 終是 그 女

---

07 "파스트": 영어 fast - 편자 주.

08 "미소시루": 일본어 みそしる[味噌汁](일본식 된장국) - 편자 주.

子와의 一言半句의 수작이 업섯다.

그들은 아모런 秩序도 업고 條理도 닷지 안는 되지 안는 수작으로 손님들의 困한 잠을 바ㅡㄹ서부터 妨害하고 잇섯다. 그 두 사람은 서로서로 懷中時計를 끄집어 내여가지고 것내이[09] 잘 맛느니 네 것이 못 맛느니 하면서 時計 자랑으로부터 그 時計의 由來를 말하고 殷盛하던 그 녯날의 自己네의 商業을 자랑하엿다.

한때는 料理와 ×肉 갑에 손님들에게로부터 빼아슨 몸時計가 한 박아치나 되엿다는 것이엇다. 그리고는 이번 행부의 好運을 질겨하고 마츰내 내 압헤서 自己네의 正體를 暴露하엿다.

나는 그 두 사람이 모다 平壤에 商店을 가지고 잇는 人肉장사인 것을 알앗다. 그들은 間間히 엽헤 안즌 彼女를 손가락질하면서 쥐도 못 알아들을 만한 적은 목소래로 무엇인지 속살거렷다. 밤은 집[10]허갓다 그 中의 한 녀석은 體面도 모르고 제 욕심만 채우는 格으로 그 女子의 뒤등에다 비지먹은 도야지 갓흔 몸덩이를 비스틈이 긔대이고 코를 골기 시작하엿다 눈물과 한숨의 뭉치인 듯한 彼女는 『자 이놈들아 마음대로 잡아먹어라!』 하는 듯이 그대로 千金 갓흔 貴重한 몸을 그대로 내여 맛기고 자리를 피하려고도 아니하엿다.

香氣롭은 한 송이 百合은 殘忍한 서리발에 식들고 마랏다 可憐한 彼女는 늙은 어머니의 주린 腸子를 채우기 爲하야 어린동생을 成娶키 爲하야 三間 草屋의 문허진 토담을 새로 세우기 爲하야 人市肉場[11]에로 그의 발길을 옴겨 드듸는 것이엇다.

---

09 "것내이"는 "내것이"의 오식 - 편자 주.

10 "집"은 "깁"의 오식 - 편자 주.

11 "人市肉場"은 "人肉市場"의 오식 - 편자 주.

○ 사탕 한 斤과 눈물 한 되(升)

朝鮮과 滿洲를 얼거매인 鴨綠江쇠다리! 東洋의 第一을 자랑하든 三線連絡의 大鐵橋 이곳 젊은이의 심장을 간즈리는 아름다운 彼女의 메로듸[12]도 거츠른 滿洲벌판의 달큼한 러부씨 — ㄴ[13]도 이 나라 이 땅의 이 쇠다리를 에워싸고 짜아내는 것이다.

다리 저쪽은 朝鮮의 新義州 다리 이쪽은 滿洲國 安東縣 건너다보면 마조 보이는 갓가운 距離에 모혀잇는 地方이지마는 거긔에는 人情이 다르고 風俗이 다르고 政治가 다르고 思想이 다르고 法律이 다르고 制度가 다르다 威嚴이 어데 끗까지 치뻐친 守備兵의 步哨 武裝警官의 配置 稅關吏의 監視 等等 나는 새도 잡아 내릴 만한 鐵筒 갓흔 警戒網의 敷設 狀態가 임이 騷亂한 滿洲國과 國境 風景을 말하고 잇다 오는 사람은 이便에서 가는 사람은 저便에서 다 各各 稅關吏의 손을 거치게 된다 朝鮮 側으로부터 건너오는 데는 그다지 甚하지 안으나 安東縣으로부터 朝鮮에로 드러가는 데는 稅關의 監視란 實로 文字가치 지독하나 人力車 自轉車 步行人 그 에느것이나 모다 稅關 압헤서 스토푸[14]를 當하고 ——히 檢査를 맛는다 人力車는 밋창을 모다 뒤집어보고 步行人은 몸덩이를 만처보인다. 그러나 그것은 힌 옷 닙은 사람이나 소매 긴 옷 입은 사람들만이 獨點한 特典인 것가치 보힌다.

나는 이곳에 도착한 爾來로 身勢겨운 人力車 生活만을 繼續하고 잇다 그는 人力車와 馬車만이 主로 이곳 交通機關을 이루고 잇는 까닭이다 또 한 가

---

12 "메로듸": 영어 melody - 편자 주.

13 "러부씨-ㄴ": 영어 level scene - 편자 주.

14 "스토푸": 영어 stop - 편자 주.

지 理由는 서울이나 다른 地方에 比하야 人力車賃이 거짓말가치 헐한 까닭이다 安東 新義州 간에 一金 拾 錢이라면 넉々히 짐작할 수 잇는 것이다.

一八〇〇年式 人力車 우에 나의 貴重한 몸을 실엇다 쇠다리 어구를 向하야 滿洲國 人車夫의 獨特한 快步는 全스피드를 내엿다.

『여보 나 이것 좀 갓다주시구려、여。』

鐵橋까지의 若干 距離를 가지고 잇는 途中에서 힌 옷 닙은 사람 네의 절문 따님이 것발을 버슨 채로 조그마한 마분지봉지를 손에 들고 그가치 나에게 懇請하는 것이엇다 그것은 오즉 한 斤의 『눈깔사탕』이다 한 斤까지는 自家用으로 携帶할 수 잇는 것이나 그 少女는 稅關吏로부터 그만한 人格的 信用을 밧지 못하는 까닭이다 아니라 新義州에 居住하는 細民層의 朝鮮人 多數가 그 갓흔 手段으로 生計를 圖謀하여가는 것을 저들이 잘 알고 잇는 까닭이다.

砂糖 한 斤을 安東縣으로부터 新義州에 갓다 팔면 二 錢의 收益이 잇다는 것이다 그리고 보니 假令 한집안의 세 식구가 하로 十 回式만 安東 新義州 間를 갓흔 手段으로 往復한다면 一日 六十 錢의 줍싼[15]갑이 버려질 것이다.

그러나 거긔에는 實로 腸子를 끗은 悲哀가 석겨 잇다. 피눈물이 흐를 만한 에피소드가 가득히 긔록되여잇다. 砂糖 실은 人力車를 따라오느라고 可憐한 少女 마라손너[16]는 적은 가삼을 발닥이면서 十月의 朔風을 마시고 鐵橋 우로 다름질하엿다 달녀오다가는 잇다금식 웃득 서서 두 손으로 가삼을 움켜잡고 압서 달니는 人力車의 뒤태도를 바라보는 것이엇다 그리고는 不絶히 뒤를 도라보는 나의 얼골이 마조칠 때마다 스윽히 붓그러운 듯이 압이

---

15 "싼"은 "쌀"의 오식 - 편자 주.

16 "마라손너": 마라토너 - 편자 주.

마를 숙이엇다 人力車는 임이 가싀고개를 넘엇다 稅關吏의 무서운 視線도 이제는 살아젓다 나는 人力車를 멈추고 그의 오기를 긔다리엇다.

가련한 少女여! 國境의 따님이여 外國品의 密輸入은 國家의 法律이 禁하는 不正한 行爲이다 그러나 그대가 가저오는 砂糖 한 斤은 法律이 許諾하는 携帶品이다 오즉 그것이 商品目的인 것에 理由가 잇는 것이다 이제 아츰과 낫에는 그대의 늙은 어머니와 절문 언니가 치마와 젓가슴 속에 너어 오다가 큰 逢變을 당하엿고 온다 그대는 不幸히 나를 만나 젓발 버슨 마라손 勇士가 되엿단 말가.

장구의 帆船은 大陸의 바람을 잔득 실고 鴨綠江 물결은 헤처 달녀간다 千年 묵은 長白山 處女林은 목 매달닌 송장이 되야 서로서로 몸덩이를 부터잡고 흐르는 물결을 따라 船夫의 노래에 반춤을 춘다.

다리 우에시[17] 江上을 스츠는 바람이 울고 江岸에 林立한 工場 煙突에선 떼목(筏)의 귀신이 운다.

니혼진 욜로시아……나.[18]

驛頭에 느러 안진 人力車의 長蛇陣 騷亂한 트로이가의 蹄音 봄날가치 長閑한 기분 허리 굽은 靑年의 거름거리 모다가 빼크와드콜노늬[19]의 특징이다.

滿洲國人 거리에는 아즉도 原始型의 가지가지가 그대로 保存되여잇다 나는 내 밋 드러 남보히기로 내 것은 아모 것도 업스면서 남의 숭 보는 것이 참아 붓그럽고 勇氣조차 업다 그러나 險口가 아니라 事實인 그대를 적는 것은 큰 罪惡은 아닐 것이다.

---

17 "시"는 "서"의 오식 - 편자 주.

18 "니혼진 욜로시아……나" - 일본어 "日本人よろしいなあ"("일본사람 좋아요.") - 편자 주.

19 "빼크와드콜노늬": 영어 backward colony - 편자 주.

十年前에 보던 中國사람들의 허리는 그대로 굽엇다 그리고 依然히 소매가 손등을 덥헛다 巡警과 兵隊의 服裝에서는 해여진 구멍에서 솜뭉치가 비죽비죽 내비친다 그리고 대관절 그 사람들은 最近에 와서 무엇을 밋고 그러케 優越感이 느러갓는지 나는 참말로 그들의 卑怯한 國民性을 아니 우슬 수 업다.

나는 엇던 毛物店 압헤서 발길을 멈추엇다 맛치 博物館 標本 갓흔 한『되사람』이 나오더니『여보 무엇 삿서웅』하면서 아조 거만한 태도로 말을 건닌다 나는 아조 不愉快한 顔色으로 아모런 대답을 아니하엿다 그는 별안간 欣然히 우스며『장쾌 이랏사이 고고 다구산 아루나!』[20] 하면서 나를 봇드러렷다 나는 이것저것 求景을 하엿다 그리는 동안에 店內에 잇는 滿洲國人들은 누가 뭇지도 안는 말을 自己들끼리 주고 밧고 하면서『나 아나다 니홍진 나 니홍진 다다듸 욜로시! 나 니홍진 이지반나』[21] 하고 온갖 阿陷從追을 다하엿다 나는『馬鹿! この お喋りものめ』[22] 하고 그 집을 나와버렷다.

安東縣 거리거리에는『慶祝打倒惡軍閥記念日』이라는 포스터가 이곳저

---

20 "장쾌 이랏사이 고고 다구산 아루나!": "장쾌"는 중국어 "掌櫃", 가게 주인, 지주 등 지체 높은 사람을 이르는 말, "나으리", "어르신" 등의 의미. "이랏사이 고고 다구산 아루나!"는 일본어 "いらっしゃい, ここたくさんあるな!", "어서 오세요. 여기 많이 있습니다." - 편자 주.

21 "나 아나다 니홍진 나 니홍진 다다듸 욜로시! 나 니홍진 이지반나": "다다듸"는 중국어 "大大嘀"로 "크다"의 뜻인데 일제강점지역에 존재했던 중국식 일본어에서는 "매우", "아주"의 의미로 사용되었다. "な, あなた, 日本人. な, 日本人 大大嘀 よろしい! な, 日本人 いちばんな!"는 "당신은 일본사람이죠, 맞죠? 일본사람 맞죠? 대단히 좋아합니다. 일본사람, 최고입니다!" - 편자 주.

22 "馬鹿! このお喋りものめ": "바보! 말이 많은 놈이군!" - 편자 주.

곳에 부터잇다 오늘 아츰에는 某 方面에 出動하는 듯한 日本軍과 滿洲國軍의 行車行列이 잇섯다 兩 軍의 콘트라스트[23]는 컴페아[24]의 對象이 못 될 만하엿다 나는 엇던 西洋雜誌에서 中國을 視察한 사람의 말로서 中國軍人을 가라처서 (They are nothing but miserable creatures all poor faded and ill clad) 이러케 記錄된 것을 보앗다 물론 잘 못 닙고 잘 못 먹는 것이 決코 그들의 罪惡도 아니며 非難거리도 아니다 그러나 大體로 그들의 밀늬하[25]리 듸씨풀닌[26]은 코럽트[27]한 것이다 正義에 빗나는 義俠心이나 軍律을 직히는 軍人精神 等은 아모리 살펴도 그들의 머리속에 담겨잇지 안는 것 갓다.

日本軍人 ― 滿洲 中國에서의 日本軍人은 (The strongest)

이곳 朝鮮人의 살님사리 모양? 쓸 것이 잇다면 다음 긔회로 한거번에 미룬다.

一九三二、十、十一

―『三千里』, 第4卷 第12號, 1932년 12월

---

23 "콘트라스트": 영어 contrast - 편자 주.

24 "컴페어": 영어 compare - 편자 주.

25 "하"는 "타"의 오식 - 편자 주.

26 "밀늬하리 듸씨풀닌": 영어 military discipline - 편자 주.

27 "코럽트": 영어 corrupt - 편자 주.

滿洲國紀行(其二)
滿洲國과 朝鮮人將來

奉天에서 林元根

一 不安한 車中의 하로밤

나는 여러번 생각한 남아지에 安東縣으로부터 奉天까지는 急行列車를 塔[01]乘하기로 내 스스로 決定하고 마랏다 그러나 安東縣 親舊들은 萬一의 念慮와 百퍼센트의 安全을 爲하야 晝行을 選擇하는 것이 맛당하다는 『原則論』을 主張하엿다 더군다나 그곳의 R 君은 自己의 貴여운 아들이 安東普通學校에 通學을 하고 잇는데 例年 갓흐면 勿論 奉天 修學旅行을 떼날 것이엇스나 今番에는 特히 學父兄들의 杞憂를 덜기 爲하야 學校當局에서도 京城으로 그 目的地를 變更하엿다고까지 安奉線의 危險한 狀態를 暗示하엿다 그러나 그리면서도 그는 「무얼 아모런 상관 업서 「先行車」가 잇슬 뿐더러 至今 또 大討伐이 開始되여잇는데 어림이나 잇나 絶對 安全해、安全」 하고 모든 것을 自由意思에 맛기려 하엿다 그래서 나는 얼마間 好奇心에 끌니우는 것 갓흐면서 밤 急行을 選擇한 것이엇다.

午後 五時 …… 分、검누른 黃昏의 帳幕은 맛치 義務 업는 죽엄의 使者와

---

01 "塔"은 "搭"의 오식 - 편자 주.

도 가치 아모런 자최도 업시 고요히 ~ 安東縣 大地를 뒤덥허갓다.

地平線 저쪽에로부터는 長白山 떼목을 몰고가는 船夫들의 구슬푼 노래가 바람에 석기여 외로운 客의 鼓膜을 흔들어노앗다.

夜光이 히미한 三等客車 室內에는 거의 空席이 업스리만치 日中鮮人의 乘客으로 가득하엿다 그러나 中國人의 乘客들은 입을 모아 約束이나 한 것가치 第一 끗헤 매달닌 客車室로 거의 모다 물녀들엇다 그것이 乘務員 指示를 쪼츰인지 또는 그 스스로의 意思로부터인지 그것은 나의 알 배가 아니다.

나는 되도록 安全을 圖謀하노라고 機關車와의 距離를 멀니하기 爲하야 第一 끗흐로 둘재 번 客車室에 몸을 依托하엿다.

黃昏은 머러젓다 車窓 밧그로도 죽엄 갓흔 暗黑밧게는 아모런 것도 視線을 通하는 것이 업섯다 客窓의 커틴은 一齊히 내리워젓다 室內의 點燈은 더욱 히미하여젓다 그것은 말할 것도 업시 琉璃窓을 通하야 外部에 빗치는 光線의 明朗을 막고저 함이다 우리가 間或 新聞紙上에서 볼 수 잇는 것 갓흔 뜻하지 못한 不意의 禍를 豫防하려는 計劃的 用意이다 車室마다 武裝 日本軍人이 五六 名式 안고 잇다 그리고 또 日本人의 武裝警官과 憲兵이 同乘하고 잇다.

汽車가 停車할 때마다 乘客이 오르고 나릴 때마다 그들은 자리를 옴기여 가며 警戒의 任務를 忠實이 履行하고 잇다.

騷亂한 구두 소래에 나의 困한 잠은 깨워지고 마랏다 汽車는 발길을 멈추엇다 나의 눈압헤는 五六 人의 日本軍人이 서리발 갓흔 銃劍을 夜光에 번득이면서 서성거리고 잇섯다 나의 神經은 무슨 커다런 災厄이나 나에게 닥처온 것가치 갑작이 銳敏하여젓다.

「이것이 별안간 엇전 일인가? 汽車는 왜 이러케 오래동안 停車하고 잇는가 무슨 脫線 故障이나? 생겻는가 例의 襲擊事件이나 이러낫는가?」 이와 가치 혼자 걱정을 하면서 惶急히 커틴[02]을 들고 窓外를 내다보앗다 그는 分明히 「橋頭」라는 스테—슌[03]이엇다 그리고 거긔에는 내가 豫期한 바 갓흔 아모런 事變도 업섯다 오즉 軍人들의 非常한 境界가 잇슬 뿐이엇다 그러나 그들의 監視의 的은 乘客 中에서도 特히 中國人인 모양이엇다 그들은 中國人 乘客들을 차레~ 모다 일으켜 세우고 一々히 身體 搜索하는 同時에 그의 行先地와 目的 等을 細密히 質問하엿다 그리고 또 그들이 携帶한 行李까지도 一々히 檢索하엿다.

나는 數日 前 安東까지의 京義線 車中에서 移動警察의 손에서 그 갓흔 일을 當하엿다 이제 目前에서 中國人의 被搜索 光景을 바라보는 나의 心思는 彼岸의 불을 바라보는 類의 것이 아니엇다.

一般的 不安의 하로밤은 安過하엿다 危險을 傳하는 安奉線의 夜間旅行도 安全한 그것이엇다 그러나 나는 멧 날 後에 또다시 갓흔 코쓰를 밟게 되던 때 비로소 安東線 鐵道沿線의 危險이 一時 殆甚하엿던 것을 알게 되엿다 道中 要處 重要한 驛에는 驛을 中心한 數十 町 前後에다 廣幅의 鐵條網을 敷設하엿스며 스테—슌 構內에는 그 位置 如何를 따라 防彈設備의 麻袋築城끼[04]지 하야노코 一見 戰時狀態를 말하고 잇섯다 그리고 또 엇던 곳에는 驛도 아닌 외따론 地點에 日本 軍人의 步哨가 視覺을 노리고 佇立하여 잇섯다.

거측른 滿洲의 殺人的 風景은 서울 處女의 고요한 心臟을 꽤 무던히 흔들어놋는 모양이엇다.

---

02 "틴"은 "턴"의 오식 - 편자 주.

03 "스테—슌": 영어 station - 편자 주.

04 "끼"는 "까"의 오식 - 편자 주.

二. 『滿洲國』과 『滿洲國協和會』

나는 서울을 떠나기 前까지에 「協和會」에 對한 아모런 知識도 가지지 못하엿섯다 오즉 그 어느 때이엇던가 엇던 新聞紙上을 通하야 僅僅 그의 存在를 알고 잇슬 뿐이엇다 그리고 그 녯날 서울에서 社會運動을 하고 잇던 李憲君이 亦是 그곳에서 일을 보고 잇다는 것을 風聞하엿슬 뿐이엇다.

그러나 나는 安東縣을 거치게 되자 비로소 그의 全面像을 窺知하게 되엇스며 그가 滿洲에서의 오즉 한 個 有力한 單一 政黨 性質을 가지고 잇는 것을 알게 되엿다 그 까닭은 安東縣 地方에 임이 그의 「安東縣鮮人分會」라는 것이 생겨잇고 또한 그곳에 若干의 從前의 知友들이 關係를 맷고잇서 그들에게로부터 그에 대한 宣傳 비슷한 多量의 知識을 吸收하엿기 때문이다.

그러치만 一部의 世上사람들은 或是 이러케 말하는지도 모룬다 「그까짓 協和會 이약이를 무얼 그러케 늘어놀 必要가 잇느냐?」고 「그것은 처음부터 우리가 다 짐작할 수 잇는 것이 아니냐?」고 물론 나 亦是 이런 것을 어느 程度까지 全然 首肯치 못하는 바는 아니다 그러나 우리가 滿洲國에 관심을 가지고 在滿同胞의 安危를 念慮하고 또한 遠東의 將來를 注視하고 잇는 以上 이제 「滿洲國」 그 물건의 政治組織이라던지 그의 政策如何를 云謂하기보다는 차라리 그의 果心인 (나 自身으로는 그리 觀察한다) 이 滿洲和[05]協和會의 一切 打珍[06]이 더욱 必要할 것 갓치 생각된다.

그러면 協和會는 政黨인가? 우리는 먼저 그의 綱領을 들추어보자.

---

05 "和"는 "國"의 오식 - 편자 주.

06 "珍"은 "診"의 오식 - 편자 주.

綱領

本會는 政治 上 運動을 하지 안치만 그 運用의 目的 及 綱領은
左와 如함。

一、宗旨

王道의 實現을 目的으로 하고 軍閥專制의 餘毒을 排除함

一、經濟政策

農政을 振興하고 産業의 改革을 置重하야 國民共存의 保障을
期하고 共産主義의 破壞와 資本主義 獨占을 排斥함。

一、國民思想

禮敎를 尊重하야 天命에 亨樂하고 民族協和와 國際의 敦睦을
圖함

　그는 그의 創立時代에 잇서 어듸까지던지 그가 政黨인 것을 拒否하고 政
治運動은 하지 안는다는 것을 宣言하엿다 그러나 前記한바 그 運用의 目的
及 綱領이란 것은 그 어느 것이나 政治的 性質을 떠난 것이 업스며 經濟政策
이란 것은 本來부터 政治의 그것과는 分離할 수 업는 것이다.
　다음으로 우리는 또다시 그의 組織體를 엿보기로 하자.
　「滿洲國協和會」章程이란 것은 第一章 名稱으로부터 第十一章 會計에
이르기까지 全部 十一 章에 난호여 各各 그 職能과 組織의 分布가 列擧되
어 잇스나 무엇보다도 그의 中樞機關으로 腦髓를 占領하고 잇는 者는 理事
會라 할 것이니 橋本虎之助、駒井德三、板垣征四郎 等 日本人의 名譽理事
를 비롯하야 大多數의 中國人과 밋 朝鮮人으로 오즉 한사람 尹相弼 等 全員
四十二 名의 理事를 任命하엿다 그리고 그 職能에 잇서는

第十五條 理事會는 理事長 理事 及 中央事務局 委員으로써
組織함.

第十六條 理事會의 權限은 本則으로 정한 外의 것은 左와 如
함.

1、本 會의 網領 及 章程의 變更에 關한 事項

2、本 會에 關한 重要 事項

3、本 會의 豫決算에 關한 事項

그리고 그의 執行機關으로「中央事務局」이라는 것이 잇스니 거긔에는 事
務局長으로 謝介石 그의 次長으로 中野琥逸을 推載[07]하엿스며 그 아래「總
務處、組織處、宣傳處、審査處」等의 四 部門을 設置하고 各其 處長에는 中
國人 그 次席에는 日本人을 置하엿다.

會員의 種別은 普通會員 正會員 贊助會員 等의 三 種別이 잇스니 그 中
正會員 된 者는 가장 그 入會手續이 峻嚴한 것으로서 普通會員으로 一 年
以上 會의 訓練을 밧은 者로 所屬 分會의 推薦에 依하야 理事長의 承認을
得하고 血盟宣誓를 行한 者라야만 可能한 것이다.

一百二十萬 圓의 經費와 宏壯한 本部 建物、그 本部는 奉天商埠地에
잇서 前日 張作霖이 使用하던 宏壯한 石造의 大殿이며 一 年 總 經費는
一百二十萬 圓으로서 每 個月 十萬 圓式 滿洲國 政府로부터 調達된다는 것
이다 現在에 使用되여 잇는 役員은 約 二百 名 假量으로 위선 宣傳과 組織
만으로 重要한 事業이 되어잇다 한다 그러면 大體로 그의 協和運動의 根本
精神이란 것은 무엇인가 그들은 이 點에 對하야 第一 ― 第七의 理由를 列擧

---

07 "載"는 "戴"의 오식 - 편자 주.

하엿다 그러나 우리는 오즉 그의 第一 理由를 略述하는 것만으로 滿足을 늦기자。

그들은 滿洲國 建國宣言 中의 「滿洲國 人民은 種族 宗敎를 不問하고 凡 國家의 平等한 保護를 受함」이라는 文句를 引用하야 「右에 明示되여잇는 바와 가치 凡 滿洲國人인 者는 滿洲民族이나 蒙古民族이나 漢民族이나 日本民族이나、朝鮮民族이나 白晳民族이나 同等의 待遇와 保護을 亨受할 것은 勿論이오 當然히 得할 權利도 保障되여잇다 그러면 滿洲國 人民은 本來 現住 諸民의 合流體이다 따라서 民族協和가 天道樂土의 建設에 主要한 要素가 된다 이것이 協和運動을 必要로 하는 第一의 理由이다 云々。

그들은 「全國의 愛國者여 握手하라!」는 판쁘렛트[08]에서。

「第一에 民族의 協和다」
民族的 鬪爭이 片影이라도 國內에 잇는 限에는 滿洲國의 完成은 可望이 업다 各 種族은 從來의 因襲을 一切 除去하고 更始一新、民族的 偏見을 排除하고 皆是 新國家의 民으로서 融和하야 互相 新國家의 完成에 協力하여야 될 것이다 그럼으로 特히
漢系 國民은 排他主義를 根底에서 淸算하라
日系 國民은 戰勝 氣分을 莫持하라
鮮系 國民은 從來의 怨恨을 忘却하라
滿系 蒙系 國民은 覇權的 觀念을 除去하라、

---

08 "판쁘렛트": 영어 pamphlet - 편자 주.

云々의 슬로간을 내여걸엇다.

右記한 協和精神에 立脚하야 그에 加擔한 朝鮮人들은 在滿朝鮮人의 權利를 찾고 自由를 부르짓고 人間的 生活율 要求하고 잇다

끗흐로 그의 重要한 形式的 役員을 세워보기로 하자.

名譽總裁 執政 溥儀

名譽顧問 本庄 繁

會長 國務總理 鄭孝胥

三、在滿朝鮮人問題

이런 廣汎 且 重要性을 가진 問題는 決코 이러한 紀行文을 적어가는 道程에서 섯브르게 닷칠 것이 아니다 그러나 내 自身이 朝鮮人이고 또한 내가 임이 滿洲땅에 발길을 드려노흔 以上 自然 이 問題에 對하야 한 두 마듸 아니 言及할 수 업는 것도 엇저지 못할 事情이다

가 部落生活의 必要. 나는 奉天에 滯留하는 쩔은 동안에 이곳에 잇는 멧 사람 公人 私人을 만나 이로부터서의 在滿朝鮮人은 엇더케 살아갈 것이냐는 멧 마듸 質問을 하여보앗다.

그들의 對答은 모다 한결가치 판에 박은 듯이 「部落生活」「集團生活」의 必要를 指摘하엿다 第一로 滿洲에 잇는 朝鮮人에게는 急先務되는 것이 敎育이다 그들에게 對한 啓蒙運動이다 그러나 그보다도 먼저 火急한 것은 當場 그들의 목에 찔니우는 칼날과 가삼을 뚤고 나가는 총알울 막는 것이다. 늘 우리가 우리의 神經이 痲痺될 만치 新聞紙上에서 날마다 보고 듯는 바 奧地에 居住하는 그들의 이로 形容할 수 업는 受難 狀態란 實로 想像할 수 업

는 것이다 아모리 日本軍의 討伐隊가 잇고 警官隊의 保護가 잇다 할지라도 그것은 비교적 鐵道沿線과 近距離에 잇는 이약이오 원악 交通 不便한 奧地에서 이곳에 멧 사람 저곳에 멧 사람式 點居農耕에 從事하고 잇는 朝鮮人에게는 到底히 그다지 迅速하게 救援의 손길이 뻐칠 可望이 업는 것이다 그러기에 그들은 뜻하지 못한 하로 아참에 無慘하게 저들 正體 알 수 업는 中國人이 毒手에 犧牲을 當하고 마는 것이다.

이에 「部落生活」에 絶對 必要가 잇는 것이다 만일 그들이 혹은 二百、三百으로、家族部隊를 編成하야가지고 한 개 村落을 形式하고 잇다 하면 이른바 匪賊의 襲擊도 無理한 地主의 暴虐도 그다지 如反掌으로는 行使되지 못할 것이다 그러나 거긔까지에는 또 한 가지 커다런 難關을 逢着하게 되는 것이니 그는 곳 그만한 廣汎한 面積의 耕地를 要求하게 되는 것이오 또한 그 스스로의 防禦手段 有無인 것이다 아모리 그가치 한곳에 모혀 살녀 하는 萬一 그만한 넓은 耕地面積이 그러케 集中되여잇지 안코 또한 아모리 部落을 일우워잇다 할지라도 그저 從前가치 붉은 주먹만으로 살아간다 하면 하로 아참 匪賊의 襲擊을 밧는다 할지라도 그 아모 手段으로서나 칼과 총알을 막을 길이 眇然할 것이다 그러면 엇지할가? 이래도 못하고 저래도 못하는 그들 百萬 餘의 朝鮮 移住民은 오즉 天時?의 好來만을 손곱아 苦待할 뿐일가?

나 朝鮮 農民의 武裝問題。그러나 無涯한 滿洲벌판 農耕地는 얼마던지 到處에서 無難하게 發見할 수 잇다 더군다나 日本政府로서의 「滿洲國 獨立」 承認이 잇는 이상 文字가치 滿洲國의 獨立이 完全히 保障되고 거긔 따른 諸 制度와 諸 法律이 그의 建國宣言에 相違된 바 업시 實施되고 따라서 從前 갓흔 在滿朝鮮人의 商租權 問題 갓흔 것이 업서진다만 部落生活에 必要할 만한 耕地 갓흔 것이야 그다지 問題될 것이 업다 그러나 한 가지 問題되는 것은 朝鮮人 移住民에게 對하야서도 日本人의 그것과 가치 武器의 携

帶(滿洲에서)를 許諾하겟느냐는 것이다 이에 對하야 在滿 一部 朝鮮人들은 임이 關東廳 軍當局과 屢次 私見을 交換하엿다 한다 그 結果 軍 當局으로서 어느 程度까지 그의 必要를 늣기고 이편의 要求를 首肯하는 바도 잇스나 「朝鮮人에게 武器를 携帶식힌다」는 것은 그의 一般的 意味에서 重要性을 가지고 잇기 때문에 그다지 容易히 解決될 可望이 아니 보힌다는 것이다 그는 그럴 것이다. 萬一 다만 武器供給으로써 이러날 만한 엇더한 副作用의 杞憂를 늣긴다만은 아모런 問題거리가 아니 되는 것이니 그까짓 軍隊的 訓練도 업는 멧 萬의 朝鮮 農民이 비록 擔銃을 하엿다기로 洗練된 日本 精銳의 압헤는 아모런 두려움이 아니 될 것이다.

그러면 엇시될가? 그래서 爲先 當面의 彌縫策으로는 「駐在所政策」이라 할가 되도록 駐在所 分布網을 擴張하야 가지고 다만 數十 名의 朝鮮 農民이 移住하여잇는 곳이라도 그곳에 武裝警官이나 軍人을 駐屯식히여 그로써 警備의 任務를 맛게 한다는 것이다.

그러나 在滿朝鮮人問題는 확실히 듸렘마[09]의 하나이다 그들의 將來에 對하야 그동안 關東廳과 總督府 사이에 累次의 交涉이 잇섯스나 結局은 아모런 特別한 妙案도 업는 것 갓고 這間에 이르러 아조 決定的으로 在滿朝鮮人問題는 總督府에서 專任取扱하기로 落着되엿다는 것이다.

何如間 滿洲國의 實在가 確然한 以上 또한 그의 將來가 잇는 以上 在滿 朝鮮人問題 갓흔 것도 從前과는 그의 取扱에 關한 方法 內容을 어듸로나 달니하야(달니하여야만 될 것이다) 할 것임으로 朝鮮 內地에 잇는 朝鮮人이나 또는 滿洲에 잇는 朝鮮人이나 그에 關心을 가진 인테리級의 사람들은 졸[10]

09　"듸렘마": 영어 dilemma - 편자 주.

10　"졸"은 "좀"의 오식 - 편자 주.

더 眞劍한 科學者의 態度로서 硏究하는 것이 더욱 效果가 잇슬 것 갓다는 것
이다 人體로 滿洲에 移住하고 잇는 朝鮮人問題에 關하야는 오늘까지 左記
三 協定에 依하야 日中 兩國 間에 그의 折衷을 어더올 것이엇다 즉 一九〇
九年 九月 四日의 間島協約 一九一五年 五月 二十五日의 南滿洲 及 東部內
蒙古에 關한 條約 及 交換公文 一九二五年 七月 八日의 이른바 「三矢協定」
等々 (協約 全文 省略)

　그러나 純 理論上으로 말한다면 임이 滿洲이 新生하엿고 또한 그가 그의
建國宣言에 相伴한 成長을 營爲하고 한 個 獨立國家로서의 國威를 能히 發
揮할 수 잇다면 前記한 諸 協約이라는 것은 압날을 期約하야 斷然히 撤廢되
여야 될 것이다 보다도 新國家의 內政整頓을 따라 諸般 制度 新法律의 適用
과 함께 自然消滅의 當然性을 가지고 잇는 것이다.

四、十間房、西道、避難民

　北滿의 哈爾賓과 南滿의 奉天은 各々 地理的으로하[11] 交通 上의 衝地帶
南[12]을 일우고 잇서 일즉이 南北滿의 하트 地位를 保障하고 잇는 要地이다
그러기에 나는 이제 새삼스러히 그 거리의 煩雜한 것과 建築物의 雄大하[13]
것과 各種 産物의 集散 狀態와 其他 諸般 市街施設에 대한 詳述울 省略하려
한다 그는 임이 만흔 사람들에게 잘 알니워저 잇는 까닭이다 그것을 가라처

11　"하"는 "나"의 오식인 듯 - 편자 주.

12　"衝地帶南"은 "要衝地帶"의 오식인 듯 - 편자 주.

13　"하"는 "한"의 오식 - 편자 주.

印象이라 할가 或은 感想이라 할가 나는 오즉 나의 듯고 본 바의 片鱗만을 이제 적으려는 것 뿐이다.

一、金 五 錢짜리 人生、우리는 일즉이 서울에 잇서 新聞紙上을 通하야 滿洲에서 쪽겨단니는 불상한 朝鮮人의 避難民들이 一金 五 錢也의 一日 生活費로써 그의 묵숨을 延長하여 나간다는 消息을 들엇다 그러나 적어도 나 혼자만으로 그 報道의 正確性을 아니 미드려 하엿다 그 理由로는 그런 類의 事實이 存在할 수 업다기 보다도 「그래도 설마」 하는 어리석은 생각으로 너무 눈물겨운 그런 慘狀을 억지로라도 自己 스스로나마 否認하고 십헛던 까닭이엇다 그러나 이제 實地에 와서 듯고 보니 나의 그 갓흔 愚信은 참말로 文字 갓흔 愚信으로 께달아지고 말앗다.

至今 奉天城 中에 잇는 避難民收容所로는 「迫擊砲廠跡」과 밋 「山城子」라는 곳의 兩 個 處가 잇서 그 前者에 三、一八〇 名 또한 그 後者에 七、五〇〇 名 合計 萬餘 名이 수용되고 잇다 그리하야 그들의 生活費는 事實 上 말과 가치 또 소문과 갓치 勿驚 一日 一人分 一金 五 錢也로써 그날그날을 살아가는 것이다.

「迫擊砲」의 收容되여잇는 사람들은 奉天朝鮮民會의 取扱 分으로 專任事務員과 醫師 몃 사람을 두어 엇지~ 現狀維持의 事務를 取扱하여나가는 것이며 「山城子」의 分은 直接 朝鮮總督府의 派遣事務員으로서 그의 管轄에 專屬되여잇다.

「五 錢의 生活이라니?」 그것도 三 歲 以上으로부터서만 支給되는 것이다 假令 한집안 家族이 다섯 사람이라면 一日 二十五 錢 그들은 그것으로써 指定商人에로부터 滿洲 좁쌀을 購入하여가지고 그것으로써 물 반 쌀 반의 「미염」 갓흔 「죽」 갓흔 不健全한 飮食物로써 오즉 「生存」을 繼續하여갈 뿐이다 그들의 存在는 決코 「生活」의 그것은 아니다.

내가 마츰 이곳에 滯留하게 되는 동안에 東邊道大討伐이 開始되엿다、至今 이곳에 收容되여잇는 避難民들은 모다 東邊道에서 쪽겨온 사람들이다 그런 까닭에 討伐이 끗나는 地方을 따라 차레~로 이른바 「原地歸還」을 실[14] 히게 되여 二十四日로부터 三十一日까지에 그 全部를 完了한다는 것이다 그들이 原地에 도라가면 무엇을 먹고 살 것인가 거긔에는 임이 日本人의 戰勝氣分이 넘처 흘너잇고 또한 그들이 播種 移植까지 하여노코 쪽겨왓스니 그것으로써 一時 彌縫의 可能이 充分하다는 것이다。(下略)

—『三千里』第4卷 第10號, 1933년 1월

---

14 "실"은 "식"의 오식 - 편자 주.

北平紀行 — 멍텅구리 遊燕草

短舌[01]

들어가는 말

「緖說」을 「들어가는 말」이라고 했다. 이는 「말의 소리」 硏究로 일흠난 『崔鉉培 님』의 「우리말본」에서 引用하엿다. C 君! 내가 이러한 「말갈(語學)」을 조와한다고 담박에 國粹的이니 時代를 沒覺하는 匈奴이니 漢文狂이니 하고 웃지 말어라 그러나 나는 國粹的이고 時代를 沒覺하는 匈奴이고 漢文狂인 — 다시 말하면 「멍텅구리」이다. 그러나 君은 世界에 第一 「멍텅구리」는 나보담도 中國사람인 줄 생각하리라 그러나 그는 君의 잘못이다. 오날의 中國은 녯날의 中國이 아니다. 君! 中國人이라면 부질업시 코우슴하면서 「保守的、時代錯誤的、Confuism」과 가튼 무엇을 생각하겟지만 그는 그런다면 나 以上 조선 知識에 악착한 사람일세! 나도 中國의 實情을 살펴보기 前에는 君보담도 中國사람보담도 더 中國 知識에 對한 「멍텅구리」이엿다 나의 中國 旅行은 금년까지 두 번채이여서 벌서 山河와 風物에 「아답트[02]」해버려서 別로 珍奇한 것을 늣기지 아니하며 期日이 짤고 區域이 北中에 限

---

01 '短舌'은 김태준(金台俊, 1905~1950)의 필명 - 편자 주.

02 "아답트": 영어 adopter - 편자 주.

하엿음으로 近日에 남들이 쓰는 「暗行御史」니 「長江萬里」니 하는 大雄篇은 생각지도 아니한다。 또 미천이 짤바서 나가야 쓰지!

서울을 떠나서

萬寶山事件이 닐고 滿洲에서 조선사람이 파리 죽 듯 한다는 데 一種의 흥미를 늣기고 거기다 冒險 旅行이라고 豪語하면서 누구와 간다는 말도 하지 아니하고 쓸쓸히 京義線列車에 실닌 몸이 되어 六月 十三日 아침은 「멍텅구리」의 故鄕이 갓가운 淸川江을 건너간다。 아 — 저긔는 나의 恩友 R、 A 兩君의 집이라고 발아보면서도 제멋대로 달아나는 列車를 어이할 수 업섯다。 車는 鐵橋를 지나 安東 沙河로 들어간다。 車 속에는 조선사람은 나 하나뿐이[03]제 車 속에서 조선 처녀가 하나 中國사람에게 질너 죽엇다든가 車에는 日本軍人이 날카로운 눈초리로 직히고 잇다。 멍텅구리는 더욱 더욱 帝國의 고마운 것을 깨닷게 되엿다。 「저 中國사람이 침노하여도 이 日本軍人이 다 保護하여줄 터이니까!」 色다른 山川은 아니겟것만은 一葉帶水의 國境을 지나면 모든 것이 다르게 보인다。 驛마다 日露戰跡의 說明이 부터잇다。 멍텅구리는 한참 夢想에 醉하엿다。

「저 넓은 들이 元來는 우리 祖先의 故土다。高麗門、白巖(배암 = 蛇)城 이것은 바로 高句麗의 中心地이다。인제는 우리 帝國이 極東의 平和를 爲하야 正義를 爲하야 露西亞를 征伐하고 滿蒙의 旣得權으로 威力을 極東에 振動하고 잇다。숩도 업는 山 우에 말、 소、 綿羊의 무리가 저러케 만으니 아마

---

03 "이"는 "어"의 오식 - 편자 주.

食糧 問題가 아즉도 數十 年은 걱정 없겟지」

　廣漠한 滿洲의 뜰이 점점 눈초리에 接하야 展開된다. 山은 보고 죽으랴
도 업고 먼 안개만 하날 끄테 부터서 말근 날도 번개만 번적번적하며 太陽은
高粱에서 떠서 高粱으로 떨어진다. 멍텅구리의 胸襟도 점점 널버저서 不自
由한 現實에서 남몰으게 心火를 태우고 잇든 그의 마음은 차라리 나는 새가
되여서라도 自由스런 北國에 翩翩하고 십펏다. 다달으니 奉天은 녯날의 瀋
陽城 ― 愛親覺羅 氏의 搖籃의 地 인제는 日本市街가 되고 말엇다. 天皇 氏
가 木德으로 王을 하여서도 누가 알기나 하리! 漢陽旅館에서 잠간 困한 몸을
쉬여가지고 卽時 京奉線을 탓섯다. 北京서 奉天까지 車賃는 三等에 十三 元
五 角이니까 奉天票로 換算하면 여러 萬 元이 될 테이지 멍텅구리는 또 外
國에만 나오면 벙어리가 된다. 또 朝鮮말깨나 하면 담박 中國사람들에게 죽
을 것 갓기도 하여서 唐山燒鷄 한 개에 兩 毛(廿 錢)를 주고 사서 麵包와 合
해서 조금 療飢하고는 그대로 北京까지 달어난다. 天津을 지날 적에는 朴柱
秉、朴容梅 두 博士와 玄堪、金淳基 두 實業家를 생각한다. 車 속에 파리는
엇지 만은지 昨年 天津第一賓旅館에서 하나[04]트면 賓對에게 물녀 죽을 번한
생각도 나더라 北京에 나리니 方今 張學良과 石友三의 자웅이 열녀서 戒嚴
令이 나래서 새로 두時나 된 이때에는 人力車도 通行客도 아무도 업고 모주
에 醉햇는지 阿片에 醉햇는지 한 官兵이 골목골목 직히고 잇는데 갈 곳이 잇
서야지 야단이야 德澤으로 「부두 見習」을 햇지 그런 때에는 하루 저녁 「호
텔」에 가서 자야지 멍텅구리 「호텔」 구경

04　"나"는 "마"의 오식 - 편자 주.

天壇、北海公園、中山公園

다음날은 집을 大興公寓로 옴기고 아는 親友들에게 왓다는 電話를 거럿다。 W、D、두 君과 함께 天壇을 向하엿다。 늘근 槐樹는 鬱蒼하고 芳草는 萋萋하다。 다시 나가면 柏木이 森森한데 祈年門을 들어서니 祈年殿이 잇다。이 殿은 三 段의 壇 우에 싸힌 宏壯한 殿堂으로서 푸른 琉璃瓦의 빛깔이 보기에도 絢爛하다。 右편에는 宰牲亭、井亭、神庫、樂器庫 等이 잇서서 듬북한 풀이 除하지 아니한 것은 十分 荒廢의 늣김을 주고 當年에 天子가 玉皇上帝를 祭祀하든 자취는 어느새 흐터젓다。 이에서 나와서 人力車로 北海公園에 向하엿다。人力車 값은 왜 그리 싼지! 十 里 五 錢 폭도 안되여 날마다 生活費는 六七 錢에 지나지 못하며 衣服 한 벌 完全한 것 입은 者는 돈 주고 보랴 해도 업다。 民生主義、民權主義라는 아마 이러한 勞働者에게 機會均等을 주지 아니하는 高等法則이엿든가 멍텅구리의 머리로는 알 수 업섯다。 北海公園은 하도 자조 보앗더니 그처럼 壯帝居의 山河도 別로 달나진 것도 업고 壯麗한 九龍壁、蓮花꽃다운 北海湖、一一히 오래 맥힌 人事를 마치고 瓊華島를 배로 건너 永安寺의 白塔을 넘어 바로 景山을 向하엿다。 東口에 오랜 槐樹가 섯는데 이게 崇禎帝의 縊死한 곧이래 山頭에 올나서니 明淸 五百年 皇宮이 압뒤에 질펀한네 一陣 淸風이 불어오더니 眼花가 朦朧하다。 幽怨하고 悽愴하고 神秘한 속 사람이 바람 속에 석긴 듯하며 李自成의 闖賊이 머리에 떠올으자 眼前 草木은 完全히 八[05]公山 아레 잇는 千兵萬馬 모양으로 變한다 金甌는 기러젓거니 敵의 손에 죽는 편보담 自手로 自盡함이 悲壯은 하나 얼마나 潔白하오리 멍텅구리 先生이 明皮를 내리오이다가 「明思宗의

死」에 닐으러서는 氣가 맥혓든 것 갓다. 景山에서 나려와서는 神武門으로 들어 故宮博物院을 보앗다. 이는 몇 해 前까지 宣統帝가 이섯다는데 建物 寶物도 많어섯지만 멍텅구리 先生이 考古을 조와하지 안키 때문에 슬적 보고 나왓지 조선 님금의 中國 아버에게 드린 國書 가튼 것을 볼 적에는 壇[06] 君子孫이라는 자랑도 하고 십퍼지지 아느섯다. 저녁때가 되엿기에 中山公園을 가섯는데 이것은 北海公園에 比하면 아주 보잘 것 업는 小面積이지만 그래도 우리 「京城」보담 클 것 가태 또한 運動 休憩의 場所가 많이 配置되여 잇고 右편에 中心[07]堂이 잇고 그에 連하야 中山圖書館이 잇으며 그 뒤門으로 가면 社稷壇의 正門이니 壇 뒤에는 老栢이 掩翳하야 幽靜하고 雅趣가 잇서서 못으로써 宮城에 隔峙하고 잇다. 旅館에 돌아오니 마침 胡適의 妻族 되는 江紹原 氏가 기다리고 잇다. 氏는 「시카코」大學 出身으로 現住, 北京大學, 宗敎學 敎授로 잇서 「샤마니즘」 硏究에 沒頭하고 잇는 少壯有爲한 靑年이다. 그 著書 「髮、鬚、爪」는 社會學、民俗學的 見地로서 人類의、髮鬚爪」를 硏究한 好著이며 또 조선의 民俗을 알고저 强請하나 멍텅구리의 알 바가 아니엿다.

琉璃廠 北平圖平書[08] 等

아침에 미리 來薰閣 主人 陳濟川에게 간다는 通電을 하고 琉璃廠으로 向

06 "壇"은 "檀"의 오식 - 편자 주

07 "心"은 "山"의 오식 - 편자 주

08 "北平圖平書"는 "北平圖書館"의 오식 - 편자 주.

하니 琉璃廠이라는 곧은 조선으로 말하면 鐘路通만큼 큰 街路인데 그 兩편
에 五百 年의 歷史를 가진 書肆가 羅列하여잇다. 直隷書局、靜文齋、米薰閣
등이 古本에 웃듬 하고 商務印書館 中華書局 北新書局의 支局이 新書 特히
文藝 方面 書籍도 판다. 終日 彷徨하면서 冊에 굶주렷든 시당한 氣分을 채
우고저 그 동안에 난 創作、飜譯、硏究에 關한 書籍을 ——히 살펴보고 그대
로 洋車(人力車)를 타고 北平圖書館에 向하엿다. 이는 前日의 大總統府 居
仁堂이며 中海에 臨하여잇다.

　一 年 前에 變한 것이라고는 이뿐이다. 中式과 洋式을 折衷하야 지엇는
데 地下室은 新聞室로 쓰고 一層에는 古本陳列室、四庫全書室、雜誌閱覽室
에 잇으니 北京大學 敎授의 紹介로 四庫全書를 求景하엿다. 이는 乾隆 卅八
年부터 四十七年까지(1773—1783) 紀昀 孫士毅、陸錫熊、戴震、姚鼎、王念
孫 等 一流의 學者를 網羅하야 全 國力을 다해서 맨든 것으로 約 八萬 卷으
로 된 叢書이며 當時에는 內廷四閣과 江浙三閣에 一 部 씩 두엇든 것이 모
다 兵火에 흐터지고 오날은 文淵、文源、文溯 三閣의 것만 남엇잇다. 永樂
大典、古今圖書集成、四部叢刊 과 함께 中國四大編纂의 魁라고 한다. 古
本陳列室에는 많은 宋元版이 讀書子의 興味를 惹起한다. 雜誌室에 들어가
니 조선에서 보낸 雜誌는 겨우 靑丘學叢이 一 部 이섯는데 그조차 「化石」가
튼 論文이 가득 실녀 滋味가 잇서야지 그리고 日文으로 되엿게지 「現代文
藝」라는 雜誌를 처드니 金曙海[09] 君의 지은 短篇 「我的出亡[10]」이 白斌의 손
에 飜譯되엿는데 白斌이란 누구 아들인지 알 수 잇나만은 용해 再昨年에 梁

09　"金曙海"는 "崔曙海"의 오식 - 편자 주.

10　"我的出亡": 최서해의 소설 「탈출기」의 중국어 번역본의 제목 - 편자 주.

白華 氏가 阿里正[11]을 飜譯하여슬 적에 反駁만 하고 잇든 丁 某 따위와는 同日에 論할 수가 업섯다. 二層은 圖書閱覽室인데 北쪽에는 藏書가 가득한 모양이야 新設인지라 새 책은 업고 中國 古來의 叢書만은 거의 이곧에서 全部 볼 수가 이슬 만큼 整頓된 것이 그「카―트」만 보아도 確然하엿다. 終日 책만 보다가 東安市場으로 왓지여 北平의 東安市場이란 또한 오랜 歷史를 가진 小資本의 商店의 聯合體로서 한 집웅 아레에 큰 市場을 맨들고 무엇이든지 파는 곧입니다. 三越보담도 鐘路通보담 더 큰 商店입니다. 이곧에 와서는 書籍도 퍽 싸게 살 수 잇슴니다. 孔子와 劇々、漢字廢止論 가튼 書冊은 題目만 보아도 新奇하엿고 日本의 新進作家들의 지은 劇 小說과 露西亞 作品들이 붉은 덥게에 만히 번역되엿다. 郭沫若가 지은「中國古代社會의 研究」와「트레차코푸[12]」의 作「怒吼吧! 中國[13]」 갓튼 것이 가장 눈에 띠운다. 더욱 멍텅구리 先生이 異常하게 늣기는 것은 그들이 웨 淸廉潔白한 日本帝國을 侮辱하며 함부로 排日小說을 쓰느냐고 생각한 것이다. 資平小說 第三集의「歡喜陀與馬桶」과「天孫之女」 가튼 것은 張資平의 지은 排日小說로 有名하지만 王朝佑 가튼 이는「亞洲之日本」을 지여 帝國의 歡心을 사고 잇는데 한편에는 이러한 討厭鬼(중국말로 膏藥한 사람이란 뜻)도 잇다고 생각하엿다. 더욱「近代戲劇集」속에 孫俍工이 지은「死刑」은 六七 年 前에 難波大助의 죽은 이약이를 쓴 것임에 놀나지 아니할 수 업다. 그라고는 집에 도라왓다.

---

11 "阿里正"은 "阿Q正傳"의 오식 - 편자 주.

12 "트레차코푸": 소련 극작가 C.M.Третеяков - 편자 주.

13 "怒吼吧! 中國": 소련 극작가 C.M.Третеяков가 영국군함의 포격으로 무고한 중국인 수백 명의 목숨을 잃은 "만현(萬縣)참사"(1926년 9월)를 소재로 창작한 연극 - 편자 주.

平民中學과 第三小學에서 놀고

十七日 아참에는 帥府胡同 平民中學에 가서 北京大學生 劉 君과 中國大學生 鄭 君을 맛나서 午前을 허비하엿다. 劉 鄭 兩 君의 房에 들낙날낙하는 芳年少女는 아마 그들의 愛人인 듯 조금 잇다가 師範學校에 단이는 D 小姐와 女子大學에 단이는 T 小姐가 차저왓다. 그들은 또한 斷髮에 中國服을 입고 눈초리 어딘가 보이는 銳氣는 그의 明哲한 頭腦를 證明하는 것이엇다.

대개 中國은 男女共學이 小學에서 大學까지 繼續하야 敎員과 弟子의 사이는 우리의 疑心을 할 만큼 膠漆가티 親密하다. 이 女性들은 모다 이 中學을 卒業하엿다는데 오는 九月에는 某々 大學에 入學할 터이라고 한다. 中國의 學制로 말하면 小學 六 年 中學 六 年、大學 四 年의 制로 퍽 米國式을 輸入한 곳이 보인다. 조선 中學과 다른 點은 服裝이 整頓되지 아니하야 不規律한 늣김을 주지만은 學生에게 自由를 많이 주는 것이든지 敎員이 弟子들에게 嚴密한 階級을 두지 안는 것이라든지 警察이 學校 內에 도모지 干涉하지 못하는 것은 멍텅구리 先生의 더욱 理解하기 어려운 것이엇다. 校內에는 學生會가 自由로 組織되여잇고 또 學生軍이 잇서서 小學으로부터 「비오넬」訓練을 받는 그들은 담박에 浮生軍의 一員으로서 機敏한 活動을 할 수가 잇다. 探點은 學生自由點이며 科目 內에는 三民主義科、生活指導科、打字班(Typewriter)科、가 添附되여잇서서 黨化敎育、實務敎育을 鼓吹하고 잇다. 夏期放學에는 學校마다 識字班科、民衆班科가 잇서서 就學하지 못한 兒童을 가라처 文盲退治에 힘쓰고 「뿌나로드[14]」運動의 徹底的 施行에 애를 쓴다. 그 識字班이라는 것은 純全히 漢文字만 가라치는데 學生은 廿歲 以上의

---

14 "뿌나로드": V narod movement - 편자 주.

婦人이 만타. 그리고 이 婦人들은 纏足을 하지 아니한 것이다. 三四 個月을
速成的으로 漢文字를 가라처도 몇 字를 記憶하지 못한다. 文字國의 悲哀 —
아 「아이스·크림」을 氷結凌, 氷琪凌, 氷結菱, 氷激凌이라고도 쓰니 좀처럼
無識한 사람은 알 수 업다. 그리다가 前門 內 公安局에서 巡査들이 와서 梁
校長을 잡아간다. 石友三의 軍隊와 暗通한 嫌疑라든가? 지난 月曜에 學生
들을 데리고 石友三을 爲하야 時局的 大氣焰을 吐하면서 卓上演說에 「cup」
을 깨트리면서 야단을 첫다드니 紙上談兵의 罪이 아닌지도 몰으겟다고 한
다. 그리고 보니 北平도 自由스러운 생각은 나지 안는다. 즉시 닐어나서 華
甫 君을 차자 新鮮胡同 第三小學을 차저갓다. 入口에 걸닌 크다란 體鏡과
孫中山의 遺像이 무엇보담 몬저 嚴肅하게 눈에 비최인다. 敎員들이 宿直室
녑에서 麻雀을 하노라고 떠들석 學生들은 國歌를 부른다.

　　　景雲出兮、禮漫々兮
　　　日月光華、旦夜旦兮
　　　日月光華、旦復旦兮

이것은 일본의 「君が代」 셈이다. 다음은 國民黨歌의 「코 — 러스」 —

　　　三民主義、吾黨所宗
　　　以建民國、以建大同
　　　咨爾多士、爲民先鋒
　　　夙夜匪懈、主義是從
　　　以心以德、貫徹始終

이라고 한다. 다음은 「春天的快樂[15]」 一 曲을 校長 華甫가 나를 爲하야 노래 식혀준다. 이것은 조선의 「아리랑」처럼 大流行歌이다. 學生들은 昨年에 만히 보든 얼골임으로 모다 微笑의 입살로 이편를 向한다. 華甫는 수박, 汽水(라무네)를 槐樹 그늘에 갓다노으면서 자조 먹으라고 勸하고 周圍에 들너센 男女學生들에게 「땐스」와 노래를 식히고 最後에는 日本의 노래를 하나 紹介하라고 멍텅구리 先生에게 勸한다. 國歌도 ××歌도 아무것도 記憶하지 못하는 御用學者의 思想을 가진 멍텅구리 先生은 相對者의 알아듯지 못하는 것을 奇貨로 「君が代」를 再唱하니 學生들은 싱거운 막걸리 먹은 폭도 안 되는지 멍청하게 섯다. 멍텅구리는 어려슬 때 어느 海外 동무에게서 들은 노래를 짜내어 한 마듸 한다.

우리는 누리에 붓난 불이요
증제도 마시는 몽치라

그리고는 생각이 안 나서 아리랑을 一唱하니 인제서 聽衆이 깔깔 大笑
午後 다섯時가 되엿다. 華甫가 聚賢堂에 招待를 하엿기에 가서 럼체업시 參席햇지요 東大 卒業한 楊雲竹은 華甫의 同窓으로서 또한 席上에서 歡迎의 意味와 朝中親善의 必要를 力說한다 그뿐 아니라 조선도 亞細亞大同主義에 參加하여야 한다는 것이엿다. 조금 잇더니 술이 醉해서 모다 滑拳을 해서 술지기내기를 한다.

一心敬、二相好、三星照、四季財(四鳴喜)

---

15 “春天的快樂”: “봄날의 쾌락”의 중국어 - 편자 주.

五魁首(五金魁)、六六順、七巧七

八酸[16]馬、九蓮燈、黑拳(犯規)

寶拳(寶一對、對手拳)

　　이는 조선의 「투전불님」과 같은 酒令인데 놀음은 「창껨」과 가티 서로 주먹과 손가락을 내애여서 勝負를 決하는 것으로 또한 麻雀과 함께 將來에 퍽 流行될 性質을 가진 遊戲이다。 밤이 들어 散會를 한다。 늦기는 바는 그들이 生水를 먹지 안는 것 料理를 먹은 뒤에는 반다시 더운 「다웰[17]」로 얼골과 손을 씻는 것 家庭마다 恒常 水盆을 備置하고 手足을 씨츠며 食後는 물을 먹는 法은 업고 양추만 하는 것이다。 食後에 茶를 많이 먹는 곧은 우리 鄕國뿐이리라。

魯迅(周樹人)의 동생 周作人을 보고

　　나는 旅行 目的이 名士를 보러는 데 잇지 아니하다。 諸君은 或은 나를 멍텅구리라고 二心할 이도 잇겟지 그러타고 멍텅구리도 아닐 것이다。 조선에서 恒常 先輩들의 多數한 名士들을 보고 진절머리가 나서 내 自身도 平生에 그따위 갑싼 名士 되기를 要求치 아니하고 따라서 他國 有名한 女人과 알게 되는 것도 즐겁지 아니하나 누가 紹介를 애써 해주니 가서 보앗다。 그 집은 北平 西城이다。 조그마한 門으로 긔여들어가니 안악은 宏壯한 邸宅이다 小

16　"酸"은 "駿"의 오식 - 편자 주.

17　"다웰": towel - 편자 주.

使가 와서 中廊으로 引導할 세 겻눈으로 보니 中國服 이븐 日本 옥가미상[18]
이 눈에 따운다. 그는 周 氏의 夫人일 것이다.

中廊은 곳 그의 書齋인 듯하야 左室에는 日本 小說과 散文 隨筆을 가득히
꼬자잇고 史室에는 洋書만 五六 千 卷 끼여잇는데 또한 隨筆物이 만흔 것으
로 보아서 그가 外國文學 紹介者、翻譯家、小品作家로서 믿동을 보여주는
셈이다. 氏가 浙江産이라는 것을 알기에 足햇다. 人事를 마친 後 氏는

「당신이 「조선 에스페란토」의 硏究者 아님닛가 나는 아니요 하고 中國文
壇의 現狀을 물엇다」

씨는 말할랴는 順序를 생각코저 하는 듯 조금 잇다가 繼續 하는 말이

「昨今 兩 年 來로 文藝運動의 中心이 上海로 옴긴 후는 여러 作家들이 모
다 四方에 옴기고 나는 일제는 우리 伯氏(魯迅)의 消息조차 들어볼 수가 업
는 形便입니다. 旣成文壇 作家들은 번역을 하거나 或은 沈黙을 직히고 잇으
며 新進文人이라는 것은 멋도 몰으고 「푸로文學」만 主張하니까 文壇은 갈
스록 沈滯하고 寥廖합니다」

그는 일부러 그의 對答을 보고저

「지금은 外部에서 評하기를 中國은 푸로文藝運動의 初期에 잇서서 매우
猛烈한 活動을 한다는데 先生도 한 목 들으시겟지요」

라고 한즉 氏는 놀나는 듯 語勢를 轉하야

「푸로文藝는 푸로階級 自身이 스사로 쓰기 前까지는 永遠히 眞正한 運動
을 볼 수 업다. 나는 文藝라는 것은 나의 餘興이요 趣味로 하는 愉樂이요 나
의 本職은 軍人이오 孫武兵法이 가장 나의 愛讀하는 글이요」

라고 함으로 나는 만은 失望을 가지고 보게 되엿다. 「世界小說譯叢」을

18　"옥가미": 일본어 おかみさん(여주인, 부인) - 편자 주.

짓고 많은 小品을 지은 氏가 謙遜인망정 自己는 「사 ― 베ㄹ[19]」을 조와하고 文藝에 對해서는 門外漢이라고 斷言하니 이것이 나의 豫想하든 中國 一流의 文人이엿든가 라고 하는 생각이 난다. 咄! 死馬骨! 所謂 過渡期의 名士는 中國이나 조선이나 모다 이 모양이다. 眞正한 文壇名士는 ― 그리고 나의 要求하는 文人은 여긔저긔 쫓겨단이는 無名鬪士 속에 잇스리라는 것을 알엇다 氏는 조선文學、歌謠、文壇 現勢를 무름으로 나는 대강 대답하고 집에 돌아왓다. 나는 中國의 名流라는 者를 만히 보앗지만 모다 이러한 失望으로써 보게 되고 다만 漢字廢止論의 急先鋒인 舊師 魏健功 氏에게 세 가지 點에 서로 論難한 것이 아즉도 記憶에 남아잇다.

1、첫재는 語學에 對하야 조선語의 入聲과 濟州方言을 뭇고 조선의 橫書에 對한 조선 學者의 理論을 물으며 中國의 文字를 歷史的으로 考察하야 當然 漢字와 國音字母를 廢하지 아니하면 안 될 것을 말하며

2、조선 中國의 文學的 提携라는 意味에서 조선에서의 中國 硏究 團體를 興旺하게 하는 同時에 조선에도 中國 白話 書籍을 販賣하는 곧이 이서서야 할 것이라고 하며

3、北平이나 南京에도 조선文學 혹은 語學에 對한 講座를 맨들고 ― 서로 文化的 交換을 하여볼 必要가 잇다는 것 等이엿으나 學徒의 漫談에 지나지 못한 것이엿다.

×　　　×

그날 저녁에 돌아올나니 배가 곱파서 路邊에서 酸味湯을 조금 마시고 조

19　“사 ― 베ㄹ”: 영어 saber - 편자 주.

그만한 行商에게 饅頭 두 개 炒肉丁菜 한 그릇 鷄蛋湯 한 그릇을 사서 먹엇
지 代金은 六 角 九 分라든가 中國打碼子의 글씨로 쓰면、亠夂이다。그네들
의 商人들은

一二三四五六七八九十
丨丨丨メ 8 亠亠亖夂十

이와 가튼 글자를 쓴다。만일 一 圓 五十八 錢(一 元 五 角 八 毛)라고 쓸
나면 丨元 8 亖라고 쓴다。

그 후는 基督敎靑年會의 홀에 常設된 映畵를 求景 가섯지요 觀覽料가 四
角 寫眞은 紅鷹(Red Eagle)이라든가 조선의 洪吉童傳과도 彷彿한 三俠五儀
類의 說話를 各色한 것이엇다。

동무들의 말을 들으면 中國은 言語의 不統一로 因하야 「토 — 키[20]」가 發
達할 수가 업다고 한다。지금도 外國 토 — 키映畵는 만히 輸入되엿지만 아
즉도 中國의 것은 맨들지 못하엿다고 한다。집에 돌아오니 밤 열時엿다。來
薰閣 主人 陳 君과 擔雪軒 主人 金 君이 와서 기다린다。조흔 곳에 案內한다
고 하는 바람에 깁버서 밤 열時가 훨신 너멋는데 班子 구경을 떠낫다。그 兩
君은 모다 이러한 方面에 探險家로서 令名이 잇고 또 곧곧마다 「나지미[21]」
를 두엇지만 나는 그게 업스니까 좀 쓸쓸해。順興班、Y班、X班을 다 단녀도
건방진 小女들의 「사 — 비스」가 조치 못해서 …… 이 班子들은 高等妓生이
고 그 아레層은 茶室 또 그 아레層은 下女라고 한다。이는 北京에서만 通用

---

20 "토—키": 영어 talkie - 편자 주.

21 "나지미": 일본어 なじみ [馴染み], "친숙한 사이의 창녀" - 편자 주.

되는 말이요 上海는 또 달으니 이는 上海靑年書店에서 發行하는 「妓女的生活」이라는 一冊에 仔細히 暗中飛躍하는 方法까지 말하여잇다. 班子들은 아즉도 斷髮한 것이 적고 垂髮에 南方紗衣로 지은 中國新女服을 입은 一部分은 此 所謂 「中國式 隱君子」의 風이 보인다.

새로 두時 戒嚴線의 寂寞한 거리를 突破하고 집에 돌아왓다. 잠이 잘 오지 안어 ―

滿洲 旗人의 老處女들

廿三日이든가? 잘 記憶되지 안는다. 키가 커다란 婦人이 조선 兩班들의 쓰든 儒巾 가튼 것을 쓰고 服裝도 純 中國式 갓지 아니하며 그러나 奢侈는 하게 입은 婦人 數 名이 지나간다. 나는 同行하든 夏 君의 說明에 依하야 그가 무엇인지를 發見한다. 夏 君의 말이

「저것은 旗人들의 老處女들인데 北平 都城 內에 元來 旗人이 만치 아니한데 그들은 아무 職業을 배우지 못하야 오날은 大部分 家勢의 零落하여짐으로 因하야 人力車軍이 되고 婦女들 風習이 달나서 漢人에게는 出嫁치 아니하고 그러타고 흥정도 업서서 五十 六十까지 純全한 處女로 늙는다」

라고 한다. 徃時에 東亞를 휩쓰든 旗人들의 末路도 이 모양이 모든 것은 辨證法的 歸結에 到着된다. 그것은 强者의 必然的 運命이리라라고 멍텅구리 先生은 인제야 이러한 法則을 發見한 듯 말하엿다. 아즉도 北平의 한 골목에는 女人國이 잇구나 하고 歎息을 하엿단 말이다.

길 우에서 兒孩들이 조그마한 鉢植用의 空鉢을 놋코 모여안저 보고 잇다. 趣味 豊富한 이 兒孩들은 蟋蟀을 잡아 鉢 속에 두고 자웅을 식혀 구경하고 잇다. 鬪狗、鬪蟀은 그들이 집집에 鳥籠이 잇는 것과 집집에 大小 樂器

가 반다시 하나씩 잇는 것과 合하야 中國人의 三大趣味라고 불으고 싶다.
東方文化事業部에 가서 東大에서 旅行 온 舊師 高田 先生을 보고는 東四牌
樓 魏 領事의 집에 가서 魏照鳳 君과 함께 天橋遊藝塲에 가서 舊劇의 黃金
臺、望兒樓、探庄과 新劇의 勢利眼 等을 보앗다、新劇에서는 滿洲人의 奇俗
과 封建時代로부터 資本主義時代에 드는 三面記事的 低級한 趣味를 利用하
고 音樂도 從來의 單調한 喧囂한 것을 부시고 觀衆도 舊劇보담 몇 倍나 만
타. 나의 所見에는 그들의 文明한 純 舊劇보담 모든 現代的 性質를 具備한
만큼 完全하다고 생각되엿다. 遊藝塲에는 모든 娛樂機關이 備置되여 十分
通快하게 이날을 보낸다. 오다가 大柵欄 大觀樓에서 電影「西唐僧取經[22]」
— 西遊記故事를 脚色한 것을 보고 特別한 興味를 늣긴바 업시 旅館에 돌아
왓다. 저녁에는 鹿鶴僑 君이 빌녀주는 冊子에 一夕을 보내엿으니 郁達夫의
寒灰集은 軍閥과 議員의 買收 및 學校 分爭을 그린 것이엿고 Gray-hill의 作
Modern China는 中米親善 中國文明의 讚美를 鼓吹하코저 하여 지엿는데
米人의 지은 中國學生敎科書라고 한다. 帝國主義壓迫中國史(上、下)도 上
海太平洋書店의 發行으로 一讀의 價値가 잇엇다.

深夜에 큰 쏘낙비가 暴風과 함께 나리는데 元來 大陸的이라 想像할 수 업
슬 만큼 絶對한 壓力으로 퍼붓는 것이엿다. 엽집에 잇는 C 小姐는 師範學校
入學試驗에 落第가 되여 울고 잇서서 오늘 저녁은 놀녀 오지도 아니한다.
入學難! 到處一般이다. 師範學校는 官費가 잇기 때문에 卅 名 募集에 勿驚!
一千八百 名이 모힌다니 人口 많은 中國의 入學難은 日本보담도 더 大規模
的이다. 就業難은 다시 말 할 수 업지 ― 圖書館書記 一 名 뽑는데 各 大學
卒業生이 아마 千 名 조금 못 되드라나

---

22 "西唐僧取經"은 "唐僧取西經"의 오식 - 편자 주.

女子相續權運動의 擡頭

어느날이든가 北京大學圖書館을 보고 늣긴 것이 冊 두 권이엿다. 하나는 韓國痛史이니 멍텅구리 先生의 부질업는 思鄕病이 나서 그런 것이요 하나는 中國 女作家의 叢書들이 새로 陸續 刊行된 것이엿다. 廿五日 東安市場에 가니 女子繼承權詳解(汪澄之의 著 上記 民治書店 刊行)라는 「판푸렌」[23]이 잇다. 男子는 治外하고 女子는 治內라는 文句로서 周公이 東洋女子를 數千年이나 無期懲役을 식혀왓다. 孔子 님은 「女子와 小人은 難養한 물건이라」라고 하엿다」 이것을 原案으로 하고 三從四德이란 家庭法律이 成立되고 다시 纏足이란 體刑가지 加하엿섯다. 그러나 最近 中國의 女性은 그의 反動으로 얼마나 尖端的인지 알 수 잇스니 南北軍伐 時에는 裸體行列까지 하고 澡堂(목강탕)을 裸體로 襲擊하며 스사로 戰地에 나가며 或은 政治의 首領이거나 方伯이 되여 地方의 土豪門閥들을 餘地업시 壓迫하며 모든 社會生活에서 男女의 區別을 撤廢하게 하고 男女共學 男女共政을 標榜하야 相續權問題까지 擡頭하게 되엿다. 相續이란 元來 녜전 時代의 舊物로 盲腸 가튼 存在이지만 一朝에 突然히 廢止되기 어려운 處地에 잇서서 女性들도 機會를 均等코저 하는 것도 當然 以上의 事實이다. 그뿐 아니라 所謂 이 制度 法律 上에 行爲能力、婚姻、無嗣의 여러 가지에 同等되기를 主張하는 것이다.

집에 돌아오니 Y談大將 N 君이 한참 Y談을 계속 하는데 曰

有客到前廳、驚醒許多秋夢
無人來後院、妄費一片春心

---

23 "판푸렌": 영어 Pamphlet - 편자 주.

六尺紅綾、三尺圍腰三尺乘

一床被褥、半床遮體半床閑

山高林茂、叫蕉夫從何下手

江深月暗、勸漁人不必勞心

竹本無心、外生許多綠葉

藕雖有孔、內裏不染風塵

　先生은 원악 漢文이 짤나서 잘 알아보지 못하엿으나 Y談인 것만은 그의 얼골 눈치를 보고도 알엇섯다. 그리고 그가 小學校 敎員인 만큼 小學敎科書를 한 볼씩 寄贈하여주는데 바다보니 第五學年 國語讀本에는 辛亥革命이 三 課 革命歌가 一 課 링컨과 奴隷가 一 課 그他 革命 및 奴隷問題를 取扱한 것이 三 課며 六學年 國語讀本에는 七十二烈士 깐듸[24]、石壕吏、炭翁、木蘭詩 等 또한 戰爭文學이 大部分이엿다.

　아 이것이 國民黨의 敎育法이엿다. 每週에 朝會 國恥紀念講演會 學術研究會 音樂會 가튼 것이 잇고 幼年軍의 敎育에는 더욱 힘을 쓰는 모양이다. 그가 닑고 잇는 三民主義敎科書를 보니 三民主義 參考書가 數十 種이나 되는데 모다 孫中山全書 四 冊을 基礎로 하고 硏究한 것이엿다. 曰

1。中國에 아즉도 家族 宗族은 잇으나 國際 上 平等을 要하는 國族主義가 업다. (民族)
2。民衆團體로서 威力이 잇서야만 人類의 生存을 圖하야 自衛自養할 수 잇다는 Rousseau의 民約論적 解釋(民權)

24　"깐듸": 간디((Mahatma Gandhi) - 편자 주.

3. 人民의 社會的 國民的 群衆으로 살어갈 社會經濟問題
   (民生)

　等이엿으나 先生은 알 수 업는 理論이엿다。도로혀 그가 耽讀하는「司馬仙島」의 著「北伐後之各派思潮」가 最近 中國의 思想傾向을 아는 데 便한 것이엿다。저녁에는 清華大學의 W 君과 함께 東安市場 吉祥影戲院에 갓섯다。後排 兩 人 三 圓 戲目은 采石磯、取師行、長板坡、貴妃醉酒、新天河配 等이엿고 天河配는 織女戲로서 尙小雲의 獨特한 場面인데 梅蘭芳에서 遜色이 업슬 듯

孔子廟를 보고

　廿八日은 어제 萬壽山을 갓다가 온 疲勞의 餘毒이 아즉 또 풀니지 아니하엿음으로 멀지 아니한 孔子廟에 갓섯는데 이 廟는 明太祖 永樂 元年에 세웟다는데 持敬門을 들어서니 栢林이 들북한데 進士題名碑 數十 基가 잇다。이 大成殿(正殿)만은 民國 三年에 重修하엿다는데 正面에 孔子 左右에 四聖十哲을 奉安한 것은 조선과 갓다。天子의 힘으로 模範的으로 지은 만큼 宏壯한 것이다。國民政府에서 子見南子劇이 말성 된 後부터는 聖廟에 不親切하여져서 大成殿 三 字의 扁額을 가로 높이 다는 것은 帝國主義的이라고 하야 警察署 문패처럼 나리 써서 내리 달나고 命하엿다고 한다。그러나 孔生의 生日인 八月 二十七日에 休業하고 노는 것은 조선과 다르다。도라오는 길에 이 頑皮한 氣分을 調和식히고저 「딴스홀」에 들어갓지요。바로 東安市場 녑

페 잇는데 大滿員이야. 「폭스²⁵」인지 「찰스톤²⁶」인지 몰나도 멍텅구리의 가장 興味를 주는 것은 아름다운 그의 裸體美의 曲線的 搖動이엿다. 昨年 여름에 업든 「딴스홀」이 퍽 많이 늘어서 인제는 北京에도 만타든가. 市場에서 東醫寶鑑을 보앗지요. 宣祖때에 許浚의 지은 東醫寶鑑이 三百 年 後의 오날까지 中國에서 大歡迎을 받고 잇으며 崔致遠의 桂苑筆耕과 申緯의 紫霞詩集과 許蘭雪集과 함께 조선人 書籍이 中國에 歡迎된 四書라고 하겟다. 저녁에 집에 돌아오니 北京大學에 단이는 R 君이 近日 校內에서 「吼えろ 支那」²⁷를 實演하니 구경하라고 勸한다. 이 以上 더 말하면 멍텅구리의 私生活이 너무 暴露되겟기로 龍頭狗尾로 아즉 이만 끝한다. 元來 멍텅구리니까!

짤막한 時日이지만 奇異한 聞見이 若干 잇스되 記憶되지 아니함으로 頭尾 업는 말은 이대로 漫筆하여 둔다. 이것이 日中衝突 前의 北京이약이다. 인제는 겨울이 왓다.

—『新興』, 第6號, 1932년 1월

25 "폭스": fox, 1910년대 미국에서 유행한 사교춤 - 편자 주.

26 "찰스톤": Charleston, 1920년대 미국의 찰스턴에서 시작된 사교춤 - 편자 주.

27 "吼えろ 支那": 소련극작가 트리치아코프(Третеяков)의 극작품 「소리쳐라, 충국」 - 편자 주.

쏘비엣露西亞行[01]
- 歐美遊記의 其一

羅蕙錫

떠나기 前 말

내게 늘 不安을 주는 네 가지 問題가 잇섯다 即 一、사람은 엇더케 살아야 잘 사나 二、男女 間 엇더케 살아야 平和스럽게 살가 三、女子의 地位는 엇더한 거신가 四、그림의 要點이 무어신가 이거슨 實로 알기 어려운 問題다 더욱이 나의 見識 나의 經驗으로선 알 길이 업다 그러면서도 突然히 憧憬되고 알고 십헛다 그러하야 伊太利나 佛蘭西 畵界를 憧憬하고 歐美 女子의 活動이 보고 십헛고 歐美人의 生活을 맛보고 십헛다

나는 實로 미련이 만햇다 그만치 憧憬하든 곳이라 가게 된 거시 無限이 깃부럿마는 내 環境은 決코 簡單한 거시 아니엿섯다 내게는 젓먹이 어린의까지 세 아히가 잇섯고 오날이 엇덜지 내일이 엇덜지 모르난 七十 老母가 게섯다 그러나 나는 心機一轉의 波動을 禁할 수 업섯다 내 一家族을 爲하야 내 自身을 爲하야 내 子息을 爲하야 드듸어 떠나기를 決定하엿다.

---

01 이 글은 『三千里』에 1932년 12월호부터 1933년 2월호까지 3회 연재된 것인데 만주를 경과할 때의 견문을 기록한 첫 회만 발췌하였다 - 편자.

○ 釜山鎭 出發

六月 十九日 午前 十一時 奉天行 列車로 釜山을 出發하엿다 어머니께서 눈물을 띄시며 「속히 다녀오너라」 하시고 목이 메여 하시난대 나는 고개를 들지 못하난 동안 汽車는 北으로 向하야 굴너갓다 때는 慶北 南道에 旱발이 甚한 때라 아직도 비 올 可望이 全혀 업시 車 속에 扇風機가 若干의 바람을 일을 뿐이오 山野의 樹木은 뜨거운 볏 아래에 숨이 맥혀한다 午後 一時에 大邱에서 내렷다 多數의 知友를 맛나보고 夜 十一時에 大邱를 떠낫다.

○ 三 日 間 京城

水原驛에서 多數 親戚을 맛나보고 京城에 到着하엿다 京城은 知人親友가 만히 잇는 곳이라 마음이 平和해지고 떠나갈 마음이 업섯다 벗님 中에는 일부러 차저주시난 분 電話로 자조 불너주시난 분 點心을 먹자 저녁을 먹어 다오 請해주섯다 二十餘 名 親友들께서 明月館 支店에서 晩餐을 주섯다.

五十餘 名 벗님들의 餞送에는 或는 목을 붓잡아 다니시난 분 或 목을 얼싸안어주시는 분 或 醉、或 興、或 淚로 一路의 平安을 비려주섯다 夜 十一時에 京城을 떠낫다.

○ 五 日 間 安東縣

郭山驛에서 舍妹를 맛나보앗다 京城서 同伴 餞送 해준 崔恩喜 氏는 울며 나를 보내준다 나는 매오 고마웟다 그의 貴한 눈물을 밧을 만한 아모 忠實함이 업섯든 거슬 매오 붓그러워하엿다 南市驛에서 安東縣朝鮮人會 代表 一人의 出迎을 맛낫다 모다 손이 으스러저라 하고 잡아흔든다.

安東驛은 已往 六個年을 살든 곳이라 눈에 떼우는 이상한 거슨 업섯스나 길가에 잇는 포푸라까지 반가웟다.

實로 安東縣과 우리와는 因緣이 깁다 社會上으로 事業이라고 해본 대도 여긔요 個人的으로 남을 도아본 대도 여긔오 人心에 對한 씬맛 단맛을 맛보아 본 곳도 여긔다

在滿同胞의 經濟的 發展은 오직 金融機關에 잇다 하난 見地로 安東에 朝鮮人金融會가 設立한 後 以來 安東 在住 朝鮮人金融界의 中心機關이 되여 잇서 그 前道가 有望하게 우리 눈에 보일 때에 無限이 깃벗섯다

總督府와 滿鐵에 交涉한 結果 數百餘 名의 生徒를 需用할 만한 普通學校가 建設되여 이번에 滿鐵 經營으로 되여 職員 一同의 滿面喜色인 거슬 볼 때 엇지 滿足이 업스랴 過去에 過한 失守 업고 現在에 一人의 敵이 업스니 安東縣 여러분의 人心厚德하신 거슬 致賀하난바다.

金谷園 中國料理집에서 朝鮮人會 一同의 送迎會가 잇섯다 實로 百餘 名의 出席은 滿洲에 잇난 朝鮮人 生活로는 듬은 例이엇다

翌日에는 知人를 尋訪하고 男便은 岡山六高 同窓會의 歡迎會에 出席하엿다 저녁에는 三저 牧子一行 音樂會 求景하고 其 翌日에는 一行에 석겨 採木公司 蒸船으로 鴨綠江 上에서 午前을 虛費하엿다 감개無量하엿다 그날 夕飯은 採木公司 理事長 夫人의 招待로 晩餐을 먹었다 翌朝에 告別 인사를 마치고 十一時 三十分에 安東을 떠나 知友 五十餘 人의 餞送으로 奉天으로 向하엿다.

○ 奉天

午後 七時에 奉天에 到着하니 舍兄 內外와 數人 知友가 出迎하엿다 一 週

間 동안이나 사람의게 삐치고 길에 뻿친 몸을 舍兄의 집에서 便하게 쉬이에 되엿다.

奉天은 實로 東三省의 首府인 만치 新舊市街와 宏壯한 建築이며 城壁의 四大門 宮城의 黃金기와 靑기와 各國 領事館의 旗발 날니난 것 눈에 띠우난 거시 만핫다.

○ 長春

밤 九時에 長春에 到着하엿다 아[02]마도호텔 庭園에서 納凉을 하다가 남은 時間을 市街 求景으로 채웟다.

長春만 해도 西洋 냄새가 난다 新市街는 勿論이오 中國市街는 奉天이나 安東縣에 比할 수 업시 整頓되고 깨끗한 곳이다 露國式 建物이 만코 露國物品이 만흐며 露國人區域까지 잇난 곳이다 고무박휘로 된 소리업시 새게 구는 馬車는 中國式 덜컥々々 굴느난 맘만데[03] 馬車와는 別다른 氣分을 늣기게 되엿다 如何튼 長春이란 깨끗한 印象을 주난 곳이다.

夜 十一時에 靑色 汽車(汽車 全體가 靑色이다)를 타게 되엿다.

釜山서부터 新義州까지 每 停車場 白色 正服에 빨간 테두리 定帽 쓴 巡査가 一人 或 二人 式 번적이난 칼을 잡고 所謂 不逞鮮人 乘降에 注意하고 잇다 安東縣서 長春까지는 누런 服裝에 若干의 赤系를 띠운 누런 定帽 쓴 滿鐵 地方主任巡査가 비스톨 가죽주머니를 革帶에 메여 차고 서서 이것이 비

02　"아"는 "야"의 오식 - 편자 주.

03　"맘만데": 중국어 "慢慢的(느린)" - 편자 주.

록 中國이나 汽車 沿線이 滿鐵官制이라는 자랑과 威嚴을 보이고 잇다 長春서 滿洲里까지는 검은 灰色 무명을 군대々々 눕여 服裝으로 입고 억개에 三等軍卒의 별표를 붓치고 灰色 定帽 비시듬이 쓰고 日本 維新時代 번린 칼을 사다가 질々 길게 차고 가삼이라도 찌를 듯한 創劍을 빼들고 멀건이 休息하고 잇난 中國 步兵 汽車 到着 時와 出發 時에 두 발을 꼭 모아 氣着을 하고 잇다 이거슨 蒙古로 內侵하랴난 馬賊을 防禦하는 樣이겟다 露西亞管轄停車場에는 出札口에 鐘이 하나式 매달녀잇다 그리하야 汽車가 到着되면 其 即時 鐘을 한 번만 따린다 그러고 出發할 時는 두 번 울니고 곳 회각을 불고 이 鐘소리와 회각소리는 好意로 取하랴면 簡單明白하고 惡意로 取하랴면 방정맞고 까부는 것 갓햇다 늘신한 아라사사람과는 도모지 調和가 들녀지々를 아니한다 哈爾濱停車場에 到着하니 李象雨 氏가 出迎하엿다 그만 해도 사람이 그리워 반가웟다 곳 北滿호텔에 投宿하게 되엿다.

○ 六日間 哈爾濱

哈爾濱은 北으로 歐露 及 歐羅巴 各國을 通하야 世界的 交通路가 되여잇고 南으로 長春과 續하야 南滿洲鐵道와 連絡한 곳으로 世界人의 出入이 不絶하고 露國革命 以後 舊派 即 白軍派가 亡命되여 이리로 多數 集合하게 되여섯다 當時는 世界的 音樂家 美術家 其外 各 技術家가 만히 모혀드러 處々에서 조흔 求景을 할 수 잇섯든 거슨 내가 본 事實이다 果然 哈爾濱은 市街가 번々하고 人物이 繁華한 곳이다 그러나 道路에 사람 머리만큼式 한 돌이 깔니어 굽 놉흔 구두로 거를냐면 매오 힘이 든다 때는 마침 七月 極炎에 處한 때라 突發的으로 검은 구름이 하눌을 덥흐면 大陸的 麼雨가 猛烈히 쏘

다진다 곳 毛皮外套라도 입을 만치 선々하다가 삽시간에 벗[04]이 쟁々하게 나서 다시 푹々 찐다 午後 四時 쯤 나가보면 形々色々 帽了와 살비치 난 옷을 입은 美人들이 길가에 느러섯다.

○ 婦女 生活과 娛樂機關

婦女 生活의 一部分을 쓰면 이러하다 아침 九時 쯤 해 이러나서 食口 一同이 빵 한 조각과 茶 한 잔으로 朝飯을 먹는다 主婦는 광주리를 엽헤 끼고 市場으로 간다 點心과 저녁에 必要한 食料品을 사가지고 와서 곳 點心 準備를 한다 大槪는 牛肉을 만히 쓴다 十二時로 午後 二時까지 食卓에 모혀안저 閑談으로 盡蕩껏 點心을 먹는다 이 時間에는 各 商店은 鐵門을 꼭々 닷는다 그리하야 點心時間에는 人跡이 端絶해진다 主婦는 家事를 整頓해노코 낫잠을 한숨 잔다 夕飯은 點心에 남앗든 거스로 지내고 化粧을 하고 活動寫眞館、劇場、舞踏場으로 가서 놀다가 早朝 五六時 頃에 도라온다 婦女의 衣服은 自己손으로 해 입지마는 그보다도 商店에 해논 거슬 만히 사서 입는다 多節에는 夏節 衣服에 外套만 입으면 고만이다 여름이면 다림질 겨울이면 다딤이질로 一生을 虛費하는 朝鮮 婦人이 불상하다.

娛樂機關이 만히 생기는 原因은 求景軍이 만허지는 거시다 그러면 求景軍에는 男子보다 女子가 만흔 거슨 어느 社會를 勿論하고 一般이다 西洋 各 國의 娛樂機關이 繁昌해지는 거슨 오직 其 婦女 生活이 그만치 餘裕가 잇고 時間이 잇는 거시다 내가 前에 京城서 어느 劇場 압흘 지나면서 同行하든 親

---

04 "벗"은 "빗"의 오식 - 편자 주.

舊에게 말한 때가 잇다 劇場 經營을 하랴면 根本問題 即 朝鮮 婦女 生活을 急先務로 改良할 必要가 잇다고 實로 女子 生活에 餘裕가 업는 社會에 娛樂 機關이 繁榮할 수 업는 거시다.

○ 印度 劇과 英國 寫眞을 보고

知友 數人으로 더부러 第一 繁榮街에 잇는 商務俱樂部 埠頭公園에를 갓 섯다 이 公園은 同胞 崔 某와 露國人과의 合資經營인 關係上 出札口에는 露國人과 朝鮮人 各 一人 式 잇섯다.

庭園에는 꼿이 紋의 잇게 피여잇고 劇場이 잇스며 食道樂 舞踏場이잇고 저런 수풀 사이에는 活動寫眞이 잇서 觀衆으로 채워잇다 招人鐘이 나자 서 고 안고 것고 놀고 하든 사람들이 一時에 모혀드러 劇場으로 드러간다 劇場 內 椅子에는 入場券에 따라 안게 되엿다 劇은 印度 劇이엿다.

印度 王子는 佛國 留學을 갓다가 卒業을 하고 온다 印度 國民 全體의 歡迎이 잇섯다 그러나 오직 敎會 門직이가 國法에 外國 出入하는 者는 國賊이라 하엿다고 王子를 嘲笑한다 王子가 佛國美人을 데리고 와서 戀愛哲學을 父王에 알릴 때 父王은 大怒하야 그 女子를 毆蹴하는 一面은 朝鮮 社會 過渡期를 連想 아닐 수 업섯다.

또 하나는 英國 寫眞이엿다 當時 名聲이 자々하든 一流 女優가 公爵의 寵愛를 밧으면서 그것에 滿足지 못하고 一 個 賤人 魚夫를 사랑한다 그 魚夫는 매우 率直하고 天眞스러웟다 魚夫는 드듸어 公爵을 죽이고 十年 懲役을 하는 동안에 女優를 잇지 아니하엿다 女優는 一時 惡魔窟에 빠젓섯스나 魚夫를 잇지 아니하엿섯다 그리하야 두 사람은 깃부게 맛나게 되엿다 金錢이 萬能이 되고 外飾이 社交術이 되여가면 갈수록 不絕한 努力과 眞情한 사괴이 그리워진다.

○ 松花江 求景

　三日은 마침 日曜日이라 日曜日이면 거진 다 松花江으로 모혀든다는 말을 듯고 求景을 갓섯다.

　此岸에서 彼岸까지 五町 쯤 되는 濁流를 건넛다 江邊에는 休憩所가 無數히 잇슬 뿐 아니라 夏節 한때 避暑하는 木板바락구[05]와 帳幕이 깔려잇다 수풀 우에 眞味 잇는 飮食으로 家族 一同이 즐겨하는 것, 두 다리를 엇겨노코 두 손을 한대 모아 情답게 속살거리는 戀人 同志 포실々々한 裡[06]體로 徘徊하는 女子들 小柳 사이로 縱橫無盡히 三々五々 作伴하야 거니는 者 太陽島를 덥헛다 實로 이 松花江은 할빈 市民에게 업지 못 할 納凉地다.

　저녁밥은 朝鮮人會 々長 집에서 지냇다 그리고 그 夫人과 求景을 갓섯다 그는 할빈 온 後 求景이 처음이라 하고 매오 조와한다 나는 언제든지 조흔 求景 만히 한 사람과 다니는 것보다 도모지 求景 못 한 이하고 다니는 거슬 조와한다 그리하야 그 사람이 조와하고 깃버하는 거슬 보면 퍽 愉快하다 이 날도 매오 상쾌하엿섯다.

　여러 知友와 함께 共同墓地를 求景 갓섯다 正面에 잇는 納骨堂 屋上에는 金色 十字架가 번적이고 잇서 멀니서 오는 喪여를 보고 鐘을 울녀 歡迎의 意를 表한다 넓은 墓地에는 形々色々의 墓形이 잇고 아직도 푸른 잔듸로 잇는

05　"바락구": 영어 barrack - 편자 주.

06　"裡"는 "裸"의 오식 - 편자 주.

곳은 누구의 主人이 될는지 때를 기다리고 잇다 오는 길에는 中國式 建物로 有名한 極樂寺에 들엿다 靑黃色 기와로부터 眞紅色 壁, 藍色紋의 燦爛한 强色이엿다 마치 내 몸이 그 안에 조려지는 듯 십헛섯다.

哈爾濱에서 滿洲里까지 갈 동안에 지낼 準備를 하엿다 六日 夜 八時 十分에 哈爾濱을 떠나게 되엿다 우리는 餞送해주시는 二十餘 人의 知友에게 謝意를 表하면서 東支鐵道 一等室에 오르게 되엿다 中國이 萬國鐵道會議에 參加치 아니하엿슴으로 滿洲里 가서는 와고니⁰⁷ 萬國寢臺車로 乘換하게 되엿다 이 線路에는 機關手가 驛長에게 傳하는 따불랫트⁰⁸의 模樣이 鐵棒과 갓햇다.

汽車는 一面 荒蕪地로 限업시 굴너가는대 左右 수풀 속에는 白色 天然 芍藥이 흐느러지게 피여잇다 茫々曠野 잔듸 우에 靑 黃 赤 白 가진 花草가 混雜이 피여잇서 마치 靑色 天鵝戒 우에 鳳凰으로 繡를 논 것 갓하엿다 곳 뛰여내려가 데굴々々 굴너보고 십흔 대도 만핫섯다 河川이 드무니 農事에 不適함인가 씨고 남은 땅이거든 우리나 주엇스면 …… 우리 一行은 시베리아 自然에 醉하엿슬 때 엽 콤판드멘트⁰⁹로부터 西洋人의 流暢한 獨唱소리가 난다 汽車나 汽船 旅行 中에 音樂처럼 조흔 거시 업슬 것 갓다 實景을 보고 그거슬 讚美하야 부르는 者야말로 幸福스러울 거시다.

午後 三時에 有名한 興安嶺을 넘게 되엿다 여긔가 발서 海拔 數千 尺이다.

夜 八時에 露支 國境인 滿洲里에 到着하엿다 한 時間 동안 市街를 求景하엿다 國境인만치 軍營이 만코 조고마한 市街地나마 朝鮮人 密賣淫女까지

---

07 "와고니": 영어 wagon - 편자 주.

08 "따불랫트": 영어 tablette - 편자 주.

09 "콤판드멘트": 영어 compartment - 편자 주.

具備해잇다 여긔서 稅關 檢査가 잇섯스나 우리는 公用旅行券을 가진 關係
上 언제 엇더케 지냇난지 몰낫다 左便 車에서 右便 車로 짐을 옴기는 뽀이가
行李 一 個에 大洋 八十 錢式 밧는 대는 아니 놀날 수 업섯다。

ー『三千里』, 第4卷 第12號, 1932년 12월

間島에 客이 되어

間島의 첫印象

구타여 北間島라 거칠은 印象、구슬픈 感想밖에 또 무엇이 잇으랴. 學窓에서 바로 굴러나왔다는 곳이 남들이 오기 싫어하는 北支那 悲劇小說의 背景으로만 取扱하려는 北間島이엇다. 그러나 그도 親族 동무나 잇다면 모르거니와 間島 一 年 間 나의 客地 生活이란 寂寞 恐怖뿐이엇다.

間島란 地帶가 元來 넓은 땅이 거진 確權을 잡은 主人公이 없다 하여 그런지 모르나 朝鮮 十三道 어데를 勿論하고 間島 살림을 目的하고 떠나온 사람이 얼마인지 모른다. 그래서 여기 사는 조선사람의 全 風俗이란 것은 固有한 道의 特色이 없고 모도가 十三道 全體 風俗을 합처놓은 合衆式이다. 衣服이나 言語에 별다른 差가 없는 그들은 朝鮮 內地와 같아 鄕土的 自尊心을 서로 가지거나 서로 分裂하려는 氣分이 없고 相扶相助의 心情과 아울러 異域이니만큼 서로의 깊은 同情을 갖고 살게 된다. 어떠한 會合이든지 뭉이는 힘이 强하고 조선사람끼리의 團結을 잊지 안는다. 그러나 或時 보면 너머 非倫理的 主張과 熟練치 못한 修養 程度를 가지고 어떤 運動을 始作하다가 無智와 失敗를 들어내고 말게 되는 것을 종종 본다.

冷靜한 判斷力이 없이 氣分에 醉하여 熱을 吐하는 것이 間島 靑年들의 過

程이라 볼 수 잇다. 그러나 나로서도 반갑게 느껴지는 것은 서로 快活하게 몸을 아낌없이 내어놓고 일해 보겟다는 그 붉은 마음만은 間島가 아니고는 찾어보기 어려운 現象이라 하겟다.

間島의 살림사리

間島의 새벽! 萬籟가 깊이 잠들어 사정없이 불어치든 바람결도 차차 잠잠해지는 새벽이 되면 어대서 거칠은 音聲이 새벽의 거리를 橫斷하여 잠든 고막을 처량하게 울려주고 간다. 朝鮮人도 아닌 中國人이 잘 되지도 않은 朝鮮말로 무엇이라고 웨치고 지나가는 그 소래! 나는 이때까지 그러케 雄姿스럽고 처량한 리듬을 들어본 記憶이 나지 안는다. 그 소리는 一種의 物件을 사라는 廣告의 지나지 않건만은 그 구슬픈 音聲이 空氣를 通하여 나의 귀를 스처 들어올 때는 마치 죽엄을 찾어가는 설어운 노래 같기도 하고 거친 曠野가 원망스러워 끝없는 哀愁의 하소 같이도 들린다.

「참길름이 양양양 …… 사솔라봐」 그 소리가 새벽하늘 그윽한 間島의 空氣를 흔들어놓을 때는 야릇하게도 서글픈 聯想의 눈물이 솟아난다. 어떤 날 아침 나는 그 소리에 깨어 하도 마음이 心亂하기에 뒷마을 東山이란 곳으로 散步를 떠낫다. 찬바람이 山 우에 모질게 불고 잎새 잃은 나무들이 여기저기 앙상하게 서잇을 뿐이엇다. 나는 아츰 해빛을 마시려는 間島의 자그마한 都市를 내려다보며 한가하게 冊을 읽으며 나려갓다. 한참 올라가려니까 소나무들이 듬은듬은 서어잇는 틈으로 무덤들이 보인다. 아침 太陽의 反射되어 불숙불숙 올라온 黃土의 무덤들이 원한 많은 異域의 죽엄이라 생각하매 가까히 가서 어르만저도 보고 싶은 愛着이 감돌앗다. 떼 하나 입히지 않은 무덤의 빛갈은 몹시도 험하엿다. 나는 아모 意識 없이 冊을 덮어 들고 소나무 사이로 山길을 더듬으며 무덤 앞에 꽂힌 말둑을 찾어보고 한 고개 두 고개 넘어갓다. 치움을 참지 못해 呼吸運動을 해가며 나려가다가 갑작이 아이구머니 소리를 벽력같이 지르고 오든 길로 다름박질을 하여서 올라왓다.

女學生의 膽力

무서워! 나는 그러케 무서운 것을 世上에서 처음 보앗든 것이다. 떠러진 中國人 屍體가 바로 널 속에 누은 것인데 관 뚝게도 덮지 않은 채 그대로 길바닥에 놓엿던 것이다. 내 눈에는 꼭 그것이 그때에 일어나려는 것 같이 보혓엇다. 그 옆으로도 여러 개의 관들이 그대로 그 골짝 안에 놓엿는데 朝鮮人의 관과 달려서 관 옆에는 붉은 용과 새들을 그려서 玉色으로 칠을 해놓은 것이 보기에 더 무서웟다.

그날 아침 그런 생귀신을 面會하고 하도 혼이 나서 宿食에 오든 길로 學生들에게 「관이 그냥 나와 굴으니 그게 웬일이냐」 햇드니 學生들은 나의 예상보다는 너무 平凡하게 「여기 中國人의 風俗은 自己 父母가 別世하기 前에 죽으면 死後의 罰로 길바닥에 그냥 버려두어서 도야지나 개가 뜯어먹게 한답니다」 한다. 어린 學生들이 별일로 알지 않고 다만 平凡하게 생각해 버리는 것이 나에게는 더 아찔한 일이엇다. 如何間 間島 女學生들은 膽들도 크구나 속으로 생각은 하면서도 그 學生들의 異國 風俗에 能한 것이 한끝 용감스러워도 보히고 아직 생소한 나에게는 부러운 느낌도 없지 않엇다. 그 이튼날부터 몇 날은 길바닥에 놓인 棺들이 무서워 그 近處로는 발길을 避하엿다. 저녁때 學校서 돌아오면 아랫동리 사는 세 살 먹은 어린 「윤극」이가 아장아장 걸어와서는 散步갑시다 하고 손목을 끄은다. 무엇이던지 그 총명한 「윤극의」 눈ㅅ동자를 볼 때에는 — 그리고 저녁때면 無意識的으로 내 방에 와서 놀다 散步를 가자고 조를 때는 할 수 없이 나도 손목을 끄을고 밖으로 나간다. 그러나 어린애 눈에 그 끔찍한 棺이 보일가바서、 그 총명한 눈가에 무서운 소름이 끼칠가 해서 나는 딴 길로 「윤극」이의 손을 끌어준다.

으슥한 밤의 序曲

해가 西山에 기울고 밤빛이 차차 몰려들 때는 陰沈한 어둠 속에 市 全體가 감춰어버리고 만다. 차라리 하늘의 별이 시컴한 길바닥을 밝혀준다 할까? 누구나 間島의 밤길을 가고 싶어 하는 사람이 없으리라. 바람이 횡횡 소리치고 여기저기 中國 巡査의 검은 塔이 우뚝우뚝 서잇는 그 거리를! 急한 볼일이 잇어 길바닥에 나선 사람이라도 마음 놓고 거름을 걸을 수 없는 밤의 거리다. 일미네슌[01]이 흔들리고 딴스홀의 쨔스노래가 흩어지는 밤의 거리에서도 어두움의 가슴을 안고 헤매는 동무가 잇거니 …… 나는 暗黑街의 찬바람을 맞으면서도 明日의 光明을 찾을 길이 없으니 生이란 場面마다 苦惱는 붙어 다니나 보다.

어떠한 團體의 暴動이 일어나기 前에는 間島의 밤은 물 부은 듯이 종[02]용하고 崇嚴하다. 이따금 領事館 自動車 소래가 뿡뿡 들리면 또 무슨 일이 나나 보다 하고 집집이 수잠을 자게 된다. 어떤 때는 ×××이 갑자기 出現하여 市內의 電氣를 끊고 총을 놓고 여기저기 불을 질러놓는 까닭에 방에 잇든 사람들은 총알을 避하기 爲하야 一齊히 방바닥에 업뜨려버리고 더러는 地

---

01 "일미네슌": 영어 illumination - 편자 주.

02 "종"은 "조"의 오식 - 편자 주.

下室로 나려가 숨는다. 이리하여 조용한 밤이지만 그 沈默만 밤 속에 險한 氣分이 잔득 들어차서 언제든지 마음을 安定할 수가 없는 것이다. 그리고 게엄영이 나린 때에 밤 八時 지난 後에는 絶對로 通行치 못하게 된다. 法을 모르고 지나가면 銃殺을 當하게 되는 수도 잇다 한다. 얼마 전에 어느날 밤 十二時가 지난 후 갑자기 어데서인지 폭탄이 投下되든 때 그 밤을 지금 생각하여도 소름이 끼친다. 하늘 한 쪽이 믛어저서 바다로 몰려드러가는 듯한 처참한 소래엿다.

나는 그 때도 처음 當하는 일이라 밤샛것 못 잣건만 宿舍 學生들은 「폭탄이 또 떠러젓나」 하고 돌어누어 그냥 코를 골며 잘뿐이다. 險한 바람과 처참한 風景 속에서 자라온 그들에게는 그런 소래 쯤은 잠고대를 妨害하는 씨씨리 소리만도 못한 모양이다.

無條件的 銃殺

바로 몇칠 전 復活主日 밤이엇다. 學生들과 함께 새벽찬양을 하려고 달빛을 동무하여 거리에 나섯다. 나는 떠날 때부터 길에서 中國 巡査를 만나면 中語도 모르고 또 새로 한시가 넘으면 길로 못 다닌다는데 어떨가 하고 半信半疑하며 떠낫다. 눈과 달빛이 어우러진 間島의 첫 새벽은 아모런 音響도 없어 고요하고 맑엇다. 昨年에는 봄비를 줄줄 맞어가며 復活의 아침을 맞엇드니 今年 그날엔 눈길을 푹푹 밟어가며 復活의 몟세지를 傳할 줄이야!

우리는 한참 노래를 하다가 어느 골목으로 돌아 서랴니까 어데서인지 갑자기 「꺄르륵 — 륵」 하는 毒살스러운 부르지짐이 들려온다.

學生들은 一齊히 발을 멈추고 섯다. 그제서야 나는 그것이 밤의 파수 보는 陸軍이 그 곳에 꼭 서잇으라는 暗號임을 알엇다. 이윽고 눈길 우에 시컴한 그림자가 나타나오는 것은 총ㅅ대 메인 中國 陸軍이다. 學生들은 서로 수군거리드니 그 中에서 한 학생이 나서며 「구주부와창!」 하며 우스운 中語로 무엇이라 하는 모양이더니 가라고 손짓을 한다. 나는 또 가슴이 철렁하여 그만 하고 돌아가자 하엿드니 學生들은 웃으며 그까지껏 괜찮아요 하며 無心히 對答하여버린다.

「꺄르륵 ― 륵」이란 소래는 무슨 뜻이냐 하니까 그것은 밤中에 가는 사람이 잇으면 더 가지 말고 그 자리에 서서 취조를 받으리라는 暗號인데 세 번까지 「꺄르륵 ― 륵」 소래를 내어도 듣지 않고 그냥 가면 無條件 銃殺이라 한다.

나는 學生들이 아니엇더면 몰랏겟으니 銃殺을 當할 뻔 햇지 하고 一齊히 웃고 돌아온 일이 잇다.

그저 한 마디로 하라면 間島는 사람 살지 못 할 곳 같이만 생각된다. 人心도 그러코 天候도 그러코.

— 『朝光』, 第4卷 第5號, 1938년 5월

間島를 등지면서

姜敬愛

一九三二年 六月 三日 아츰.

싯은 듯이 맑게 개인 하늘가에는 飛行機 한 대가 푸로페라의 폭음을 發射하면서 徘徊할 제 龍井村을 등지고 떠나는 天圖列車[01]는 외마디의 離別 인사를 길게 던젓다.

나는 수많은 乘客 틈을 삐이고、자리를 잡자마자。車窓을 의지하야 돌아보니 얼신얼신 벌어가는 龍井村.

그때에 내 머리에 얼핏 떠오르는 것은 내가 처음으로 발을 들어놓든 작년이때다.

그때에 龍井 市街는 新綠이 무르익은 街路樹 左右 옆으로 靑天白日旗가 멋잇게 나붓기엿고 붉고도 흰 벽돌집 새이로 흘러나오는 깡깡이의 단조로운 멜로디는 보라빗 봄 하늘 아래 고히고히 흐터지고 잇엇다.

그러나 街路에서 헤매이는 乞人들의 이모양 저모양 그들에게 잇어서는 봄날도 깡깡이소리도 들니지 안는 듯 驛頭에서 흐터지는 낫선 사람의 뒤를

01　"天圖列車": 텐바오산(天寶山) - 투먼(圖們) 사이를 운행하는 열차 - 편자 주.

따르면서 그 손! 을 버릴 뿐 그 험상진 손!

　나는 이러한 옛날을 그리며 아까 驛頭에서 안탑갑게 내 뒤를 따르든 어린 거지가 내 앞에 보이는 듯하야 다시금 눈을 크게 떳을 때 차츰 멀어가는 龍井 市街 우에 높이 뜬 飛行機 그리고 느진 봄바람에 휘날리는 靑紅黑白黃의 五色旗가 白楊나무 숩속으로 번듯그렷다.

×　　×

　車窓으로 나타나는 논과 밭、 그리고 아직도 젓빗 안개 속에 잠든 듯한 멀리 보이는 푸른 山은 마치 꿈꾸는 듯、 한 폭의 명화를 대하는 듯、 그리고 아직도 산듯한 아츰 空氣 속에 짙은 풀냄새와 함께 향긋한 꽃냄새가 코밑이 훈훈하도록 스친다.

　밭뚝 풀승쿠리 속에 좁쌀 꽃은 발가케 노라케 피엇으며 그 옆으로 열을 지어 돌아나는 조 싹은 잎새를 두 갈내로 벌리고 붉어케 타오르는 동켠 하늘을 향하야 해빛을 받는다. 마치 어린애가 어머니 젖가슴을 헤치듯이 그러케 천진스럽게 귀엽게! …… 어디선가 산새 울음소리가 쩩쩩하고 들려온다. 쿵쿵대는 차바퀴에 품겨 들리는 듯 마는 듯.

　『어디 가서요!』

　하는 소리에 나는 놀라 돌아보니 어떤 트레머리 女學生이엇다. 한참이나 나는 그를 바라보다가

　『서울까지 갑니다. 어디 가시나요』

　혹시 京城까지 同行하게 되지나 않을까 하는 생각으로 이러케 反問하엿다.

　『네 저는 會寧까지 갑니다.』

　생긋 웃어 뵈이는 입술 속으로 하얀 이가 내밀엇다.

『그리서요 그럼 우리 同行합시다。』

마츰 나와 마즌켠에 앉은 어린 학생이 졸다가 옆에 앉은 日人에게로 쓰러 젓다.

『아라!』

내 옆에 앉엇든 女學生은 날내게 이러나 어린 학생을 붙드러 앉히며 유창 한 日語로 지꺼린다. 日人은 어린 학생을 피하야 앉다가 이켠 女學生에 끌려 어린 학생을 어루만지며 서로 말을 건니엿다.

×　　×

나는 그들의 말을 귓결에 들으며 다시금 창밖을 내여다 보았다. 금박 내 앞으로 닥아오는 밭에는 어쩐지 조쌀을 발견할 수가 없어 나는 자세히 둘러 보앗을 때 『지금 촌에서는 밭가리를 못해서 묵이는 밭이 많다지 올에는 굶 어죽을 수 낫다』하든 말이 내 머리를 찡하니 울려주엇다. 나는 뒤로 사라지 려는 그 밭을 안탑갑게 바라보앗다. 거기에는 온갖 잡풀이 얽히엇을 뿐이엇 다. 그때에 내 가슴은 마치 돌을 삼킨 것처럼 멍청함을 느꼇다. 따라서 農夫 들이 저 밭을 대하게 되면 어떨까 얼마나 아까울까. 얼마나 애수할까、흙의 맛을 알고 그 흙에서 매일 달라가는 조쌀의 자라나는 그 자미 그 쌀로 農夫 自身이 아니고서는 아지 못할 것이 아니냐. 그러면 저들이 저 밭을 대할 때 나로서는 감히 상상도 못할 그 무엇이 들어잇겟구나. 이러케 생각하며 얼핏 이러한 노래가 떠올낫다.

지금은 봄이라 해도
만물이 소생하는 봄이라 해도

이 따에는 봄인줄 모를네 모를네

안개비 오네 앞산 밑에 풀이 파랫소
이비에 조쌋이 한치 자라고
논뚝까지 빗물이 가득하련만

아아 밭가리 못햇소
논가리 못햇소
흙 한 줌 내 손에 못 쥐어봤소

나는 이 노래를 금박이라도 종이 우에 옴기고 싶은 충동을 느끼며、빠스
겟을 뒤젓으나 종이도 붓도 없어서 그만 꾹 참고 보누라 없이 휙근 돌아보니
옆에 얹은 그 女學生은『主婦之友』를 들고 들어다본다.

日人은 끄침없이 女學生에게 視線을 던지며 벙긋벙긋 웃고 잇엇다. 마츰
내 日人은

『會寧 어디 게십니까?』

하고 묻는다。그는 가볍게 머리를 들며

『道立病院에 잇습니다。』

이 말에 나는 그가 看護婦인 것을 直覺하며 다시금 그를 처다보앗을 때
어디선가 그의 몸 전체에서 흘러나오는 약냄새를 새삼스럽게 느꼇다.

×

아까 내 마즌 편에서 졸든 어린애는 어느듯 女學生 곁으로 와서 앉어 물

그럼이 책을 들여다본다.

『글세 이 애 혼자서 上三峰까지 간다지요。』

그는 어린애를 가르치면서 나를 처다본다. 나도 그 말에는 놀라서 그 애를 자세 들여다보앗다. 얼골이 둥글둥글한데다 눈이 큼직한 보암직스러운 사내엿다.

『너 몇 살이냐?』

그는 머리를 숙이며

『일곱 살이여요。』

『응 용쿠나、 너 혼자 어디 가니?』

『삼봉 가요。』

『응 아부지 어머니 다 게시냐?』

어린애는 우물쭈물하며 말끝이 입술 속으로 슴어들고잇다.

『이얘 똑똑히 말해。』

그 녀자는 어린애를 들여다보며 이러케 상냥스럽게 말하엿다. 그러나 그는 끝까지 말을 아니하고 잇엇다. 나는 웃으며 무심히 앉엇을 때

『이 애가 울어!』

그 녀자는 어린 학생의 머리를 들며 들여다본다. 나도 얼핏 그편으로 보앗을 때 그 껌한 속눈 새이로 크단 눈물이 뚝뚝 흘럿다. 그때에 나는 그 애가 아부지도 어머니도 없는 孤兒엿음을 짐작하자 내가 웨 그런 말을 함부로 물엇든가 내가 짐작하는 그대로 참으로 그 애 아부지 어머니가 없엇다면 저 어린것의 가슴이 얼마나 내 물음에 아펏으랴 하고 생각하면서

『이리 온 이거 봐。』

그 녀자의 손에서 『主婦之友』를 옴겨 내 물읍 우에 놓며 表紙의 그림을 내보엿다. 어린애는 눈물을 싯으며 슬금슬금 바라볼 때 여러 사람의 視線은

어린애게로 집중됨을 나는 느꼇다.

×

어느듯 車는 圖們江岸站에 이르럿다. 中國人 巡警에게 나는 일일이 짐 조사를 받은 後 어린애와 몇 마디 이애기를 주고받는 새이에 벌서 車는 슬슬 미끄러젓다.

옆의 女子는 내 억개를 가볍게 흔들며

『圖們江이여요 에그 저 고기 봐!』

말 마치기가 무섭게 나는 머리를 돌려 구버보앗다.

江邊 左右로 휘느러진 버들가지에 江물 속까지 푸르럿으며 그 속으로 헤염치 오르는 금붕어 은붕어를 보고 나는 몇 번이나 하나 둘 셋、 넷、 하고 입 속으로 그 수를 헤이다가 잊어버럿는지

『고기 고기도 잇어요!』

조그만 손을 쑥 내밀어 가르치는데 나는 어린애의 손을 꼭 쥐며 이러케 중얼그럿다.

『네게도 뵈니 어디 잇어 어디 가르처 봐。 또。』어린애를 처다보앗다. 그 는 무심코 이런 말을 햇다가 내가 채처 묻는 결에 그만 부끄러운 생각이 낫 든지 머리를 숙이며 잠잠하다. 순간에 나는 그 애가 아부지 어머니 틈에서 자라지 못한 불상한 애엿음을 확실히 알엇다.

江을 새이로 바라보이는 朝鮮 땅! 山色 쫓아 이편과는 確然히 다르다. 山峰이 굽이굽이 높앗다 낮아지는 곳에 끄침 없이 아기자기한 정서가 흐르고 기름이 듣는 듯한 떡갈나무와 싸리나무는 비 오는 날 안개 끼듯이 山峰 끝까 지 자욱하야 푸르럿다.

×

車가 上三峰驛에 닿자마자、내 곁에 앉엇든 어린애는 냉큼 일어낫다。그 뒤를 따라 나도 빠스켓을 들고 일어나며

『이전 다 왓지 …… 정 네 이름 무어냐』

車간에서 정들인 이 어린것에 이름도 모르고 보내는 것은 퍽도 섭섭하엿 다。어린애는 잠잠히 車에서 나려서며

『순봉이』

『응 순봉이、순봉아 잘 가거라。』

나는 海關檢察室로 들어가며 돌아보앗을 때 순봉이는 關札口로 나가며 다시 한 번 이 켠을 돌아보고 사람들 틈으로 사라지고 만다。어쩐지 나는 무 엇을 잃은 듯한 느낌으로 그 애의 사라진 곳을 한참이나 바라보앗다。

三十分 後에 우리는 上三峰驛을 出發하엿다。看護婦와 나는 순봉의 이야 기를 주고받으며 다시금 순봉의 그 껌한 눈을 그려보앗다。

×

刑事는 차례로 짐 뒤짐을 하며 우리 앉은 앞으로 오더니 亦是 내 짐이며 몸을 뒤저보고 몇 마디 말을 무러본 後 看護婦에게로 간다。그는 언제나 삽 삽한 態度와 유창한 日語로 對하여준다。

車는 圖們江을 바른 便에 끼고 빙빙 돌앗다。실실이 느러진 버들가지 새 이로 넘처 흐르는 圖們江 물、언제 보아도 싫지 않은 저 圖們江 물、네 가슴 우에 뜻잇는 사람들의 상기된 얼골이 몇몇이 비쳣으며 의분의 떨리는 그들 의 몸을 그 몇 번이나 안아 건니엇드냐。

숩 속으로 힐끔힐끔 뵈이는 가난한 사람들의 우막은 작년보다도 그 수가 훨신 늘어보엿다. 그 속에서도 어린애들이 손곱노리를 하며 천진스럽게 노는 꼴이 뵈인다.

×

나는 이켠으로 머리를 돌리니 吉會線鐵道工事 人夫들이 깜앗케 처다뵈이는 石壁 우에 귀신같이 발을 부치고 돌을 쪼아 내린다. 나는 바라보기에도 어지러워서 한참이나 눈을 감엇다. 다시 보면 볼사록 아찔아찔하엿다. 아레 잇는 人夫들은 구려나리는 돌을 지게 우에 싯고 한참이나 이 켠으로 돌아와서 내려놓면 거기에 잇는 인부들은 그 돌을 이를 맞히여 차레차레로 쌓어 올라가고 잇다.

나는 車 안을 새삼스럽게 들러보앗다 그러나 누구 한사람 그곳을 注視하는 사람조차 없는 듯하다. 모도가 洋服쟁이엇으며 학생이엇으며 淑女이엇섯다. 우선 나조차도 저 돌 한 개를 만저보지 못한 사람이 아니엿드냐.

학생들은 무엇을 배우나, 所謂 인테리층 紳士 나리들은 어떠케 살아가나. 누구보다도 나는 이때까지 무엇을 배웟으며 무엇으로 입고 무엇으로 먹고 이러케 살아왓나.

×

저들의 피와 땀을 사정없이 긁어뫃아 먹고 입고 살아온 내가 아니냐! 우리들이 배운다는 것은 아니 배웟다는 것은 저들의 勞働力을 좀 더 착취하기 爲한 手段이 아니엿느냐!

돌 한 개 만저보지 못한 나、흙 한 줌 쥐어보지 못한 나는 돌의 굳음을 모르고 흙의 보드러움을 모르는 나는、아니 이 차안에 잇는 우리들은 이러케 平安히 이러케 호사스럽게 車안에 앉어 모든 自然의 아름다움을 맛볼 수가 잇지 않은가。

×

차라리 이 붓대를 꺾어버리자 내가 쓴다는 것은 무엇이엇느냐。 나는 이때껏 배온 것이 그런 것이엇기 때문에 내 붓 끝에 쓰여지는 것은 모두가 이런 種類에서 좁쌀 한 알만큼、아니 실오래기만큼 그만큼도 버서나지 못하엿다。 그저 한판에 박은 듯하엿다。

학생들이어 그대들의 연한 손길 그 보드러운 힌 살결에 太陽의 뜨거움과 돌의 굳음을 맛보지 않겠는가。 우리는 먼저 이것을 배워야 하지 않겠느냐。 그리하야 튼튼한 일꾼 건、전한[02] 투사가 되지 안으려는가。

돌에 치여 가로세로 줄진 그 손이 그립다。 그 발이 그립다。 해볓에 시컴하다 못해 강철과 같이 굳어진 그 뺌이 그립다! 얼마나 미듬성스러운 손이랴。

—『東光』、第4卷 第8號, 1932년 8월

---

02 "건, 전한"은 "、건전한"의 오식 - 편자 주.

滿洲에서

春園

第一信

벗이어!

午前 七時 京城驛 發로 滿洲 구경을 떠낫습니다. 一行은 K와 나.

一山에서 汶山에 이르기까지의 水災 자최도 적지 아니한 듯합니다. 곡식 잎에 흙이 묻엇으니 비가 한번 곧 와야 하겟습니다. 모래가 자꾸만 上流에서 밀려 나려와서 漢江의 水位가 높아지니 治[01]岸의 平地에는 浸水의 危險이 해마다 많아질 것 아닙니까. 그 救濟法은 造林밖에 없겟지마는 참 걱정입니다.

大同江에서 聖山을 中心으로 東北을 바라보는 景致는 암만 보아도 天下 第一입니다.

『넘어 아름다와』

하는 것이 K의 걱정이엇습니다. 果然 平壤의 江山은 너무 아름다운 것이 흠입니다. 淸川江이나 鴨綠江이나 다 물이 불엇습니다.

옛날은 燕京路 三千 里에 鴨綠江 건너는 것이 큰 難事엿습니다. 朴燕巖의 熱河日記를 보드라도 알 것입니다. 그러나 只今은 졸면서 건너가게 됩

---

01 『治』는 『沿』의 오기 — 편자 주.

니다. 鐵橋의 고마움, 文明의 고마움은 다시금 느낍니다. 다만 恨하는 것은 웨 우리 손으로 못하엿나 하는 것입니다.

鴨綠江 新義州驛을 떠나면서 우리는 時計의 바늘을 한 時間 뒤로 물립니다.

新義州서부터 우리는 北쪽으로 黃海道 長壽山보다 좀 더 怪常하게 생긴 山 하나를 바라봅니다. 그것이 金石山이라는 山입니다. 全혀 뼈만 남은 듯한 톱니 같은 많은 봉오리를 가진 山입니다.

우리 車가 安東驛을 떠나면 애河를 끼고 金石山 西南隅를 向하고 달려 高麗門에 이르러서 이 山의 複雜多樣한 全貌를 보게 됩니다. 金剛山 비슷한 山인데 속에 들어가 싶으리만치 좋은 山입니다.

高麗門이라는 것은 옛날 使臣들이 通關하던 곳입니다. 高句麗 以前으로 말하면 滿洲 一幅이 다 우리 民族의 版圖니까 말할 것도 없지마는 高麗 以後로 점점 졸아들기를 一千 年을 해오는 동안은 이 땅은 마츰내 漢族의 것이 되어버렷습니다.

鷄冠山이라는 驛이 있는데 이 驛 前後 約 四十 키로 程은 山岳地帶로서 鷄冠山이란 것은 가노라면 西쪽으로 보이는, 金石山 비슷하게 생긴 一 座 山입니다. 그 모양이 닭의 볏 같다 하여 鷄冠山이라고 합니다. 金石山이나 鷄冠山이나 다 옛날 우리 先人들이 사랑하던 山입니다. 아니 그리운 그 옛날이여!

鷄冠山은 빠져 가는 동안에는 굴이 七八 個나 되는데 굴마다 鐵橋마다 파수 보는, 銃眼 많이 내인 세멘트 파수막이 잇습니다. 늘 襲擊 問題가 일어나는 곳입니다.

本溪湖에 오면 밤입니다. 여기는 製鐵所가 잇오 용鑛爐의 불기둥을 左便으로 바라볼 수가 잇습니다.

本溪湖驛을 지나면 次次 平地가 되어 滿洲 平野의 特色이 나타나기 시작합니다.

阿利邢禮라고 우리 先民이 부르든 渾河鐵橋를 지나면 奉天역입니다. 市街는 驛의 右便에 잇습니다.

奉天에 닿은 것이 밤 十時 五十分。京城에서 約 十七 時間 程。風雨가 大作하여 밤새 꿈을 일울 수가 없습니다.

奉天은 淸朝적부터 부르는 이름이오 옛날에는 瀋陽이라고 하엿습니다. 또 그前 우리 先人들은 무엇이라고 불럿는지 지금은 알 수 없습니다.

沈陽이라면 丙子胡亂에 三學士가 淸太宗에게 갖은 勸誘와 惡刑을 받고도 끝끝내 降服하지 아니하다가 칼끝에 忠義의 熱血을 뿌리고 죽은 곳입니다. 만일 吾族이 다시 이곳을 차지할 날이 온다고 하면 맨 처음 할 일은 三學士의 忠魂碑, 忠魂塔을 세우는 것이겟습니다. 이제 沈陽城의 逆旅에서 一 書生인 나는 吊忠魂의 노래나 부릅시다

千萬 番 죽사온들 變할 뉘 아니여든
그 똥 富貴야 내 안다 하오리까
찰하로 忠魂이 되어 울고 울까 하노라

三學士 피 흘린 곳이 여기리까 저기리까
沈陽城 풀 욱어진 곳에 風雨만 재오쳐라
忠魂을 부르는 손이 갈 바 몰라 하노라

세 번 부르노라 三學士의 가신 넋을
三百 年 지나기로 忠魂이 스오리까
오늘에 치는 風雨를 눈물 흘려 뵈노라

癸酉 夏 沈陽에서

大連途中記 (一)

벗이어!

大連의 밤 十一時。좀 疲困하지만 오늘 奉天에서 大連까지 오는 동안의 印象이 슬어지기 前에 쓰지 아니하면 아니 되갯기로 이 붓을 듭니다.

奉天은 밤새에 오고 불던 暴風雨가 오늘 午前에 이르러서는 바람은 잣으나 비는 如前하얏습니다. 奉天 구경은 數日 後에 回路에 하기로 되엇으므로 午後 一時 四十分 發 急行으로 大連을 向하얏습니다.

車는 滿員。비오는 平野를 五十五 分이나 달리면 遼陽에 다달읍니다. 아시는 바와 같이 滿洲의 平野라는 것은 北은 松花江 流域、南은 遼河 流域으로서 이 두 江과 그 無數한 支流가 이리 흐르고 저리 흘러서 지어 놓은 것이 世界에도 有名한 滿洲의 大平原입니다. 우리가 탄 車는 이 遼河平原의 東쪽을 달리는 것입니다. 五穀이 茂盛한 이 기름진 平野는 누가 보아도 慾心을 아니 낼 수가 없겟지요. 그러나 이 平原은 아직 수수、조、피、깨、콩、강냉이 같은 田穀을 심을 뿐이오 아직 논은 開拓이 되지를 아니하얏습니다.

遼陽城은 이 平野의 南쪽 中心에 이 平野로 하여 생긴 都市입니다. 원래 吾族의 舊地로서 申采浩 같은 이는 高句麗의 安市城이라고도 하지마는 旅行案內에 依하면 『遼陽은 距今 四千餘 年 前 禹貢의 靑州城이오 漢代의 遼陽縣이오 南北朝時代에는 朝鮮의 領土가 되엇다가 唐代에 遼州가 되어 다시 中國 領土가 되고 遼代에는 東京이라 하엿고 淸朝에서는 奉天 遷都 前의 舊都』라고 하엿습니다. 아모러나 遼陽은 滿洲 地方에서 가장 오랜 都市의 하나입니다.

遼陽은 그 이름이 보이는 바와 같이 遼河의 北岸에 잇어 遼河 平野의 農産物의 集散地임은 말할 것 없습니다. 日露戰爭에 大激戰地엿고 只今도 滿鐵의 重要한 附屬地의 하나입니다. 이 都市에 얼마나 많은 朝鮮人同胞가 어떠한 生業을 하고 잇는지는 다른 機會에 알아보겠습니다.

遼陽을 지나 얼마 안 가면 鞍山이라는 驛이 잇습니다. 이것은 滿鐵 鞍山 鐵鑛과 製鐵所가 잇는 곳으로서 鞍山製鐵所는 撫順炭鑛과 아울러 滿鐵의 附屬 事業 中에 두 기둥이라고 할 것입니다. 鞍山은 再 明日에 따로 보기로 하엿으니 자세한 이야기는 그때에 하려니와 鞍山驛 附近의 낮으막 낮으막한 山에 붉으스레한 바위는 다 鐵을 含有한 鑛石이라고 합니다. 거미줄같이 輕鐵을 깔고 鑛石을 날라 오는 것이 보엿습니다. 鞍山에서 비는 잠깐 그첫 습니다. 비가 그치매 東쪽 即 左便으로 큰 山脈 하나가 보입니다. 數없는 아름다운 峯들이 北에서 南으로 달아간 것을 보니 尋常치 아니한 名山일 뜻. 이것이야말로 遼東의 金剛山이라고 稱하는 千山입니다. 雲霧 中에 高低 각양의 뾰쪽뾰족하지 아[02]하고 끝이 둥글둥글한 峯들이 各樣의 濃淡을 가지고 멀락 가까우락 隱現하는 것은 실로 奇觀입니다.

이 山은 標高는 最高峰이 二千 尺에 不過하지마는 溪谷이 대단히 複雜하고 많은 絶景이 잇다고 하며 山內에는 五大 禪寺와 道觀 아울러 三十二 個의 寺와 觀이 잇다고 합니다. 丹楓 時節에는 더욱 探勝客이 많앗으나 事變 以來로는 反滿黨의 巢窟이 되어잇다고 합니다. 千山이라는 驛도 있지마는 鞍山에서 鐵鑛用의 輕鐵을 타면 바로 外山까지 갈 수가 잇고 또 湯崗子 溫泉에서 나귀로 갈 수도 잇다고 하며 往復 三 日이면 山內를 다 볼 수가 잇다고 합니다.

原來 南滿에는 三 座 名山이 있으니 一은 高麗門의 金石山(一名 高麗城)이오 一은 鷄冠山이오 一은 千山입니다. 다 같이 白頭山의 來脈으로서 西를 向하고 달려서 金石山、鷄冠山、千山을 循次로 일우엇습니다.

---

02 "아"는 "아니"의 오식 - 편자 주.

大連 途中記 (二)

鞍山에서 大石橋에 이르는 동안은 가장 反滿軍의 襲擊을 當하기 쉬운 危險地帶라고 합니다。驛에는 胸壁을 쌓고、塹壕를 판 곳도 잇으며 瓦房店驛에 이르기까지는 線路의 南邊 各 五百 메톨[03] 以內에는 수수(高粱이라는 滿洲의 名物) 심기를 禁하엿습니다。그래서 조、콩、참깨 같은 키 적은 곡식만 심것습니다。線路에서 五百 메톨[04] 되는 곳에는 흰 旗를 間間히 세웟는데 그것이 高粱 못 심는 地帶를 標한 것이라고 합니다。

『中國사람은 참 수수를 사랑해요。』

하고 同車한 어떤 客이 說明합니다、

『수수는 우리네 쌀과 같이 常用하는 食糧도 되고 술의 原料도 되고 또 수수깡은 建築 材料가 되고 火木이 되고、그리고 그 재는 걸음이 되고、또 樹木이 없는 滿洲에서는 수수밭은 風致林이 되고 서늘한 그늘이 된답니다。』

말을 듣고 보면 수수밭과 滿洲 人民의 生活과에는 뗄 수 없는 關係가 잇을 뿐 아니라 連綿한 情緒가 잇는 것이 想像됩니다。

이러한 수수를 못 심는 것이 沿線 住民으로서는 相當한 苦痛도 되겟지마는 수수밭은 馬賊의 가장 사랑한 掩蔽物이 되니 無可奈何일 것입니다。

奉天 大連 間에서 가장 馬賊의 出沒이 頻繁한 곳은 大石橋 附近이라는데 이것은 三角地(安奉線과 本線과로 區劃된 部分) 內에 있는 馬賊이나 反滿軍이 營口 方面으로 건너가는 路次가 되기 때문이라고 합니다。

이 馬賊 或은 反滿軍은 普通 村落은 襲擊하지 아니하고 滿鐵驛과 日本人

---

03 "메톨": 영어 meter - 편자 주.

04 동상

部落만을 目標로 한다고 합니다.

錦州는 渤海에 面한 아름다운 都市로서 그 北方에 잇는 人和尙山에 高句麗時代의 城址가 잇다고 합니다. 山海關 以東 어느 곳이 우리 祖上의 遺跡이 아니겟습니까.

말이 先後倒錯이 됩니다마는 普蘭店이라는 天日鹽으로 유명한 곳부터 日本의 九十九 個年 租借地인 關東州 區域입니다. 別로 境界標도 없지마는 樹木의 有無가 自然한 境界를 짓는 것 같습니다. 關東州 內에 들어가서는 山에 樹木도 보이고 수수도 鐵道 沿線에 마음대로 자랍니다.

近傍의 家屋은 漢代式이라고 稱하는 흙지붕의 집이 많습니다. 山東과 黃河 沿岸의 家屋式이라는데 지붕에 용마름이 없고 암키와ㅅ장을 엎어놓은 모양으로 진흙으로 발른 것인데 해마다 새 흙을 바른다고 합니다. 어떤 지붕에는 풀이 무성한 것도 잇는데 그래도 좀체로 비는 아니 샌다고 하며 또 黃洲地方도 黃河 沿岸과 같이 雨量이 적은 까닭도 될 것입니다.

아주 瘠薄한、바윗등에 흙 한 케만 입힌 듯한、잔잔한 丘陵 사이를 돌어가 午後 八時에 아름다운 大連에 到着하엿습니다.

大連 구경

大連은 본래 貧寒한 ·漁村으로 俄羅斯 極東의 商業、軍事의 根據地가 되랴던 旅順港의 補助港이던 것이 日露戰役이 日本의 勝戰으로 되어서 포츠머스講和條約의 結果로 距今 二十八 年 前부터 長春 以南의 鐵道와 大連港이 南滿洲鐵道株式會社의 손에 經營되게 됨으로 今日에는 人口 四十萬을 抱擁하는、온갖 文明의 施設을 具備한 大都市가 되엇습니다. 街路나 家屋이나 全部 西洋式이어서 東洋인 것을 잊을 것 같습니다.

야마도호텔이라는 窮奢極侈한 호텔에서 宿食을 할 수가 잇고 埠頭의 七層 樓上에 올라서면 延長 四 키로의 防波堤 東에서 西에 벌인 埠頭에는 四千 噸級의 汽船 三十 五六 隻을 一時에 들여맬 수가 있고 二萬 噸級의 巨船 四 隻을 同時에 갖다가 붙일 수가 잇는 築港을 一時에 바라다 볼 수가 잇습니다. 그리고 마치 江 한 구비와 같이 보이는 灣을 건너서 보이는 甘井子의 石炭積載場은 東洋第一의 것이오 世界에도 有數한 大規模와 新式設備를 가진 것이라는데、이것은 撫順 炭을 실어내기 爲한 것이라고 합니다.

埠頭에서 일하는 人夫가 多三 짐 많을 때에는 一萬 二千 人、여름 閑暇期에도 七千 名을 不下한다고 합니다. 이 人夫는 이른바 쿨리(苦力)라는 것인데 그 産地는 거의 全部가 山東이라고 합니다. 案內하는 滿鐵 社員의 설명에 이런 구절이 잇습니다.

『그들은 제 姓名 三 字도 모릅니다. 그들 中에는 제 나이를 못 꼽는 사람도 잇습니다. 그러나 그러한 사람일수록 힘이 세어서 四五 十 斤짜리 콩깨묵 열 개를 메어 나릅니다. 敎育이 없을사록 勞働에 適當한 모양입니다. 山東 쿨리는 果然 일을 잘합니다. 黙黙히 하로에 열 時間、열두 時間의 勞働을 하고 잇습니다』나는 이 說明을 들으면서 그 퍼런 옷을 입은 쿨리들이 혹은 메고 혹은 끌고 그야말로 『黙黙히』埠頭에서 일하고 있는 것을 보앗습니다

또 나는 마침 入港하는 大阪 商船의 하르빈丸이라는 배에서 男女 無數한 船客이 神戶、門司로부터 와서 나리는 것을 보앗습니다. 또 貨物船이 짐을 풀고 있는 것을 보앗습니다. 여기서 大連港의 意味와 日本에 對하여서의 重要性을 알고、또 아라사가 웨 그처럼 애를 써서、그 猫額의 地를 貪내엇는가를 알 수 잇습니다. 日中은 大連을 通하여 滿鮮에 商品과 軍隊를 날라 오는 것이엇습니다

大連 보고야 羅津이 무엇인지도 알앗습니다. 吉會線과 羅津과 新舞鶴、

伏木、新潟를 聯合하여 줄을 그어보면 羅津이 北滿洲(아마 西伯利亞까지도)와 日本 本土와의 商工業과 文化와 軍事를 連結하는 큰 關節 또는 큰 吸盤인 것을 알 것입니다.

우리는 이 大連의 基礎가 무엇인지를 보아야 합니다. 大連 南山 밑에는 忠靈塔이 잇습니다. 이 忠靈塔에는 日露戰役의 戰死者 四千餘의 遺骨을 藏하엿다는데 塔 內에는 四 室인가、五 室이 잇고 室에는 선반을 매고 선반 우에는 黑布로 싼 네모난 二 尺角이나 되는 白木箱을 여러 層으로 安置하엿습니다. 日本人으로 大連에 발을 들여 놓는 사람은 單體나 個人이 반드시 大連 神社와 忠靈塔에 參拜하고 나서야 旅館으로 간다고 합니다.

忠靈塔의 緣起를 說明하는 이는 말하되、─

『滿洲에는 다섯 忠靈塔이 잇습니다. 旅順、大連、遼陽、奉天、安東입니다. 이 다섯 忠靈塔에 安置한 忠靈은 約 十萬입니다. 日淸、日露、滿洲事變을 通하야 十萬의 將卒이 滿洲의 흙을 물들엿습니다。』

大連博覽會

벗이어!

우리는 埠頭를 보고、總額 九千萬 圓을 들엿다는 大連市의 施設을 大略 보고, 그리고 人連埠頭에 勞役하는 山東人 華工들익 宿舍를 보고 그리고 市의 西郊、有名한 星浦(호시가우라)海水浴塲 좀 못 미쳐서 잇는 大連博覽會 구경을 갓습니다. 大連博覽會는 이름은 大連市의 主催이나 關東廳、滿鐵의 協力으로 된 것이어서 産業日本의 一大 示威運動이라고 일컬을 만한 것이라고 합니다.

滿鐵、三井、三菱의 諸 機關의 製品을 陣烈한 것은 勿論이어니와 大阪、

京都 할 것 없이 日本 內 各地의 工業品이 陣烈되어잇습니다。어마어마한 重工 等으로부터 美術工藝品에 이르기까지 日本의 工業이 이만하다는 것을 보이는 同時에 이 製品이 今日 以後로 滿洲 民衆에게 씨울 것이라는 것을 보인 것입니다。

거기는 朝鮮館이라는 것이 잇어서 農産、水産、林産 같은 것을 陣烈하엿으나 모두 原料品이오 工業品에 이르러서는 京城紡織의 廣木이 두어 疋 잇을 뿐이오、食營에는 『朝鮮料理、こはあつませぬ』하고 써 붙인 것도 간지러운 일이엇습니다。

오늘날 工業 없는 民族이 産業的으로 自活할 수가 잇겟습니까。없습니다。그러타 하면 工業이 없는 朝鮮民族은 딱하지 아니합니까。웨 朝鮮의 財産家들이 朝鮮 內의 原料와 勞働을 가지고 工業을 아니 일으킵니까。博覽會門을 나오는 우리 몸에서는 찬 땀이 흘럿습니다。

밤에 大連 게신 同胞 몇 분이 찾아와서 大連 在留同胞의 事情을 말씀하셧습니다。在留同胞의 數는 未確하니 二千 名은 되리라 하고 그 中에 財産家라고 할 사람은 十餘 名의 料理業者라고 합니다。料理業이라 하면 勿論 娼樓를 兼한 것인데 滿洲事變 以來로 朝鮮 娼樓가 大人氣여서 이름난 娼妓는 一日에 三十餘의 客을 接한다는 말을 들엇습니다。그 娼妓라는 女性들은 二百 圓 乃至 三百 圓의 돈에 二 個年 期限으로 팔려온 이들이라 하며 特히 美貌를 가진 이는 四五 百 圓 짜리도 잇다고 합니다。그들은 物品 모양으로 甲 所有主에서 乙 所有主에게로 轉買되는 일도 잇다고 합니다。

찾아주신 兩 位의 好意로 大連의 絶境이라는 老虎灘의 달ㅅ밤 景致를 구경하엿습니다。이를 테면 渤海의 달을 본 것입니다。이 近傍에도 우리 同胞의 農場이 잇다고 하는데 그는 勿論 小作人이라고 합니다。간곳마다 힘없는 朝鮮人이여 하고 老虎灘의 밤달에 우는 것이 合當하지 않습니까。호텔에 돌아오니 子正이 훨신 넘엇는데 窓밖으로 지나가는 漢人의 馬車의 말발굽소리 떠벅 떠벅、 그것이 말할 수 없이 슬프게 들립니다。 이 馬車夫인 漢人들은 十 錢、 二十 錢의 손님을 求하야 하로終日 大連의 市街를 떠벅거리고 돌아다닙니다。 말도 없이、 조는 듯이 손님을 태우고는 손님 가자는 곳으로 떠벅 떠벅、 손님을 내리우고는 새 손님을 求하노라고 떠벅 떠벅、 그들은 잠 못 이루는 孤客의 窓 앞으로 밤이 새도록 달리고 잇습니다。

— 『東亞日報』1933년 8월 9일 ~ 23일, 5회 연재

北國紀行

韓雪野

(1) 고개 업는 分水嶺

지난달 二十四 밤이엇다 急하게 主人을 찾는 소리에 마루로 뛰어나가니 懷中電燈의 희미한 불빗이 바로 내 房門을 겨우고 잇다 선뜻한 直感이 흘러 내리는 瞬間 電燈불 압헤 조그만 조히쪽이 얼른 보인다

『問島 八道溝에 暴動이 일어낫다 오늘밤으로 出發하라』

라는 至急電의 글字를 주어 읽으며 時計를 보니 바로 밤 十二時 五分 前이엇다 北行 急行車時間까지 四十五 分의 時間의 餘裕가 잇다 불이 나게 冬服을 가라입고 마츰 來訪 中인 最近 出獄한 金友와 石康 兩 君을 남겨두고 다 떠러진 가죽가방을 끼고 나서니 발서 零時 十分이 되엇다 汽車時間까지는 넉넉히 대어갈 수가 잇섯지만 아무리 事勢가 急迫하다 하더라도 바람을 잡아먹고 날개 도처 날아갈 수는 업는 것이니 맨주먹으로 나설 수는 업는 터이엇다

그리하야 길바닥에 갓 늘어노은 짜개돌을 차날리며 겨우 그 마련을 해가지고 택시를 날려 驛으로 나가 막 떠나랴는 急行車에 겨우 몸을 실엇다

이마의 땀을 씻고 한숨 쉬고 난 때에야 나는 가져야 할 名啣과 新聞電報 信證票를 이저버린 것을 깨달앗다 事理를 덥허노코 銃劍을 내대는 滿洲軍

人의 警戒陣을 으자자한 名啣으로 無事히 通過하엿다는 이야기를 聯想하며 나도 그러한 末稍[01]的 關心까지 움지기엇든 것이다

압흐로 내가 알 바에 對한 順序와 쥐꼬리만치 남은 中國말을 이것저것 외어도 보고 手帖에 적어노키도 하며 밤이 밝을 때까지 단잠을 이루지 못하엿다

날이 밝자 國境은 점점 갓가워 왓다

(2) 고개 업는 分水嶺

여러 번 鴨江과 豆滿江을 건넌 經驗이 잇는 나는 지나치게 通過 直前의 무시무시한 光景을 回想하며 屈曲이 적은 對岸의 平平한 山을 바라보앗다

그다지 넓지 안은 豆滿江의 푸른 물이 흐르는 曲線이 그려논 이 原始的인 國境은 언제 보든지 國境이라는 感을 주지 안는다 하물며 건너편에 보이는 사람은 거진 다 白衣를 입은 農夫임에랴

저편 滿洲에는 百萬의 白衣人이 잇다 萬一 榮華를 求하고 名利를 貪하야 건너갓다면 百萬이라는 數는 그다지 크게 우리의 머리를 찌르지 안을 것이다

그러나 그들이 이 江을 넘기까지에는 實로 言語를 絶한 悲慘이 잇는 것이요 古土를 쫏기여 남의 땅에 더부사리 하는 그 處地에는 보다 쓰라린 大同的 患亂이 끊일 날이 업는 것이니 이 땅에서 사는 사람보다 멧 갑절의 心痛을 늣기고 보다 極甚한 生活 — 아니 차라리 生存의 威脅을 밧는 터임에 그 百萬은 이 땅 안 二百萬보다 훨신 크게 생각되지 안흘 수 없는 것이다

---

01 "稍"는 "梢"의 오식 - 편자 주.

나는 일즉『人間瀑布』라는 拙作을 쓴 일이 잇거니와 생각이 이곳에 한번 부듸치는 때마다 여긔에는 社會惡 人間惡의 分水嶺이 놉게 날카롭게 소사서 이편으로부터 저편으로 그 惡에 밀리는 人間의 무리가 瀑布와 가티 떠러져가는 것을 彷佛히 머리에 그리게 된다 나도 일즉 家族과 가티 人間瀑布에 차여 떠러진 經驗이 잇서 이러한 생각은 날이 갈수록 구더가고 그거의 片鱗이나마 드러내지 못한 拙作『人間瀑布』에 對한 不滿을 스스로 늣기고 잇다.

이제 偶然한 期會에 다시 이 國境을 차자오니 옛일과 장차 올 일이 寫實的으로 머리에 肉迫함을 엇지할 수가 업섯다.

이편에는 五 里 만큼씩 射擊口를 내인 돌담을 둘러친 駐在所와 武裝을 버서놀 날이 업는 警吏들의 모습이 눈에 새로울 뿐이요 그다음 瓦家 한 집에 오막사리 百 집이나 되는 到處의 꼬락순이는 어데나 다를 것이 업섯다.

(3) 빗다른 副業

이날 내가 國境을 通過하는 二十五日은 바로 朝鮮公判史上에 처음이라는 間共大公判日이다. 여게서 이야기는 暫時 옛날로 도라가지 안을 수 업다

一九三〇年 四月 二十五日! 나는 當時 龍井市에 居住하는 P에게서 消費組合의 證明書를 어더가지고 갑싼 理髮을 할 량으로 市街 한편 理髮所에 갓섯다 덥수룩한 머리를 아래로부터 반편 쯤 깍가올려슬 때에『와야 ―』하는 高喊소리와 함께 탕탕 구르는 발소리가 들려왔다.

아츰에 P 집 마당에서 주은 五、卅事件에 關한『삐라』와 關聯하야 솔긋한 생각이 나며 나는 머리를 깍다 말고 포대기를 목에 건 채로 행길로 내달엇다。그러나 어데서 소리가 나는지는 알 수가 업섯다 소리에 놀란 사람 소리에 好奇心을 늣긴 사람이 이리 뛰고 저리 뛰는 것이 보일 뿐 나는 곳 거리의

한 사람을 붓잡고

『무슨 일이여요?』

하고 일부러 沈着하게 물엇다

『글세요 자세는 알 수 업스나 뭐 萬歲를 불럿나 봐요』

하고 그 사람도 궁금한 듯이 이 골목 저 골목을 끼웃끼웃 한다

나는 더 뭇지 안코 그 사람을 따라 되는대로 발을 옴겨노앗다 分明히 절그덕절그덕하는 칼 소리와 뚜벅뚜벅하는 말발굽소리가 들려왓스나 그 어느 곳인지는 알 수 업섯다 골목마다 사람으로 찻는데 中國人 野菜장수가 天秤棒에 달린 부인 광지를 두 손으로 잡아 쥐고 신이 나서 굴러다니는 것이 뭇 사람 중에서도 류달리 視線을 끄럿다

『저 색기들이 또 돈버리 할나구 덤비는구나』

여러 사람 속에서 이런 말이 들리엇다 나는 곳 그 말을 하는 사람을 차자 가지고

『저치들이 웨 저리 뛰나요?』

하고 물엇다

『한 사람을 잡아주면 一 圓씩 밧는답니다』

하고 딴사람이 말을 하다가 事情을 모르는 나에게 間島 知識을 자랑하듯 알여준다

(4) 빗 다른 副業

나는 거게 선 한 四十 名 되는 一 團의 學生 밋 젊은이(女子도 잇섯다고 한다)가 금시 삐라를 뿌리고 지나갓다는 말을 들엇고 또 日中警察隊가 各各 自己들 區域 內에서 逮捕에 피눈이 되여잇다는 말을 들엇다 그러나 마츰내

그 奔流의 한 支流도 나는 보지 못하엿다

그 翌日 밤 두時 傾이엇다 P가 몹시 가슴을 쥐어박는 통에 나는 그만 잠이 깨엇다 손바당만 한 房에서 五六 名이 合宿하는데 나는 원체 잠귀가 몹시 질겨서 늘 同宿者의 다리와 팔과 或은 머리밋테 깔여 잣섯스나 한 번도 깬 일이 업섯는데 P가 사못 힘을 주어 고자주는 통에 선뜻 잠이 깨엿든 것이다 그러나 電燈이 꺼져서 아모도 보이지 안앗다

『불을 웨 껏나?』

하고 내가 잠 깨지 안은 소리로 물으니

『쉬!』

하고 누가 겻테서 엽구리를 쿡 쥐어박는다 그러지 안아도 발서 不吉한 直感을 늣기고 잇는 터이라 더 말치 안코 귀를 감그고 잇노라니 分明히 銃소리 馬蹄소리가 들여온다

市街戰의 騷亂한 소리가 끈어진 새벽 때에야 우리는 그날 밤의 間共暴動事件의 槪略을 여게저게서 어더들을 수 잇섯다 東拓 領事館, 鮮銀支店, 尋常小學校 等에다 爆彈을 터젓다는 말과 電燈公司를 先着으로 破碎하엿다는 말을 들엇다

나는 그날 아츰으로 그 곳을 떠나지 안으면 안 될 事情에 切迫되여 危險을 무릅쓰고 五層臺거리에 잇는 P를 찾가가서 旅費를 어더가지고 發車 時間 前에 驛으로 나갓다

(5) 颶風이 지난 뒤

龍井驛에는 避亂民인 듯한 日本人(大部分이 女子엇다)이 나와서 흉흉한 낫빗으로 무엇을 소근거리고 잇다 물에 빠지면 검불을 잡는다는 뿐으로 平

素 코우슴으로 본체만체 하든 □□巡警이지만 이날은 그들이 잇는 近方에서 그들은 떠러지지 안헛다. 平常時에는 칼을 막대로 조을기 일수엿는데 巡警도 이날은 눈에 威風을 動員하고 사람을 쏘아본다. 거게 눌리는 氣色을 보이는 것이 자미업슬 듯하야 나는 豪氣를 내여 驛員室 入口에 가서 驛員 한 사람을 붓잡아가지고 지난 밤의 經過를 들엇다.

龍井뿐 아니라 그 一帶 重要 各地가 一齊히 被襲되엇다는 말과 海蘭江鐵橋와 龍井 開山屯(上三峰 對岸) 間의 鐵道橋가 불에 탓다는 말과 龍井驛 機關庫에 揮發油를 처노코 미처 불을 달지 못하고 退却하엿다는 새로운 新聞을 거게서 어더들엇다

『그러면 汽車不通인가요?』 하고 나는 爲先 떠날 생각이 急하야 그것을 물엇다

『새벽부터 修繕 中이니까 두 時間 後이면 開始될 듯합니다』

하고 驛員은

『저게 저 車가 只今 本材를 싯고 가지 안습니까 修繕하러 가는 것입니다』

하고 손가락질을 한다

별 事故 업시도 멧 十分이 늦기가 常事인 □車이니 이러한 非常時에야 말하야 무엇하랴 나는 다시 지난밤 事件에 對하야

『全部 朝鮮사람뿐이엇나요?』

하고 물엇다

『웬걸 지금은 □人과 合作하고 잇습니다 □□사람이 아니면 그러케 廣範圍에 밋처 擧事 하기가 어렵고 또 잘 숨어낼 수도 업지요 武器나 爆彈 가튼 것도 그 □□사람이라야 만이 변통할 수 잇지요』

『그래, 이런 일이 종종 잇나요?』

『각금 잇기는 하지만 이번처럼 大規模로 한 일은 업습니다、四五 都市를

한꺼번에 첫스니까 아마도 몃 千 名일 테지요』

『어데, 그러케 만이 잇슬가요?』

(6) 颱風이 지난 뒤

『압다, 저 마을에 공산당이 잇는지 누가 아오』

『그러나 설마 이 近處에야 ……』

『普通때에는 農事 짓고 勞動하고 …… 꼭 普通사람이지요 그러나 누가 아오』

나는 그 사람의 이야기를 듣고 나서 揮發油를 뿌렷다는 機關庫 內部를 구경하고 그 北方에 잇는 電燈公司 갓가히 가서 爆彈의 洗禮를 바든 자취를 멀리서 바라보앗다

午前 十一時 半 傾에야 發車하엿는데 途中 불에 탄 다리마다 車가 綴行하고 或은 손님을 내리고 빈 車가 건너기도 하엿다 그럴 때마다 警吏인 듯한 洋服 입은 日本人들이 그 다리를 攝影하군 하엿다.

車안에서는 日本 女子들이 親切히 말을 걸기도 하고 또 자리도 사양하군 하엿다 모든 사람들이 모다 무섭게 보이는 모양이엿다.

直路 七十 里도 못되는 사이를 구비구비 돌아서 세 時間 半 以上 要하는 이 輕鐵은 이날은 六 時間 餘를 要하고야 겨우 上三峯에 다엇다 朝鮮 땅을 밟고 나니 좀 숨이 돌앗다 外務省管轄인의 間島暴動은 朝鮮 巡査는 크게 關心하지 안는 모양인지 또는 事件 直後가 되여서 아직 무슨 達示를 밧지 못한 까닭인지 그다지 普通때나 다른 點을 發見할 수가 업섯다

내가 故鄕에 돌아온 後 날마다 間島暴動事件 뒤치닥거리에 關한 報道가 紙上에 發表되고 비옷과 가티 얽혀다니는 寫眞도 각금 볼 수가 잇섯다

(7) P의 이야기

이야기는 또 하나 남아잇다 그해 가을에는 間島에 다시 秋收暴動이 惹起되엿섯다。 이 事件이 잇슨 지 얼마 못되야 五·卅暴動 當時 내가 食客으로 묵고 잇든 우리들의 孟嘗君 P가 偶然히 나를 차자왓다。

그는 形容이 몹시 초최하여젓슬 뿐 아니라 딴사람가티 말이 訥하고 初期 中風病者가티 動作이 떨리는 것을 각금 發見할 수가 잇섯다。 나는 여러 가지로 생각을 둘러마치다가

『後妻에 상투 빠지는 줄을 모른다드니 …… 그래 자미 엇던가?』

하고 우서주엇다。 그는 그해 첫봄에 再妻하엿든 것이다。

『이 사람 말 말게 나는 안해인지 무언지 그것 때문에 죽을 번 햇네 …… 흠 ―』

하고 기가 막히는 듯이 한참 입만 다시드니 아래와 가티 이야기를 끄내엿다

그의 丈人은 朝鮮人民會 參議엿는데 秋收暴動 當時 독기날에 찍혀 죽고 그 옵빠 한 사람은 머리 절반이 갈라져 죽고 또한 □□는 왼 귀가 떠러저 龍井病院 入院 中이며 안해의 身邊의 危險함은 勿論 自己도 가튼 禍를 免치 못할 듯하야 안해고 집이고 모두 내여버려두고 單身으로 아모도 몰내 도망하야 왓다는 것이다

『그래 안해를 내여버리고 오면 그는 엇지 되나? 더욱이 胎中이라면서』

『세 애비 罪에 죽는 거아 누가 아나 命이거니 하얏지』

『이 사람아 애비는 애비고 딸은 딸이 아닌가』

『그거야 그러치만 그걸 누가 아나 모다 죽이는 데야 압흐다고 안 죽일 텐가 에! 말 말게 장가도 함부로 안 갈 거데』

『그리 말고 데려 내오게』

그의 處地가 하도 딱해서 당당한 남어지 나는 그저 慰安의 말을 들어주엇

스나 그는 좀처럼 安定될 상 부르지 안앗다

—『朝鮮日報』, 11월 26일 ~ 12월 3일, 7회 연재

南京 上海 紀行文

金成柱

벌서 四 年 前 일이다. 나는 學生時代부터 남다른 크다란 空想을 가지고 처음에는 米洲를 가려다 當時 新興中國에 好奇心을 가지고 專門을 마추자 곧 遊學의 美名으로 南京을 向하게 되었다. 때는 三月 十五日 萬物이 微笑을 띄우는 希望의 봄이였다. 原來 배를 타지 못하는 나는 水路가 짧은 곳으로 가기 爲하여 玄海를 건너 長崎로 가게 되었다. 驛頭에는 同窓과 親舊들이 나와 萬歲를 불러 줄 때 내 눈에는 눈물이 글성글성하였다.

無事히 長崎까지 가서 京城 K 兄의 紹介로 낯도 모르는 R에게 上海丸으로 떠난다는 電報를 치고 배에 오를 때 或時 朝鮮 사람이나 탓나 하고 四面을 바라다보았으나 내 그림자밖에는 찾어볼 수가 없었다.

船室에 들어가 한便 자리에 고요히 누어 이 생각 저 생각으로 몇 時間을 지냈다. 또 水疾을 하기 始作하여 苦生을 하며 滿 二十五 時間만에 뱃머리는 埠頭에 다었다. 迎接하는 사람들은 埠頭에 가득히 차서 그 많은 사람 가운데서 마주 나온 R이라는 낯도 몰으는 사람을 찾어보았으나 勿論 알 길이 없었다. 그래 다시 船室로 들어가 괴로운 몸으로 行李를 찾노라니까 어디선지 진청주[01](金成柱) 진청주 부르는 소래가 나자 그래도 中國語를 조곰 아는 나는 돌아다보니 그 中國人은 일 조희 조각에 내 姓名을 써 들었다. 그래 나는 R이라는 사람이 마주나온 줄을 알고 짐을 들리고 배에 나려 짐꾼에 눈치로 R에게 인사를 하는 동안 어떤 靑年이 반기면서 나에게 人事를 請하였다. 저는 朝鮮日報 特派員 金이라는 사람이오. 中國 全土를 一週할 豫定으로 지금 막 이 배에서 나렸읍니다. 彼此 같은 배에 타고 오면서도 몰랐구만요. 그러면 같이 同行하자고 하고 세 사람은 自動車를 타고 佛國租界를 向하였다. 아름답고도 宏壯한 市街를 지나서 어떤 골목에 車는 머무르게 되었다. 마치 倉庫 같은 灰色 벽돌집으로 案內를 받어 들어가니 洋中式 房에 中國옷을 입은 婦人과 어린 兒孩들이 內地서 왔다고 반가히 마자주었다. 그 後 그는 三四 日 滯在 豫定이여서 旅館으로 가고 나는 當分間 語學을 準備할 作定이므로 그 近方『꿍우[02]』라는 房만 빌리는 곳으로 갔었다. 모도가 生疎하고 第一 말을 몰라 空然히 무시무시하여 하로 밤을 지나고는 R에게 請을 하여 朝鮮 사람이 사는 二層을 빌려 있게 되었다. 上海는 大槪 中國式으로 朝飯은 없고 또 어떤 집은 便所가 없어『모통[03]』이라는 마치 留置場 똥통 같은 대 大小 便을 보게 된다. 그래 나는 아침은 露西亞茶館(露西亞料理店)에가 朝飯을 먹고 便所는 主人집에서 五 町 假量 떠러저있는 佛蘭西公園에 散步 삼어 단이며 누게 되었다. 처음 作定은 中國 學校는 西洋式으로 入學期가 가을이여서 가을까지 語學은 上海에서 準備하려 하였으나 四五 日 지나고 보니 生覺만 頗多하여저 到底히 上海서는 語學을 工夫할 수 없을 것 같어서 目的地인

---

01 "진청주": "金成柱"의 중국어발음 - 편자 주.

02 "꿍우": "公屋"(세들어 사는 집)의 중국어발음 - 편자 주.

03 "모통": "馬桶"(변기통)의 중국어발음 - 편자 주.

南京으로 向하게 되었다. 아는 사람도 없고 言語조차 能通치 못한 나는 多少의 恐怖를 느끼며 R의 紹介로 南京 建業日報社에 있는 中國人 蔣海라는 사람을 찾아가게 되었다. 밤 十一 時 車로 上海 北停車場에서 떠나 아침 六時 南京 下關驛에 到着되여 十 里나 되는 市街地를 馬車로 가게 되었다. 언제나 戰火가 끝이지 안는 中國 首都이니만치 警戒는 實로 무시무시하여 途中 세 차례나 取締를 當하며 建業日報社에 찾아가 蔣 氏의 案內로 旅館이라고 가니 沈々한 곳에 房조차 滿員이 되어 외따른 구석방을 定하였다. 아침이라고 가저오니 도모지 먹을 수가 없었다. 저녁에 蔣 氏는 또 親切히 찾어와주었으나 두 사람은 말을 잘 通치 못하여 서로 눈치만 보고 茶를 마시다 헤여졌다. 몸은 疲困할 대로 疲困하였으나 잠은 오지 않고 마치 閨中에 處子가 홀로 처음 客地에 난 心境이였었다. 그러나 나는 이만한 覺悟는 하였었고 成功하기 前에는 죽어도 떠나지 않겠다는 굳은 決心을 가지고 市街地 求景도 하고 冊도 사고 長久히 지날 生活 準備를 하였으나 第一 飮食을 먹을 수 없고 消化不良症과 不眠症이 생겨 몸은 極度로 衰弱하니 모도가 貴치 않어졌다. 하로는 蔣 氏의 紹介로 南京 中央大學 講士로 있는 王海라는 朝鮮사람을 紹介하여 그의 집을 訪問하니 그는 旅行 中이라고 하며 朝鮮서 왔다니까 中國옷을 입은 靑年은 반가히 마저주며 안으로 案內하였다. 집은 中國 古屋인데 案內하는 대로 따러 들어가니 모도 다 中國옷을 입고 어서 이리로 앉으라고 하며 茶와 담배를 勸하였다. 茶를 마시고 있노라니까 나희가 한 七十 假量 되여 뵈이는 中國옷을 입은 마나님이 밖에서 들어오드니 나의 손목을 잡고 朝鮮서 오셨어요 그래 언제 무엇하려 오셨어요 내가 밋처 對答할 사이도 없이 반가워서 혼자 눈물을 흘리며 이야기를 繼續하였다. 子息이 보고 싶어 千辛萬苦를 當하며 이곳까지 왔으나 內地가 그립고 이곳은 사람 살 데가 못되고 朝鮮사람이라고 모다 사괴지 못 할 무서운 사람들이니 하로 速히 朝鮮으로 다시 나가라고 勸하였다. 그래 나는 우스면서 할머님 그런 말슴 마세요 몇 일 와 지내보니 朝鮮보다 퍽 좋은데요 하고 点心을 주어 먹고 쓸쓸한 旅館으로 도라왔다. 저녁에 中語를 工夫하고 있노라니 下人이 와서 손님이 왔다고 하여 無心히 이리로 案內하라고 하였더니 中國옷을 입은 두 朝鮮靑年은 快活하게 人事를 請하며 내 손목을 잡았다. 얼마 동안 이런 이야기 저런 이야기를 繼續하다. 그들은 突然 冷情한 얼골로 다 같은 朝鮮사람으로 海外에 나와 어떤 사람은 豪華러운 生活을 하고 어떤 사람은 餘地 없는 生活苦를 當한다면 先生은 어떠케 하겠읍니까 이런 脅迫을 暗示하는 말에 나는 對答할 말이 없었다. 한참 동안 沈默을 직히다 나는 우스면서 朝鮮서 所謂 專門學校를 맛추고 이곳까지 올 때야 先生들과 같은 先輩를 求하고 相扶相助하려는 뜻을 갖고 왔겠지요 하니까 그들은 오히려 그런 말한 것을 未安히 生覺하는 表情을 하였다. 그래 여러 가지로 生覺하니 身邊이 危險한 것 같고 모도가 落望뿐이였었다. 第一 몸이 괴롭기 始作하여 더 있으면 죽을 것만 같아 나는 갑작히 짐을 싸 가지고 아무도 몰으게 南京을 떠나기로 하였다. 一週日만에 다시 下關驛에서 午後 五時 半 車로 上海를 向하여 車에 올으니 身熱이 몹시 나고 눕고만 싶어서 上海에 到着되기만 苦待였다. 그 동안 잠이 들었다 깨니 時間이 十一時가 지났었다. 그래 나는 깜작 놀라 곁에 앉은 사람을 보고 이 車가 멧 時에 上海에 到着되는가 물으니 十一時 四十分이라고 한다. 이 말에 나는 戰戰兢兢하였다. 南京 갈 때 餞送하여 준 사람이나 있었지만 말도 모로는 形便에 이 밤중 어떠케 잇든 곳을 찾어갈가 홀로 恐怖를 늣기는 동안 車는 停車場에 到着되니 迎接 나온 사람들은 풀랫홈에 가득 찼다. 行李조차 많은 나는 남들이 다 나린 後에 待合室에가 짐군을 불너다 짐을 들니고 待合室까지 나와 精神없이 앉어섰노라니까 中國 巡査는 나가라고 하면서 停車場 出入門을 장근다. 그래 할 수 없이 쫓겨 나오니 人力車群들은 벌데같이 모여들어 나의 짐을 서로 싸워가며 뺏는다。 나는 上海와 몇일 잇는 동안 이런 注意를 들었다。 밤에 外出하였다 길을 몰으면 人力車는 危險하니 絕對로 타지 말나는 말을 들었기 때문에 人力車를 아니 타려고 한참 싸우는데 어떤 中國人 두 사람은 人力車群들을 물니치고 처음에는 上海말도 그 다음에는 英語로 어대를 가느냐고다。 그래 반가워 나는 지금 이 車에서 나렸는대 길도 말도 몰으고 佛祖界 望志路까지 가야 되겠다고 하니까 그들은 우스며 그럼 佛國公園 옆이로구만요 우리도 그 곳까지 가니 同行하자고 하며 自動車를 불러 三十 分 後에 車가 와 세 사람은 車에 올났다。 南京갈 때 한 번 지난 길이니 만치 方向만은 집작하는데 自動車는 딴 方向으로 疾走하여 그래 나는 어대를 가나 물으니 그들은 佛界를 간다고 하여 나는 안이라고 하니 그들은 對答도 아니한다。 나는 또 R에게 이런한 이야기를 들었섰다。 어떤 都市에나 스리、窃盜、强盜는 다 있지만 上海에는 빵표[04]라는 惡黨이 있어 사람을 人質로 잡아다가 그 家族의게 脅迫狀을 보내여 萬一 要求에 듯지 않은 境遇에는 人質로 잡어 둔 사람을 殺害한다는 무시무시한 이야기를 들었셨다。

精神 없이 自動車에 실니워 가는 나는 自動車가 漸漸 컴컴한 골목으로 다라갈 때 잇차! 빵표의게 붓들니웠고나 生覺하니 全身이 녹은하여졌다。 나는 朝鮮 있을 때부터 海外가 危險하단 말을 듯고 修養과 保身을 爲하여 滿 一年 동안 劍道를 배웠었다。 그래 精神을 밧작 차리니 손에 단장이 있었다。 아무래도 죽기는 一般인데 이 세 놈 중 한 놈이라도 죽이고 죽겠다는 악이 밧작 오르니 무서운 것도 없었다。 얼마즘 가서 自動車를 세우드니 한 놈이 나리고 또 컴컴한 골목으로 車가 다라나드니 또 어떤 곳에서 한 놈이 마자 나

---

04 "빵표": 중국어 "綁票"(납치) - 편자 주.

리드니 꿋바이하고 다라나 버렸다. 그래 나는 緊張하였든 숨을 들니고 이놈들이 나를 利用하여 공 自動車를 탓구나 하고 運轉手다려 佛界 望志路를 가자고 하니 머리를 흔든다. 그래 주머니에 있는 대로 돈을 내배우고 望志路까지 다려다주면 다 준다는 表示를 하였더니 빙그레 우스며 車를 돌녀 오든 길로 다라와 共同租界를 것너가려 할 때 中國 官憲은 自動車를 停止식혀다. 할 수 없이 나리니 無智한 官憲 두 놈이 한 놈은 拳銃을 나의 목에 대고 또 한 놈은 등에 대고 取締를 하는데 맛치 어린 애가 銃을 겨누는 것 같이 내 마음에 危險하여 말좃차 떨니고 나오지 않었다. 路上에서 ——히 行李를 뒤지우고 다시 共同租界를 들러가니 또 共同租界 官憲이 이 모양으로 다시 共同租界에서 佛租界에 들어서 佛租界 官憲의게 取締를 받고 그야말로 九死一生으로 佛租界까지 와서 運轉手는 여기가 望志路라고 하여 밖을 보니 아닌 것 같아 다시 佛國公園으로 가자고 하여 얼마즘 가다 나리라고 하여 밖을 보니 또 아닌 것 같다. 이러기를 數次 하니 運轉手는 화가 낫든지 무슨 生覺을 갖었든지 自動車의 速力을 다하여 中國租界를 向하여 疾走한다. 그래 요까지 한 놈쫌이야 하고 運轉手의 목을 붓을고 소리를 지르며 望志路까지 아니하면 죽이겠다는 表示를 하였뜨니 運轉手도 할 수 없던지 무어라고 혼자 지꺼리드니 다시 車를 돌여 얼마즘 오는 途中 나는 每日 아츰 朝飯을 먹으러 단니는 露西亞旅館을 보았다. 그래 自動車를 머무르고 人力車를 불러 짐을 실니고 留宿하든 곳을 찾어가니 여러 집들을 包圍한 正門은 다처 한참 우득하니 서서 生覺을 하다. 後門으로 가니 門이 열려 十號 집을 찾어가 문을 두다렸지만 아무 소리가 없었다. 上海는 大槪 十二 時 지나면 문을 굳게 닷기 때문에 두다리는 소리가 안에서 잘 들니지 않는다. 그래 二層을 向하여 소리를 첫뜨니 그제야 二層에서 문을 열고 처음에는 上海말로 누구냐고 물어 나는 내 일흠을 불으며 문을 열어달나고 하여 들어가니 아니 이게 웬일인

가 只今 새벽 三時 頃이나 되였는데 하고 물었었으나 나는 全身이 싸늘하여
지고 精神이 없어서 對答을 못하고 물을 좀 달내 마시고 한숨을 쉬고나니 全
身에 땀이 洋服에까지 젖은 것을 알았다。主人 宅에서는 모다들 번가라가며
말도 길도 몰으면서 웨 通知를 아니하였는가 上海는 오래 익숙한 사람도 밤
중에 埠頭와 停車場은 危險한데 何如間 사러 온 것이 天命이란 말을 들을 때
나는 그날 밤으로 朝鮮에 다라오고 싶었다。

―『新人文學』, 第3號, 1934년 12월

黃浦江畔에 서서

金光洲

經濟的으로 넉넉한 餘裕가 있는 사람이나 或은 都市的 享樂을 쫓어서 사는 사람들에게는 上海의 여름이란 歡樂의 時節이오 「술」과 「쨔스[01]」에 陶醉하거나 그렇지 않으면 물 맑고 空氣 좋은 海邊을 찾어서 人生을 마음껏 즐겨 하는 享樂의 時節입니다

그러나 나와 같이 所謂 「亭子間[02]」이라는 어둠컴컴하고 좁은 방속에서 낮에는 땀 속에 빠저서 窒息한 사람같이 옹송거리고 앉었고 밤에는 빈대와 싸우느라고 잠도 맘대로 못 자는 사람에게는 上海의 여름 生活이란 글자 그대로의 地獄사리입니다 여름! 百 度쯤은 普通으로 아는 熱氣 속에서 헐떡어리는 亭子間 生活! 그것은 짧고 길고 간에 上海 生活을 해본 사람에게는 가장 强烈한 印象과 잊기 어려운 追憶을 남길 것입니다

여름! 바다! 山! 커다란 活字들이 新聞과 雜誌 위에서 내 生活을 비웃는 듯이 나타날 때면 시드러졌던 自然을 그리는 마음이 어느 구석에선지 머리

---

01 "쨔스": jazz - 편자 주.

02 "亭子間": 층집의 계단 뒤쪽에 위치한 비좁은 방을 가리키는 상하이 지역의 방언 - 편자 주.

를 듭니다 自然을 등지고 사는 「로보트」들의 싸움터 정말 上海는 너무나 自然을 등진 都市입니다 「東洋의 巴里」! 「東洋의 몬데카로」! 이것은 上海에 對한 好奇心을 자아내는 실없는 語句일뿐입니다 이로 헤일 수도 없는 語句일뿐입니다 이로 헤일 수도 없을 만큼 多數한 「땐싱홀」、「카바레ー」 等 歡樂場을 가졌건만 하로의 더위를 避할 만한 自然的 海水浴場 하나도 갖지 못한 곳이 上海요 賭博場은 가는 곳마다 있건만 設備 完全한 大衆的 「스윔잉풀」 하나도 없는 곳이 上海입니다

밝은 달빛과 시원한 바다바람에 끌려서 이따금 黃浦江 江기슭을 거니는 몇 時間! 나는 억지로라도 이 時間을 單調하고 無味한 生活 가운데서 自然에 覿親하는 時間이라고 할 수밖에 없읍니다

法界에서 打浦路와 龍華路의 울퉁불퉁한 길을 한 二十 分쯤 거릅니다 上海의 거리란 全部가 華麗하다고만 생각하는 사람에게는 打浦路와 같은 더러운 길이 「양키ー」들의 狂亂하는 거리에서 멀지 않은 곳에 누어있다는 것을 믿기 어려울 것입니다 房속의 더위를 避하야 거리 兩옆으로 나와 앉은 貧民의 떼들! 그리고 코를 찌르는 내음새! 그러나 그 내음새 속에는 어데인지 반드러운 「애스팔트」 위에서 맛볼 수 없는 구수한 흙내음새가 숨어있읍니다

龍華路를 지나 좀 더 나가면 웃독 솟는 주먹만 한 언덕 하나와 군데군데 기우러저가는 草家가 몇 채 서있는 江邊에 나옵니다 이곳을 盧家溝이라고 부르지만 溝다운 곳도 아니오 다만 黃浦江의 한 모퉁이입니다

華麗한 歡樂境에서 우리는 온갖 都市의 雜音을 등지고 흐르는 달빛 아래에서 천천히 천천히 櫓를 젓는 뱃沙工의 콧노래에 異國情緖가 가삼 깊이 숨여들고 조으는 듯 바라보히는 江 건너 浦西 一帶의 風景에 하로 終日 몬지와 땀 속에 지칠 대로 지친 마음이 저윽이 가라앉어지는 것 같기도 합니다만은 것잡을 수 없이 용소슴처 오르는 것은 어머니의 품을 그리는 어린아이의 마

음 같은 鄕愁뿐입니다 내 집을 떠나보아야 家庭의 그리움을 아는 것과 같이 外國의 風景을 對할 때마다 더욱 그리워지는 것은 朝鮮의 높은 山과 맑은 물입니다 中國의 一部分을 봄에 不過하는 眼光으로 한 나라의 自然的 風景을 말한다는 것은 넘우 輕率한 짓이라 하겠지만 朝鮮의 自然과 같은 雅淡하고 淸新한 맛은 어데를 가도 찾을 수 없을 것입니다 그것이 비록 大陸性이오 規模가 크다고 말하더라도 실로 짜노은 것 같은 아기자기한 朝鮮의 自然에 미칠 바이 못 됩니다

金剛山도 金剛山이려니와 봄의 大同江、釋王寺의 가을、여름밤 漢江의 뱃노리 ― 누런 물을 드려다보며 이 江기슭을 거닐 때마다 朝鮮사람이 얼마나 自然的으로 커다란 惠澤을 입고 있는가 하는 것을 새삼스럽게 느낌니다 젊은 懷鄕病者! 나는 이 이름을 달게 받으렵니다 吟諷咏月을 하자는 것은 아니지만 정말로 식그러운 都市를 다만 하로라도 떠나서 自然의 품에 안기워 차근차근히 人事을 思索해보고 才操 없는 글이나마 마음 가라안치고 工夫하고 써보고 싶읍니다 自然을 잊은 사람! 그도 確實히 不幸한 사람 가운데 한 사람입니다 그러나 杭州 西湖를 求景하겠다고 昨年 겨울부터 벼르기만 하고 지금까지 엄두를 못내는 보잘 것 없는 나의 生活 무엇을 더 쓰겠읍니까?

―『新東亞』, 第4卷 第9號, 1934년 9월

香山「鬼見愁」의 雲波

丁來東

香山은 北平 西山의 一部分이다。香山은 山의 이름이라기보다는 오히려 그 山 밑 村落의 이름으로 더 많이 알리여있다。北平 西直門을 나서 西太后가 노든 萬壽山을 지내고、그 뒤의 玉덩이같이 물이 소사나는 奇景의 玉泉山을 지나면 곧 香山이다。北平에서 約 四十 里나 되는 곳이다。이곳은 그 前에「靜宜園」(?)이란 離宮이 있던 곳이라 赤松 白松이 보기 좋게 山麓에 서 있고 眼下에는 北平城이 나리다보히며、그 東南으로는 無邊大野가 툭 터저 있다。그 南에는 明淸文人의 많은 遊記를 남긴「八大處」가 있고、그 北에는「水湯山」이란 溫泉이 있어서、이 山의 어느 모습에 寺刹 없는 곳이 없으며、어느 곳이고 古跡 아닌 곳이 없다。

이 바로 뒤 — ㅅ山의 가장 높은 峰을「鬼見愁」라고 부른다。「鬼見愁」란 뜻은 鬼神이 보고도 愁心한다는 뜻이다。얼마나 로맨틱하고 얼마나 神秘스러운 이름인가? 中國의 豪蕩한 詩人 墨客이 아니고는 조금도 생각키 어려운 이름이다。

香山이 나의 記憶에 남아있는 것은 四季의 어느 때이고 없는 時期는 없다。 가을의 丹楓과 雲霞와 雨景이 다 나의 아름다운 옛 생활의 「알밤[01]」이다。 내가 타기 좋와하든 그 「西山나구」(驢駒)는 지금도 그前 모양으로 떼 지어 다니는가? 지금도 많은 靑年男女는 이 中世紀의 交通機關에 몸을 실고、 古典的 戀愛를 夢想하며、 山上山下로 이 가엾은 動物을 달리고 있는가? 이 붓을 들 때 나의 가슴은 흡사 「西山나구」나 탄 듯이 두근두근 뛰며、 그 옛날의 記憶은 불타올으드시 억바저 올라온다

그러나 「鬼見愁」에 올라가 보기는 겨울과 느진 녀름 두 차례뿐이다。 여긔서 쓰려 하는 것은 느진 녀름에 올라갔을 때 보든 구름의 波濤다。

우리 一行은 山上에 올라서서 해 떠오르는 것을 구경할 예정으로 일즉 길을 떠났다。 그러나 山 중투막도 올라가기 前에 해는 뜨고 말았다 여러 해 동안 山에 발을 올려노치 못하든 우리인지라 발길에 채인 돌까지도 귀해보였엇으니 길 겨테 이슬을 먹음고 있는 雜草들이 윤나게 사랑스럽든 것은 이루 다 말할 수가 없다

그 우에 불그럼이 地平線을 올라오는 그 해 — ㅅ발은 비록 우리가 山上에 선 것은 아니었지만은 그래도 우리의게 모든 滋養素를 주는 것 같으며 또한 우리의 精神 上 肉體 上의 光明이요 希望인 것같이 생각키엿었、

「鬼見愁」의 峰은 바로 머리 우에다 이고 있을 때에는 어느새 뫼여든 구름인지 귀 — ㅅ가로 횡횡 날러간다 우리는 눈 밑으로 구름을 보는 것이 하도 新奇하야서 두 팔로 날러가는 구름을 헤처도 보고、 손으로 구름을 쥐여도 보았다 우리 一行은 무슨 말로 形容할 수가 없었든지 그저 서로 보고 우섰을 뿐이다 우리의 옷은 발서 축축하고 四方은 아 — 득하야 보이는 것이라고는 구름뿐이요 그 외에는 그저 눈앞에 빠 — ㄴ하게 뚫린 길이 보일 뿐이였

---

01 "알밤": 영어 album - 편자 주.

다 어느 때든가 箱根[02]로 修學旅行을 갔을 때 한 번 구름을 코등으로 날려본 일이 있고는 아마 이번이 둘쨋 번인 것 같다 그러나 그때는 이렇게까지 구름이 많지는 못하였었으며 또 智異山 槃若岸[03]에 올랐을 때 구름을 山 중트막에 감겨두고 山峰에서 해를 쬐이며 슬슬 날려단이는 구름을 내려다보든 것도 勝景은 勝景이었으나、이와 같이 緊張되고 또한 「딴 세상」과 같은 느낌을 주지는 못하였었든 것이다、

우리는 「鬼見愁」를 다 올라와서 亭子 터 같은 지추돌에 각각 스틱과 帽子를 놓고 두 활개를 벌리여 目的한 地點에 到達한 기쁨의 기 ― ㄴ 呼吸을 「후 ― 」 하고 내쉬였었다。

여긔가 「鬼見愁」다。

그러나 우리가 여긔에 올라올 때의 期待는 이런 구름의 벌판이 아니였었다、北平의 城안을 삿삿치 눈앞에 나려다보고 萬壽山 밑에 昆明湖를 거울같이 드려다보며 玉泉山의 錐子塔을 손가락질하고 바로 턱밑에 있는 碧雲寺의 白塔을 구버 나려보고 數十 里 或은 數百 里에 뻐처있는 綠陰과 綠草를 다못 두 肉眼으로 둘러보려든 기쁨이였었다、

그런데 只今 눈앞에 벌여저있는 이 光景은 무엇인가?

우리가 山 밑에서 바래든 期待와는 判然히 틀였었으나、우리는 失望하지 아니하였을 뿐 아니라 이 놀라운 別有天地에 일부러 땀을 흘려가며 올라온 報酬가 너무나 큰 데 感謝와 喜悅을 느끼지 않을 수 없었다

우리의 눈에 뵈이는 끝까지는 구름이었었다 머리 우에도 푸른 하늘은 보이지 아니하였으며 淡淡한 구름의 장막이 치여있고 우리의 발밑에서 뻐처

---

02 箱根[はこね]: 온천으로 유명한 일본의 관광지 - 편자 주.

03 "岸"은 "岩"의 오식 - 편자 주.

간 구름결도 恰似 大海의 波浪과 같이 물결을 쳐 끝없는 가으로 흘러 내려가는 것이었다 우리의 眼界에는 끝없는 구름의 波濤가 움틀거리고 있었을 뿐이다 하늘의 구름과 따의 구름은 머 ─ 리 보이는 끝에 가서 한 平線으로 接合되는 것이였다、구름이 물결을 친다면 보지 못한 사람은 그럴까? 하고 疑心을 일으킬지 몰은다 그러나 아마 구름이 물결같이 보이는 理由는 구름의 濃厚와 厚薄에 따라 구름의 지튼 곳은 소사올으는 물결같이 보이고 구름이 야튼 곳은 나려가는 물결같이 보이는 模樣이다、그리고 구름은 全體 部分 할 것 없이 모도 다 움직이고 있으므로 물결같이 보이는 것이다.

이것이 구름의 波濤가 아니고 무엇이겠는가?

前後 左右 上下는 모도 다 구름이다 그러나 밑에 깔린 구름만이 波濤를 치는 것이다 「땅」이라고 보이는 것은 우리가 서있는 山上의 平平한 이 三四間뿐이다 四方의 움즉움즉하는 雲波를 보다가 自己가 서있는 땅을 나려다 보면 恰似 大海의 孤舟같이 되뚱되뚱 움직이여 보이는 것이었다.

우리는 無邊大海에 一葉孤舟를 띄우고 있는 셈이다! 創世記의 大洪水는 이런 것이였든가? 「天路歷程」의 天堂에 올라가는 길은 또한 이러한 「새다리」였든가?

산에 와서 바다를 求景하는 우리의 머리는 異常한 感激을 일으키지 않을 수 없었다 바다라도 연이 바다가 아니요 波濤가 甚하고 끝도 없으며 가도 없는 바다임에 더 놀래지 않을 수 없었든 것이다.

우리는 이 大海 가운데서 잠잠히 침묵을 직히고 있을 뿐이였다.

만약 「귀신」이 있어 이곳에 와 이 光景을 보았었던들 그는 꼭 人間社會에서 엳드른 一萬 가지 愁心을 흐트러놓고、自己 亦是 愁心과 怨恨에 잠기고 말 것이다.

우리는 서로 무엇을 생각하고 있는지 알 수가 없을 뿐만 아니라 自己의

머리속에서 縱橫하는 생각 感情조차 順序를 잡을 수가 없었다

이때에 구름 밑에서는 音樂소리가 들려온다 慈幼院의 學生들이 練習하는 初步의 音樂소리다 그러나 구름을 거처서 올라오는 이 音響은 그지없이 幽遠하였었고 퍽으나 淸雅하게 들였었다 이때까지 激動되였든 모든 感情은 一時에 스르르 프러지며 그 다음 瞬間에는 말 못할 哀愁가 머리에 기여 들어오는 것이었다

진흙을 니겨놓은 것 같이 보드라운 「멜랑콜리」!

電波는 이 音樂에 마추워 움즉이며 나의 哀愁는 이 구름을 타고 나러단인 것 같다.

이보다 더 좋은 詩境이 또 어듸에 있겠는가? 그러나 글자 몇 자로 이때의 무엇 한 가지인들 完全히 그릴 수가 있단 말인가? 어떠한 글句로써 이 구름의 大海를 表現할 수가 있겠는가? 그러치 않으면 自己의 머리속을 달리는 喜哀悲忿인들 그려낼 수가 있겠는가? 이것이야말로 붓으로 쓸 수 없는 나의 머리속에 永遠히 담아둘 아름다운 詩의 一 篇이요 그때의 머리에 시처가든 喜怒哀樂이야말로 한 사람의게도 말로 傳할 수 없는 詩일 것이다

일본시인 「요네·노구지[04]」는 自己가 지낸 가장 좋은 詩境은 이때 ― ㅅ것 한 번도 詩로 表現하지 못하였다고 말한 적이 있다 이 말이야말로 아마 나의 「鬼見愁」에서 지낸 心境을 말함이나 아닐까?

— 『新東亞』, 第4卷 第9號, 1934년 9월

---

04 요네·노구지: 일본 시인 野口米次郎(1875~1947) - 편자 주.

봄 물결을 타고 — 遼寧에서 上海까지

金沼葉

三月 二十四日

H君 宅에서 朝飯을 먹고 곧 遼寧 總站으로 나갔다。한 時間 半 동안이나 待合室에 있다가 午前 九時 五○分 發 北平行을 탔다。汽車가 遼寧 日本站을 지나 大虎山까지 가는 사이에는 颱風이 일어나서 車窓 밖에 風景까지 모래ㅅ가루로 말미암아 잘 보히지 않았다。溝帮子站에서 營口行으로 바꿔타기는 午後 三時 頃이었다。車內의 乘客은 모두가 中國人이고 朝鮮사람이라고는 나 하나밖에 없었다。

遼東 七百 里의 廣漠한 大平野는 한 끝에서 한 끝을 보지 못할 만치 넓었다。車窓을 通하여 내다보는 나의 가슴까지도 갑작이 넓어지는 듯하다。

營口(河北)站에 나리니 遼河의 강ㅅ바람은 몹시 冷酸하였다。外套도 입지 못한 나는 벌벌 떨면서 驛員에게 行李를 찾어가지고는 어데로 갈가 하고 暫時 동안 혼자 躊躇하지 않을 수 없었다。人力車와 馬車라고는 그림자도 보이지 않고 다만 무슨 旅館이라고 쓴 적은 提燈을 가진 中國人의 갸구비기[01] 들이 손님을 各己 다려가려고 그야말로 여름밤에 우는 맹꽁이 우름소리보다

---

01 갸구비기: 「일본어 客引(호객꾼) - 편자 주.

도 騷亂하였다. 나는 復聚棧(旅館 이름) 사람에게 끌리여 그에게 行李와 가방을 맡기고 一 町 쯤 나와서 河南으로 건너가는 小舟에 몸을 실었다. 때마침 半空에 걸린 반달은 灰色의 하늘에서 眞珠와 같은 朦朧한 달빛을 遼河에 던지고 멀리 江 건너 쪽에는 電燈의 불빛이 깜벅어리는 것이 참으로 쎈치한 浦口의 情調를 자아내고 있었다. 江 우에 어름은 풀리였으나 그래도 있다금 野獸의 등떨미 같은 큰 어름장이 보였다.

나와 함께 小舟에 탄 사람은 사공을 合하야 여섯 사람뿐이었다. 배ㅅ머리에 켜놓은 油燈의 불빛이 배 안에 자라목처럼 웅크리고 앉아있는 우리 네 사람의 얼골을 희미하게 비처주고 있었다. 사공의 코ㅅ노래를 除한 외에는 遼河의 밤은 매우 寂寞한데 나는 이렇게 생각을 해보았다. 이 배 우에 몸을 얹인 채 이대로 이대로 끝없이 흘러가 보았으면 …… 十 分쯤 지난 후에 우리의 탄 배는 東營口 어둑한 언덕 밑에 다었다.

배에서 나리여 우리는 다시 馬車를 타고 밝고 혹은 어두운 거리와 衚衕을 몇이나 지나서 約 二十 分 後에 復聚棧이라는 中國 旅館 앞에 내렸다. 旅館 사람의 뒤를 따라 뒤ㅅ뜰에 있는 한 개의 조고만 淨洒한 방을 擇하였다. 上海로 가는 汽船은 昨日에 떠났으니까 그 배가 돌아오기까지 四五 日 동안은 不得已 이곳에서 기다리고 있을 수밖에 없다.

河北站에서 함께 온 中國人과 同宿하기로 하였다. 그는 江蘇省 淅江 사람이라는데 遼寧(奉天)에서 穀物貿易을 하는 豪商의 한 사람인 것을 알게 되었다. (以下 四日 分 略)

三月 二十九日

일곱時에 일어나서 洗面을 하고 甲板 위로 散步하였다. 아침 九時가 좀 지나서 우리가 탄 源順丸은 뚜 — 하는 汽笛 一聲을 營口의 埠頭에 남기고 上海를 向하야 먼 항해의 길을 떠났다. 船體가 움직이기 始作한 뒤에 다시 甲板에 나가서 欄干에 몸을 依支한 채 漸漸 멀어지는 營口港을 뒤로 바라보았다. 뒤에는 무엇이 남아 있던지 아무러한 愛着과 未練도 없다는 듯이 앞으로 앞으로 茫茫한 波濤를 헤치며 다라나는 汽船!

나의 마음도 이 汽船과 같이 泰然自若한 것이면 좋겠다 그러나 나는 亦是 한 개의 人間인 것이다. 人間인 以上 喜悲哀樂의 感情을 아니 가질 수 없다. 最後로 쎈트헤레나島로 떠날 때 甲板 우에 默默히 서서 漸漸 멀어저가는 故國의 하늘을 바라보고 있던 蓋世의 英雄 나포레온의 눈에서도 나중에는 한 방울의 눈물이 굴러 떠러졌다 하지 않는가! 오! 바다야 그리고 港口야! 너이는 얼마나 많은 人間의 悲劇을 꾸며낸 殘忍한 天才이냐!

午後 네時 頃에 後 甲板 아래 있는 食堂에 가서 밥을 먹었다. 둥그런 食卓을 둘러싸고 앉은 乘客은 露西亞人 둘, 中國人 男子 넷, 女子 둘 그리고 나까지 都合 九 人이었다.

밤에 甲板 우에 나가서 달빛 아래 꿈틀거리는 바다의 永遠한 神秘와 하늘에 빤작어리는 數없는 별들의 無言의 「속삭임」을 드르며 人生의 無常을 혼자 생각해보았다.

三月 三十日

일곱時 半에 甲板에 나갔다. 天氣는 참으로 快晴하다. 하늘은 가을날과 같이 맑게 개였고、 바다에는 바람도 없이 潺潺한데 우리의 源順丸은 기름 같은 봄 바다 우를 고요히 미끄러저 가고 있었다. 甲板 우에 앉어서 따뜻한 日光을 쪼여가며、海上의 風景을 眺望하는 것도 좋았다.

左右便으로 그림 같은 섬(島)을 볼 수 있었다. 한 개의 섬 우에는 높직한 燈臺가 보인다. 燈臺가 있을 때에는 저 섬 우에도 사람이 살고 있음이 분명하다. 나는 언뜻 「燈臺직이의 딸」이란 이야기를 생각하고, 저 섬 우에도 그러한 勇敢하고도 어여쁜 處女가 푸른 파도와 힌 갈맥이를 동무로 외롭게 살고 있겠지? 하고는 좀 더 有心히 그곳을 바라보았으나, 사람의 그림자라고는 볼 수 없었고, 다만 섬 밑에 떠도는 몇 마리의 白鷗를 보았을 뿐이다. 가면 갈수록 茫茫한 바다이다. 이런 바다 가운데 나오게 되면 이 한울 아래에 바다 이외에도 륙지(陸地)라는 것이 또 있을까 하는 느낌을 갖게 된다.

저 — 편에서 오는 두 개의 汽船을 만났다. 汽船과 汽船이 만날 때에는 서로 기적을 울린다. 아마 이것이 그들의 信號인가 보다. 조반과 석반(우리 배에서는 하루에 두 끼식이다)을 맛있게 먹었다. 라빈나트、타 — 골의 短篇小說 (In the Night)을 읽었다. 밤에는 空想을 좀 하다가 잠이 들고 말았다.

三月 三十一日

일즉이 눈을 떴을 때에는 汽船의 動搖가 대단히 甚하였다. 밖에는 風浪이 심한 모양이다. 再昨年 金剛山 旅行 때 元山에서 長箭까지 가는 사이에 아조 몹시 배ㅅ멀미를 해 본 經驗을 가진 나는 벌써부터 풀이 죽기 始作하였다. 寢臺에 누운 채로 꼼짝 못하였다. 낯도 씻지 못하였고, 아침밥도 먹지 못하였다. 그래도 나는 다른 사람들에게 比하면 배에는 좀 굳센 셈이었다. 골이 뗑 — 하고, 배(腹)속이 좀 불편한 것 같기는 하였으나, 먹은 것을 吐하기까지는 아니하였다.

正午가 지난 후에 甲板에 暫時 나와서 보니 欄干 밑으로 보이는 水平線이 十餘 尺씩이나 올라갔다가 나려오고, 나려왔다가 다시 올라가고 한다. 성

난 猛獸와 같이 날뛰는 激浪 우에 언처 우리의 源順丸은 갈 곳을 잊은 듯이 괴로워하고 있었다.

머리가 흔들리고 갑작이 눈앞이 보이지 않는다. 먹은 것을 이제라도 吐해낼 것처럼 속이 메슥메슥하여지므로 다시 뛰여 들어오고야 말았다.

밤에는 일즉히 잠이 들었다. 잇다금 잠을 깨여 귀를 기우리면 들리는 것은 오직 배ㅅ머리에 부듸처서 깨여지는 요란한 물소리뿐이다.

四月 一日

아침에 일어나보니 어제보다는 汽船의 動搖도 덜한 것 같았다. 生疎한 사람처럼 깨끗한 氣分으로 甲板 우를 散步할 수 있었다. 朝飯도 맛있게 먹었다. 그러나 中國 女人 하나만 아직도 배ㅅ멀미로 신음하고 있었다. 배ㅅ멀미의 前科者인 나로서는 同情의 눈으로 그 女子를 보지 않을 수 없었다. 中國人에게서 「海友」라는 잡지를 빌려서 上海遊記를 읽었다. 食堂에 단녀 나온 후 水夫 한 사람과 雜談하고 놀았다. 그는 釜山、元山、仁川 等地로 가본 일이 있다고 하여 다른 사람들보다는 다들 親切하게 대하야준다.

그는 말하기를 中國 배에 있으면 月給이 매우 적다고 日語를 배워가지고 日本人의 汽船에서 일을 해보겠다고 한다. 저녁때 甲板에 나가보니 멀리 西쪽으로 黃浦江 於口에 있는 吳淞港의 電燈이 깜박어리고 있었다. 營口에서 떠난 지 나흘 만에 다시 陸地의 電燈빛을 보니 반가웠다.

바다는 客地라면 陸地는 틀림없는 우리의 故鄕이다. 그러므로 人間은 陸地의 動物이 아닐가?

軟紅의 黃昏조차 스러진 어두워가는 西쪽 하늘에 두서너 개의 별이 가엾게 떨고 있다.

오늘밤은 吳淞港 앞에서 닷(錨)을 나린 채 물 우에서 一夜를 泊하고、明日 무신에 上海의 對岸인 浦東으로 들어가게 되었다. 거의 한밤을 뜬눈으로 밝히었다.

四月 二日

내가 눈을 떴을 때에는 우리의 汽船은 임이 上海를 向하여 黃浦江의 滔滔한 濁流를 溯上한 지 三十 分이나 지난 때였다. 부랴부랴 行李를 수습해가지고 甲板으로 뛰여나오니 벌서 汽船은 포동 D碼頭에 다았다. 부랴부랴 行李를 꾸린 것이 시간으로 二十五 分이나 보냈다. 미리 準備를 가지고 甲板으로 나온 사람들은 東洋의 奇怪한 코스모포탄의 大都市! 上海의 뜻 깊은 第一瞥을 黃浦灘路에 던졌으련만 나는 게을렀던 탓으로 아무것도 보지 못하고 그저 지나쳐 올랐든 것이다. 한 汽船으로 함께 온 우리 一行은 浦東에서 조그만 쩡크(中國 小舟)를 타고 無事히 이편 上海로 건너왔다.

내려서 처음으로 놀란 것은 苦力(勞動者)의 수효이다. 四方에서 蝟集하여 온 그들은 新參者인 우리의 周圍를 에워싸고、그야말로 무슨 말인지 한마듸도 解得치 못할 上海方言으로 제각기 떠드는 것이 營口站 앞의 混雜과는 比할 바도 아니었다. 營口에서 함께 온 中國사람이 말하야주는 대로 나는 한 개의 黃包車에 올라탄 후에 手帖의 住所를 끄내여 갈 곳을 보였다.

黃包車는 달아나기 始作하였다.

하늘을 쳐다보니 今時로 소낙비라도 쏟아질 듯이 잔뜩 찝흐리었고 바람은 훈훈하다. 黃包車는 電車、自動車가 疾走하는 混雜한 大街路를 지나、하늘이 보이지 않게 턴넬(隧道)처럼 둥그렇게 松板으로 막은 어떤 큰 市場 앞을 지나가고 있었다. 店頭에 매여달려있는 鳥籠에서는 이름도 모를 어여쁜 새들이 노래를 부르고、길가의 버들가지는 새파랗게 푸르른 것이 제법 일ㅅ된 南方의 氣候를 말하고 있었다.

불가 몇일 전 내가 遼寧을 떠날 때에는、아직도 그곳엔 힌 눈이 날리고 있었다. 봄이 오기에는 아직도 먼 그곳에서 이곳 上海에 와서 보니 벌서 나무잎이 푸르렀고、복사꽃이 붉게 피였다. 언제인가 雜誌에서 읽은 崔獨鵑 氏의 「上海의 봄소식」이란 隨筆이 머리에 떠올랐다.

또 한 가지 新奇한 것은 송아지만큼씩 한 도야지를 털만 뽑고、배도 가르지 않은 채 그대로 작은 구루마에 수없이 실어서 끌고 가는 것이었다. 뚱뚱한 中國사람을 보면 언제나 도야지의 느깃느깃한 비게떵어리를 생각케 할만치 그들은 豬肉을 즐겨하는 國民이다.

나의 탄 黃包車는 이름도 알 수 없는 繁華한 거리를 수없이 지나서 西쪽으로 西쪽으로 다름질치고 있었다. 車夫는 나의 갈 곳을 잘 안다고 하여놓고도 仔細치 않은지 나에게 手帖을 달라하여서는 몇 번이나 交通巡査에게 보이고 하였다. 한 四十 分쯤 지난 후에 겨우 나는 法租界、馬浪路에 있는 G 先生 宅을 찾았다.

行李를 내려놓고、면보[02]로 朝飯 먹은 후에는 몇 장의 葉書를 써서 故鄉에 부치었다.

點心 후에 웃房의 朴 君의 案內로 南京路 求景을 나섰다. 途中에서 上海에서 第一 크다는 中國劇場 「大世界」와 工事 中에 있는 大建物 Y·M·C·A와 東洋第一이라는 上海競馬場을 겉으로나마 보았다. 競馬場 안의 새파란 芳草 우에는 七八 人의 西洋아이가 공을 가지고 作亂하고 있었다.

顧客을 부르는 商店의 嘹亮한 音樂 소리와 車馬의 雜沓과 그 喧騷 속에

---

02 "면보": 중국어 "面包(식빵)" - 편자 주.

귀를 째이는 듯한 胡琴 소리! 朴 君과 나는 드디어 上海의 메인、스트리 ─
트인 南京路까지 이르렀다. 꼬리에 꼬리를 물고 疾走하는 自動車、電車、無
軌車는 그야말로 連絡不絶이었다. 나와 같은 新參者는 말할 것도 없고、비
록 活步하는 都市의 모던뽀이들도 이편 쪽에서 저편 쪽으로 橫斷을 하려면
적어도 一 分이나 二 分 동안을 躊躇치 않고는 건너가지 못하리라.

先施、永安、新新 등의 大百貨店을 비롯하여 櫛比한 七八 層의 大廈高
樓、아스팔트 우로 밀려가는 奇怪한 世界 人種의 파노라마、半 歐美化한 中
國 新女性들의 날씬한 脚線美! 그러나 나는 英國 詩人 라이오넬、존슨 氏가
말한

『或은 高慢히 或은 哀愁히 呼吸하면서 죽엄을 向하여 進軍하는 삶의 行
進曲』이란 몇 句의 말을 이 煩雜한 國際都市 上海의 한 복판에서 우연히 느
낀 것이다.

人生은 寂滅하여 간다! 내가 上海 南京路에서 느낀 것은 異常히도 英國
詩人의 말과 符合되는 것 같다. 또한 이 怪異한 喜悲의 交響樂 속에 두 귀를
기울이면 염통이 썩어 들어가는 中華民國의 悲鳴을 누구나 들을 수 있을 것
이다. 오호! 上海야! 너는 二十世紀의 燦爛한 文化 ─ 아니 國家資本主義가
낳아놓은 東西洋의 混血兒이다. 아! 不幸한 混血兒야、너는 將次 어데로 가
려노?

宿所로 돌아오니 電燈불이 들어왔다. 밤에는 芥川龍之介의 「上海遊記」
를 읽었다(四年 前 日記帳에서).

─ 『新人文學』, 第2卷 第3號, 1935년 4월

聽診器 紀行 — 滿洲ㅅ벌을 向해

金晟鎭

第一信

지금 世人의 視聽은 모다 滿洲國에로 集中되야잇습니다. 政治的 乃至 經濟的은 勿論이요 딸아서 學術 上으로도 各 方面에 汎하야 硏究 調査가 進行되야잇습니다

京城帝國大學에서도 滿蒙文化硏究會라는 硏究機關이 設立되야 醫學部에서는 人類學、風土病、漢藥 등의 硏究에 着手하고 잇습니다.

이리하야 從來에는 硏究 調査의 길이 뻐치지 못햇든 滿蒙 天地의 文化도 漸次로 開明될 機會를 얻게 되것이다.

一方 滿洲에는 現在 近 百萬의 朝鮮사람이 居住하야잇고 또 날로 移住하는 사람은 增加할 뿐입니다. 이 같은 在留同胞의 大部分에 對하야는、生活 上 不滿과 不足이야 非一非再이겟습니다만은 衛生施設의 缺乏이 直接 生命을 威脅하는이만치 무엇보다도 큰 問題일 것 갓습니다 더구나 氣候와 風土가 朝鮮과는 퍽이나 달은 까닭에 여러 가지 惡疫과 痼疾에 걸리기 쉽고 또 一次 罹病하면 適當한 治療를 加할 아모 機關도 道理도 업는 까닭에 畢竟은 좀 더 잘 살기 爲하야 그리운 故國을 등지고 異域까지 갓다가 病魔와 더부러 싸흐다가 아무 노릇도 아니 되고 怨痛한 境遇에 이르는 일이 相當히 만흘 줄로 밋습니다.

이 點에 留意한 城大 醫學部 一部 敎授로부터 在滿同胞慰問巡廻診療班이 組織되야 每年 一回 朝鮮移民이 比較的 多數로 集團居住하고 醫療機關 施設이 貧弱한 部落을 擇하야 巡廻診療를 施行합니다. 今年이 第三回입니다. 第一回에는 琿春、間島地方에 가서 二千九百四十四 名의 診療를 하얏고 第二回는 間島、敦化地方에서 二千二百七十 名의 診療를 하얏다 합니다 今次는 間島、濱江 兩 省 中 圖寧線 及 北滿鐵道 東部線의 鐵道 沿邊、다시 알기 쉬웁게 말하면 圖們서 哈爾賓에 이르는 汽車 沿線 中 主要 部落 七 個 處에서 診察 診療할 豫定이나 現地에 가보아서 形便에 依하야 或 危險地帶가 잇스면 隨時 變更될 지도 몰읍니다.

一 年 一 次、더구나 단 하로 동안 投藥을 하거나 施術하고는 그 다음 經過도 보지 못하고 다음 場所로 떠나바리고 마니 決코 滿足한 治療를 期待할 수 업고 또 一 年 間의 健康을 保障할 수 업을 것은 勿論이겠습니다만은、微力이나마 우리의 誠意를 表하야 異域에서 奮鬪하는 同胞를 慰問、鼓舞하고 所期 事業의 貫徹 成功을 促進 激勵하며 兼하야 우리는 在留同胞의 生活 狀態、더욱이 衛生 狀況을 調査하야 다음날 衛生施設에 參考하고 또 장차 渡滿하는 사람에게 注意를 줄 材料를 어들 수 잇다면 우리의 計策도 全然 無意味한 것은 안이라고 밋습니다.

$$\times$$

診療班 組織의 準備는 三月부터 始作이 되얏습니다 爲先 診療에 從事할 醫師입니다 이것은 每年 循次로 大學病院 現場 醫師 中에서 人選됩니다 今次의 陣容은 다음과 같습니다

班長	教授 醫學博士 今村豊
內科	助教授 醫學博士 三木榮
同	醫學士 李義植
外科	醫學士 金晟鎮
耳鼻科	東京 醫學士 崔益鎭
眼科	醫學士 柳冀勳
皮膚	
	醫學士 趙永植
科	
藥局	九州 藥學士 伊東競
	以上 八 名

筆者를 除하고는 모다 堂堂한 國手들입니다 우리는 數次 會合하야 診療 方針을 決定하얏습니다

藥品은 되도록 携帶에 便한 錠劑 散藥 等을 主眼으로 하고 水藥과 注射藥 은 特別한 것 外에는 制限할 것 外科的 手術도 簡單한 切開 穿刺의 程度에 긋칠 것 等입니다 事實 徹底한 施術을 햇댓자 後續治療를 못 하고 보니까 無 意味한 일이요 境遇에 따라서는 도리혀 새 病을 엇게 할른지도 모릅니다

今年에는 産婦人科 醫師가 隨行하지 아니하야 筆者가 兼務하게 되고 齒 科는 例年과 같이 外科와 耳鼻科에서 갓치 하게 되야 筆者는 超特速成科로 婦人科 處置법과 齒科 處置法을 一日式 習得하얏습니다

雜務와 會計는 伊東 氏가 맛기로 하고、또 班長 今村 敎授는 活動寫眞을 撮影하기로 되얏습니다、이리하야 滿盤의 準備를 갖추운 뒤에 三月 二十八 日 簡單한 送別宴을 設하고 醫學部長、病院長、藥局長、庶務課長 其他 關係 者 一同을 招待하야 準備에 盡力하야 준 功을 謝하고 兼하야 여러 가지 參 考될 말을 듯게 되얏습니다。그 席上에서 或은 滿洲 惡疾(天然痘、回歸熱) 에 注意하야 一齊히 種痘를 하며 歪群의 襲擊을 防備키 爲하야 殺虫藥을 準

備하라는 둥、또는 匪賊도 赤十字에는 理解가 잇으니 班員 一同이 赤十字「마ー크」의 腕章을 하는 것이 좋고 또 赤十字旗를 크게 만들어 萬一에 備하고 來襲을 當하거든 聽診器를 내들고 흔들면 難을 免한다는 둥 親切에서 나온 말이로대 모두 滋味 적은 말뿐이어서 筆者와 가튼 小心者는 生命保險이라도 들고 가거나 遺書라도 써노코 떠나야 할가 生覺이 드러갑니다 도 어떤 親舊 말에는 匪賊은 醫師가 大端 必要하야 捕捉을 當하드래도 決코 죽이는 일이 업고 두고두고 自己네들의 診療에 利用하다고 합니다。이것은 오히려 낫다고 生覺하얏습니다。天職이 醫術임에야 누구를 診療한들 엇덥니가? 아니 그래도 空然한 虛勇이지 事實 當한다면야 氣絶을 하고 말 것입니다。

×

三月 三十日 午後 三時 五十分 우리 一行 八 名은 맛치 出征軍人과 가튼 興奮과 不安을 가지고 醫學部長 以下 大學 關係者와 個人의 親知 等 約 四十 名의 盛大한 餞送을 밧고 京城을 떠나 滿洲로 向하게 되얏습니다。

漠然히 滿洲로 간다는 말만 듣고 三時 三十分 發 奉天行에 잘못 나와 우리 一行을 찾노라고 헛애를 쓰신 분이 멏 분 되얏습니다。

이번 길은 악가도 말슴한 것가치 먼저 南陽으로 해서 圖們에 가서 間島 濱江 地方을 거쳐 診療를 하면서 哈爾賓까지 가서 診療班은 解散하고 그 以後는 各自 自由로 主要 都市를 視察하고 歸城하게 된 것입니다。鐵道 當局의 厚意로 朝鮮線은 二 名에 限하야 滿鐵線은 一行 全員에 對하야 二等『파스』가 나와서 八字 업는 二等 寢室에 누어서 筆者로서는 처음이자 마지막이 될지 모르는 『大名』旅行을 經驗햇습니다。

京城을 비롯하야 沿線 各 驛에서 親知로부터 여러 가지 膳物을 밧앗습니다。우리는 이 膳物을 整理하기 爲하야 坐席 앞에 備付 卓子를 裝置하고 時間 가는 줄도 모르며 먹고、마시고、떠들고、자고 하노라니가 발서 豆滿江이 窓박게 보입니다。

이곳은 아직도 어름이 다 풀리지 아니하고 또 山에는 눈이 제법 싸히엿습니다。

南陽서 汽車를 갈아타고 國際鐵橋를 건느면 곳 圖們입니다。灰幕洞이라고 부르던 數 個 草屋의 寒村이 今日에 三萬의 大都市가 되얏음에는 놀나지 아니할 수 업습니다。아즉 人家는 稠密치 못하나 市街 經營만은 完成하야 基盤 같은 道路와 下水道는 整然하게 뺏처잇습니다。

稅關에서 簡單한 檢閱을 맛치고 乘合自働車로『福家旅館』이라는 宿所로 向하는 途中에 猛烈한 爆聲(놀나지 마십시오 自動車가『팡크』한 것입니다)과 함께 自動車가 서바럿습니다。運轉手 君이 暫間 내려서 보드니 아모 말 업시 그대로 運轉을 繼續하야 期於코 旅館 앞까지 到達하얏습니다。여긔에도 거치른 滿洲벌판의 意氣가 잇지 아니한가 하는 생각이 들어갓섯습니다。

이 地方의 有力者들이 旅館에 차저와서 明日 診療에 關한 議論을 하얏습니다。

宣傳『포스타ー』를 내걸고 區長을 식혀 집집에 通話하며 各 劇場에서도 廣告를 하게 하야 되도록 診療의 目的을 徹底하게 通達하리라 합니다。

이날은 自由로 休息하기로 하야 一行은 圍碁에 車撞球에 或은 市街 散策에 또는 親知에게 보내는 그림葉書를 쓰고 잇습니다。筆者도 이 글을 맛추고는 몃 장 그림葉書를 쓰고는 國際都市의 夜景이나 求景 나갈가 생각하고 잇습니다。그러면 다음 通信은 에서 보내드리겠습니다。

第二信

圖們이 우리 診療班의 첫 試驗地입니다. 이곳이 圖寧線의 終端으로 北滿 物産을 貿易하는 國境都市로 決定되자 各處에서 물미 듯이 蝟集한 사람으로 一時는 人口 六萬을 算하든 大都市엇섯다고 합니다. 그러던 것이 都市經營과 鐵道 敷設을 맞추고서 滿鐵建設事務所가 牡丹江으로 移轉하자 맛치 浮萍草와 갓치 牡丹江으로 따라 드러가서 今年의 北滿 景氣는 牡丹江에 잇다 합니다. 또 朝鮮으로부터 食鹽、布帛 等의 密輸入에 從事하던 者들이 國境警備隊의 너무나 嚴重한 警戒網으로 稅關을 通過하지 아니하고 越境하는 者는 不問曲直하고 銃殺을 當하는 形便임으로 漸次로 歸鄕하거나 或은 다른 職業으로 轉하고 말아서 圖們의 景氣도 衰退하고 말엇다 합니다.

飮食店과 花柳界 繁昌 如何는 즉시 都市 繁榮의『바로메타―』입니다. 全盛期에는 百 軒이 넘든 料理業者가 現今에는 四十餘에 不過하다는 點만 보아도 얼마나 衰退하얏는가를 엿볼 수 잇습니다 그러나 아직도 全 人口가 四萬餘 名이요 이 中에 日本人 五千四百 名、滿洲人 一千二百 名을 除하고는 모다 朝鮮사람이라 합니다 事實 아모리 滿洲 氣分을 찾아내랴고 하야도 所用이 업고 純全한 朝鮮 都邑 風景이 보일 뿐입니다.

이리하야 建設 當時의 一過性 虛景氣는 지나가고 永久的 圖們의 發展은 至今부터라고 생각합니다.

現在 圖們에 남아잇는 사람과 將次 圖們에 들어오는 사람이 참으로 圖們을 爲하야 盡力할 사람들입니다 急작이 드러 살고저 꾸미엇든『빠락그[01]』假屋은 次次로 헐니우고 煉瓦製 或은 鐵筋『콩크리드―』建物이 堂堂히 이

---

01 "빠락그": 영어 barrack - 편자 주.

곳저곳에 세워져서 新興都市의 意氣가 全 市街에 漲溢하야 잇습니다

四月 一日 午前 十時부터 一行은 赤十字旗를 높히 걸고 또 赤十字 腕章을 감고서 診療를 시작하얏습니다。場所는 舊 滿鐵建設事務所 附屬病院 자리로 一朔 前 牡丹江으로 移轉한 後 廢家가 되엇든 곳이라 大掃除를 하고 煖爐를 피우고 各各 部署에 就한 우리는 異域에 와서 活動하는 同胞의 健康을 檢討하는 機會를 갖게 되엇습니다。一般으로 呼吸器病 花柳病、關節疾患이 만흐며 齒科가 意外에 만하서 겨우 一日 間에 速成한 齒科知識으로 拔齒를 十五 個 하얏고 外科 小手術이 세 사람 잇섯습니다。今村 敎授는 活動寫眞 技師로 撮影에 餘念이 업는 中에도 各 科의 診察 治療를 監督 助力하고、또 注射部長을 自任하야 各 科 患者의 注射는 혼자 맛하서 해줍니다。

이번 班長 就任만 해도 他 敎授들이 或은 學會를 口實로、또는 危險地帶 旅行을 忌避하야 診療班長이 되기를 즐겨하지 아니함을 보고、今村 敎授가 再昨年 第一回에도 班長으로 診療班을 引率 巡廻 하얏음에 不拘하고、慨然 自進하야 또 班長이 되야 나섯습니다。『오야분02 하다』의 豪氣、磊落한 性格을 가진 少壯 敎授로 學生의 信望이 두터운 만치、善飮善談 實로 우리 靑年側을 凌駕할 元氣로 愉快하게 窮地 旅行을 하게 하야 우리는 愉快하얏습니다

이날 밤에 『大樂天』이라는 滿洲料理店에서 歡迎宴이 잇섯습니다 席上 滿洲 事情을 말하며 在留同胞의 窮狀과 그 對策에 關한 意見을 披瀝하야 意味 깁흔 數 時間을 지낫습니다。氷砂糖을 녹여 먹는 黃酒라든지 童妓의 齊唱 等 모다 珍貴한 異國情緒를 우리에게 맛보여주엇습니다。

宴會를 마친 뒤에 囑託醫로 계신 金永燦 氏의 案內로 阿片吸煙所를 가보앗습니다。두 사람式 눕게 된 坐席을 房房히 準備해노코、客의 請求에 따라

---

02 "오야분": 일본어 "親分"(두목, 우두머리) - 편자 주.

阿片을 分賣 吸煙케 합니다. 우리도 한 房을 占領하고 한 목음식 빠라보앗으나 無味無臭하야 中毒이 되기 全에는 決코 羽化登仙의 心境을 맛볼 수 업엇습니다.

×

다음날은 延吉입니다. 俗稱 局子街라 하던 것을 近來 延吉로 부르게 되엿다 합니다.

四月 二日 午前 六時 二十分에 圖們을 出發하야 新京行 列車에 탓습니다. 이 鐵道는 발서 滿鐵로부터 滿洲國鐵道總局 經營으로 移管되얏다 합니다. 一等 『파스[03]』를 밧엇지만 너무나 悚懼해서 班長을 除하고는 二等에 탓습니다.

列車 內와 驛 構內에는 반드시 獨立守備隊의 正規兵과 滿鐵 直轄의 鐵道 警備員이 警衛하고 잇스며 主要한 驛에는 裝甲列車가 恒時 불을 끄지 아니하고 待機하고 잇다가 一段 有事하야 急報가 오면 그 瞬間에라도 現場에 運轉 出動할 수 잇도록 하고 잇습니다. 이리하야 鐵道 沿線을 警戒 擁護합니다. 事實 守備隊 업시는 到底히 鐵道 建設을 할 수 업다고 합니다. 이 地方 有力者들의 迎接을 밧어 一段 領事館에 들어갓다가 診療所로 決定한 곳에 가서 準備를 午前 十時부터 始作하얏습니다 이 날 診療한 患者 數 約 三百입니다.

延吉은 間島의 政治的 中心으로 旣成都市인 만치 모든 것이 堅牢充實하야 보입니다. 現在 人口 約 三萬에 滿洲人이 約 一萬 五千、朝鮮人이 一萬 名、日本人은 千五百에 不過한다고 합니다. 낮에는 領事館의 招待로 『天一

03　"파스": 영어 pass - 편자 주.

芳』이라는 料亭에서 午餐이 잇섯고 밤에는 亦是 天一亭에서 間島省公署 高
官의 招待로 晩餐會가 잇섯습니다.

總務局長 松下 氏、民政局長 金秉泰 氏、實業科長 劉鴻洵 氏、學務科長
尹泰東 氏 等、朝鮮 內의 地方官廳보다도 朝鮮사람이 더 만히 모혀잇습니
다。이밧게도 城大 出身의 盧起燕 氏、原田 氏가 亦是 省公署에 在職하야
이날 자리를 같이하게 되야서 宴會는 和氣靄靄한 가운데、主客이 交談하야
愉快한 하로밤을 지냇습니다。宴會를 마친 後 省公署의 案內로 市內를 一巡
하얏습니다。主要 商店은 大槪 門을 다치고 오직 花柳街와 飮食店이 繁盛할
뿐입니다。明日 行程의 關係로 延吉서는 留宿치 못하고 밤車로 圖們에 다시
도라왓습니다。이번에는 다른 乘客도 업기에 우리 一行이 一等室을 占領하
얏습니다。筆者도 이것이 처음이자 마지막일지 몰라서 마음껏 발을 뻣고 누
어왓습니다。

×

圖寧線이 開通되기는 昨年 八月입니다 險山으로 有名한 老爺嶺이 屹然
竪立하야 敢히 通行치 못하고 北滿과의 交通에는 멀니 敦化地方으로부터
鏡泊湖를 渡涉하야 平野로 迂廻하는 것이 相當한 難工事로 드드어 原始林
을 開拓하야 至今에 二十世紀 文明을 자랑하는 急行列車가 汽笛을 울니고
다라나게 된 것은 참으로 愉快하얏습니다 이리하야 北滿의 産物은 얼마든
지 輸送 貿易하게 된 것입니다

從來의 大豆、小麥、高粱 等의 産出도 莫大한데다가 目下 牡丹江 沿岸에
計劃되야 잇는 水利組合의 完成으로 無盡藏의 米穀이 産出할 것이며 또 鏡
泊湖에 落下하는 瀑布를 利用하야 商工業의 原動力이 될 水力電氣를 設計

中이라 하니 이것이 完成되는 날에는 精米、製粉、製油(大豆油)、製材 등 各種 共業이 破竹之勢로 興旺할 터이니 이 圖嶺線이야말로(이하 삭제)。

— 『朝鮮日報』, 1935年 4월 9일~18일, 4회 연재

北滿周遊記

方建斗

　半島의 首都 京城에서 放射하는 二 條의 길을 따라 하나를 平北 新義州에 다른 하나를 咸北 南陽에 비끄러 매고 다시 그 線을 屈折시켜 國際都市 哈爾賓에 交叉시키면 보기 조흔 變形을 일우운다、나는 昌慶苑、景福宮의 滿潮된 夜櫻을 避하야 지난 四月 十四日 밤 열한 시、이、菱形의 各 邊을 一周코자 淸津行 列車에 올럿다.

　道中、山은 六花의 粉가루로 化粧하고 덜은 벗꼿의 붉음으로 丹粧한 安邊에 들리고、아직 殘雪이 山谷에 남어잇스나 모래찜(溫泉沙浴)을 하는 朝鮮의 別府 朱乙을 보고 東海물이 출렁거려 天惠의 良港을 이룰 뿐 아니라 咸鏡線의 全通、京圖線[01]、圖寧線[02]의 開通으로 新興 氣分이 漲溢한 淸津에 一泊하고 松眞山脈에 圍繞되여 露滿國境의 關門이 되어잇는 雄基에도 用務가 잇섯슴으로 南陽에 到着한 것은 四月 十九日 午後 네시 경이다.

　豆滿江 건너 對岸의 뽀얏키에 車窓을 通하야 仔細히 보니 黃砂가 바람에

01　"京圖線": 新京(현재의 長春) - 圖們 사이의 철도

02　"圖寧線": 圖們 - 寧安 사이의 철도

날리는 光景이다 아! 이것이 國境 情趣인가? 어제 아츰 哈爾賓 發 포쿠라[03] 行 國制列車가 海林 附近에서 눈보래로 가도 오도 못하고 섯든 先發 裝甲列車와 衝突되여 微塵가티 粉碎되엿다는 뉴ㅡ스를 보고 列車 顚覆、襲擊、拉去、等等 北滿 旅行이 아직 危險하다는 가지가지의 말을 列車 中에서 或은 旅館을 차저준 國境 人士에게서 들은지라 京城으로 돌아갈가 하고까지 생각하여 보앗다 荒塵萬丈의 저 滿洲벌을 차저 情들고、낫닉은 故國 江山을 永永 떠나가는 同胞의 情景이 눈압헤 나타난다、斜陽의 힘업는 光線이 바람에 날리는 틔끌을 通하야 無數하게 나라나선 洋鐵 지붕을 反射시킨다 이것이 平北으로 말하면 新義洲에 比할 南陽이다

新義洲가 검푸른 瓦家로 더피고 붉은 煉瓦로 빗나는 대신 이곳은 洋鐵 지붕、너울이 바람에 搖曳된다。바람에 날을가바 帽子를 눌러쓰고 驛에 나렷다 驛前에 通車가 업슴으로 馬賊들처럼 늘어선 旅館 뿌이들을 헤치고 市內로 들어가니 여긔저긔『빠라크』假屋에『貸家』廣告가 부터잇다、아마 만흔 期待를 가지고 各處에서 蝟集하엿든 사람들이 性急히 發展할 것 갓지도 안흐므로『貸家』廣告를 부치고 간 모양이다、

사람이 頻繁히 가고 오는 곳을 따라 나가니 欄干도 업는 좁은 鐵橋가 보인다、이것이 豆滿江鐵橋다、開閉式 鴨綠江鐵橋의 宏壯함에 比하면 鐵橋라고 할 것도 업스나 그러나 稅關이 잇고 오고가는 사람의 所持品을 檢査하니 堂堂한 國境 鐵橋이다 圖們으로가는 物品은 東海岸産 魚族 食鹽 等이고 南陽으로 오는 物品은 烟草、糖類 等이다 每日 이 魚族을 날러다 팔어서 糊口하는 사람이 千餘 名이라고 한다

나는 朝鮮도 아니고 滿洲도 아닌 豆滿江鐵橋 한가운데서 男負女戴하야

───────────

03 "포쿠라": 러시아 도시 Покур - 편자 주.

이 반찬거리를 나르는 조고마한 移動商人의 무리와 悠久히 흐르고 잇는 豆滿江의 푸른 물줄기를 바라본다 豆滿江은 決코 넓은 江은 안이다 小學校時代에 豆滿江을 鴨綠江 다음가는 大江으로 듯고 배왓더니 오히려 漢江의 반만도 넓지 못하다 너무 期待가 컷든 까닭인가! 江 左岸에 南陽의 約 倍나 되어뵈이는 急造 都市가 잇다 이것이 南滿의 安東縣과 가튼 役割을 할 國境都市 圖們이다 圖寧線、京圖線、咸鏡線의 聯絡地點이요 北滿 物産을 含吐할 都市로되 그리 繁昌하지는 못하다 滿洲에 有名한 馬車도 볼 수 업고 中國式 建物도 보이지 안는다 崔昌林 氏 案內로 市內를 一周하고 旅館에 돌아와 일즉 자기로 하다。

圖寧沿線의 風景

京圖線의 圖們과 濱綏線[04]의 寧北을 丁字形으로 連繫하야 北滿의 心臟을 뚫코 나간 線이 圖寧線이다

四月 二十日 午前 七時(朝鮮時間 午前 八時) 빠라크 旅舍 一室에 疲困이 들엇든 잠을 깨여、圖們驛에 到着하니 벌서 풀레트홈에 乘客이 城을 일우어 압흘 다토고 잇다 하로에 單 한번박게 가지 못하는 牡丹江行 汽車이니 無理도 안일 것이다、나도 이 時間을 노치면 하로 滿 二十四 時間 동안을 空然히 보내야 한다、

圖們驛長이 好意로 急히 發行하여주는 二等 파스를 바다가지고 忽忙이 車에 올으니 벌서 車間은 超滿員이어 그야말로 立錐의 餘地도 업다、한손에

---

04 "濱綏線": 哈爾濱 - 綏芬河 사이의 철도

어린 것의 손을 끌고 한손에 移舍 道具를 들은 壯丁들、 젖멕이를 업고、 박아지 쪽 等을 들은 젊은 女子들은 北滿의 曠野에 新生을 차자가는 勇士(自由移民)들이어니와 나 만은 老人은 餘生이 얼마나 남엇길래 이 車를 타지 안이치 못하얏는고? 哲學者가티 보이는 無表情한 滿洲人、苦力의 봇따리、長銃에 또 短銃을 차고、戰鬪帽를 눌러쓴 獨立守備隊兵、警乘員들이 눈에 띄운다

삐 — ㄱ、 덜컹덜컹

삑、國際列車의 出發이다、驛構 內外에는 無數한 餞送客이 手巾을 흔들고、 허리를 굽히고、 눈을 부빈다、出征兵士를 보내본 經驗이 업서서 그러한 늣김은 몰으거니와 單純한 停車塲 作別의 光景은 안이다、東京留學時代에 米國으로 苦學을 떠나든 親友의 누님 R 女士를 橫濱驛에 作別하든 記憶이 난다、五色의 燦爛한 테푸로 얼키우고 안 얼키운 差異、曠野로 가고 大海로 가는 形式的 달음은 잇스나 떠나는 瞬間의 시 — ㄴ[05]은 마찬가지다、避하야 걸을 수도 업고 惡臭가 코를 찌르는 멧 個의 車間을 지나 간신이 안즐 자리 하나를 發見하얏다、기 — ㄴ 벤취가 잇고 八字 조케 누어잇는 紳士가 잇스니 여기가 아마 二等車間인가 보다 지나는 車內 賣童에게서 산 『F、B』라는 담배 한 개를 피우면서 車窓 박을 내다보니 나무 업고、느린느린한 野山、숨을 길게 쉴 수 잇는 平野、農耕 하는 힌 옷 입은 農夫、十 里에 한 집、二十 里에 두 집式 가는 煙氣를 吐하는 오막사리집 等이 파노라 — 마가티 지나간다、溪邊에 아직도 두터운 얼음이 잇스니 이곳엔 언제나 꼿이 피나!

嘎呀河、三道溝、新興、汪淸、大荒溝 等 驛 일음만은 滿洲 냄새가 나고 異域의 感이 잇스나 그러나 沿線에 길 가는 사람、밧 가는 農夫가 모다 힌

---

[05] "시 — ㄴ": 영어 scene - 편자 주.

옷 입은 同胞이니 아직도 朝鮮인 것 갓다 圖們 起點 一百 二三 十 키로 地點
까지는 朝鮮의 延長이라고 하여도 過言이 안이다。 달니는 車는 어늬듯 李樹
溝에 ― 이곳부터는 沿線의 景觀이 달나진다 사람도 滿洲人이 만허진다 靑
服을 입은 朝鮮美人、노랑파랑 치마짜락을 바람에 날니며 故國이 그리워 汽
車만 바라보고 섯는 女子의 한 떼를 바라보며 (스시) 한 곽、물 한 병을 삿
다 渴症이 낫든 터라 물 한 병을 거진 다 따라 먹고 나니 汽車도 씩씩거리기
를 始作한다、森林地帶라 採伐한 나무그루가 山上 山下에 黑白의 바둑돌 흐
터노흔 것갓치 亂雜하게 보인다 남아잇는 白楊이 正午의 强熱한 光線을 바
다 눈이 부시게 反射한다 老廟와 老松嶺 間은 險山峻嶺이다 山谷과 山腹을
이리저리 되도라가며 루푸06式 隧道가 두 개 나잇다、이곳이 圖寧線 中 第
一 危險한 곳이라고 乘客들이 이켠 저켠을 分忙이 바라보며 수군수군한다
記者도 마음이 조마조마하야 구불구불 돌아 올나온 軌道를 내려다보다 暗
黑世界 九 分 間을 지나니 一千八百 尺이나 되는 老松嶺驛에 다엇다 汽車도
검은 煙氣를 풀、풀、吐하며 숨을 쉬고 乘客도 모다 뛰여내려 숨을 크게 쉰
다 이곳을 分水嶺으로 汽車의 달음질함을 딸하 本格的으로 滿洲의 曠野가
展開된다

馬連河、東京城、間은 一望無際의 平野다 하날과 山이 다은 것은 보아서
도 바다와 蒼空이 水平線을 일우운 것은 보아서도 茫茫한 平野와 灰色 하날
이 맛붓고 밧이랑에서 太陽이 돗고 太陽이 지는 光景은 처음 본다 東京城은
紀元 五世紀 中葉부터 渤海王朝의 首府엿든 땅으로 當時 人口는 □□□□
□고 한다

小作農 一人 收入 金 四百 圓也。 二千 年 前의 古都 東京城을 차즈려고

06　"루푸": 영어 roof - 편자 주.

한 것은 廢墟化한 古地를 보려고 함이 안이요 여기에 安熙濟 氏 經營하는 有名한 渤海農場이 잇다니 同胞의 居住함은 얼마나 되며 生活情況은 엇더한가 가보고 십헛는 까닭이다만은 東京城驛에 다으니 暴風이 黃土를 날리고 太陽이 밧이랑을 차자 든다 交通 不便으로 豫定이 느즐가 心慮도 되거니와 다시 차즐 記者가 잇기를 期待하고 寧安으로 直行키로 한다

　四月 二十日 午後 五時(朝鮮時間 午後 六時) 寧安에 到着하니 數百의 馬車、人力車、自働車 數千의 市民、學生이 靑服을 一齊히 입고 五色旗를 바람에 펄、펄 날리며 喇叭 소래 嘹喨히 汽車를 마자준다 아마 某 高官을 送迎함이리라 靑服을 하나式 떼여 볼 때 에는 그리 조흔 便이 안이나 이러케 團體的으로 만흔 數를 보면 참 조흔 衣服이다 눈이 간사하여 그러타고 말하는 이가 잇을 것이나 暫間 기다리요 비단에 蒼空色 染色을 하야 流線型으로 製服하여 입은 數千의 曲線이 夕陽에 빗나는 光景은 乘客들을 慌惚케 하엿다 그래서 淸衣童子라는 말이생겻는가? 車中에서 알게 된 松本 氏(實業家)와 가티 驛에 나려 寧安旅館 뿐 — 이의 案內로 寧古塔市에 向하다 五 中里 假量 되는 距離나 道路가 안이라 밧이랑으로 가는 것이니 어지간이 오래다 午後 七時(朝鮮時間 八時)만 되면 商店 旅館 할 것 업시 閉門한다고 함으로 旅館에 짐을(도랑크 한 개) 두고 이곳 事情이 한時밧비 듯고 십허서 北滿醫院長 張大鉉 氏를 訪問하얏다 張 兄은 大邱醫專 出身으로 寧古塔에 開業한지 滿 二 個年이 된다고 하며 퍽、緻密하고 正直하여 보인다 開業 二 個年에 좀처럼 엇기 어려운 滿洲人의 信用을 엇고 堂堂한 邸宅에 蓄財도 相當함을 보아도 알 것이다 張 兄의 말에 依하면 이곳 人口는 約 五萬 假量 되며 正戶數 約 六千 戶 副戶를 合하야 約 一萬 戶 되며 其中 朝鮮人이 約 四百 戶、一千八百 人 假量이 된다고 한다 商人은 적고 農事 짓는 이가 殆半인데 生活形便은 大槪 貧寒하며 間或 農事로 蓄財한 이가 잇다고 한다.

農事 짓는 形便은 어떤가요? 하고 한 말로 두 가지 意味를 물으니 張 兄
은 銳利한 메스로 手術하드시 眞摯한 態度로 說明을 繼續한다.

北鐵 東部線의 一夜

奧地로 들어가면 퍽 危險하지만 寧古塔이나 東京 附近은 그
리 危險치 안코 水畓 標準 一 晌(一日 耕——一四〇〇 坪 乃至
一七〇〇 坪) 平均 八 石(朝鮮 十六 石)은 收穫되며 其中에서
地主에게 一 石 自警費로 一 石 水稅 半 石 民會費 二 圓(國幣)
假量을 除하면 約 五 石이 小作人의 收入이지요 壯丁 一 人 平
均 四 晌은 耕作할 수 잇스니 四五 二十、二十 石(朝鮮 四十
石)은 收穫할 수 잇스며 今年 가튼 해는 一 石 二十 圓은 바드
니까 一年에 小作農 一人의 收入이 四百 圓은 되지요

記者는 多少 誇張이 안인가 疑心하면서 그러면 肥料는? 農耕地는? 水利
는? 하고 물으니,

肥料는 도모지 하지 안허도 조흐며 農耕地는 東京城、寧古塔 海林、新安
鎭의 四大平野에 旣、耕地 二十萬 晌、未耕地 十萬 晌이 잇고 水利는 周圍
二八〇 中里 水深 四〇 米突이나 되는 저 有名한 鏡泊湖가 東京城 갓가히
잇고 거기서 起源한 牡丹江 푸른 물이 平野의 中心을 흐르고 잇다고 한다

이곳 獨特의 閉門時間이 되여오고 배가 줄줄함으로 明日을 約束하고 旅
館으로 도라왓다

牡丹江市는 圖寧線의 終點인 寧北驛과 佳木斯線의 起點인 同時에 濱綏
線의 重要한 一 驛인 牡丹江驛의 中間에 끼여 南으로 南으로 發展되고 잇는

新興都市다 滿鐵建設事務所가 牡丹江市로 移轉되자 朝鮮人 一千四、五百名과 日本 內地人 千餘 名이 蝟集하야 各各 集團的으로 市街를 形成하고 잇스며 總 人口 三萬을 算한다고 한다、記者가 뻐스로 滿洲人 市街地를 지나 牡丹江驛을 左便에 바라보며 旅館에 到着한 것이 午後 六時 四十分(朝鮮時間 午後 七時 四十分) 西便 하날에 붉은 빗 구름이 약간 남아잇고 어두움의 無數한 兵士가、저、멀니 襲擊하여 올 때이엿다、그러나 保守的、防禦的 都市 寧古塔과 달나서 퍽 進取的이다、밧이랑에 急造한 빠라크、板墻으로 둘러싼 露店、臨時宿所인 天幕집에까지 電光이 燦爛하며 밤늦도록 外出도 한다、저녁을 速히 畢한 後 旅館 뽀ー 이를 案內人으로 滿洲報 北滿辦事處 東部線 特派 兼 牡丹江支社長 吳相哲 氏를 차즈니 溫厚하고 明快한 낫으로 손을 끌어드린다、더듬더듬 차저온 鄭昊爕 氏、朴成龍 氏 等 地方人士들과 가티 主人 吳相哲 氏와 그의 夫人의 歡待를 바다가며 或은 故國의 이야기로 望鄕의 情을 새롭게 하며 或은 北鐵讓渡 時의 蘇聯人 從業員의 沈痛하여 하든 光景을 이야기하야 回轉되는 歷史的 事實에 感懷가 깁헛다

北鐵讓渡의 歷史的 調印이 끗난 것이 今年 三月 二十三日 午前 九時인데 同日 午後 二時까지에 完全히 그리고 無事히 事實的 讓渡 讓受가 끗낫스며 蘇聯人 從業員들은 上下를 莫論하고 慘然이 눈물을 흘리면서도 感想을 물은즉『外交的 不得已한 事情으로 最高幹部의 熟考한 結果이니 우리는 그저 命令에 服從할 따름이다』라고 말하드리고 한다 그리고 이들 從業員은 今年 六月 三十日까지 大槪 歸國케 되며 白係 露人은 滿洲國에 歸化하고 灰色빗 蘇聯 護路軍도 繼續 歸化運動을 하고 잇다고 한다

旅館에 疲勞한 몸을 쉬이려고 돌아오니 旅館이 超滿員이다 明日의 用務와 豫定을 生覺하야 不得已 北滿旅館으로 옴가 하로밤을 지나다、

四月 二十二日 暴風이 風速 六十 米突 못 되여도 三十 米突은 넉넉하리만

치 强烈이 분다 朝鮮 內地 가트면 毛布를 두르고 外出할 넘도、안켓스나 社命과 豫定이 重한지라 市井에 나가 鄭昊燮 氏、河利煥 氏、方浣植 氏、姜禮桓 氏 等을 만나 用務를 畢하고 旅館에 돌아오니 黑紺色 外套는 黃土色으로 變色하고、어제저녁 새로 입은 와이샤스、카라도 여지업시 더러워젓다、

午後 三時(朝鮮時間 午後 四時) 河利煥 氏 鄭昊燮 氏、旅館 뽀ー이、下女의 餞送으로 牡丹江驛을 出發하다、二三 圓의 팁으로는 고맙다는 말 한 마디 안 한다는 滿洲天地에서 下女의 餞送이 잇섯슴은、퍽 意外엿스며 暴風에 여러 가지로 便宜를 주고 驛까지 餞送하여준 鄭、河、兩 兄에게 感謝하엿다、明日 午後에야 哈爾賓에 다으므로 寢臺를 사라고 하엿드니 北鐵讓受 後로는 寢臺를 팔지 안코 先占하면 된다고 하는 뽀ー이의 말을 奇怪히 녁이면서 時間도 업슴으로 不得已 그냥 車에 올랏다。

先占도 競爭의 한 方法이 안임이 안이나 이것은 高度的 資本主義社會에서 其 形體를 감추은 지 오래인 原始的 競爭方法이다 그러나 滿洲의 거츠른 風이 여기도 表現되엿다고 하면 異議도 업다 武裝하고 달리는 國際列車는 언이듯 海林에 다엇다 海林은 問題 만튼 北鐵東部線(濱綏線)의 中間이 되며 山高水麗가 안이라 丘妙水明한 곳이다 海林富士라는 둔덕이 붉은 저녁 해 볏에 빗치워 水彩畵 遠景가티 뵈이며 海林橋 긴 다리가 牡丹江에 架設되여 잇다

列車 食堂에 기름끼 만은 露人飮食으로 출출하엿든 배를 채우고 肥大한 몸에、코기리 눈、그리고 털투성이의 모록고 人種 가튼 露人을 이리저리 吟味하는 동안에 날은 저물고 汽車는 섯다、여기가 橫道河子、아피 密林地帶니 危險하야 가지 못하고 步哨兵을 세우고 하로 밤을 列車 中에 지내야 한다고 한다。

寧古塔 － 牡丹江

(民間移民會社의 創立을 要望함)

寧古塔 萬戶城中이 저물어간다 그러케 擾亂하든 馬車의 말굽소리도 자취를 감추엇다。이마큼이나 큰 都市면 大槪 밤거리가 더 繁華하고 數萬 數十萬의 五色이 燦爛한 電光이 빗날 거시나 이、都市만은 暗黑의 무섬 속으로 소리업시 드러간다、

스팀 대신에 페치카 裝置를 한 멋 업시 높고 넓은 三層 다다미방에 저녁을 畢하고 안즈니 二重 硝子窓을 通하야 구름에 쌔운 쪼각달이 갸웃이 듸려다본다、아직 잠 잘 時間은 되지 안헛스나 不法監禁을 當한 것이 안이라 慣習法에 依하야 監禁을 當한지라 (午後 七時 － 朝鮮時間 午後 八時면 全部 閉門함으로) 무시무시한 가운데 하로 밤을 지내다

四月 二十一日 午前 七時 軍人의 喇叭소리에 눈을 뜨니 벌서 아츰 太陽光線이 아릿아릿 數千의 瓦家 집웅을 빗처운다 濱江第二區專賣第九號雅片零賣所養合軒이라고 쓴 看板이 눈에 띄우고 아츰 沐浴 하고 나온 靑服 女人의 한 떼가 지나간다 滿蒙日報 支局長 金基彦 氏 朝鮮日報 支局長 張鉉 氏 等을 만나 集團的 移民이 잇는 新安鎭 이약이 新發展地 牡丹江 이야기 橫暴한 靖安軍의 이야기 朝鮮人待遇問題 土地商租權의 將來 歸化問題 뿌로 － 카 － 의 跋扈 等等의 이야기로 時間을 보내고 구로데스크한 滿洲人市街를 一週하다

前回에 記述한 바와 가티 北滿平野는 土地가 肥沃하고 鏡泊湖、牡丹江、十里長江 等이 平野를 橫流하야 水利가 조흐므로、南滿에 比較하야 米作에 適當하고 水畓 開拓의 前途가 洋洋하나 여기에도 中間寄生蟲的 存在가 잇서서 貧農의 生活은 殘酷하다고 한다。一年에 小米 一 石、黃太 一 石、鹽 二〇 斤、葉煙草 五 斤、價格 約 七、八十 圓 乃至 百 圓의 物品을 小作農에

게 消費貸借를 시키고 收穫米를 分食하는 游食階級이 잇슴으로 小作農의
주머니에 들어가는 것이 百圓 이내이고 中間 遊食分子는 實로 支出 十 割
以上의 配當을 밧는 것이라고 한다

> 北滿은 荒野가 안이다
> 鏡泊湖 푸른 물이
> 牡丹江을 흘너나려
> 봄이면 곳치 되고
> 가을엔 黃金의 벼가 익는다。

東京城에 잇는 安熙濟 氏 經營하는 渤海農場은 十 年 間 小作農으로 잇스
면 自作農 創定을 한다고 한다、一 晌에 二十 圓 乃至 五十 圓이면 사는 土
地이니 十年 間 小作을 시키고 自作農 創定을 하여도 오히려 莫大한 利益이
잇슬 것이다 그러나 사람은 慾心에 사는지라 安熙濟 가튼 人格者가 안이고
는 實行하기 어려운 일이다

土地相租權은 二十 年 乃至 三十 年을 期間으로 土地를 所有하는 것이나
滿洲國 現狀으로 보아 法制의 趨勢로 보아 管見이지만 永久의 商租、乃至
外國人 土地所有權 認定에까지 갈 것이다 이것은 詭辯이 되는지 몰으나『事
實은 法도 保護한다』저、時效問題 等을 各國의 法制가 規定한 것은 이것을
말함이다 朝鮮農民의 汗血로 開拓한 北滿 水畓이 그냥 奪還되리라고는 생
각할 수 업다

多幸히 朝鮮 內地에서 民間移民會社가 創立되여 三 年 乃至 五 年 間을 期

間으로 小作을 시기고 自作農 創定을 할 自[07]標로 北滿平野에 進出한다면 會社 側도 相當한 利潤을 보고 移民 同胞의 前途에 一縷의 希望을 줄가 한다

午後 五 時 寧古塔 出發 午後 六時(朝鮮時間 午後 七時) 新興都市 寧北(牡丹江)에 到着하다.

橫道河子 — 一面坡 — 哈爾濱

左便에는 맑은 내가 흐르고、그 내를 건너 中國式 市街가 검은 帳幕 속으로 어렴푸시 보이고 右便에는 京義線의 新村驛이나 東京의 大森驛 附近 別莊地帶를 멧 個 모아놋코 望遠鏡으로 보는 感이 잇다 二 層、三 層의 妙한 文化住宅、그리고 그 — 琉璃窓을 通하야 흘러나오는 無數한 電光이 視線을 끈다 驛에 나왔든 露人 娘子軍의 한 떼가 그 女子들의 愛人을 同伴하고 풀래트홈을 나서서 어둠속으로 사라진다 나도 江山에 誘惑이 되여 行方 모르는 어두운 길을 漫步하다 朝鮮사람 한 사람 볼 수 업고 旅館 가튼 것도 보이지 안는다 開門 하엿든 若干의 中國人 商店도 一濟히 閉門한다 苦悶을 이즈려는 듯 現實을 忘却하랴는 듯 카페 — 에 보트카를 마시는 露人의 影子가 보인다 陰冷한 바람도 실커니와 더 가기가 무시무시하야 발을 돌니여 나의 호텔 列車寢台에 돌아오다 일즉이 잠이나 들여고 하니 忠實한 步哨兵이 왓다 갓다 한다 ……

牧草를 따라 住處를 定치 못하고 曠野를 漂泊하는 것이 露人의 運命이라고 쓴 글을 읽은 記憶이 난다.

---

07 "自"는 "目"의 오식 - 편자 주.

아! 이들도 六月 三十日이 되면、저 ― 알뜰한 文化住宅을、이、別莊地를 떠나 荒漠한 曠野 西伯利亞로 돌아갈 運命을 가젓는가? 北鐵 讓渡 後 男便은 故國으로 도라가자거니 女子는 歸化하자거니 內外의 쌈을 繼續하야 自殺까지 한 灰色빗 蘇聯人의 家庭悲劇까지 잇섯다고 한다 이것도 理由 업슴이 안이엿섯다 이러케 남의 일 내 일을 生覺타가 어느새 잠이 든다、

四月 二十二日 午前 六時 步哨兵의 구두소리에 눈을 뜨니 붉은 太陽이 步武當當이 드놉흔 東便 蒼空에 君臨한다、車 떠나기까지 四十 分의 餘暇가 잇스무로 어제 밤 보지 못한 市街나 볼가 하엿스나 그럴 時間이 되지 못할 뜻하야 驛 構內를 一周하고 驛 食堂에 들어가 빠비롯 한 그릇、오렌지 한 잔을 사놋코 時間을 보내다가 橫道河子를 出發하다

密林地를 지나 軌道 左右便에 넘어저 骸骨만 남아잇는 氣關車 車輛을 바라보며 衝突? 襲擊? 鬪爭? 이러한 西部活劇的 場面을 聯想하고 잇는 동안에 지금까지 지나온 멧 個의 寂寞한 驛과는 달나서 生起潑剌한 驛에 다엇다

車窓을 通하야 풀래트홈을 보니 一面坡라고 쓴 看板이 보이고 獨立守備隊兵 二 小隊(約 四十 名)가 나라니 섯다 中尉 大尉의 肩章과 칼、뼈울눈의 滿洲人 工兵長 砲兵學校 敎官 等 數十의 將校의 肩章과 가티 正午의 强烈한 光線을 바다 눈이 부시게 反射한다 그림에 보든 上海式 中國 美人 클레오파트라 가튼 妖艶한 露西亞女子가 急急이 車에 올은 뒤를 이어 靑春紅顔의 美少年이 카 ― 기色 軍服에 短銃만 차고 올나 내 엽자리에 걸어안즈며

『아이 ― 더워』 이러케 朝鮮말을 한다 반가워 서로 名函을 박구고 우리는 이야기의 끗을 피웟다 나는 그에게 一面坡에는 朝鮮사람이 얼마나 사오? 하고 물으니、朝鮮人 約 四百이 잇스나 生活이 裕足치 못하며 日本人 三百、滿洲人 二萬 八千、白露人 四百五十、蘇聯人 六百五十、約 三萬의 人口가 잇다고。

그리고 渡滿 二 年에 참으로 아슬아슬한 길을 걸은 自己의 身勢 等을 이 야기하다가 섭섭히 作別하다

茫茫한 平野에 露人의 養蜂하는 光景을 바라보며 엽헤 안즌 아지 못하는 사람들과 北滿의 政治 經濟를 論하는 동안에 哈爾賓에 到着하다

哈爾賓! 아! 하르빈 ─『魔のハルピン![08]』 이러케 列車 안이 騷動스럽다、 나도 車 안의 모 ─ 든 乘客과 가티 車窓을 通하야 東洋의 모스코 ─[09] 라는 말을 듯는 國際都市 哈爾賓을 바라본다。

山으로 圍繞된 盆地에 城을 쌋코 만드른 古代的 都市가 안이오 一望無際 의 平原 中央에 松花江을 끼고 雄壯히 나안즌 現代的 都市다、落照에 靑紅 으로 빗나는 建築物의 立體美는 무되인 펜실로 描寫키 어렵거니와 哈爾賓 이 今般 나의 旅行의 最遠地點인데도 危險地帶를 지난 까닭인지 京城이 咫 尺가티 생각키우며 마음의 輕快하여짐을 늣긴다 雜踏한 群衆의 한 사람이 되여 驛을 나선 記者는 數百의 택시 ─ 를、다、버리고 一頭馬車 한 대를 불 러 旅館 案內人과 가티 타고、悠悠히 左右를 살피며 旅館에 到着하니 八時 四十分(朝鮮時間 七 時 四十分)이다

저녁을 畢하고 案內人과 가티 哈爾賓의 밤거리를 求景하려 하엿스나 벌 서 商店은 모다 閉門이 되고 靑燈、紅燈으로 誘惑하는 뒷거리의 째즈! 地下 의 歡樂場 에로、딴스홀 ─ 만이 繁華하다

露人딴스홀 ─ 두 곳에서 그 女人들의 脚線美、에로味로 異國情趣를 滿喫 하고 人力車를 달리여 宿所에 돌아오다

四月 二十四日 아츰 일즉부터 面積 九百二十九 平方키로(東京의 約 二

---

08 "魔のハルピン": "마(魔)의 하얼빈"의 일본어 - 편자 주.

09 "모스코 ─": 모스크바 - 편자 주.

倍)나 되는 廣大한 哈爾濱市를 案內人과 가티 或은 馬車로 或은 自動車로 어지럼 치게 돌앗다 午後 一時 頃 濱江驛을 거처 道外 承德街에 趙賢吉 氏를 차젓스나 만나지 못하고 다시 許公路에 膠皮公司 主人 安鳳梧 氏를 차즈니 반가이 마자준다 처음 보기에 넘우 融通性 업서 보이나 모─든 일을 熟考하여 하며 正直하고 決斷性 잇슴으로 渡滿하야 商人으로 成功한 사람이라고 하며 當時 同胞를 爲하야 무엇이라도 奉仕하려고 하는 사람이다 午後 四時 頃 鐵路總局을 단녀오니 內從 金鳳斗 君이 旅館에 차자와 기다리고 잇다 自己 집에 宿食하기를 願함으로 저녁만을 가티 하로 하고 金 君의 案內로 哈爾賓의 銀座、키타이스카야街에 聳立한 松浦商會、츄─린百貨店 高岡號 삘딍 劇場의 內部 等을 보고 設備의 宏壯함에 놀랫다。

哈爾濱의 人口는 朝鮮人 五千三百 滿洲人 三十五萬 日本 內地人 七千八百 蘇聯人 三萬 五千 白系露人 二萬 九千 其他 英、米、佛、獨、伊、蘭外 三十餘 個國 人種 一千三百 總計 約 四十三萬이나 居住하며 露人각씨들이 털 기픈 外套에 愛人의 팔을 끼고 페─부멘트[10](舖道) 우에 우슴소리 明朗이 거러감이 엑조틱하다

東支俱樂部 陸橋 中央寺院의 名所를 보지 못하엿스나 松花江畔에 다시 漫步할 機會를 기다리기로 하고 翌日 二十五日 午前 九時 二十分 急行으로 午後 三時 新京에 到着하다 저녁 後에 차자준 朝鮮日報 新京支局 溫泉鏽 氏 案內로 新興氣分이 强勁한 밤의 新京을 馬車로 一周하고 翌日 二十六日 午前 十時 亞細亞號 超特急으로 出發하야 白雪이 퍼붓는 가운데 四平街에 들리여 實業家 朴亨彬 氏를 차자 用務를 求하다 四平街에는 朝鮮人이 約 千名 居住하는데 모다 商業들을 經營한다

---

10 "페─부멘트": pavemen - 편자 주.

午後 五時 十分 奉天驛에 到着하니 四平街 朴亨彬 氏의 電報를 보앗다고 朝鮮日報 奉天支局長 金奭恩 氏가 상글상글 웃는 낫츠로 出迎하얏다 지녁을 가티 먹고 張氏二代[11]의 居宅을 馬車로 도라보고 밤 十一時 安東行『노조미』로 安奉線을 꿈속에 지나고 綠陰이 욱어진 秀麗한 江山을 보게 되니 기쁘기 이업짝스[12]나 넘우 玩具的이 더욱이 平野라는것이 손바닥가티 보임이 퍽 當惑스러웟다(끗)

—『朝鮮日報』, 1935년 5월 15일~24일, 7회 연재

---

11 "張氏二代": 장줘린(張作霖), 장쉐량(張學良) 부자 - 편자 주.

12 "이업짝스"는 "짝이업스"의 오식 - 편자 주.

遊滿雜記

申基碩

(一) 濃霧에 잠긴 鴨江

七月 四日 午後 七時 四十分 北行車를 탄 나는 京城 以北은 처음길이라 未知의 나라를 訪問하는 期待와 希望과 處女地를 踏破하는 때와 같은 希望 과 自己滿足과 히미한 一種의 不安을 가지고 窓外의 風景을 送迎함에 奔走 하엿다

水色 陵谷 等地의 넓은 들에 줄지어 갈린 푸른 담요는 學窓의 乾燥한 雰 圍氣에 시드러가는 나의 頭腦에 조금이라도 潤濕한 氣分을 주는 것이엇으 며 日暮西山에 農旗를 앞세우고 農樂을 울리며 하로의 勤勞를 마치고 돌아 가는 農村의 光景은 耕田而食하고 鑿井而飲하든 平和鄉을 空想케 하엿으나 只今에 그들이 그만한 餘裕 잇는 生覺을 할 處地와는 너무나 距離가 먼 現實 에 잇으니 다만 나의 空想의 부질없음을 恨歎할 뿐이며 奇峯이 쑥쑥 솟은 變 化 만흔 여름 구름은 地平線 저쪽으로 넘어간 해빛의 千態萬象의 고은 色彩 를 이루어 西天에 걸린 一輪 新月과 함께 우리의 旅情을 祝福하는 듯

이튿날 아침 자욱하게 끼인 안개 속을 뚤코 鐵橋의 덜컥어리는 소리가 끝 지니 滿洲의 關門 安東이다.

國境都市의 情景! 江하를 사이에 두고 서로 건너다보는 곳이언마는 言語

가 달르고 風俗이 달르고 統治 主體가 달르니 이것을 異國이라 하는 것이겟지마는 悠久한 歲月에 잇어서 新年이니 除夕이니 하는 말이 無意味한 것과 같이 五大洲 넓은 들에 人爲의 線을 그리어 이것은 내 나라이니 저것은 내 땅이니 하는 데에 民族의 鬪爭이 잇고 國家의 軋轢이 잇는 것이 아닐가?

國境을 넘어섯다는 第一印象은 稅關史의 무서운 눈과 값싼 담배의 滿喫이다 國境都市와 密輸 이 두 가지 槪念은 떠나지 못할 關聯을 가지고 잇으며 國境都市의 發展과 그 自體가 密輸의 恩德인 境遇가 적지 안흐며 이 安東縣 新義州만 하여도 密輸로 生業을 삼는 者 幾千이라 하니 濃霧가 자옥한 鴨江 上에는 食鹽의 密輸船이 뚤코 가는 것 같고 鐵橋 우를 구우는 自轉車의 다이야 속에도 密輸의 黃金이 빗나는 것같이도 生覺된다.

滿洲라면 들어서면서부터 廣漠한 曠野가 展開되어 해가 이쪽 地平線에서 뜨고 저쪽 地平線에서 지는 光景을 聯想케 하는 先入見을 가진 나는 奉天 附近에 이르기까지 左右에 連互한 丘陵性의 山脈은 朝鮮의 그것과 다름이 없고 無數한 턴넬이 連續하야 잇는 것은 料外로 生覺하엿다. 다만 달른 것은 靑衣 입은 牧童이 數十 마리의 도야지 떼를 몰고 悠悠히 풀 먹이는 光景과 조그만한 말을 타고 아장아장 걸어가며 黑煙을 뿜고 馳走하는 우리의 鐵 馬를 비웃는 듯한 光景이엇다.

只今 우리가 타고 가는 安奉線은 歷史的으로보[01] 朝鮮과 密接한 關係가 잇는 것이다. 이 鐵道는 日露戰爭 當時 日本이 軍用鐵道로서 敷設한 것으로서 그 後 廣軌로 改修하기 爲하야 淸國 側과 屢次 交涉하엿으나 拒絶을 當하고 結局은 當時 問題가 되어잇든 間島問題와 交換條件으로 妥協된 것이다. 即 數百 年을 내려오며 問題 되는 間島所屬問題는 安奉線改修問題에 犧

---

01 "보"는 "도"의 오식 - 편자 주.

牲되어 一朝에 淸國領으로 確定된 歷史를 가진 安奉線이라 이러한 生覺을 하여가면서 沿線을 내다보니 白衣 입은 婦女들이 모를 꽂고 잇는 情景은 나로 하여금 그들의 過去 現在 將來에 對하야 깊은 瞑想에 끌어들이지 아니치 못하게 하엿다.

渾河에서 車를 가라타고 石炭의 都 撫順을 向하여 간다. 撫順은 정말 石炭의 都市이다. 市街의 地床이 全部 石炭으로 되어잇고 八萬의 人口가 石炭으로 먹고 잇으며 石炭냄새로 꼭 차인 市街다. 滿鐵의 寶庫인 撫順炭鑛 巨額을 들여서 移轉한 近代的 市街 機械力을 十二分으로 發揮하고 잇는 採炭製油工事를 보고 機械力의 威大함과 나아가서 日本 資本主義의 엄청난 힘을 驚嘆하는 同時에 日本의 大陸進出의 原動力 日本商品의 世界 席卷의 根源이 이 機械工業의 威力에 잇다는 것을 느끼엇다.

滿洲의 大都市를 다녀보고 第一로 눈에 띠이는 것은 日本帝國의 사람과 資本의 積極的 進出이다. 前에 없는 大厦高樓가 櫛比하게 되엇으며 道路는 鋪裝되고 自動車는 馳驅하야 在來의 勢力을 屈服시키고 마럿다. 新京이 그러하고 齊齊哈爾 哈爾賓이 그더[02]하며 其他의 大小都市가 程度에 따라 모다 그러하다. 世界의 植民史의 類例가 果然 잇엇든가? 이것은 誇張도 아무것도 아니고 現實 그것이다.

撫順의 이야기에서 딴 길로 다라낫으나 撫順의 採炭工事와 探掘에 對한 仔細한 이야기는 하지 안켓으나 다만 採炭하는 過程에 잇어서 各種의 副産物을 生産하는 이야기를 紹介하려 한다. 只今 露天掘에 例를 들면 地面에서 石炭層에 이르기까지 表土、綠色頁岩、油母頁岩、石炭의 順序로 層이 되어잇는데 表土는 廢坑의 充塡材料로 쓰고 綠色頁岩으로부터는 아즉 市場에

---

02 "더"는 "러"의 오식 - 편자 주.

나오게까지는 되지 안헛으나 세멘트、洗濯粉 等의 優秀한 物品이 製作된다 하며 油母頁岩은 『오일셀』이라는 것으로서 石油를 짜내는 貴重한 鑛物이 다。油母頁岩은 石炭層에 가까울수록 含油量이 적어지나 平均含油量 六% 로서 年額 七萬 五千 噸의 原油를 生産한다。露天掘로서 採掘한 油母頁岩은 粉碎하야 瓦斯로 乾溜하는데 그 過程에 잇어서 重油 揮發油、파라핀、코ー 크스、硫安 等의 貴重한 生産品을 얻을 수 잇으며 含油量이 적어서 採油에 쓰이지 안는 油母頁岩으로서는 上品의 벽돌을 만드는데 附近의 煉瓦建物은 모다 값싸고 品質 조흔 이 벽돌을 쓴다고 한다。電氣事業으로 하야 動力用 電燈用으로 奉天、鐵嶺、開原、遼陽 等地에 送電할 뿐 아니라 한 키로 五 厘 라는 低廉한 價格으로 鞍山에 送電하야 貧鑛인 鞍山製鐵所로 하여금 作業 을 繼續하게 한다고 한다。

京城에서 一 噸 二十餘 圓을 내지 안흐면 안 되는 撫順炭도 原價를 따저 보면 一、二 圓에 지나 못한다 하며 山덤이같이 싸힌 내버린 石炭에서는 自然發火로 하야금 샛빩안 불꽃을 올리고 잇는 것은 寒威에 덜덜 떠는 嚴冬 을 聯想하야 異樣의 生覺이 머리를 스치며 도야지울이 같은 苦力의 土窟과 神仙堂 같은 滿鐵社宅村의 光景은 웃지 못한 對照엿다。

(二) 奉天 거처 山海關

네온싸인이 燦爛하고 近代的 建物이 櫛比한 奉天은 果是 南滿 第一의 都 市이다。張家[03]政治時代의 首都로서 政治 經濟의 中心지이엇으나 滿洲國이

---

03 "張家": 장줘린(張作霖), 장쉐량(張學良) - 편자 주.

된 後 新京을 首都로 定하야 日滿의 重要機關이 新京으로 옮긴 後 一時는 그 前途가 念慮되엇다. 그러나 商工都市로서 條件을 具備한 이 땅은 將來의 發展을 約束하고 잇다.

安奉線은 安東을 經由하야 朝鮮、日本 內地와 連絡하고 滿鐵線은 南으로 大連 北으로 哈爾賓에 連結하야 歐亞의 大幹線이 되어잇스며 奉山線은 山海關에서 北寧線에 接하야 中國 本部에 이르고 奉吉線은 一路北上하야 北滿의 舊都 吉林에 이르러 交通의 中心地가 되어잇스며 撫順의 炭鑛은 動力을 安價로 供給하여 工業 發展의 絶對條件인 交通과 燃料가 具備하니 首都 못 됨을 恨嘆하고 잇지 안흐리라.

奉天은 淸朝 發祥의 地로서 淸太祖 太宗의 皁居의 地엇으며 張家政權時代의 首都로서 또는 日露戰爭의 古戰場으로서 最近에 와서는 滿洲事變 發端의 地로서 民族鬪爭의 競技場이엇으며 民族經論의 總本營이엇든 것이다. 奉天의 中央에 발을 드디고 서서 생각을 멀이 歷史의 자취에 돌리고 눌[04]을 멀리 滿洲의 曠野에 던질 때 그 뉘가 民族의 興亡盛衰에 生覺을 달이지 안는 者 잇으리오 古代 中世는 그만두고라도 近世資本主義의 發展은 滿洲로 하여금 國際 爭鬪의 舞臺가 되게 하엿으며 奉天은 그 中心地帶이엇든 곳이다 隣近 民族을 朝貢시키고 中原을 席捲한 淸朝의 皇宮 그 中에도 金色이 燦爛한 三層 鳳凰樓는 當時의 榮華는 찾어볼 길이 없어 遊客의 玩賞物이 되어잇으며 張家 兩 代에 人民의 生活은 어찌되엇든 國權回收에 全力하야 兵工廠을 만들어 近代的 武備를 整頓하고 飛行場에 親히 나가 繰[05]縱을 鼓舞하며 滿鐵竝行線을 敷設하야 經濟的으로 對抗하고 東北大學을 設立하야 文敎의

---

04 "눌"은 "눈"의 오식 - 편자 주.

05 "繰"는 "操"의 오식 - 편자 주.

振興에 留意하는 等 張學良도 一個 凡物은 아니엇으나 오늘 그의 자최를 돌아볼 때 學良 本邸는 滿洲國立圖書館으로 別莊은 軍用犬訓練所로 되어잇으며 東北大學 敎舍는 日本兵營으로 쓰이고 잇으니 人間盛衰에 뉘라서 感慨를 禁하리오

奉天의 見學에 잇어서 荒草가 욱어지고 피비린내 아즉 사과[06]지지 안흔 北大營의 戰蹟이라든지 北塔 法輪寺의 그로테스크한 男女交歡의 像이라든지 北陵의 黃薑朱棟의 隆恩門이 모두가 遊子로 하여금 거름을 멈추게 하지 안는 것이 아니엇으나 모두 그만두고 漢民族의 民族性을 雄辯으로 말하는 同善堂이야기를 하겟다.

同善堂은 約 五十 年 前에 設立된 社會救濟機關인데 文明諸國의 그것에 比하야 遜色이 없을 만치 完備된 施設과 歷史를 가지고 잇다. 事業으로는 育嬰、孤兒、濟良、養老、孤廢、捿流、救産의 各 部門으로 노여잇고 附屬醫院과 貧民工廠(印刷、木工、油漆、瓦工의 各 科)이 附屬되어 잇다 育嬰所라는 것은 棄兒收容所로서 大路에 面한 壁에 아이 하나 드러갈 만한 窓을 내고 그 밑에 누구든지 棄兒할 사람은 이곳에 너으라는 廣告를 붓처 棄兒를 募集하는데 이 門을 救生門이라고 한다. 救生門에 棄兒를 갓다노흐면 電氣裝置로 벨이 울어서 看守하는 이가 收容하게 되는데 一 年에 約 百 名의 棄兒가 잇다 한다. 收容한 棄兒는 各各 嫫姆가 擔當하야 養育하는데 그 嫫姆의 半數는 社會奉仕의 意味로서 無給으로 自願하는 이라 하며 百 名의 收容兒 中 死亡率이 相當히 높고 또 子女 없는 이들이 덜어 얻어가서 끝끝내 신세를 끼치는 것은 그리 만치 않타고 한다. 濟良所는 一夫多妻와 人身賣買의 必然의 結果로서 靑春을 눈물로 보내는 해볓을 보지 못하는 女性들이 魔窟을 脫

---

06 "과"는 "라"의 오식 - 편자 주.

出하야 한 번 이곳을 들어오면 已往事는 勿論이오 姓名까지도 뭇지 아니하고 保護하야 一定한 職業을 紹介하고 配匹을 斡旋하야주는 곳이며 救産所는 여러 가지 事情으로 自宅에서 解産치 못하는 不遇의 女性을 收容하야 産婆의 看護婦 알에 無料로 自由活動할 수 잇을 때까지 두어두며 養老 孤廢는 文字의 意味 그대로이고 捷[07]流所는 乞人을 收容하는 곳이다 世界各國에 이러한 施設이 없는 배 아니지마는 收容者의 前生을 긋하여 뭇지 아니하고 姓名조차 記錄하지 안는 곳에 大陸的 哲學味가 나타나잇으며 養老孤廢所 等에는 우리의 豫測하는 바와 같이 志願者가 많치 아니하야 他人에 依賴치 안코 自己 손으로 먹을 수 잇는 限度 내에서는 自己의 힘으로 살겟다는 그들의 哲學 그들의 國民性이 如實히 나타나고 잇다.

中國民衆은 國家觀念이 薄弱하다. 國家의 危急存亡之秋에 一身을 犧牲하고 一家의 利害를 超越하야 團結하고 奮鬪하는 힘이 弱하다 그러나 元來 爲政者는 人民에게서 稅金을 徵收하고 苛斂課求를 하야 私腹을 채우는 것을 爲主로 하고 社會政策的 施設 即 人民의 福利를 爲한 施設은 留意치 안헛기 때문에 國家를 依賴할 수 없어 結局 自力으로 自身을 防衛하고 發展을 꾀하게 되는 까닭에 個人主義的 傾向을 가지게 되는 것이다. 太平盛世에도 帝力이 何有於我哉리오 하든 그들이라 亂世에 統治者가 누가 되든 比較的 關心이 적은 탓도 이곳에 잇다. 民間의 社會事業인 同善堂을 보고 그들의 幽玄한 哲學味 잇는 國民性을 생각하고 우리의 民族性과 比較하야 示唆 받는 배가 없드라도 經濟的으로 發展을 하는 國民이다. 한때는 눌이고 잇드라도 언제나 한 번 다시 이러날 底力을 가진 民族이다.

六日 밤車로 山海關을 向하야 奉天을 떠낫다. 旅客이 宏壯이 만타 우리

---

07 "捷"은 "捿"의 오식 - 편자 주.

一行은 團體旅行의 特典으로 한쪽에 넓다란 자리를 잡은 것은 幸이엇으나 繃帶의 테푸로 警戒線을 배어 一般乘客의 通行을 禁止하고 揚揚自得하는 양은 젊은 學生들의 雅氣로 돌리기는 너무나 可笑로웟다.

아침에 錦州에 나렷다. 日本人의 發展相은 이곳에도 宏壯하다. 驛에서 트럭을 타고 城內에 들어가 商街를 一巡하고 廣濟寺를 求景하고 附近 小學校를 參觀하엿는데 上學時間도 먼 이른 아츰에 寄宿生인지 모르나 敎室에서 깨알같은 글字의 冊을 耽讀하고 잇기에 빗쳐보니 三國演義엿다.

錦州서 漫車를 탓다. 中國사람들은 같은 값을 주고 만은 時間을 탄다고 漫車를 조화한다 하나 長距離旅行에 느리고 느린 漫車는 정말 못견디겟다. 停車場이 運動場이 되고 만다.

蹀躍運動을 하는 이 목라[08] 손을 흔든는 이 滿洲사람을 붓잡고 滿洲말을 배호느니 지만하서 모두 죽을 지경이다. 停車場마다 茶水를 찾되 한 곳도 파는 데가 없다. 快車에서는 車中에서 茶를 파지만 漫車에는 그것도 없다. 變化가 없고 그저 平凡한 周圍의 眺望은 지만症을 더욱 助長시킨다. 綏中線에서 某 氏의 寄贈한 사이다 一 瓶 式을 生命水같이 드러마시고 조곰 氣運이 낫다. 山海國[09]이 가까워오니 집들이 모두 흙으로 집웅을 이엇다. 흙으로 이어서 비가 오면 새지 안느냐고 물으니 새지는 안으나 비가 오면 벙그러케 이러나서 비가 긋치면 집집마다 집웅에 올너가서 집 위를 두드리는 光景은 可觀이라 한다.

---

08 "라"는 "과"의 오식 - 편자 주.

09 "國"은 "關"의 오식 - 편자 주.

(三) 萬里長城 求景

國境의 都市 다시 말하면 中華民國의 東쪽 關門인 山海關에 到着한 것은
七日 午後 三時 頃이엇다.

驛에 나리니 軍隊의 往來와 武器의 積載 等 宛然한 戰時氣分을 呈하고 잇
다 한동안 北中問題로 因하야 緊張한 空氣를 釀成하고 어떠한 事態에 이를
지 아지 못하야 이곳에서 待機의 勞를 取하고 잇엇든 모양이다.

山海關은 滿洲國의 奉山鐵路[10]와 中國의 北寧鐵路[11]의 連絡點으로서 昭
和 九年 六月에 通車協定이 成立되어 奉天 北平 間을 一日 一 往復의 直通
列車가 開通하고 잇으며 두 나라의 停車場이 한 집안에서 서로 건너다보고
執務하고 잇는 것도 異常하다. 이곳의 治安維持는 山海關事變에 依하야 一
切 行政權과 함께 關東軍의 指揮 下에 歸하엿으나 昭和 九年 二月 山海關
接收를 行한 結果 長城을 包含치 안흔 長城 以西의 關內는 事變 前과 같이
中國 側에 還付하고 長城 及 長城 以東은 滿洲國에 版圖로 되어잇다 이 國
境都市에 발을 드려노코 第一 눈에 띠이 것은 警察 及 軍隊 等 治安維持에
當하는 者의 多種多樣인 것이다 關東軍 山海關 特務機關、憲兵分隊、警備
隊、天津駐屯軍 山海關守備隊、同 憲兵分遣隊、中國 側 公安局、山海關特
別公安局(中國 側 軍隊는 停戰協定에 依하야 이곳이 非武裝地帶로 되어잇
는 故로 不駐)、滿洲國警察 國境守備隊、領事館警察、鐵路警備隊、稅關吏
等 各種各樣의 服色을 하고 佩劍을 하고 拳銃을 갖인 軍隊 警察이 錯綜하야
國境都市의 情景을 如實히 表現하고 잇으며 이外도 北淸事變最終議定書에

---

10 "奉山鐵路": 奉天 - 山海關 사이의 철도 - 편자 주.

11 "北寧鐵路": 北京 - 奉天 사이의 철도 - 편자 주.

依하야 伊、佛、英 等의 軍隊도 駐屯하고 잇으며 方今 英國 軍隊가 避暑 次로 와서 海岸에 操練하고 잇엇다.

國境都市의 面目은 이外에 通貨의 複雜性에도 그 眞面目을 發揮하고 잇으니 現在 通用되는 通貨에는 滿洲國幣、金票(朝鮮銀行券) 現大洋 現小洋 天津票 哈大洋 大淸銅幣 等으로서 各種 貨幣의 換算率은 나날이 달으며 市街의 거리거리에는 換錢을 業으로 삼는 假家가 느러잇는 것도 朝鮮서는 보지 못하는 風景이엇다 山海關뿐 아니라 滿洲 全體를 通한 일이지마는 現在 換算率이 滿洲國率[12] 百 圓에 對하야 金票 百 七、八 圓이 되는 故로 葉書 한 장을 사고 二 錢을 주어야 되며 食堂에 가서 五十 錢의 飮食을 먹고 一 圓의 紙幣를 내어주면 거스름돈으로 國幣 四十 錢밖에 주지 아니하니 旅行者에게는 兩便으로 損害가 되는 것이엇다.

今般 旅行에 奉天서 멀이 山海關까지 온 것은 中國과 滿洲 國境의 雰圍氣를 맛보려는 意味도 없이 안헛으나 第一의 目的은 秦始皇을 聯想케 하는 蜿蜒萬里의 長城의 끝머리나마 그것을 征服하며 渤海를 내려다보고 浩然之氣를 맛본 것은 今般 旅行의 印象 깊은 선물이엇다.

山海關 海邊 老龍頭에서 始作하야 山을 넘고 골을 건너 朝鮮 里數 八千 餘 里의 峰巒을 누비질하야 西쪽 甘肅省 嘉峪[13]關에 이르는 長城은 實로 天下의 壯觀이다. 歷史的으로 보면 秦始皇의 以前에도 魏 燕 等의 諸國이 東夷北狄의 侵入을 막기 爲하야 部分的으로 築城하엿든 것이 分明하나. 그 後 秦始皇이 天下를 統一한 後 匈奴에 對한 防禦策으로 蒙恬으로 하여금 西쪽으로 臨洮부터 東은 遼東에 일으는 萬餘 里의 長城을 四、五 年 間에 完成하

---

12   "率"은 "幣"의 오식 - 편자 주.

13   "峪"은 "峪"의 오식 - 편자 주.

야 人力으로 된 工事 中 前無後無한 것이 되엇으니 日本 어느 學者의 說에 依하면 總 工事費를 今日의 標準으로 推算하야 二百五十億 萬 圓이 들엇으리라 한다. 埃及의 피라밋트나 아프리카의 스에스運河가 大工事에 틀림없지마는 이 萬里長城에는 믿지 못하리라.

只今의 長城이 始皇의 築造 그대로 잇는 것은 아닐 것이나 位置는 大槪 現在의 線이라는 것이 學者들의 說이며 山海關 附近의 長城은 그 後 隋高祖 文帝의 築造한 것이라 한다 當時 高句麗는 新羅 百濟를 壓伏하고 遼河를 건너 關西에 侵入하려는 形勢에 잇엇든 故로 隋高祖로 하야금 楡關(山海關)을 築城하고 楡城 總督을 駐在시켜 高句麗의 侵入을 警戒케 하엿든 것이다. 다음의 煬帝는 長城을 두 번이나 大守築하고 守勢에서 攻勢로 積極的 態度를 取하야 高句麗遠征을 試하엿으나 乙支文德 將軍에 依하야 敗退된 것은 歷史의 말하는 바이다. 이제 우리의 歷史와도 因緣이 잇는 萬里長城을 求景코저 朝飯 後 뻐스로 海岸을 向하엿다. 渤海의 거친 波濤가 부디치는 곳에 長城의 첫머리는 始作되엇으니 蜿蜒萬里의 長城이 山을 넘고 峯을 돌아 海岸에 臨하는 形狀이 恰似 老龍이 滄海의 물을 마시려 꿈틀거리고 나려오는 것 같다 하여 이곳을 老龍頭라고 한다. 이 老龍頭 附近은 渤海灣의 一部로서 海水浴場으로 適當하며 氣候가 不寒不曙하야 天津 等地의 外國人의 避暑客이 만타고 한다.

市街地로 돌아와서 南國殘蹟을 求景하고 城壁을 딸아 六角堂을 지나서 東門에 이르니 이 東門이 即 天下第一關이라 中國에서 關外로 通하는 重要한 關門으로서 只今은 中滿 國境이 되어잇다. 天下第一關의 扁額은 乾隆帝의 親筆이라 하며 只今은 堂內에 藏置하고 只今 붙은 것은 後人의 筆이라 한다. 이곳에서 長城을 背景으로 記念撮影을 하고 當地의 重要한 交通機關인 로쇠(驢)을 타고 北門을 나서 城外 廣野을 한거름에 달이어 羊腸山路를

長城을 따라 올러가니 말은 비록 적건마는 때안인 鐵蹄聲이 翔北의 遠征을 追想케 하며 峯廻路轉에 길이 보이다가는 없어지고 없어젓다가는 닐어나니 내 萬若 漢學의 素養이 깊헛든들 興趣 더욱 깊엇슬 것을 이리하야 石路를 자박거리고 오르기 一 時間 餘에 忽然 一堂 山寺가 잇는데 寺名을 樓賢寺 또는 山名을 딸아 角山寺라고 한다 절의 規模 그리 크지 못하나 景槪의 佳麗幽邃 함과 境內의 淨潔함이 中國古代小說에 나오는 道寺를 聯想케 한다.

香氣 높은 茶를 딸어서 點心을 마치고 寺院 後峯의 海拔 千三百 尺의 角山頂에 올으니 渤海、秦皇島는 指呼의 사이에 잇고 國際關係가 複雜한 山海關도 낫잠을 자는 듯 右便을 바라보니 淸淸한 白河는 滾滾히 흘너 거울 같으며 左便의 長城은 山등을 타고 北으로 다라나니 眞所謂 佳境이다. 午後 三時 頃 歸路에 올러 秦皇島를 보고저 하엿으나 時間의 關係로 일우지 못한 것은 如干 遺憾이 아니엇다.

밤에는 中國의 演劇을 보고저 ××大劇院이라는 데를 들어갓다. 入場料 十五 錢에 自己의 入場番號가 맞으면 賞金이 나온다는 어디까지 大衆的이다. 演劇을 聽戲(팅시[14])라고 하는 바와 같이 中國의 演劇은 聽覺的 快感이 主張이다. 幕이라는 것은 勿論 없고 舞臺 한쪽에 胡弓、木琴、笛 等을 갖인 樂人이 귀가 앞우게 奏樂을 하고 잇으며 宏壯하게 威嚴 잇는 차림차림을 하고 冠에는 꿩의 털을 꼽고 긴 수염을 느린 武人인 듯싶은 俳優가 異常한 소래로 웨치고 잇고 珠玉이 燦爛한 女冠을 쓰고 汗衫 달인 彩衣를 입은 女俳優가 들락날락한다. 무슨 來歷인지 꼭지를 알지 못하겟으며 出演 中에 뽀이들이 茶를 따루어 俳優의 목을 축여주고 舞臺에 椅子가 없으면 樂士의 안진 것을 뺏어다 안치는 등 우리의 常識으로는 異常하고 우스운 句節이 적지 안

---

14 "팅시": "극을 듣다"의 의미의 중국어 "廳戲"의 발음 - 편자 주.

헛다. 내 劇에 對한 素養이 없음으로 『봉사冊子』 求景에 지나지 못하나 大陸的 氣分이 濃厚한 차림차림과 態度에는 興趣를 느끼엇다 大體로 이 나라의 民衆은 音樂을 즐기는 모양이다. 길가에 어린애 보는 아이도 胡弓을 어루만지며 到處에 音樂소리는 六藝 中에 禮의 다음으로 樂을 崇尙하는 그들의 傳統을 말하는 것 같다.

(四) 齊齊哈爾까지

中國 國境 山海關서 北滿의 都市 齊齊哈爾까지 三十四 間[15]의 支離한 旅行이다. 며칠을 車窓만 내다보는 西伯利亞 橫斷의 旅客들은 얼마나 支離할 것인가 大虎山서 江橋 齊齊哈爾 附近에 일으는 地方은 所謂 東部內蒙古의 地로서 車窓으로 展開되는 風景은 只今까지 보든 大豆와 高粱밭의 連續하는 딴판으로 一望无涯의 廣漠한 草原인데 일음 몰을 雜草가 담요를 깐 것 같이 풀으며 간간이 물웅덩이가 잇고 그 우를 물새들이 水面 가깝게 날어다니는 것을 間間이 볼 수 잇다 이곳의 土質은 全部 砂土인 듯하며 强한 바람에 부닥김인지 바닷물의 波濤와 같이 모래의 波濤가 일우어져잇다 하로終日 가도 耕作된 땅은 別로 없고 草原과 砂地와 물웅덩이의 連續이다 同行의 H君이 雜草가 욱어진 草原을 내다보고 풀이 저러케 욱어젓을진대 穀物인들 안 될 理가 없을 텐데 안 될 理가 없을 텐데를 열 번이나 거듭한다. 萬若 雨量만 充分하다면 大農式으로 機械를 使用하야 이 넓은 曠野를 갈어 제치고 씨를 뿌렷으면 當年에 世界的 富豪가 될 듯싶다. 內蒙古의 入口라고는 白音太來(通遼)驛에 일으니 軍隊를 餞送하려 當地 男女師範 中學生徒 朝鮮人普

通學校 生徒가 나온다 男生徒는 先頭에 喇叭을 불며 步調를 마추고 女生徒는 繡 노흔 校旗를 들고. 그러나 그들의 喇叭 소리와 발자욱소리가 活氣 없이 보이는 것은 나의 感情의 所以인지 男子 中學生 中에 朝鮮 學生이 한 사람 잇다기에 天涯朔北의 地에서 서로 만나 鄕懷를 풀고 普通學校 先生으로부터 當地의 事情을 들엇다.

滿蒙 旅行의 길에 올러 到處에서 느끼는 바이지마는 粉냄새 나는 朝鮮의 娘子軍이 이곳에도 相當히 잇는 模樣이다 팔려 다니는 그들의 身勢이지마는 娘子軍의 進出은 實로 勇敢하고 積極的인 때가 만타.

男子가 危險視하는 곳에도 그들은 進出하며 ××의 뒤를 딸코 砂金쟁이의 뒤를 딸른다. 그들의 情景이 可矜한 便 娘子軍의 司令官인 阿片쟁이 같은 人身賣買의 부로커의 모양이 可憎하기 짝이 없다

鄭家屯에서 平齊線[16]에 갈어탄다 이곳은 地理的으로 對蒙貿易 及 特産物 集散의 要地로서 蒙古의 氣分을 맛볼 수 잇는 都市다 이번 旅程에 이곳 □□泊하고 蒙古의 氣分을 맛보지 못하는 것이 다시없는 遺憾이다.

齊齊哈爾에 到着한 것은 十日 午前 七時 頃이엇다 ― 이곳은 前의 黑龍江省의 首府 只今의 龍江省公署의 所在地로서 政治 軍事 上 北滿의 重鎭이다 康熙 三十年 當時 淸國이 露國 勢力의 東侵에 防備코저 建設한 都市로서 二百五十 年의 歷史를 가진 都市이며 事變 當時에는 馬占山의 反抗으로 記憶에 새로운 땅이다.

車에서 나리니 新築 中의 停車場은 完成되는 날에는 奉天、哈爾賓도 부럽지 안흘 것 같으며 驛에서 市街地까지 二十餘 町이나 되는 道路의 左右에는 웃둑웃둑한 벽돌집들이 들어서잇으며 躍進 都市의 氣分이 濃厚하다 滿

16　平齊線: 스핑(四平) - 치치하얼(齊齊哈爾) 사이의 철도선 - 편자 주.

洲事變 後 日本 內地人의 進出은 飛躍的 增價를 現出하야 百 四五 十 名에 不過하든 것이 四十餘 倍의 千 名 以上에 達한다고 하며 市中에 去來되는 商品도 六、七 割이 日本 商品이고 南大街의 滿洲人의 市街는 前日의 殷盛을 볼 수 없다 한다.

天勝이라는 旅館에 들엇다. 天勝이라면 곧 有名한 魔術團을 聯想할 뿐 아니라 給仕 하는 女 下人들의 차림차림과 行動이 魔術團의 退物같아서 H君이 그 寸數를 물으니 魔術團의 退物은 아니나 天團이 이 旅館을 단골로 定한 關係로 天勝이라는 이름을 얻은 것이라고 解釋하나 어쩐지 그보다 더 깊은 關係가 잇는 것도 같다.

省政府와 ××司令部를 訪問하야 當地의 治安 狀態와 産業 狀況 等의 說明을 듣고 午後에는 龍沙公園과 關帝廟、天齊廟를 求景햇다. 關帝廟는 滿洲 各地에 볼 수 잇는 것이며 天齊廟는 勸善懲惡의 趣志로서 極樂地獄과 사람 죽은 뒤 前科를 審判하야 各各 刑罰과 褒賞을 받는 光景을 彫刻으로 表現하야 愚昧한 民衆을 敎化(?)하려는 것이나 어린애를 다리고 눈감고 아웅하는 □□ 우슴꺼리에 지나지 못하엿다.

밤에 省政府에 勤務하는 滿洲人 S 氏를 訪問하엿다. 滿洲의 旅行에 잇어서 車窓으로 風景을 내다보고 都市의 裏面을 헤매며 當局者의 講話를 듣기는 하엿으나 實地로 滿洲人의 生活과 그들의 新國家에 對한 氣分은 알어보기는 어려운 일이엇다. 團體旅行에 잇어서 더욱 그러하엿다. S 氏는 日本에 留學한 일도 잇으며 그의 婦人은 奈良女高師의 出身으로 當地 女中學과 女子師範에 敎鞭을 잡고 잇다. 滿洲의 인테리階級인 그들을 訪問하야 所期의 收穫은 잇지 못하엿으나. 大槪의 氣分과 그들의 簡便한 生活樣式을 알 수 잇는 것은 多幸이엇다.

市街에서 이 地方 特産을 찾엇으나 아모것도 없다. 다만 繡노은 아름다운 女鞋가 눈에 뜨일 뿐이다. 滿洲 女子들의 花鳥를 곱게 繡노흔 비단신은 정말 아름다웁니다. 滿洲의 또는 中國의 이 고은 女鞋는 朝鮮의 가죽신의 歷史를 밟지 안허야 할 것이다. 신는 신도 곱지마는 입는 옷맵시도 곱고 입은 사람의 얼골도 곱다 都市만 보아 그런지는 모르나 三十歲 以下 되여 보이는 女子는 例外 없이 全部가 斷髮이다. 입은 옷은 洋裝 비스름한데 兩便 터진 대로 內衣가 내다보이는 欠이라면 欠이나 보기에 아름답다 몸에 짝 붙어 女子의 曲線美가 잘 나타나고 잇다.

齊齊哈爾에 와서 第一 놀란 것은 私娼窟 ― 靑樓이엇다. 奉天서도 平康里냄새는 맡엇고 山海關서도 그쪽 方面 求景을 하엿으나 나의 본 限度에서는 齊齊의 에로街가 第一 驚歎에 値하엿다. 첫재로 數가 만흔 것이엇다. 人口 七八 萬의 都市에 賣淫하는 女子는 몇 千 名 □□ 되는 것도 같엇다. 골목골목이 긴 체ㅅ집이 잇고 門 한 個씩밖에 없는 房이 無數히 느려잇는데 값싼 衣裳을 입고 값싼 粉을 발은 獨特한 臭氣를 發散하는 색씨들이 門깐에서 손을 기다린다. 이런 대는 四等이다. 四等은 主로 苦力(勞働者)階級을 相對로 한다. 一二 等이면 ××書館 ××樓니 하는 金文字가 燦爛하고 樓上에는 美妓들이 陣을 치고 客을 送迎하는 下人들의 異常한 소래도 요란하다. 이러한 데서 茶를 마시고 수박씨를 까면서 서로 잘 알아듣지 못하는 소래를 주고받고 하는 대 一二 圓이면 充分하다.

大體로 滿洲의 都市는 이러한 紅燈街가 繁昌한다. 滿洲에서 第一 눈에 띠이는 것은 軍隊、게집、馬車나. 카페도 만코 飮食店도 만타.

(五) 茫茫하 黑土沃野

齊齊哈爾에서 今般 旅行 코ー스 中에서는 最北인 北安을 向하얏다 北安

은 齊齊哈爾에 通하는 齊北線 哈爾賓에 通하는 賓北線이 開通되기까지는 一個 寒村이엇으나 鐵道의 開通과 軍事 上의 要地로서 人口 一萬 五六 千의 新興都市가 되엇다. 이곳에 와서 滿洲의 眞相의 一面을 엿보게 된 것은 愉快하엿다. 哈爾賓、新京、奉天 等地의 都市를 巡歷하고 그냥 도라가서는 滿洲의 眞相은 到底히 알 수 없다. 이곳에서 蘇滿國境의 黑河까지 가서 日蘇 兩便의 緊張한 現場을 보지 못한 것이 遺憾이엇으나 北安鎭만 하야도 國境이 가즉한 만치 相當히 緊張된 氣分을 感得할 수 잇다. 縣公署에서 縣 行政의 仔細한 이야기를 듣고 軍參謀 ×× 中佐로부터 匪賊 討伐과 國防의 關係、對蘇問題 移民問題 等의 이야기를 듣고 滿洲國의 將來를 생각케 하엿다. 匪賊이야기는 哈爾賓 가서 仔細히 紹介하려 하나 討伐은 끈히지 아니하며 分散戰畧을 取하기 때문에 討伐도 極히 困難하다 한다. 滿洲國은 現在 司法과 行政이 判然히 分離되어잇지 아니하고 縣長이 司法權을 갖고 잇으며 北安서도 縣公署의 構內에 監獄이 잇어 數十 名을 收容하고 잇엇다. 監獄의 仔細한 描寫는 그만두거니와 名實共히 『豚箱』以上이엇다. 이러한 現狀으로서야 完全한 治外法權의 撤廢는 아즉 遼遠하다고 생각된다.

北安서 哈爾賓까지 賓北線 沿線 一帶는 北滿의 寶庫로서 海倫、綏化、呼蘭 같은 有名한 古邑이 잇으며 이 附近 北滿 一帶는 黑土地帶의 肥沃한 땅인대 鐵道工事로 因하야 十數 尺을 내려 파도 끝까지 살지고 기름진 沖積土로서 地平線 저쪽까지 골이 발르게 耕作되어 五穀이 茂盛한 곳도 만흐나 雜草가 옥어지고 누른 꽃 붉은 꽃이 旅客의 눈을 즐겁게 하는 未墾地도 얼마든지 잇다. 아, 이 肥沃한 北滿의 黑土야 정말 가래와 광이로서 밭 갈고 씨뿌리기를 기다리고 잇지 안는가 廣漠한 平原의 沃土이라 開墾費도 그리 만히 들 것 같지도 안흐며 肥料를 주지 안허도 몇 해 동안은 너무 되어서 탈일 것 같다. 朝鮮의 農民이 或은 自願으로 或은 勸誘로 滿洲를 向하야 移住하는

現狀은 識者로 하여금 만흔 檢討가 잇어야 할 일이다. 그러나 現實의 問題로서 一 年에 몇千 名 몇萬 名式 大移動과 같이 北으로 北으로 向하는 그들을 指導하고 安住의 地를 얻게 하는 것은 焦眉의 急務가 아닐가? 民間의 識者는 이 問題에 너무나 等閑視하지 안흘가? 이미 百萬 以上의 農民이 移住하야 피땀을 흘려가며 九萬 餘 町步를 開墾하고 百六十萬 石의 벼를 生産하고 잇다. 決코 적지 안흔 일이다.

北滿의 廣大하고 기름진 黑土地帶는 漢民族이 移住하야 開墾한 歷史도 길지 안커니와 아직도 人煙은 稀薄하고 荒蕪地는 處處에 散在하며 事變 後 不在地主의 土地로서 國有로 看做되는 땅도 적지 안타 하니 이 땅의 開拓은 果然 누구가 擔當할 것인가

(六) 北滿의 中心 할빈

白河站에서 朝鮮 農民이 하나 올라탓다. 朝鮮을 떠난 지 十餘 年에 間島로 吉林으로 다시 北滿으로 沃土를 찾어 或은 匪賊에 쫓겨 遊離하엿다고 한다. 이 附近의 그같이 肥沃한 땅이 一晌에 二十餘 圓이라 하니 싸기도 무척 싸며 年數만 조흐면 當年에 土價를 빼낼 수도 잇다고 한다. 治安은 所謂 匪賊이라는 군들이 事變 前에는 生命을 害하는 일은 없엇으나 只今은 朝鮮 農民이라면 氣를 쓰고 죽릴랴고 한다고 한다. 農民은 自衛團을 組織하야 自衛를 하고 잇는데 十 倍의 匪賊은 물리칠 수 잇다 한다.

海北에서 멀리 보이는 天主堂의 尖塔은 北滿의 奧地에까지 活動圈을 뻐친 宣敎師들의 犧牲的 精神(?)을 보여주고 잇으며 馬占山 將軍이 이곳만은 빼앗기지 안흐려고 無限히 애를 쓰든 海倫을 지나 窓外에 부슬부를 뿌리는 비빵울 사이로 콩과 서속이 茂盛한 이 地方의 沃土에 精神을 일코 내다보는

사이에 呼蘭을 지나 三裸[17]樹에 이르럿다. 三裸[18]樹는 濱北線과 拉濱線의 連接點이며 拉濱線의 松花江 上에 架設한 鐵橋는 人道 車道와 裝甲車道의 三段式 鐵橋로서 자랑거리의 하나이다.

車 속에 잇을 때 부슬부슬 뿌리는 비는 濱江驛에 나리니 끄친다. 그러나 哈爾賓에는 비가 相當히 만히 온 模樣이어서 道路는 河川化하엿다. 元體 地臺가 얕고 따라서 排水의 設備가 完全치 못한 탓이겟지만 路上 三四 尺까지 물이 채어서 馬車는 車輪의 半 以上이 파무치고 自動車 같은 것은 깊은 대로는 못 다닐 地境이다. 大哈爾濱의 첫印象으로 그리 조흔 것은 아니엇으나 大陸都市의 特異한 現象으로 조흔 經驗이엇다.

國際都市 哈爾賓 日蘇滿中의 利害가 錯綜하고 思想的으로 赤白이 뒤섞이고 人種的으로 黃白이 뒤섞인 또는 文化的으로 東西 兩 大陸의 文化가 接觸하는 觸角의 地位에 잇는 것이 國際都市 哈爾賓이다. 一八九六年 帝政露西亞는 極東 進出의 先鞭으로 當時 俄皇戴冠式에 參列하려 莫斯科[19]를 訪問한 李鴻章을 懷柔하야 東淸鐵道敷設權을 獲得하고 北滿의 中央 松花江의 南岸에 터를 잡어 第二의 모스코 ― 를 建設하려는 雄圖 밑에 된 것이 하르빈이다. 最近에 滿洲國에 讓渡한 北滿鐵路가 露西亞 極東 經營의 血管이엇다. 하르빈을 中心으로 한 蘇中、日蘇 等의 政治的 策畧은 極東外交史의 興味 잇는 一篇이 될 것이며 이곳에 남긴 露西亞의 文化는 蘇聯의 勢力이 滿洲로부터 一掃된다 하더라도 永遠히 빛날 것이며 哈爾賓 建設의 功勞者의 名譽는 없어지지 안흘 것이다.

---

17 "裸"는 "棵"의 오식 - 편자 주.

18 "裸"는 "棵"의 오식 - 편자 주.

19 "莫斯科": 모스크바의 중국어 표기 - 편자 주.

露西亞는 哈爾賓의 建設에 鐵道 以外에 三億 圓 以上의 投資를 하엿다. 建築의 雄大함과 道路의 濶達함이 露西亞 全盛時代를 追想케 하며 그들의 子孫 白系露人은 그날그날의 無目的한 生活을 하고 잇으니 中空에 높이 솟은 希臘正敎 中央寺院의 尖塔은 今日의 하르빈을 나려다보고 感慨無量할 것이다

(七) 北滿의 中心 할빈

에로都市 哈爾賓、하르빈의 밤은 딴스홀에는 始作되고 딴스홀에서 샌다. 이곳에서 딴스를 못하면 病身이다. 茶를 한 잔 먹으러 카페에 들어가도 音樂빤드가 잇고 거기에 마추어 춤을 추며 하로 남의 慰安을 얻으러 靑樓에 올라가도 피아노가 잇고 딴스홀이 設備되어잇다.

故國이 없고 民族的 目標가 없는 白系露人들은 刹那의 享樂을 찾으며 頹廢的 氣分에 살고 잇다. 젊은 계집들은 女給으로 딴서 ― 로 賣淫女로 轉落하고 잇으니 裸體딴스의 悃狀한 活動寫眞 ××이 아름답지 안흔 哈爾賓의 名物로 되어잇다 어떠한 種族이던지 滅亡의 커 ― 브를 밟을 때는 頹廢的 氣分에 잠기고 刹那的 享樂으로 그날그날을 보내는 것이다. 이 點으로 보아서도 白系露人의 帝政을 憧憬하고 모스코 ― 에 돌아가려는 꿈이 永永 깨지 못할 꿈이 될 것이 明白하다. 滿洲에 잇어서의 蘇聯의 唯一한 地盤인 北滿鐵路는 一月 末에 讓渡하여버리고 從業員은 繼續 歸國 中이다. 二萬 餘의 蘇聯 從業員 及 그 家族 中 三分之 一은 이미 撤歸하고 三分之 一은 今月 內로 撤歸할 模樣이며 남어지 三分 一이 滿洲國 內에 殘溜하리라는 豫想이엇으나 只今까지의 經過로 보면 撤歸는 順調로 進行되어 三分 一이 滿洲國 內에 殘溜하리라든 豫想과는 딴판으로 九 割 二 分은 歸國하리라고 한다. 그들의

撤退에 際하야 取하는 態度는 實로 正正當當하야 탈을 잡으려도 잡을 탈이 없다고 한다.

哈爾賓의 異國情景 — 露西亞的 氣分은 只今이 絶頂이다. 蘇聯 從業員의 撤退로 因하야 이 氣分은 大部分 減滅될 것이다 白系露人은 思想의 敵인 赤系가 撤歸하는 것을 보고 快哉를 불음즉도 하나 蘇聯人을 顧客으로 商業을 하는 白系는 打擊이 만흘 것이라 한다. 來年만 되드라도 今日의 情景과는 달르지 안흘가 지금은 地方驛 等에 勤務하든 蘇聯人들이 撤歸를 앞두고 吟[20]爾賓에 모이어 平常時보다는 훨신 불엇다 한다. 기다이스카야街路의 벤취에 앉어 形形色色의 往來人(露西亞人이 第一 만타)에 눈을 주고 여름의 초저녁을 보내는 것도 자미잇엇으며 松花江 우에 보 — 트를 띠우고 베니스의 노래를 부르든 것도 지금 생각하니 追憶의 材料다. 松花江의 江幅은 漢江의 倍 半이나 되어 보이며 兩岸에 巨閣이 櫛比하고 네온싸인이 燦爛하야 漢江의 船遊와는 다른 趣味가 잇엇다.

傳家甸의 滿人市街는 그 規模의 큼과 殷盛함이 보든 中 第一이며 市公園의 夜景도 五十萬 人口의 遊園地로서 부끄럽지 안흘 만하다. 滿洲의 都市는 그냥 넓은 벌판에 建設한 것이 되어서 周圍의 山川에 變化가 없는 故로 山도 잇고 물도 잇고 새도 울고 고기도 노는 遊園地가 要求되는 것이다. 한발을 郊外에 내어디디면 大自然의 公園이 맞어주는 京城과는 딴판이다.

滿洲旅行을 와서 가는 곳마다 匪賊의 이야기를 들엇다. 官僚로 討伐의 任에 當한 軍部로부터 또는 政府의 要路의 입으로 農民의 입으로 또는 車를 가치 탄 乘客으로부터. 匪賊의 性質이 어떠한 것이며 얼마나 잇으며 討伐이 얼마나 困難한 것이며 住民과의 關係가 어떠하며 朝鮮 農民에 對하는 態度

---

20 "吟"은 "哈"의 오식 - 편자 주.

가 어떠한 것인가를 대강은 짐작할 수 잇엇다 아직도 到處에 分散된 反滿軍이 活動하고 잇다。總數는 四萬이라 한다。哈爾賓 附近에는 더욱 만타。그러나 仔細한 이야기는 確實한 材料가 없으니 그만둔다。

哈爾賓서 新京까지는 舊 北滿鐵路 南部線이다 이 線의 列車는 北鐵時代의 것 그대로인데 構造가 日本式과는 달르다。座席이 日本式 列車의 寢臺와 같이 三段式으로 되엇는대 모다 木板 그대로이다。폭신폭신한 자리에 옹기종기 마조 보고 앉든 것과는 딴판으로 二層으로 三層으로 끄집어 올라간다。窓이라고 하나밖에 없고 날새는 무더워 옷에는 물이 흐른다。루스키 ― 의 變通 없음을 辱하는 소리가 到處에서 들린다。나는 二層의 자리를 찾이하여 밤이 깊어갈수록 더워도 덜하여지고 발을 쭉 펴 누으니 밑은 딴딴하나 발을 쪼그리고 새우잠을 자는 것보다 過히 그르지는 안타。

(八) 新京의 이모저모

十五日 차음[21]에 首都 新京에 到着하엿다。大同大街의 넓직한 길은 보기만 하여도 마음이 시원하고 關東軍司令部와 日本大使館의 輪奐한 建物은 新京市街를 눌르고 잇다。建物만이 新京을 눌르고 잇을 뿐 아니라 이 집의 主人公은 滿洲國의 萬般施政의 指導權을 가지고 잇으며 그곳을 통과 안코는 重要한 問題가 決定되는 法이 없다 이 날은 南[22] 關東軍司令官과 滿洲國 外交部長과의 사이에 日滿經濟共同委員會 設置에 關한 協定이 調印된다고

---

21 "차음"은 "아츰"의 오식 - 편자 주.

22 "南": 일본 관동군 사령관 미나미 지로(南次郎) - 편자 주.

야단들이다。

關東軍司令部의 滿洲事業 前後의 役割은 다시 말할 必要도 없거니와 當時의 關東軍의 意氣는 衝天하엿든 것이다。日本政治를 리ㅡ드한 것도 그들이며 滿洲의 建國에 숨은 役割을 한 것도 그들이다

十六日 國務院을 訪問하야 張景惠 總理와 面接하는 機會를 얻엇다。寫眞에 보이는 好好爺의 一面이 잇는 反面에 武將으로 鍛鍊된 威儀가 잇다 그의 입으로 나오는 一塲의 人事말은 부드러운 語調에 빈틈없는 言辭이다 會見室 壁에는 武藤 元帥 鄭 總理와의 間에 調印되는 日滿議定書 締結의 歷史的 光景을 그린 油畫가 걸려잇으며 한편에는 計劃 中의 國務院의 堂堂한 模型이 노혀잇다。이 방에서 每週 閣議를 열고 또 參議府(樞密院과 같은 性質)의 會議가 열린다고 한다。勿論 臨時的이지마는 建物과 設備가 貧弱하다

國都 新京은 只今은 人口 二十餘 萬에 不過하는 都市로서 볼 때는 奉天 哈爾賓에 比할 배 아니다。蒙古의 放牧地로부터 漢族의 移住地로 東支鐵道의 寬城子[23]時代로부터 滿鐵의 長春時代 다시 國都 新京이 되기까지 崎嶇한 歷史를 밟엇다 國都建設計劃에 依하면 五個年計劃으로 五十萬 人口를 目標로 建設 中이며 到處에 흙냄새가 새롭고 자구소리와 장돌소리가 擾亂하다。

宮內府를 訪問하엿다 大門에는 蘭花의 紋章이 색여잇고 正淑[24] 入口의 門 우에는 兩 龍이 구슬을 다토는 形像이 붙어잇다 이날 皇帝께서는 吉林 方面에 巡獵하시려 가신 後이엿으며 거리에는 五色旗가 바람에 날리고 잇다

南崗殘蹟을 求景하고 오는 길에 滿洲國軍 騎兵隊가 지나가는 것과 만낫다 아모리 보아도 精神의 한 모퉁이가 빈 것같다 現在 滿洲國에는 滿洲國軍

---

23 "寬城子": 신경(新京) 즉 장춘(長春)의 옛 이름 - 편자 주.

24 "淑"은 "殿"의 오식 - 편자 주.

(滿人으로 編成된)이 八萬이나 잇는데 國防보다도 警察的 勤務에 從事시킨다 하며 大部隊를 編成시키거나 新式裝備를 整齊시키고 新式訓練을 시키는 것 같은 일은 하지 안흐려는 것 같다

밤에 新京駐在 總督府事務局의 招待로 當地 一流 料亭 大港春에서 晩餐會가 잇다 純全한 支那料理를 맛볼 수 잇엇으며 老酒에 氷糖을 너허 料理가 오는 番마다 乾盃 또 乾盃로 잔을 기우럿으나 醉한 것도 같고 醉치 안은 것도 같고 日本酒의 대번에 발개지는 것과는 달리 술까지 大陸式이다 잔을 주고받음이 거듭하엿을 때에 十七八 歲 되는 藝妓가 나와서 伶人의 주리는 胡弓에 맛처 淸歌一曲을 간얄푸게 뺀다. 마치고는 술을 붓는 버비 없이 그냥 나가버린다.

(完) 新京의 이모저모

이번 旅行에 天氣의 福은 만히 받엇다 車 속에 잇을 때엔 비가 오다가도 나리면 끄치며 집안에 잇을 때엔 소낙이가 와도 나설 時間이 되면 벌서 개여 잇다. 그러나 幸運은 오래 繼續되지 못하는지 十七日의 朝刊은 京圖線不通을 告한다 驛에 물어보니 連絡이 된다고도 하고 안 된다고도 한다.

何如間 吉林까지는 가볼 것이라고 敦化行 列車를 탓다. 沿線 一帶의 眺望은 只今까지 지나온 곳과는 달리 푸른 山이 잇고 길게 빠진 골(谷)이 잇으니 山間에서 흘러나오는 溪川도 잇고 土們嶺의 굴(턴넬)도 잇다 安奉線에서 굴을 지난 後 몇 千 킬로의 車를 탓지만 土們嶺의 턴넬이 처음이다.

吉林은 東北西 三面을 峰巒으로 둘러싸고 松花江의 北쪽에 안즌 開雅하고 안존한 古都이다 벽돌집 콩크리트建物이 들어서고 車馬의 騷音에 神經質이 되게 하는 都市와는 딴판으로 섬細한 蓋瓦로 이인 집들이 古色을 띠고

잇으며 北山에 올너 나려다보면 자는 듯이 고요한 都市와 滿洲事變때도 熙洽의 機敏으로 干戈를 움죽이지 안코 收拾된 땅이다.

吉林의 北山은 京城의 南山보다도 낮다. 이곳에 올으면 吉林의 全市를 一望 中에 볼 수 잇고 松花江의 淸流와 龍潭山의 翠樹는 旅子의 心懷를 서늘하게 한다. 西南 二十 餘 町에 잇는 小白山에는 淸朝 發生의 地 長白山을 遙拜하는 祭壇이 잇어 省城의 長官이 春秋祭享을 올린다 하며 只今도 祭品으로 犧牲되는 山鹿 數十 頭를 山麓에서 기른다고 한다.

西쪽에는 事變 前의 吉林大學 只今의 吉林高等師範의 붉은 별돌이 夕陽에 빛이여 더욱 붉게 빛난다. 이 吉林大學은 開校한 지 얼마 안 되여 滿洲事變을 當하야 閉校되엿든 것인데 只今은 滿洲國의 最高學府로서 敎育者을 養成하고 잇다 滿洲國은 아직 治安第一主義의 域을 벗어나지 못하야 文化施設에는 아직 돌아볼 餘暇가 없는 듯하다. 더구나 滿洲國의 高等敎育施設 問題는 愼重히 考慮하고 잇는 듯하다.

吉林은 美人鄕이다. 朝鮮서 江界美人 꼽는 것과 같이 滿洲서는 吉林美人이 첫손고락이다. 北山에 올으니 十七八 歲式 되여보이는 티없는 美人 十七八 名이 消暢하러 올라온다. 案內에게 들으니 良家의 處女라고 하며 이곳 大學 師範生徒 中에는 天下의 絶色이 만타고 한다. 歸路에 松花江岸을 기고 걸어가니 글(書)에서 보는 中國 獨特한 氣分을 맛볼 수 잇으며 舊家의 邸宅이 만흔 곳에서 그들의 內面生活을 體驗하야보고 싶은 生覺이 懇切햇다

間島로 北朝鮮으로 돌아가려는 豫定은 깨여젓다. 間島를 못 본 것이 다시 없는 遺憾이나 할 일 없이 오든 길을 돌아서니 心氣가 자못 고르지 못하다.

奉天에서 半日을 보내고 釜山行을 탓다. 五龍背驛을 지날 때이다 武裝한 軍隊가 들낙날낙하기에 물으니 이 驛에서 八十 米 되는 대 一百二十 名 假量의 反滿軍이 出現한 것을 探知하고 目下 追擊 中이라고 한다. 八十 米突

이라면 바로 驛 附近이다. 하마트면 襲擊을 當하야 緊張한 맛을 보앗을 것인데 憤하다 할가 섭섭하다 할가. 異常한 心理가 된다。 車 속에는 稅關 일 보는 사람을 中心으로 密輸이야기로 꽃이 핀다。(七月 二十六日)

—『東亞日報』, 1935년 8월 1일~14일, 총 9회 연재

五千 年의 南支那海(上海서 廣東까지)

金文若

上海 生活 二 年 間 ― 얼마나 괴롭고 지리한 生活이냐? 한 마리 새가 되여 蒼空에 날 듯이 오늘은 이 上海를 시원히 떠나버리자.

나의 탄 센홍소丸 시컴언 上海埠頭의 물ㅅ결을 헤치고 움직이기를 시작한다. 개미떼같이 우물거리는 人波의 물ㅅ결 사랑과 눈물로 얽매는 테푸의 亂舞 ― 上海는 그래도 떠나는 이 배에게 愛惜과 눈물을 남기고저 함인가?

센홍소丸은 그들에게 한 마디 答禮를 하는 듯이 웅! 하고 소리를 치고는 나는 바다 속에 사는 한 마리 고래라는 듯이 蒼波를 헤치고 닫기를 시작한다. 검은 煙氣와 喧燥와 騷音과 피와 쇠뎅이로 묻허있든 生活에서 나는 매미 껍질 벗듯이 버서나가지고 이 蒼海 우의 한 마리 물새가 된 듯하다. 시원도 하거니와 또는 아름다운 出發의 첫 코쓰인 것이다.

甲板 우에 椅子에 앉어 다시금 上海를 바라보았다. 軍艦、大小 汽船、탕크 等 大砲와 珠板과 娼婦의 웃음으로써 둘러있고 다시 歡樂과 悲鳴과 格鬪와 죽엄과 虛僞로써 뭉쳐있는 그곳이언마는 멀리 바라보니 꿈같이 아름답고 그림같이 서늘하지 않은가? 上海에 남겨둔 그 女子의 가슴 또는 따려다가 따지 못한 별과 黃金 ― 나의 젊은 慾望의 꿈은 永遠히 깨지 못하는 하나의 惡夢인가? 살려고 하고 또는 富貴와 榮譽를 貪하는 것은 모든 사람의 常

情이지만은 따려다가 따지 못하고 낚으려다가 낚지 못한 希望의 眞珠여! 네가 숨은 곳은 어대인가? 熱情의 꿀과 奮鬪의 마치로 너를 찾고 너를 따려 했으나 너 있는 곳을 찾지 못한 젊은 이 마음이여! 오늘날 한 줄기 한숨과 한 방울 눈물로써 지나간 그날의 屍體를 묻어버리고 上海를 떠나는 것이다. 上海여 부디 잘 있거라.

빠른 汽船은 벌서 上海도 雲煙 속에 남겨두고 南으로 南으로 닫기를 시작한다. 바라보면 아득한 水平線。 바다를 못 잊어 떠도는 물새들. 그러나 하늘에는 白絹 같은 구름이 꽃처럼 피었다 뭉쳤다 하지 않는가?

上海에 남긴 님이 구름 되어 따러오나?
꽃같은 덩이마다 님 웃음 숨었는 듯!
어차피 님이시거든 이 배까지 오소서

못 잊는 님의 얼굴 한 마리 새가 되어
蒼波 몇 萬 里를 오고 가며 날으시나?
지나는 길손의 마음 님을 그려 ……

따려든 眞珠를 따지 못하고 캐려든 珊瑚를 캐지 못한 나의 마음은 어데인지 한 모퉁이가 비인 듯하고 또는 아름다운 새를 손에 쥐였다 놓처버린 듯하다. 아 저 물 우에 날고 있는 눈빛 새여! 너는 지나간 나의 希望의 象徵인가?

새처름 곻은 님이 날개 치고 간 곳 없네
하늘에 숨었었나 저 바다에 날고 있나?
이 가슴 울리든 새는 자최조차 없어라.

지난날의 失敗와 哀傷을 몇 萬 번 노래하고 되푸리한들 얻을 바이 무엇이냐? 蜃氣樓는 그만 두고 장차 세우려는 希望의 집이나 모래 우에 세우지 말기로 하자.

散亂한 마음을 鎭定하기 위하여 食堂에 가서 빵과 스 ― 푸를 먹고 다시 술 몇 잔을 마신 후 또 甲板 우로 뛰어나갔다. 어떤 中國 靑年이 모던껄을 다리고 椅子에 앉어서 胡琴을 뜯고 있다. 나는 그 옆에 앉어서 담배를 피우며 悠悠 無限長한 바다의 風景을 讚美하기에 餘念이 없었다.

바다 저쪽 ― 끝없는 水平線 하늘과 바다가 한데 連한 永遠의 密會塲이어! 구름이 잠기고 水煙이 濛濛한 꿈의 露臺여! 이 마음을 헐어내며 한 떨기 구름이 되고 이 □□을 쪼개내며 한 마리 새가 된 후 저 永遠의 密會塲 □□노는 舞姬가 될까?

옆에 있는 靑年은

「어데까지 가십니까?」

하고 나에게 말을 걸네운다.

「廣東까지 갑니다」

하고 對答하였드니 그는 옆에 놓여있는 菓子까지 나에게 勸하며 이말 저말 하는 것이었다. 그의 말을 들으면 그들은 이번 新婚을 하여가지고 廣東으로 新婚旅行을 간다고 한다. 좀 달콤한 旅行이구나 하고 생각하였다. 나는 다시 船室로 나려가서 郭沫若의 小說을 뒤적거리다가 잠이 들었다.

얼마쯤 자다가 깨고 보니 저녁이었다. 船室 琉璃窓에는 붉으레한 夕陽이 가루 비쳤다. 甲板으로 뛰어나가니 아름다운 黃昏이다. 해가 바루 바다 우에 떠러지랴고 하지 않는가?

바다 全面에는 불이 붙는 듯 피빛 같은 물ㅅ결에는 하늘이라도 태울 듯한 뻙은 熱情이 넘처흐른다. 아룽아룽 흔들니는 물ㅅ결마다 火珠가 아니면 金

珠이다. 하늘에 구름까지 뻙안 빛으로 물드러 오로지 바다의 一面은 情熱과 感激과 緊張으로 덮어놓고 마는 것이다. 바다도 타고 바위도 타도 하늘도 타고 구름도 타는 夕照의 一 塲面 아 높은 그 情熱 밑에 아니 탈 리가 어데 있는가? 나의 마음까지 한 덩이 불이 되고야 마는 듯하다.

해 나려 온 바다가 불같이 뻙애지네
양구비꽃보다도 짙은 물ㅅ결 더 고아라
온 하늘 타버리려는 듯 내 맘 어이 안 타리!

하늘 바다 마음 깊이 이 저녁 불타거니
높으신 그 情熱을 뉘게 보라 함인가?
타고 타고 불이 되어서 님 게신 곳 가고저

해가 지니 하늘에는 아름다운 『오렌지』빛이 길게 가루비치며 하늘의 表情은 幸福에 醉한 듯 歡喜에 넘치는 것이다. 長空萬里에 紅雲이 누구를 못 잊는 듯 혼자 悠悠히 떠다니고 바다에는 물새들이 갈곳을 찾는 듯이 슬픈 소리를 외치니 밤의 序曲은 次次 열리기 시작하는 것이 아닌가?

그 夕照의 餘光! 붉은 노을이 퍼지고 또 퍼지며 멀고 먼 하늘 저편으로 그 길다란 줄기를 뻗히기 시작하니 하늘빛도 차츰차츰 藍玉色으로 물들기 시작하는 것이다.

하늘 저편 몇 億萬 里 붉은 노를 흘러가네
금빛의 몇 줄기가 님의 간 곳 따르듯이
흘러흘러 끝이 없어서 이 한밤 다 저무리

별들은 하나 둘 구슬같이 눈을 뜨고
밤하늘 날개 버려 바다까지 휘싸나니
이 마음 갈 곳 없어서 눈물 밑에 잠기네

　　바다의 黃昏이란 着實이 아름답다. 오늘날까지 바다의 黃昏을 別로 보지
못한 나는 그만 醉하고 말았다. 사람이란 고요할 때 또 외로워질 때 그는 비
로소 詩人이 되고 文人이 되는가 보다. 自然을 즐길 줄도 알고 하늘과 바다
를 바라볼 줄도 안다. 나는 上海 生活 二 年 間 ― 나는 그 동안에 불빛은 보
고 네온의 彩燈도 보았으나 한 번도 하늘을 바라본 때가 없고 또는 별들을
치어다본 때가 없다 그러나 오늘을 제법 詩人처럼 黃昏을 讚美하고 별들의
모양을 노래하지 않는가? 사람은 自然과 親하고 따라서 詩的 마음을 가지는
때에야 비로소 보다 높은 人生의 殿堂을 찾을 수가 있는 것이다. 사람은 괴
롭고 藝術은 아름답다. 우리는 언제나 詩를 알고 詩的 感興을 가질 수 있는
높은 情熱의 사람이 되어 보자. 나는 甲板에 서서 바다만 보며 덧없는 空想
에 醉하였다. 바다는 차차 컴컴해 오고 바람까지 서늘하다.

오늘도 저무나니 이 한밤 새어볼까?
이 날의 외론 情을 저 별 밑에 매두리!
아서라 지나는 길손 마음 슬퍼 하노라

나는 새 불러 타고 저 하늘 내가 갈까?
님의 맘 별이 되여 하늘까지 흐르나니
밤이면 좋은 별들을 내가 딸가 하노라.

얼마 동안이나 거닐다가 나는 몸이 선선하여 船室로 들어왔다. 船客들이 大部分 잠이 들고 그 中 몇몇 사람은 장기를 두고 있다. 나는 아까 이야기 하든 中國 靑年과 장기를 두기로 했다. 그 條件은 지는 사람은 麥酒를 내기로 한 것이다. 한 판 두 판 세 판 ― 세 번에 나는 한 번을 지고 두 번을 이겼다. 그래서 두 사람은 허허 웃고 食堂에 가서 麥酒를 마시며 雜談을 하였다. 그는 上海서 雜貨商을 하는 사람으로 몇 十萬 圓의 資産을 갖었하며 廣東과 香港을 들러 『마니라』까지 가 볼 作定이라고 한다. 게집 이야기 술 이야기 도박 이야기 술氣運에 그는 한참이나 氣焰을 吐하며 女子 치고는 廣東 女子가 熱情的이고 滋味가 있다고 風을 친다.

「廣東 가시거든 美人 하나 얻어보시오」

하고 나중에는 권면까지 한다.

「어데 물 찬 제비같이 이뿐이만 있으면 한 번 손을 넣어보지오!」

하고 나도 웃었다. 다시 船室에 돌아오니 고요한 監房과 같다. 사람들은 모다 自己의 꿈을 안고 그 꿈을 따라 고요히 잠든 것이다. 그 中國 靑年도 自己 夫人 옆에 가서 그 夫人의 얼굴을 기쁜 듯이 바라보드니 그도 역시 그 옆에 잠들고 만다. 나도 누어서 자려고 했으나 都是 잠이 오지 않었다. 이리 뒤척 저리 뒤척 하며 눈을 감고 있으면 쿵쿵 하는 배의 機關 소리가 나의 神經을 어지럽게 하는 것이다. 아 나에게는 잠조차 오지 않는 것인가? 아름다운 꿈을 잃은 나는 꿈이라도 찾을 길이 없다.

꿈까지 잃은 마음 잠들랴 잠 못 드네
이 한밤 길고 길어 말벗조차 없으니
차라리 하늘 우에 선 별들이나 헤이리!

밤 깊고 꿈도 깊어 온 누리 잠이 든데
나 홀로 아니 자고 별 아레 슬피 우네
하느님 어데 계신고? 이 몸 구퍼줍소서

　다시 甲板으로 뛰어나가니 유난이도 빛나는 南十字星이 하늘의 眞珠처
럼 가루 걸려있다. 별、하늘、바다、그리고 나 — 아 神秘러운 帳幕 밑에 고
요한 密語場이어 저 별이 맘 있다면 분명히 나에게 무어라고 한마디 이야기
를 던저줄 것이다. 그러나 漆黑빛 하늘에 혼자 빛나는 크다란 黑曜石 — 아
그는 하늘의 處女가 가슴에 안은 하나의 아름다운 寶石인가?

검은 빛 하늘 우에 登場한 하늘 處女!
당신의 품은 寶石 한 個의 별이 되여
그 하늘 비칠 적마다 마음 그려합니다

바람 便 風船 되여 그 眞珠 내가 딸까?
눈으로 萬里長城 城을 쌓고 내가 갈까?
따려도 못 따는 마음 안타까워합니다

　南支那海의 고요한 밤을 저 南十字星이 외로히 지키고 있다. 배는 컴컴
한 밤이라도 내 갈 길을 내가 간다는 듯이 머치지 않고 다라난다.
　한참 동안이나 詩的 空想에 醉했든 나는 다시 廣東에 가서 나의 밥버리를
할 일을 생각하고 또 마음이 散亂하였다 먹어야 사는 動物 — 그나마 하루에
도 세끼式이나 먹어야 사는 사람 — 지나온 三十 半生에 이 먹기 위한 苦生
이 아닌가? 中國人도 되어보고 職場에도 나가보고 장사도 해보고 別別 질알

을 다 하였지만은 오늘까지 일운 것이 무엇인가? 돈 千 圓 하나 손에 없으니 앞길이 漠漠하다. 廣東서 또 열려야 할 生活의 戰線. 아 나는 차라리 한 마리 물새가 되어 아무 근심 없이 떠도는 바다의 生活이 부러운 것이다.

船室에 들어와 잠을 자고 눈을 뜨니 벌서 아츰 열 시 우리의 배는 福州를 들러 廈門에 到着하였다. 손님이 오르고 나리고 짐을 풀고 싫고 ― 人生의 複雜한 그림자 廈門은 배에서 바라보니 相當히 큰 港口이다. 約 한 시간 후에 배는 또 움직이기를 시작하였다. 오늘은 船室에 누어 이리 둥글 저리 둥글 하며 하루를 지내었다. 아 지리한 날이었다. 지난 날의 그림자를 눈물과 한숨의 캄파스 우에 다시 그리며 또는 아지 못할 未來를 푸른 빛 빩안 빛으로 珠板질 하여보며 이날은 보내었다. 밤에는 暫間 甲板에 나가서 또 南十字星의 빛난 그림자를 바라보았다. 아 한 번 따보고 싶은 별이다. 나의 半生中에 저 별 같은 빛나는 希望을 따려다 따지 못한 것이 얼마나 많은가? 꿈은 지나가고 밤은 흘러가서 싸늘한 이 肉體만이 이 배에 남은 것이다. 希望의 아름다운 별은 水平線 저 끝에 永永이 묻혀버렸는가? 未知의 꿈속에 깊이 묻힌 아름다운 眞珠의 별들을 내가 한번 캐보리라 ― 나는 이렇게 생각하여 보았다.

　　따려다 못 딴 眞珠 꿈속에 숨었는가?
　　꿈이라면 깨지 말고 깊은 밤 고요하라
　　빛나는 水平線 밑에 내 발자욱 印치리

그 한밤을 亦是 배에서 지내고 그 다음 다음 날 열두시 頃에야 香港에 到着하였다. 여기서 汽車를 타고 廣東으로 가는 것이다. (끝)

―『新人文學』, 第2卷 第6號, 1935년 8월

奉天印象記

金台俊

滿洲事變이 생기고 大滿洲帝國이 생기고 地球上에는 다시 한 帝國의 旗
ㅅ발을 휘날리게 되고 一衣帶水로 相隔한 滿鮮地圖의 빗갈이 變해지도록
자조 이러한 消息이 몹시도 强烈하게 나의 耳朶를 때려옴에 不具하고 한번
도 거긔에 가볼 機會가 없엇다

때는 乙亥의 여름 偶然히 나도 新興滿洲의 帝國 領內에 一步를 印하게 되
엿다 帝國 成立 後 벌서 近 三 年 나는 事變 前의 滿洲와 얼마나 달러젓는가
보고 싶엇다。

漢陽아 잘 잇거라 갓다 오리라
앞길이 즐펀하다 水陸 十萬里
宏壯하다 鴨綠江 鐵橋다리에
다달으니 奉天은 녯날 瀋陽城

붉은 해는 高粱에서 떠서 高粱으로 떨어지고 一望無絶한 千里萬里의 들
경치라든가 落日川邊에 도야지 소 羊 馬 각 몇 十 頭씩 半農牧期의 蠻人처

럼 물고 도라가는 靑衣人의 行色이라든가 흘으는 물과 山 모습이 모다 녯날
그대로 잇것만 七萬 方里나 되는 넓은 面積에도 어데인가 可憐하고 섭섭한
구석이 잇슴을 늣기게 되는 것이엿다.

清國 帝都로 張作霖의 都城 瀋陽으로 滿州帝國의 奉天市로 여러 번 名色
을 變改하여가는 奉天은 大淸時代 張作霖時代 滿州帝國時代의 諸 遺跡을
함께 包藏하고 잇다 어떻게 보면 大荒原의 中央에 잇는 半牧歌的 都市 같기
도 한 奉天의 特色의 하나가 馬車다. 滿州에는 馬가 많고 딸어서 馬賊도 많
고 馬車도 많은 것이다 그러기에 過去에 잇서 政治制度의 不備와 民衆 生活
의 困乏은 滿州 三千萬 人口를 모다 馬賊으로 變할 수도 잇는 것이다. 어데
馬賊의 씨가 따로히 存在한 것은 아니다.

갑싼 馬車를 타고 奉天 新舊市街를 一週하엿다. 純全히 日本 內地人만 거
주하는 新市街는 녯날에 比해서 훨신 活氣를 띠여 보이고 퍽 더 繁盛해 보인
다 간 곳마다 ○○軍人이 떼를 지여가지고 來征[01]하는 것이 눈에 띤다 무슨
洋行이니 무슨 公司니 하는 看板이 櫛比한 여러 洋屋에 부터잇다 하나 內容
은 藥장사(실은 阿片장사)가 가장 실속이 잇다한다 西塔 十間房에 사는 數千
戶의 韓僑도 藥장사가 아니면 色氏장사 그러치 않으면 日給勞働者라고 한다.

城內인 舊市街의 重要한 建物은 滿洲國의 御用으로 된 곧이 많고 녯날에
比하야 日本 內地人의 來往도 많다、높기로 有名한 吉順絲房은 平野의 中央
에 잇는 奉天의 樣子를 一眸에 발아볼 수가 잇는 것이다、

---

01 "征"은 "往"의 오식 - 편자 주.

푸른 壁 붉은 楹聯 人力車떼 몬지 많은 길 — 크로데스크 늣김과 文化都
市의 名譽를 毁損하는 点도 잇지만 약발으게 貧民救濟工事 하는 나라보담
어덴가 아즉도 풍성풍성하고 어수룩한 곧이 잇서 보이는 곧이 탐스럽다

司書 金九經 氏의 厚意로 舘藏珍籍을 ──々히 얻어 보앗다 여긔는 張作霖
의 殯室 여긔는 楊宇霆을 銃殺하든 室이라고 가라처줄 적에 자조 學良을 威
脅하든 宇霆의 幽靈이 엿보는 것 같엇다.

金九經 氏는 滿蒙文字硏究에 造詣가 깊은 뿐이다 柳僖의 諺文誌 柳得恭
의 灤陽錄등을 奉天에서 出版하야 薑園叢書 속에 느엇다 또 近日 三學士傳
을 刊行하고 申景濬의 訓氏正音韻解를 發刊하리라 한다

奉天에 잇서서 新舊市街의 對照는 바로 日本과 中國의 國際的 風物의 差
異라 하겟다 하나는 世界資本主義國家의 가장 進步된 樣式을 보이고 하나
는 몇 千 年 大國의 封建的 樣式을 보이고 잇다 하나는 世界的 進取的 攻擊
的이고 하나는 特殊的 保守的인 것이다

—『三千里』, 第七卷 第九號, 1935년 10월

天下의 絶勝 蘇杭州遊記

沈薰

杭州는 나의 第二의 故鄕이다. 未免弱冠의 가장 로맨틱하든 時節을 二個 星霜이나 西子湖와 錢塘江畔에서 逍遙하얏다. 벌서 十 年이 갓가운 넷날이엿만 그 明媚한 山川이 夢眛 間에도 잇치지 안코 어려서 情들엇든 그곳의 端麗한 風物이 달큼한 哀傷과 함께 지금도 머리속에 채를 잡고 잇다. 더구나 그때에 苦生을 가티하여 虛心坦懷로 交遊하든 嚴一波、廉溫東、劉禹相、鄭鎭國 等 諸友가 몹시 그립다. 流浪民의 身勢 浮蕣와 가튼지라 한번 東西로 흐터진 뒤에는 雁信조차 밧구지 못하니 綿綿한 情懷가 季節을 딸어 것잡을 길 업다.

巴人이 이 글을 請한 뜻은 六月號 誌에 淸凉劑로 이바지하고자 함이겟스나 中原의 詩人 中에도 李杜는 姑捨하고 杭州刺史로 歷任하얏든 蘇東坡、白樂天 가튼 분의 玉章佳汁을 引用하지 못하니 生色이 젹고 筆者의 菲才로는 古文을 涉獵한 바도 업스니 다만 追憶의 실마리를 붓잡고 學窓時代에 끄적여 두엇든 묵은 手帖의 먼지를 털어볼 뿐이다. 이러한 種類의 글은 詩調의 形式을 빌어 약념을 처야만 靑褓犬糞이나 되겟는데 斯道의 造詣조차 업슴을 새삼스러히 嗟嘆할 다름이다.

西湖月夜

中天의 달빗은 湖心으로 녹아 흐르고
鄕愁는 이슬 나리듯 온몸을 젹시네
어린 물새 선잠 깨여 얼골에 똥 누더라

牀前看[01]月光 疑是地上霜
擧頭望山[02]月 低頭思故鄕 (李白)

○

손바닥 부릇도록 뱃전을 뚜다리며
「東海물과 白頭山」 떼지어 불르다 말고
그도 나도 달빗에 눈물을 깨물엇네

「三十里周圍나 되는 넓은 湖水、한복판에 떠잇는 조그만 섬 中의 數間 茅屋이 湖心亭이다. 流配나 當한 듯이 그곳에 無聊히 逗留하시든 石吾 先生의 憔悴하신 얼골이 다시금 뵈옵는 듯 하다」

○

---

01 "看"은 "明"의 오식 - 편자 주

02 "山"은 "明"의 오식 - 편자 주

아버님께 종아리 맛고 배우든 赤壁賦를
雲羞萬里 예 와서 千字 읽 듯 외우단 말가.
羽化而 歸鄕하야 어버이 뵈옵과저.

樓外樓

술마시고 십허서 引壺觴而 自酌할가
젊은 가슴 타는 불을 꺼보려는 心事로다
醉하야 欄杆에 기대스니 어울리지 안터라.

「樓外樓는 酒肆의 일홈、大廳에 큰 體鏡을 裝置하야 水面을 反照하니 華
舫의 젊은 男女、한 双의 鴛鴦인 듯 때로 痛飮하야 氣絶한 친구도 잇섯다」

採蓮曲

一

裏湖로 一葉片舟 소리 업시 저어드니
蓮닙이 베ㅅ바닥을 간지리듯 어루만지네
품겨오는 香氣에 사르르 잠이 들 듯하구나.

二

코ㅅ노래 부르며 蓮根 캐는 저 姑娘
거더부친 팔뚝 보소 白魚가티 노니노나

蓮밥 한 톨 던젓더니 고개 갸웃 웃더라

「耶溪採蓮女 見客棹歌回
笑入荷花去 佯羞不出來」

三

누에(蠶)가 뽕닙 썰 듯 細雨聲 자자진 듯
蓮봉오리 푸시시 기지개 켜는 소릴세
연붉은 그 입술에 키쓰한들 엇더리。

南屛晚鍾

野馬를 채쭉하야 南屛山 치다르니
晚鍾소리 잔물결에 주름살이 남실남실
古塔우의 까마귀떼는 뉘 설음에 우느뇨。

白堤春曉

樂天이 싸흔 白堤 裟笠쓴 저 老翁아
吳越은 어제런 듯 그 樣子만 남엇고나
竹杖을 낙대 삼아 고기 낙고 늙더라

杭城의 밤

杭城의 밤저녁은 개 지저 깁퍼가네
緋緞 짯는 吳姬는 어느날 밤 새우려노
올올이 풀리는 근심 뉘라서 역거주리

「機中織錦秦川女 碧紗如煙隔窓語
停梭悵然憶遠人 獨宿空房淚如雨」

岳王廟

千年 묵은 松柏은 얼크러저 해를 덥고
萬古精忠 武穆魂은 길이길이 잠들엇네
秦檜란 놈 쇠手匣 찬 채 남의 침만 밧더라

錢塘의 黃昏

야튼 한 울의 아기별들 漁火와 입맛추고
林立한 돗대 우에 下弦달이 눈 흘기네
浦口에 도라드는 沙工의 베ㅅ노래 凄凉코나.

「西湖서 山등성이 하나만 넘으면 滾滾히 흐르는 錢塘江과 一望無際한 平
野가 눈압폐 깔린다. 中國三大江의 하나로 그 물이 淸澄하고 湖水로 더욱
有名하다」

牧童

水牛를 빗겨 타고 草笛 부는 저 牧童

屛風 속에 보든 그림 고대로 한 幅일세

竹筍 캐든 어린 누이 柴扉에 마중터라

七絃琴

밤 깁퍼 버레소리 숨속에 잠들 때면

겻방 老人 홀노 깨여 졸며졸며 거문고 타네

한 曲調 타다 멈추고 한숨 깁피 쉬더라

　　「江畔에 소슨 之江大學 寄宿舍에 白髮이 星星한 無依한 漢文 先生이 내 房을 隔하야 獨居하는데 明滅하는 燭불 밋테 밤마다 七絃琴을 뜻으며 寂滅의 志境을 自慰한다. 그는 나에게 號를 주어 白浪이라 하얏다」

　　附記 ― 西湖十景만 하야도 列記할 수 업고 錢塘江岸에도 江南紅의 「로 ― 맨쓰」며 六和塔、嚴自陵의 釣臺 等 名所가 만흐나 차례로 巡禮記를 쓰지 못함이 遺憾이다. 蘇州 風景은 次號로나 밀운다.

― 『三千里』, 第七卷 第九號, 1935년 10월

北國의 서울 哈爾濱

晦城

十月 八日! 희미한 灰色 장막에 싸힌 거리의 燈불이 수많은 生靈의 꿈을 직히고 있는 새벽이다. 魔都의 怪物 같은 巨體는 꿈틀거리면서 하품을 친다. 때 아닌 起床鐘소리는 四方에 울리웠다. 本館 앞마당에는 다섯 채의 自働車가 느러섯다 点名이 끗나자 行李는 行李대로 사람은 사람대로 자리를 차지하엿다. 『K! 여기 올너!!』 W 君은 나의 팔을 쥐여 당기며 부비고 드러 갓다 「八十九番」이란 일흠을 들엇으나 처음이엇다 그는 시내 『빠스』의 番號이엇으나 其實은 短髮美女의 別名이엿다. 고슬~ 지진 머리가 菊花송이같이 두 귀를 살며시 가리웠다. 선하품 아울너 『오라잇』 소리가 나온다 수많은 삶을 만나게 되여도 이런 團體를 태워보기는 처음일 것이다. 그의 갈갈이 흐터진 머리가 문선에 기대인 채 눈은 슬며시 감기엿다. 얼마나 괴로웟슬고! 每日같이 오르나리는 女學生들이 얼마나 부러웟슬까? 누구인지 이상스럽게 기침을 하엿다. 모든 視線이 한곳으로 모이자 한바탕 우숨판이 터젓다 벗을 대로 늘어진 新作路를 달리는 快感! 산地獄에서 떨처나는 마음이야 말로 날아가는 새에 지지 안을 것이다. 鐵橋를 지나 臨江門을 지낫다 蛇弓形의 松花江 기슬의 街路燈이 흐리락々 하 물속에 잠기엇다. 商店에서는 험상스러운 鐵板門을 여는 소리가 이곳저곳에서 들닌다. 얼마 안 되여 五白拾

餘 名의 발끝은 停車場廣場 아스팔트 우에 二列로 박히윗다 半 流線型의 빠
ー 스가 애교를 피우며 카ー브를 도랏다。馬車、人力車、自動車의 지ㅅ끌
는 소리와 짐車 화통의 덜그렁거리는 개다리소리가 뒤석기엿다。『오오리노
… 가다가 … 수ㄴ ー 데가라 … 오노리구다사이[01]!!』流唱한 日本말노 소리
가 昇降口 우에 소슨 라발 속에서 뛰여나왓다。哀憐스러운 아가씨의 목소리
엿다 엇던 親舊는 입속으로 웅얼대며 그의 日本말을 되푸리하엿다。汽車는
자리에 안끼가 밧부게 긴ー고동을 빼며 레ー루을 지첫다 납작~한 鐵道局
官舍가 뒤으로 붉은 벽돌집과 憲兵隊館舍가 뒤ㅅ거름질을 하고 다라낫다
휘넓은 벌판이 낫하낫다 거저들이는 아낙네 골목에 모여드는 牧童아해들이
손에다 무엇을 쥐ㄴ 채로 건너다본다 언으듯 東新京을 지낫슬 때에는 이슥
한 아침역이다。新築한 벽돌집과 늘쪽집이 총々 들이밖키인 걷에 비둘기들
이 汽笛소리에 놀나 하날로 흐터젓다。禮拜堂 鐘같이 뗑그렁 ~ 승거운 소리
를 흔들며 汽車는 新京驛에 멈첫다。地下道를 한 굽이 도라서 AB班이라고
써붙인 車 속에 뒤달녓다。곡꾼(工夫)들의 곡광이가 올나갓다가 일제히 떠
러진다 허리굽은 영감은 늘쌍 젊은 사람들이 떠러트린 다음에도 한참씩이
나 느저서 車속의 사람들을 웃키엿다!! 北滿의 曠野라드니! 나는 발을 멈추
고 四方을 바라보앗다 아마 이것이 形容詞가 無限인가 보다 生後 처음 넓은
平野를 보는 나 自身이 井中의 格이엇다。부비고 복닥~ 숨이 막힐 듯한 街
頭에서 지나는 사람의 기침소리에도 웃줄하던 神經이 갑자기 늦춘 연줄같
이 흐터질 대로 풀니엿다。一望無際의 늠々한 平原!! 그야말노 흐늘~한 乳
房같이 배곱픈 길손을 부르는 듯하엿다。넓은 大陸의 가슴! 그는 숨 쉬ㄹ 때

01　일본어 "お降りの方が済んでからお乗りください(내리시는 분들이 내린 다음에 오르십시오)" -
　　　편자 주.

마다 雜草의 옷자락이 들석~하엿다 저 탐스러운 땅에는 無盡의 寶物이 잇겟지? 사람들은 웨 이렇게 넓은 天地에서 살지 못하고 한곳에 몰니워 오글~하는가? 오! 물이 없으니까! 馬賊이 많으니깐 …。 나는 이렇게 自問自答하엿다 將來로는 이곳도 모자라게 移徙軍으로 몰릴껄? 아니 이 벌판이 가득이 집을 짓고 사람이 산다면 世上의 사람이 다 들어도 모자랄 것이겟지? 空想은 점점 아슴푸레하여가며 世上일이 모두 異常스러웟다 갑자기 시원한 바람이 휘ㄱ 지나간다. 地平線은 煙氣같이 흐리엿다 지나치는 停車場들은 누런 벽돌집이엿다 드문~ 쌓은 砲台와 露西亞글과 滿洲語로 쓴 看板이 보인다 우묵한 눈에 주먹 같은 코가 딜닌 乘警이 몇인지 올낫다. 그리 달니는 車이것만 넓은 平原은 간지러운 듯이 어물거리고 있다! 。

　해가 地平線 우으로 딍굴~ 굴고 있을 때이다 보던 雜誌를 거두는 親舊、옷을 갈아입는 親口 … 車안이 들석하엿다 나는 기지게를 하고 뭇사람들을 부비고 나갓다 오래간만에 듣는 電車의 카ㅡ브 도는 소리가 들니자 푸른 帽子를 쓴 露西亞 馬車夫、運轉手가 待合室 門이 터지도록 부비대엿다 伊藤博文의 銅像을 뒤로 늘어서자 点名이 끈낫다 세멘으로 매질한 듯이 언덕으로 골목으로 電車길이 뚤니엿다 검은 煙氣 속에 수많은 生靈의 웨치는 소리가 들엿다 춥다는 말만 듯고 입엇든 外套가 몹시도 괴롭게 구럿다 內服에 배인 땀이 들석거릴 때마다 선듯~하다. 다리 압흔 生覺을 하여서 늘 길 엽헤서라도 눕고 십엇다. 바로 中國人거리엿다 ××金店이니 百貨店이니 紅燈과 靑燈이 번득이엿다. □□□□ 드러서 不夜城을 쌓은 듯한 네온사인의 거리를 向方도 모르고 끌니워갓다 豊順樓이라고 層々이 드리운 看板! 弓形의 大門을 드러섯다 傳達宅의 거미줄 같은 電線줄과 灰壁에 色々으로 물들인 丹靑이 눈에 선듯하엿다 올나가는 다락마다 커다란 거울과 茶 심부림하는 머슴이 서잇다. 나는 K 君과 늘 하는 냥으로 한구석에서 기웃기웃하다가 살이 피둥~ 살찐 主人을 따라 三層 어느 구석방을 차지하엿다. 「이런 곳에 가두어두면 千年인들 알나구?」 나는 갑자기 무시~한 生覺이 낫다. 별다른 料理로 배를 채우고 돌아왓슬 때이다 두개의 寢台! 한개의 테 — 블! 그 구석에는 「빼이지카 — 」가 잇섯다. 모루히네[02]의 注射병이 드문~ 보엿다 女給인지 손님인지 알지 못할 앗씨들이 호들거리며 짓거리엿다. 이불도 업는 旅館! 무시~하고 음침한 十五號室에 새위같이 꼬부린 나그네는 돌같이 딴ㅅ한 寢台의 신세를 지게 되엿다.

十月 九日 날이 새여도 날이 새인 것을 몰으겟다. 흐리텁ㅅ한 都市의 아츰이다. 우리가 탄 自働車는 一列로 느러섯다. 언덕을 넘고 알지도 못할 얼의로 向하여 달니고 이다. 나는 프린트 한 地圖를 내여 孔子廟를 차저내엿다. 白楊나무닢이 한닢 두닢 떨어지는 언덕에서 멈첫다. 새로 移舍 온 듯한 오막사리집 뜰에는 힌옷 빨내와 이엉에는 빨간 고초가 널니웠다. 누른 기와 붉은 丹靑. 雄壯한 집의 안이나 밧갓이 모 — 두 음침하엿다 낮에도 鬼神이 날 만한 그 방에서 단 한 시간을 자라고 하면 겁에 질니여 죽을 것 갓다. 나는 오던 길에 오막사리집 마당에서 젊은 앗씨를 하나 만나기는 하엿쓰나 그들의 生活을 물을 時間이 업섯다. 極樂寺!! 까만 장삼 입은 중의 뒤를 니여 드러갓다 鐘閣과 食堂、會議室이 즐번히 널닌 中間을 끼고 가면 大雄寶殿이 있다. 法師의 紹介로 一同은 귀를 기울이고 그 沿革을 들엇다. 나는 문득 「나가시마」先生이 생각낫다다 法師의 얼골이 꼭 갓기 때문에 ……。張作相 代의 세웠던 建物이 只今은 排日 代身에 四十餘 名의 孤兒에게 佛經과 日語를 가르친다는 것이엇다 佛堂 안의 여러 부처님과 두 나라 임금의 환을 모시엿다 引率한 先生의 크다란 號令에 머리는 조용히 숙여젓다 極樂寺를 나설

---

02 "모르히네": 일본어 モルヒネ(모르핀) - 편자 주.

때에는 배가 출々하엿다 露西亞의 「로마노프」 皇帝의 寫眞을 爲始하여 各
色 花環과 代理石의 十字架로 다스린 墓地를 지나 哈爾濱學院으로 달엿다.
市外에 떨어져 白楊나무 그늘 속에 미연한 野球場이 보엿다 三 層의 붉은 벽
돌이 鬼神이 눈만 흘겨도 스러질 듯하엿다. 하얀 石刻의 正門을 들어가서
左便에 印刷室이 잇다

—『北鄕』, 第二號, 1936년 1월

滿洲走看記

全武吉

(1) 겨울의 國境 情調

今日은 一月 十一日 —

近來에 도모지 動해 다니지 안튼 내가 暫時 旅行의 身勢가 된 탓인지 그러치 안흐면 北國의 情趣를 한層 더 端的이며 아름답게 繡노하주려는 天恩이라 할지? 이때까지 나려보지 안튼 함박눈이 거의 威壓的인 形勢로 펄펄 나려 쏫고 또 바람에 휘동댕이친다. 暫時 동안에 煤滓와 塵芥로 더럽엇든 新義洲와 安東城땅도 純白한 銀世界로 變하엿다.

鴨綠江의 名物 鐵橋도 이제 와서는 老朽되고 지첫든지 아주 開閉 作用을 멈추고 말엇다. 다만 鐵橋를 지키는 步哨만이 依然히 서잇다 이 다리를 건는 것은 今番이 이미 五六 次에 及하지만 今番처럼 結氷된 鴨綠江을 지나본 것은 처음이다. 그러므로 새로운 興味로써 모든 것을 볼 수가 잇섯다.

오! 偉大한 自然의 힘이여! 가마케 넓은 江물, 그리고 그 만흔 伐木을 흘러내리는 氣運찬 물두 이제는 꼼작 못하고 한 덩어리로 붙은 氷塊에 不過하고나. 멀리 떠러진 땅을 接地시키는 道術이야말로 偉大한 造化物이 아니고는 不可能한 獨占力이다. 겨울의 國境은 鴨綠江의 存在를 認識하지 안는다.

그리고 國境의 百姓들은 密輸의 百姓 — 이런 先入觀念이 앞장서는 까닭인지 江을 건너가고 건너오는 사람의 떼와 物荷를 運搬하는 雪車와 人馬가 모다 密輸軍의 行裝만 같구려. 西伯里亞의 벌판을 것는 사람들처럼 가지가지의 生物防寒具로 몸을 감싼 이들이 아니 이제는 벌판을 걸어가는 行列은 興味와 詩興을 주고야 만다.

時計를 한 時間 뒷마루거름질 시켜서 滿洲의 標準時間을 마치는 것도 國境色의 하나지만은 무엇보다도 巡警과 憲兵이 森嚴한 武裝이 特히 눈에 띠운다. 칼 따위는 이제 와서 骨董品에 지나지 안는다는 듯이 銀裝刀만 한 것을 찻슬 뿐이고 依然히 피스톨과 彈子를 차고 잇다. 移動班 刑事、稅官吏 ……『官』字 붙은 親舊들이 한 떼의 黨이 되여 通行人에게 威壓感을 준다. 그들은 모다 眼下無人 格으로 粗暴한 言辭를 쓰는 特權과 自尊을 가젓다.

安東縣驛 構內의 物件販賣子는 全部가 滿洲人이다. 幸福을 등지고 天恩과 作別한 그들은 ×語를 배워야만 밥버리가 된다 하여 口舌이 生疎한 外國語를 苦生스럽게 배우는 무리 ― 그 怪常한 發音소리조차 어째 눈물겹게 들리는고? 無心한 그들은 한 窮人의 斷腸의 눈물을 알아주랴.

『골레 히도즈 지 ― 센데수』(コレ 一ツ 十錢テス[01])

이것은 내가 煙草 한 匣을 사자고 할 때에 滿洲人 賣子가 對答하는 말솜씨엿다.

煙草이야기가 낫으니 말이지 實로 中國같이 煙草의 質이 조코도 값이 싼 곳이 없을 것이지만 그 種類가 만키로도 世界에 冠이 될 줄 안다. 市場에 나서면 暫時 동안에 數拾 種의 煙草를 살 수가 잇스며 또 다른 地方에 가면 純全히 그 地方 近處의 新種을 또 만히 볼 수가 잇다. 내가 산 煙草는 名曰『마 ― 스』(軍神)니 偉嚴한 이름이다.

---

01 "コレ 一ツ 十錢テス": "이건 하나에 10 전입니다"라는 뜻의 일본어 - 편자 주.

右便으로는 王子製紙會社의 높다란 煙突에서 검은 煙氣 아니 찰하리 검은 구름을 吐하고 左便으로 멀리 보이는 郊外에는 原始 그대로 滿洲 土幕民들의 部落이 보이니 이 實로 文明 非 文明의 極端의 限界와 對照를 보여준다。非 文明人은 文明人의 ×이 된다고나 할까? 그러나 그들 滿洲의 土幕民과 雙頭馬車를 타고 다니는 무리들은 堯舜時節이나 只今이나 別다른 惠澤을 못 받어 보기로는 每樣 一般이다。그러므로 世上事는 斷念하고 지낸다。天下가 뒤집히건 자빠지건 我不關焉이란 듯이 『沒有法子』(發音 메유파 ― 즈。할 수 없다는 뜻) 하고 斷念이 빠르다。

나는 國境의 情調 ― 特히 겨울의 國境 風致를 스켓취하여 보앗으나 全혀 그림에 素養이 없는 者로서 잘 表現할 수가 없엇다。

車는 다시 北으로 北으로 向進을 始作하엿다。驛 附近의 騷然하는 雜音도 이제는 안 들린다。

(2) 感慨 깊은 奉天城

奉天 ― 나의 心臟은 웨 그런지 설넝거럿다。滿洲事變 以後에 面目을 고친 奉天은 여러 가지 面貌로 보아 特히 나에게는 感慨無量한 바가 잇다。

一九三一年 九月 十八日 밤에 이러나기 始作한 日中 軍의 衝突은 結局에 잇서 非單 奉天뿐 아니라 全滿洲에 뻐처 變化를 일으키게 됏고 全世界의 與論上 釜鼎의 물이 끌듯 술넝거리게 하엿다。

當時에 나는 某 社의 政治部 記者로 잇은 關係上 누구보다 이 事件의 突發을 알 수 잇섯고 또 그 事件이 擴大됨에 따라 晝夜兼務으로 號外를 혼자 마타서 發行하기를 무릇 數 個月 동안이나 하며 辛苦한 만큼 도무지 잊어질 수 없는 事變이엇다。

이제 그만큼 『뉴쓰』로써 因緣이 깊은 땅을 實際로 밟게 되매 感慨가 깊다는 것은 自然한 일이다.

當時 張學良 部下인 王以哲의 北大營軍 一萬 二千 名을 밤 十二時 傾으로부터 아침 五時까지의 동안에 처몰리어 占領 暴破하고 다시 東大營을 점심 十二時까지에 占領하엿으며 그 戰鬪에서 日本軍의 戰死者가 不過 二 名이엇다 하니 이 얼마나 수월한 싸움이엇든고?

나는 北大營의 戰跡 — 그 荒廢하고 悽慘한 光景을 보고 一種 쓸쓸한 느낌이 없지 안헛다. 七十萬 坪이나 된다는 廣大한 面積 우에 各種 兵課가 散在하야 武器 彈藥이 山積하엿섯다는 것이 傳하는 말이다. 그리고 只今은 圖書舘이 되어버린 張學良 邸를 드러설 때에도 亦是 어떤 懷가 없을 수 없엇다 威嚴이 東北 大地에 날리고 百官이 그의 膝下에 절하던 張學良으로도 時勢의 變遷 앞에는 啞然 無策할 수밖에 없엇드냐? 그의 豪華롭든 邸宅이 이제 와서 뭇사람의 土足에게 蹂躪되고 오고가는 行旅의 웃음거리가 될 줄을 어찌 알엇으랴?

나는 市中에서 以前 張學良의 通譯官이엇다는 本[02]靑年을 만나서 張作霖이 非命의 暴死를 當한 地占을 가르켜줄 때에 그의 父子의 運命을 無心히 理解할 수는 없었다. 그러나 이 問題에 對하여는 事情 上 忌避하기로 하고 話題를 돌리기로 하자. 그러타고 張學良의 邸宅이 어떠타 하는 둥 하고 常細히 點描할 餘暇도 없다.

×　　×

02　"本"은 "日本"의 오식 - 편자 주.

어제ㅅ밤에 그 몹슬 大風과 强雪도 씨슨 듯 멋고 今朝는 文字 그대로 快晴이다. 이러케 日氣가 急變하는 것도 大陸 氣象의 特色이다.

朝飯을 畢하고 나서 나는 自動車를 불러 타고 郊外에 잇는 喇嘛寺院을 求景 갓다. 名曰 法輪寺. 正門을 드러서자 暗褐色의 大塔 一座가 特히 異感을 주는데 그 塔의 形式은 獨特하여 瓢簞을 擴大해노흔 것 같다. 그것을 部分的으로 뜨더서 본다면 먼저 基塔이 잇고 그 우에 塔身이 잇고 맨 우에는 前言한 瓢簞形의 相輪이란 것이 잇어 三部로 되어잇다.

그리고 中門을 지나서면 『金鏡周圓』이라고 大書한 殿閣이잇는데 一金 壹圓을 주고 나니까 비로소 開門을 하여준다. 이 殿閣 안에는 너무도 怪常한 彫刻이 잇으니 卽 喇嘛敎의 極致요 그 崇拜의 對象인 涅槃靜寂相의 表現이라고 하는 所謂 『天地度化』像이잇으니 그것은 男女의 ×交하는 것을 그대로 彫刻한 것이다. 靑銅色 男像과 黃金色 女像이 抱擁 歡喜하는 相은 實로 『그로테스크』의 으뜸일 것이다.

이러케 生殖器崇拜의 風俗은 未開한 時代에 어느 國家 民族에게도 잇을 것이니 朝鮮에서도 그 例에서 버서나지 안는 듯하여 海州에는 碑石 一 座의 全面에 女子의 生殖器를 擴大 彫刻한 것이 잇으며 『東方大王 南方大王』이라는 天下第一位를 주어 彫刻한 것을 보아도 尋常치 안흔 일이다. 그런데 現代에까지 이러한 未開時代의 遺物을 그대로 崇拜하고 잇는 喇嘛敎의 內容이란 것은 말하지 안허도 너머나 幼稚한 것이다. 이 幼稚한 宗敎도 過去의 勢力만은 政治的 利用 밑에서 巨大한 發展을 보아 結局 國民을 內面的으로 썩이고 外部的으로 亡처먹는 大原因이되엇으니 어찌 啞然하지 안흘 수가 잇으랴.

(3) 古色蒼然한 北陵

曾往에 내가 奉天을 지날 때마다 北陵을 보고 싶은 衝動은 여러 번 받엇지만 每樣 旅勞에 지처서 이루지 못햇더니 今番의 旅行은 純 浪人式 餘裕가 잇으므로 가보기로 햇다.

別有天地 — 于先 煤煙과 黃塵 속에 잇든 나로는 그 鬱蒼하고 靑靑한 老松林을 볼 때 歡呼를 안겨주엇다. 北陵은 滿淸 第二世 王 太宗皇帝의 陵墓로서 正名은 隆業山昭陵이라 하나니 太祖의 陵墓인 東陵과 區分하기 쉽게 부르기 爲하야 北陵이라 한다.

이 陵閣 둘은 規模의 크기와 裝飾의 豪華로움에 大殿式이거니와 全部의 陵閣은 黃磁器瓦로 되엇다는 것만 보아도 그 全般을 미루어 알 수가 잇다.

磚石道를 밟아 前山門에 이르면 그 高雅한 丹青과 龍刻과 赤壁에 恍惚하게 된다. 老松林의 어느 구석에선가 새의 우짓는 소리가 구슬프게 들린다.

이 靜寂한 境地를 破寂하는 것은 오직 눈길을 밟는 나의 足音뿐이다.

磚石道의 左右에는 石像들이 護衛하고 잇으니 代里石 龍像인『望君出』을 비롯하야 獅子、豹、石馬、駱駝、石象 等이 大彫刻品이 雙列를 羅列되여잇다. 그리고 조금 나가서 太宗의 功德碑가 잇고 그 碑閣을 지나면 側面에 配殿을 두고 正面에 隆恩殿이 잇으니 太宗 文皇帝와 孝端 文皇後의 神位를 奉安시킨 곳이라 한다. 殿에 올라가는 石壇은 全部가 大理石이고 全部가 龍雲의 彫刻이니 皇位의 尊嚴에는 각금 이러한 物質的 豪華가 附隨的 要素가 되는가 부다.

各 門 各 碑石마다 漢族의 文字와 滿洲人의 固有文字와 蒙古人의 파리 밸 같이 꼬불거린 三國 文字로 쓴 것을 보면 그들이 滿蒙을 攻畧하여 한입에 너허보려는 野心의 一端을 窺示하기에 足하다.

마침 이날은 日本軍 四五 十 名 이 北陵에 參觀을 와서 將校로부터 日露

戰爭 時에 露軍의 戰據地인 北陵을 占領하고 退路를 끊은 이야기를 하고 잇 엇다. 歲月아 네나 알는지? 人間事란 어이도 그리 變化가 만은고? 萬相은 停滯 없이 흘르고 잇다.

×　　×

回路에 奉天에서 有名한 民間慈善機關인『同善堂』을 訪問햇다 事務室에 드러서 姓名錄에 싸인을 하고 나서 若干 金을 寄附하고 나서 案內를 請햇더 니 歡待한다.

이 同善堂은 日淸戰爭 時의 勇將이든 左寶貴 氏가 設立한 救濟機關이다. 東便으로 壁을 뚤코 物置臺를 만드러노흔 것이 잇으니 이것은 나어서 남 부끄러운 性質의 私生兒나 生活難으로 養育할 수 없는 嬰兒를 버리고 가는 구멍이다. 그 구멍『物置臺』에 노흐면 電氣裝置로써(嬰兒의 重力으로) 事 務室에서 알게 되엇으니 부끄러운 낯을 내 밀지 안코 棄兒와 受兒가 可能하 게 되엇다. 이러케 버리고 간 不幸한 嬰兒는 乳母를 救[03]해서 養育하고 漸次 成長하면 堂內 幼稚園에 너코 堂內의 小學校에서 工夫시키고 成人이 되면 男女 孤兒 間이거나 그外 適當한 配偶者를 求해 結婚까지 시켜준다. 그뿐 아니라 失業者 救濟部가 잇어 失業軍을 모아 適當한 일을 시키며 不具者에 게도 그에 相應한 일을 시키고 養老部가 잇어 老廢人을 收容하되 燐寸匣 等 小手工을 시키고 잇으며 一便에 病院이 잇어 發病者의 治療에 當하고 잇으 나 寡聞한 筆者로서는 아직 東洋 안에 이러케 훌륭한 慈善機關이 잇다는 것 을 처음 보앗다. 더욱이나 中國人의 吝한 特質 속에 寶玉이 잇음은 크다란

---

03 "救"는 "求"의 오식 - 편자 주.

名譽다.

그러케 無限히 드러오는 嬰兒와 失業者와 廢老人을 어떠케 모다 收容하고 먹여 살리느냐?

이제 와서 同善堂의 存在는 內外의 視線을 모은바 되여 來訪客이 連接하고 그들은 모다 最小限 몇 圓으로부터 몇 百圓 몇 千圓의 同情金을 던지고 가며 또 그 自體 內의 小工業으로써도 相當한 收入이 생긴다 한다.

비록 이 事業이 大局的으로 보아 微微한 듯하지만은 여러 가지 느껴지는 바와 興味 잇는 點이 만헛다.

(4) 恐怖病의 夜行車

奉天에서 新京行의 特急『하도』(ハト[04])號를 탄 것은 午後 三時 半이엇다. 이 『하도號』는 마치 戰場에 나가는 鐵甲車 모양으로 特別히 全金屬으로 製作햇고 流線型 機關車를 二 輛이나 달엇으며 日、滿、露人 混成警備隊가 每 車輛마다 配置되는 等 一段의 活氣와 緊張味를 添加하여 實로 森嚴한 바가 잇다. 이 恐怖病은 언제나 解消될는지? 巨軀好漢으로 생긴 露西亞 衛兵들이 목숨과 빵을 交換條件으로 하야 우둑허니 앉어 黃眼을 데룩데룩 굴리고 잇는것도 一種의 異風이며 哀然한 感을 주엇다. "All mighty money"란 말은 벌서 世界人의 情諸를 떠나 實生活 그것으로 化하여버렷다. 汽車가 얼마 가지 안허서 前言한 張學良의 通譯官이든 日本人으로부터

『저곳이 張作霖이 最後를 마친 地點이요.』

---

04 "ハト": "비둘기"의 일본어 - 편자 주.

하는 말을 듯고 나니 自然 그가 살든 邸宅을 求景 갓든 生覺이 다시 솟아
난다. 그 邸宅 門에 自筆로 쓴 額字 『愼行』 『天理人心』 이러케 暫時나마 聖
人的 達觀에 還元하여 하든 人間 張作霖의 一面과 그 一代의 野欲 生活을
가만히 比較하고 實로 悶然한 感이 없지 안헛다.

汽車는 나의 複雜한 想念을 지고 高速度의 줄다름질을 한다. 벌써 西便
쪽 地平線 아래로 붉은 해가 沒入해버렷다. 朝鮮과 같이 山이 없고 無限 廣
野인 滿洲의 落照는 大端히 急템포로 어둠을 督促한다. 그것은 山 그늘의
점으름이란 한 過程을 넘고 急作히 떠러져버리는 까닭이다. 그것은 마치 卒
地에 停電이 되는 것만 못하지 안타.

食堂車로 請客하는 露西亞 處女의 아름다운 姿態가 全 車內의 視線을 한
데 묶엇다. 麗人이란 언제나 驚異로운 存在다. 食堂에 가지 안흘 사람들도
幸여 그 女子의 웃음을 볼까하여 메뉴를 請한다.

『男子란 실없는 것 ……』 하는 듯이 輕蔑하는 웃음을 그 女子는 던지고
가건만 …… 。

車內에는 日本系인 露西亞人 刑事가 잇어 각금 露西亞人 旅客을 檢案하고
審問한다. 露西亞人 旅行者는 반드시 패스포트(旅行券)을 가지고 다니는 모
양이다. 國際 時局이 緊迫해가는 時節인 만큼 『스파이』를 警戒하는 것이다.

車窓에는 火光이 밖으로 새지 안케 하기 爲하야 一齊히 『커ㅡ덴』을 느리
엇다. 쿵쿵거리는 騷音 外에 眼界는 막혀 어데를 닷고 잇는지 도모지 모를
數다.

내가 新京에 다엇을 때 驛에는 徐、申 兩 兄이 나와서 맞어주엇다. 『千里
他鄕逢古人』이란 옛말대로 오래간만에 異域에서 맛난 두 親舊가 얼마나 반
가웟는지. 나는 그들이 주는 晩饌을 가치하면서 옛이야기로 즐기며 旅愁를
폇다.

『그래 苦生 만히 햇지?』

『뭘 사내가 多少 苦生된다기로 그것쯤이야 ……』

『참 자네들 돈을 만히 모앗다는구먼?』

『웬걸。그러나 앞으로 살어갈 根據는 선 모양일세。』

나는 두 분의 꿋꿋한 意志에 敬意를 表하엿다。特히 彼此가 新聞記者의 生活을 하든 옛일을 生覺하면서 親舊의 情을 실꾸리 풀 듯하엿다。앞으로 視察 或은 投資를 爲하야 新京에 오는 朝鮮人의 조흔 指導者의 役割을 맡을 것으로 믿는다。

거리의 『네온싸인』은 大概 京城에서 보든 바와 같이 日本 藥品 日本 商店 또 商品의 廣告다。

똑똑한 人間도 한참동안 매미를 돌리다가 노아주면서 이곳이 어데냐? 하고 質問한다면 『日本이다!』하고 對答하기 쉬울 만큼 모든 것이 日本化햇다。街頭의 大建物이 모다 日本人의 것이고 店員 車夫 할 것 없이 日語를 使用해야만 할 줄 아는 터이니 누가 敢히 滿洲벌판의 한 個 都市라고 하겟느냐? 그럼으로 政治가 亡하면 文化가 亡하고 政治가 興하면 文化도 自然 興盛하는 것이다。亡한 民族은 自己 生存의 必要 手段으로 興하는 民族의 言語 風俗 文化를 시키지 안허도 제 스사로 吸收하고 追從하는 것이다。滿洲人은 퍽 謙良한 사람들이다。실허도 『好了[05]』、조하도 『好了』、이 『好了』 소리는 只今 그들이 가진 가장 무디고 同時에 가장 怜悧한 武器다。그들의 無氣力은 얼골에서 줄줄 흘르고 잇다。

『滿洲國이 되니까 前보다 살기가 어떳소?』

『好了。好了。』

---

05 "好了": "좋아"의 중국어 - 편자 주.

내가 몇 사람에게 물어본즉 그 對答은 千篇一律이엇다.

(5) 膨脹하는 新京 相

아침에도 徐、申 兩 兄이 찾어왔다. 우리는 露西亞人 經營인 飯店에 가
서 朝飯을 먹은 뒤에 市內를 한 바퀴 드라이브햇다. 新興하는 都市 同時에
建設 中인 都市는 前身인 長春時代보다 倍나 되게 자랏으며 廣面積의 高層
建物이 櫛比하고 道路의 整備 새로운 街路燈의 行列、人口動態의 敏活 等
이 쉬웁게 눈에 띠운다. 關東軍 司令部를 비롯하야 滿洲國 各 官衙며 中央
銀行 …… 쓰러기나 내버리고 菜田으로 쓰든 荒野를 덮고 森立摩天하는 大
建物들은 實로 그 外樣부터가 宏壯히 威壓的으로 보인다. 市內의 警戒도 森
嚴하여 要處에 武裝한 軍警이 잇음은 勿論이요 交通 整理의 巡察과 滿鐵 社
員까지도(特히 除隊兵을 採用한 鐵路社員) 武裝하고 잇다. 이 舊城의 都市
는 不過 五 里밖에 안 되는 南領의 激戰과 寬城子戰 當時에도 中國軍이 一
手도 接近해 보지 못한 것이다. 이 新京은 滿洲의 政治的 中心地로만 重要
性을 가진 것이 아니라 産業經濟 上으로 더욱 重要할 것이니 滿鐵線을 비롯
하야 蘇聯에서 買收하는 主要 鐵道며 吉會線을 거쳐 吉長線의 一聯이며가
모다 新京에서 모이고 헤여지니 商業都市로서의 新京은 앞으로 더욱 括目
할 거리가 생길 것이며 他面 軍事 上 重要性은 어데보다도 第一要處라 아니
할 수 없으니 將來 軍工業의 發展도 可期할 바가 잇다. 옛날 蒙古人의 牧畜
地에 不過하든 곳이 今日의 繁昌을 보게 될 줄을 누가 豫期하엿으랴?

滿洲人 舊市街에서는 所謂 『깡깽이』소리만 나고 悲鳴을 울리는 듯한 귀
압흔 노래가 終日토록 멎지 안흐니 그를 國民性이 『漫漫的』하고 悠悠함을
謂하는 듯하다. 날이나 치울 때면 一夜之間에 阿片쟁이의 凍死한 屍體를 路

上에서 點點히 본다 하니 人道의 大國으로 보아 悶然한 일이다.

新京이란 곳은 表面으로만 볼 곳이지 裏面으로 深底가 없는 곳이며 平面的으로 一致한 곳이지 立體的으로 그 歷史가 짧고 現在의 衝動으로 動할 곳이지 未來를 占치기 어려운 곳이니 一種의 運命兒의 感이 잇다. 極東의 暴風이 어데서 불기 始作하여 어데서 終末을 지을는지? 過히 아득한 問題는 아닐 것 같다.

新京에 잇으면 남에게 괴롬까마리만 되고 身勢스럽겟기에 곳 哈爾賓으로 向하엿다. 그러나 徐 兄도 哈市[06]에 볼일이 생겨서 同道하게 된 것은 무엇보다도 愉快한 일이엇다. 나는 또다시 武裝한 列車를 타고 캄캄한 밤ㅅ中을 살 닷 듯하기 始作하엿다. 二重으로 된 車窓은 全部가 어름덩이같이 두텁게 얼어서 停車場에 불빛도 微光을 보낼 뿐이다.

困惑한 탓으로 苦力(쿠리)의 荷物 우에 앉어 끄덕끄덕 조을고 잇는 露西亞衛兵의 꼴이 一便 불상도 하고 一便 웃읍기도 하엿다. 停車할 때마다 露兵은 놀라 깨여 車外를 望見하고 나서 빨가케 어른 볼다구를 摩擦하면서 드러온다.

『여게 자리가 비엿서요?』

『네. 어서 앉으십쇼.』

어여쁜 中國 女子의 웃는 말보다도 徐의 나중 對答이 앞서 끝낫다. 아까 『쿠리』가 자리를 무를 때에는 冷談하게 없다고 핑계하든 徐 君이 무슨 배ㅅ장으로 急作히 『웰컴』하는고 햇더니 그는 능난한 中語로 그 女子와 말동무를 삼는다. 알고보니 도라먹은 『땐서 ─』라는 바람에 徐 君도 破興이 되여 벙벙히 앉어서 『젠틀멘』 修業을 다시 繼續한다.

---

06 "哈市": "哈爾賓市"의 준말 - 편자 주.

車가 哈爾賓에 다엇을 때는 밤이 퍽 깊엇다. 마치 洋行이나 온 사람처럼 無數한 코 큰 親舊들의 떼를 보는 것이 興味 잇고 好奇心을 刺戟해주엇다. 自動車 運轉手 馬車夫 勞働者 …… 白色人種이면 하이카라 하고 살 수 잇는 高級人種 같은 先入見이 잇엇든지 어째 가방을 들리고 自動車를 運轉시키기가 未安스럽게 느껴젓다.

『도찌라마데데스까?(어데까지 가시오?)』

이곳 露西亞人도 亦是 日語를 제법 잘 한다. 갈사록 政治의 힘이란 偉大한 것을 알 수가 잇다. 나의 머리속에는 바로 이 驛頭에서 생겻든 伊藤博文을 ×害한 安重根事件이 떠올라 感慨無量하엿다.

(6) 亂舞의 國際都市

哈爾賓은 『코스모포리탄』의 都城 — 그리고 그 特性은 無道德 無節制 虛榮 欺瞞 遊興 賣笑 等이다. 이들 中의 어느 한 個에 該當한 일이거나 하지 못 한 날은 一夜가 千 夜같이 길고 몸이 찌부두해서 病色이 돈다. 어서 밤만 되여라! 이러케 白色을 실허하고 忌避하는 무리는 暗黑과 밤을 苦待한다. 이날은 마치 露西亞의 舊曆으로 除夜엿엇다. 밤 十二時가 되자 正敎堂에서 듯기에도 聖스러운 除夜의 鍾을 친다.

뗑 뗑 뗑 뗑 …… 얼어붙을 듯이 冷凍하고 무거운 空氣를 뚤코 慇慇히 들려온다.

그러나 『판타이쟈』나 『카스페크』나 其外에 無數한 『캬바레』나 『땐싱홀』에서는 이 貴重한 鍾소리를 逆用하여 一齊히 붉은 술ㅅ잔 푸른 술ㅅ잔을 높이 처들며 歡呼한다. 짜쓰는 아주 미친것처럼 亂調子로 들어간다.

男『자 — 나와 춤추자……』

女『하라슈어!(좃소)』

스텝이 거듭할스록 서로 껴안은 男女의 술[07]소리는 헐덕인다. 그 興奮 속에서 저 하고 싶은 소리를 속삭이고 그 속삭임에서 萬事 O·K로 豫約이 된다.

女『야 류불류 바 — 스』(저는 당신을 사랑해요)

『스빠시버。(고맙소) 쪽 … 쪽 …』

男子의 포케트 속에서 돈가방이 자조 나든다。洋酒 한 瓶에 十 圓、果實 한 접시에 八 圓也、커피 한 잔에 四 圓也 … 돈 아까운 줄은 알면서도 女子의 비위는 그래야 마친다고 이마에 땀을 흘리면서도 겉으로는 『다 하라슈어。』(네 좃소)

『톨스토이』를 나은 民族답지 안케 그들의 淫亂은 目不忍見이다。

裸體땐스 — 刺戟을 求하는 무리는 女子의 裸體딴스를 期於히 보아야만 잠을 잘 수 잇다고 大發奮이다。으슥한 燈불 밑을 찾어들어간다。

『한 번 보는데 十五 圓』

『자 그럼 十 圓』

『응 — 그럼 五 圓。그 以下는 안되우』

露西亞 中老婆인 『나까이』는 등살이 달어서 저 혼자 값을 나리며 어째든

---

07 "술"은 "숨"의 오식 - 편자 주.

지 미천 안 드는 橫財를 하려고 부처잡고 느러진다. 서투른 日語로 哀然한 목소리를 낸다.

『그럼 麥酒라도 한 甁 사우』

나이 어리고 이쁜 女子들이 來客의 얼골을 처다보면서 處分만 기다리는 그 光景은 눈물겨운바가 잇다. 이 魔都는 앞으로 더욱 醜業이 發展될밖에 없다.

昨年 三月 二十三日 北鐵이 蘇聯의 손을 떠나게 되자 北鐵을 中心으로 뜯어먹고 살든 官吏의 總退却이 잇엇고 또 그 結果는 露人 相對로 하든 商業이 急轉直下로 沒落하는 悲境에 이르럿으니 實로 哈市 經濟界에는 北鐵讓渡라는 것이 爆彈的 變動을 주엇다고 할 수 잇다. 그 轉落의 反面에는 新地盤이 日滿界를 中心으로 新興하게 되엇고 露西亞人은 그들의 庸人處地가 될밖에 없이 되엿다. 窮貧은 그의 딸 그의 妻를 내세워서 賣笑까지 시키게 되엇다

오늘밤은 가랑눈이 나리고 北風이 불며 말 못하게 칩다. 칩다는 것보다 쏜다고 하거나 그보다는 아프다고 함이 適當한 形容詞에 가까울 것 같다.

나와 徐 君은 走馬看山 格으로 大體의 求景을 마치고 旅舘으로 向하엿다.

露西亞 正敎堂의 建築이 갓금 보인다.『꼬딕』式으로 된 建物과 獨特한 形式으로 된 圓屋蓋가 興味를 끈다.

마침 우리 곁으로 肥滿한 中老婆가 지나간다. 特히 臀部가 非常히 發達되엇다.

徐『여보게 저 女子의 궁덩이를 보게. 어쩌면 꼭 正敎堂 집웅꼭대기같이 생겻네 그려 허허 …』

우리는 彼此 웃음을 터첫다. 大體로 露西亞 女子는 肉體의 發達이 놀랄만큼 조타.

오늘은 零下 三十 度. 來日 아침이면 阿片쟁이의 死體를 거리바닥에서 만히 볼 것이다. 이 酷寒으로 因하야 去勢된 細音인지 奉天、新京 等地에서 볼 수 잇는 乞人의 떼가 잘 보이지 안는다.

花崗岩으로만 깔아노흔 大路의 全幅은 얼고 또 얼어서 각금은 滑足을 시킨다. 馬車를 끌든 말이 각금 너머저서 씨근대는 것도 불상한 光景의 하나다.

(7) 松花江上의 雪車

北國의 暖爐裝置로는『뻬치카』가 가장 理想的이다. 房壁 속에 불을 피워 室內를 데운다. 房壁은 朝鮮의 溫突 같아서 그 곁을 떠나기가 아쉬울 만큼 執着시킨다.

『房 안에 잇자고야 哈爾賓까지 왓겟나? 松花江 설매라도 타러 가지。』

우리는 徐 君의 提案 대로 아쉬운『뻬치카』를 노코 旅舍를 나섯다. 街頭에 다니는 사람들은 모다 毛物帽子、毛物外套、『까뎅키키』(毛製長靴)로 몸을 꾸리고 가리웟다. 털목도리가 다치 못하는 部分은 ― 鼻頭와 全額은 너머도 아파서 눈물이 난다. 붉은 凍傷의 痕迹이 確實이 보인다.

松花江은 哈爾賓의 財寶. 露西亞가 日本에 對한 三國干涉의 對償으로 中東鐵道를 敷設하고 滿洲에 向해 進出을 할 때에 哈爾賓을 策元地로 삼은 것도 이 松花江이 잇기 때문이엇다. 四十 年 前後란 短時日에 哈爾賓이 近代

都市로서의 面目을 完全히 가추게 된 것도 이 松禾[08]江의 德澤이 折半은 될 것이다.

冬節의 松花江은 一個의 大氷塊. 이 江을 航行하든 汽船과 軍艦 等은 氷塊 우에 얼어붙은 파리만도 못하다. 解氷期까지 박아노흔 자리에서 直立不動할 것이다. 이들 船舶이 얼어붙은 것을 보면 露西亞가 南으로 不凍港을 얻으려고 애쓰는 苦哀를 理解할 수가 잇을 것이다. 船夫들은 氷塊의 澎張力으로 因하여 船舶이 破損될 것을 念慮하여 그 周圍의 어름을 쪼아내기에 餘念이 없다.

물은 물대로 利用하고 어름은 어름대로 利用할 줄 아는 것이 人間 才能의 妙味라 하겟다. 氷化할 松花江에는 橇車가 亂飛하고 잇다. 物荷의 運搬이며 警備隊의 活動과 通行人 等은 全部가 橇車로써 한다.

이곳의 雪車는 亦是 洋化해서 椅子式으로 만드럿다. 後部에서 槍으로 찌르면 雪車는 곳 줄다름을 친다. 江 이便에서 저便까지 往復에 二十 錢也. 二十 錢만 내면 그 시원한 드라이브를 할 수가 잇다. 氷上의 탁시[09]라고 하면 그럴듯한 말이라 하겟다.

너머도 발을 자르는 것같이 쏘아오므로 未久에 도라왓다. 그리고 露西亞 飯店에 가서 點心을 먹엇다. 出入口는 全部가 二重이고 毛布로써 出入門을 가리운 것이 北國의 異彩다.

露西亞飯店에 드러가려면 料理代보다도 몬저 『팁』을 듬벅 準備해가지고 가야만 한다. 外套와 帽子를 벗어 맡기면 뽀이의 팁이 數十 錢 나가고 女給의 팁이 數十 錢 나가고 …… 이런 式으로 팁은 飮食代보다도 더 重要한 支

---

08 "禾"는 "花"의 오식 - 편자 주.

09 "탁시": 택시 - 편자 주.

出이 된다。

多數한 女給들이 單겹인 비단옷을 입고 臀部를 律動시키며 音樂的 拍子같이 正確한 발거름 소리를 내는 것이 벌서 그 自體가 훌륭한 땐스라 하겟다。房外의 寒氣는 零下 三十 度가 되지만은 房內는 외겹옷도 춥지 안케 하고 生活하나니 自然 그들의 戀愛技巧가 各種으로 늘고 戀愛術語가 發達되고 舞踊과 音樂이 神奇性을 가지게 될 運命에 잇다。그것이 업시는 冰雪에게 封閉된 긴 — 겨울과 긴 — 밤을 지낼 수가 업다。그들의 擧皆가 名땐서 — 요 그들이 皆是 歌手인 것도 이 運命的인 生活이 만든 것이라 하겟다。

午餐 後에 다시 거리에서 그림葉書를 사면서 旅舍로 돌아왓다。東鐵 接收 後에는 그 흔하든 春畵가 街頭에서 一掃된 것은 浪人群에게 섭섭한 感을 주는 듯하다。原來 哈爾賓은 文化를 보려고 오는 者가 업고(文化는 볼 것이 업지만) 擧皆 裸體땐스니 男女의 實演이니 그 活動寫眞이니 캬바레 — 니 하는 따위와 워드카 — 酒를 마시면서 陶然히 求景할 곳으로 一般認識이 確定되어잇는 판이다。그러므로 그들 浪人群은 當局의 取締로 그런 것들이 湮滅되어가는 것을 섭섭히 생각한다。

×　×

이것으로서 旅行記를 마치려 한다。끝으로 徐、申 兩 兄의 好意를 感謝하고 健康을 祝한다。(終)

(一、十七 日記)

—『東亞日報』, 1936년 1월 24일 ~ 31일, 7회 연재

滄茫한 北滿洲

두 번재 보는 滿洲

내가 京城을 떠나서 滿洲 旅行 나선지가 벌서 두 달이 넘엇다. 그동안 나는 一 個月 間을 間島에서 消費햇고 남어지 一 個月은 新京에서 지냇고 이제는 다시 間島에 들니엇다. 내가 京城을 떠나던 그때의 생각으론 이제 十三 年만에 다시 滿洲 땅을 밟는 나로서 感懷도 잇고 또는 親舊들의 부탁도 잇고 해서 紀行文式일 망정 가는 곳마다 보는 대로 듯는 대로 紹介해볼까 햇으나 滿洲에 발을 드려놓고 보니 그렇게 단순하게 내가 보았다고 해서 그대로 紹介할 수 잇는 것이 아니요 내가 드럿다고 해서 그대로 옴기게 되는 것이 아니엇다.

그러나 三千里社의 巴人 兄의 督促이 星火 같으니 뼈 없는 글이요 김빠진 소래일망정 간단하게 路程의 難關을 적어서 責任의 免除處分을 밧을가 한다

지금부터 四 年 前에 나는 우연한 機會에 龍井을 走馬看山 格으로 보고 간 일이 잇고 이제 滿洲 全幅을 보게 된 것은 이것이 十三 年만에 다시 밟게 된 것이다. 지금부터 十三 年 前、그때는 滿洲에는 張作霖이 버티고 앉어서 事實 上에 잇서 王座的 地位에 잇엇고 國民黨은 廣東 廣西 一隅에 蟄伏되어서 聯露容共政策을 採用하는 것으로서 거기에다가 한 個의 希望의 줄을 걸

고 웃기도 하고 울기도 하던 때이다. 그때의 나는 二十代의 熱情에 타는 청
년으로 風雨辛苦를 不顧하고 滿洲에서 西伯利亞에서 南中國에서 漠然한 希
望을 품고 東馳西奔 해보앗다. 사람은 希望에서 사든 때가 가장 幸福스러운
時間이다. 입을 것을 못 입고 먹을 것을 못 먹으면서도 全身이 타는 불덩어
리가 되여서 活躍할 때에 나같이 弱骨이건만 滿 三 年 間을 感氣 한번 알은
일이 없엇다. 그만큼 그때의 나는 緊張하엿고 希望에 차섯다. 그 後 歲月은
흘러서 十有三 年이건만 나는 언제나 滿洲가 그리웟다. 거기에는 나의 타고
난 放浪性이 幾分의 作用을 하고 잇슬지나 그보다도 希望 없는 나의 生活은
나로 하여금 緊張시키지 못했고 精力을 發揮시켜주지 못했던 까닭이다.

그러나 그때의 滿洲는 永遠히 자취를 감추고 滿洲國이 誕生햇다. 그리하
야 新興國家로서의 新興氣分이 漲溢하고 잇다. 포스마스條約에 依하야 한
거름 退却했던 露西亞는 이제는 滿洲에서 完全히 退却을 當하고 말았고 北
中의 風雲은 東亞에 一大 變化를 招致하려고 한다 日露戰爭의 結果가 이제
야 證據를 보이는 것이라 하면 三十 年이 지나서야 結果가 보인단 말이냐 하
고 支離한 생각도 들거나 事實은 日露戰爭의 結果가 이제야 비로소 顯現된
것이 오날의 東亞의 政局인 것임이 分明한 일이다 아 ― 歲月은 흘렀다. 天
下는 變했다.

間島의 印象

間島는 언제 보던지 殺風景이다. 丘陵地帶에 草木조차 枯渴하여서 그 地
方의 同胞의 生活과 서로 對照를 보이고 잇다.

現代人의 生活에는 두 가지의 要素가 잇다. 하나는 資本이요 다른 하나
는 知識이다. 要컨대 生存競爭이란 다른 것이 아니요 資本과 資本의 競爭이

요 智識과 智識의 競爭이니 資本이 잇고 그가 많은 사람은 優越한 生活을 할수 잇고 智識이 잇고 그가 豊富한 사람은 勝利者가 된다 돈 업고 아는 것 업는 朝鮮人은 生存競爭에 뒤지지 않을 수 없으니 間島에 왔다기로니 별 수가 업는 것이다.

나는 南陽에서 朝鮮式 建物의 驛舍를 보고 거기에서 汽動車로 豆滿江을 건느고 圖們에서 延吉로 向하는 途中에서 게딱지같은 同胞의 住宅을 바라다보면서 나의 머리는 여러 가지 意味에서 그만 沈潛에 잠기엇다. 朝鮮의 北편으로 最終驛인 南陽의 驛舍가 朝鮮建物로 이루워젓다는 것도 나그네 (旅客)의 心琴에 무엇인가 자극하는 바 잇거던 歷史的 光景을 數업시 알면서 모른 체 하고 아모 말 업이 흐르고 잇는 豆滿江이 얄밉다.

汽車가 턴넬을 지날 때마다 그 入口와 出口에 軍人의 把守幕이 잇고 武裝한 軍人이 非常히 緊張한 얼굴로 警戒의 任에 當하고 잇는 그 光景을 보니 새삼스럽게 느끼어지는 戰時 氣分이며 鍾을 뎅그렁 뎅그렁 울리면서 다러나는 汽車를 보니 어디엔가 大陸的이요 滿洲式이라는 感이 든다. 그리하야 나는 새삼스럽게 異域의 風物이라는 感懷도 느끼어지거니와 그보다도 山비탈、도랑가에서 白衣의 그들이 이리저리 움직이고 잇는 그 光景이 나의 눈에서 머리에서 瞬間이라도 사러지지 않엇다. 그들은 살기 爲하야 여기까지 왔다. (中略)

間島는 벌거벗은 땅에 냇(川)물조차 맑지 못하고 어느 모로 보던지 殺風景이다. 朝鮮人의 머리에는 山에 소(松)나무가 그립다 소나무가 업스면 沒景致하게 보인다. 間島의 山野에는 그 소나무가 업고 그저 벌거벗은 丘陵地帶가 屈曲을 지여가면서 連綿하여잇을 뿐이다. 安圖縣이나 汪淸 等地에는 數百 年의 處女林이 잇다고 하나 그는 間島의 奧地이다. 여기에 이렇게 沒風致한 裸地에 朝鮮人이 四十萬이나 住居하고 잇다.

朝鮮人의 生活

누구나 朝鮮人을 말하게 되면 먼저 그 經濟生活의 여유 업슴을 말하게 된다。朝鮮人의 生業이 農業이요 朝鮮의 農村이 餘地업시 되고 잇다는 것은 누구나 否認 못할 事實이 되여잇다。

그러면 어찌하여서 朝鮮人의 經濟生活이 저렇듯이 急激한 템포로 돌아가게 되었느냐 하면 거기에는 여러 가지 原因이 잇을지나 첫재는 우리는 資本主義經濟에 對한 理解力을 全然히 갖지 못하엿던 까닭다。汽車가 놓이고 電信 電話가 通하고 工場 세워지고 港口가 열리고 하되 우리는 그저 自作自給이란 精神에서 벗어나지 못했다。나의 땅에 내가 所用되는 穀食을 심어서 내가 먹고 나의 家族이 먹으면 그만이라고 생각했던 것이다。그러나 實際의 經濟關係는 그들의 生活하고는 다른 方面으로 發展하고 있었다 지금까지의 經濟關係는 農村이 生産地이엇고 都市는 消費市場이엿건만 이제는 農村을 極히 低廉한 原料의 生産者가 되엇고 都市는 商品의 生産者가 되엇으니 여기에서 農村은 적은 收入에서 많은 支出을 하게 된다 朝鮮人의 八割 以上이 農業關係의 職業임으로 農村이 不利한 境遇에 處햇다는 것은 그가 그대로 朝鮮人의 生活에 影響하게 되는 것이다。

다음에는 交通機關의 發達은 從來의 農村이 갓고 잇든 모든 有利한 條件을 하나도 남기지 않고 말았나니 그 結果는 從來의 『술막』이나 街里、驛站 等의 地位가 消滅되고 말았고 其他 銀行이나 金融組合같은 새 經濟組織을 代表하는 金融機關이 생기는 比例로 그의 組織과 活用方法을 理解못하는 우리들 朝鮮人은 오히려 그로 하야 받는 影響이 컸다。

이번의 滿洲의 村落을 徒步로 지날 機會가 잇서 그들의 生活을 옆에서 드려다볼 때에 生活方法은 原始的 生活樣式이요 따라서 生活의 內容이 至極히 간단하여서 그들의 家庭에는 工場生産品이 아즉은 드러갈 틈이 업다 그리고 酒幕、街里、驛站 等의 役割이 크게 빛나고 잇다 그것들이 重要한 消費市場이 되어잇다. 그러나 그 村落에도 小學 程度의 學校가 세워지고 이른바『新知識』을 배우게되는 때에는 大阪 商品이 아무런 山間僻地에라도 아니차저드는 곳이 업슬 것이요 그리되는 때에는 生活樣式이 바뀌이고 生活難에 쪼들리는 날이 또한 오게 될 것이라는 것을 늣긴 일이 잇다.

朝鮮人은 그 生活의 基礎를 農業에 두엇는데 그 農業이 收支가 맛지않고 따라서 農村經濟가 기우러지고 잇다는 것은 깊이 생각할 일이다. (略)

그러나 滿洲國도 이제는 近代資本主義國家로 그 形態를 가추려고 發展하고 잇으니 거기에 對한 理解力이 不足하고 資金이 업는 우리는 滿洲에서도 間島에서도、사러가기 괴롭다.

延吉市의 大觀

延吉市는 그의 舊名이 局子街이요 現在 間島省의 首府이다. 從來에 잇서 龍井은 間島 朝鮮人의 中心市場이엿고 延吉市는 中國人의 中心地엿다. 滿洲事變 以後、京圖線이 開通되고 間島省의 首府가 延吉市로 되고 나니 龍井은 交通의 政治의 中心點을 일헛고 다만 幾多의 敎育機關이 잇고 日本總司令館이 잇서 겨우 現狀維持하는 셈이다. 昭和 十年 十月 末 現在의 人口와 戶數는 如左하니

	戶數	人口
滿洲人	二、四七八	一五、二六三
日本內地人	四六五	一、四六〇
朝鮮人	一、八四八	九、二二〇
計	四、七九一	二五、九七七

그가 龍井에 比하야 戶數에 잇서서는 三百七十七戶가 不足하건만 人口에 잇서서는 一千二百七十九 人이 만타. 그래서 延吉市는 新興 氣分이 充溢해 잇다. 새로 이루워지는 官廳이 잇고 道路工事에 奔走하고 市街에는 대패마치、톱소리가 울린다

무엇보다도 滿洲國에 드러서면서 먼저 눈에 奇異하게 보이는 것은 官吏의 數가 많은 것이엇다 아즉 建國의 始初인 까닭도 잇으려니와 治安에 關係된 部門에는 官吏의 數가 넘치리만큼 많고 其他의 行政 産業 敎育 等에 잇어서는 너무도 數가 적다 그러나 어찌했던 現在의 滿洲國의 財政으로서는 官吏의 數가 엄청나게 많다。滿洲國이 比較的 豫想 以外로 短時日에 治安이 復舊되엇다는 것도 그 理由가 거기에 잇을 것이다。滿洲에 잇서 治安工作은 가장 急한 일이니 이제 奧地를 除하고는 農村에서도 農耕에 從事할 수 잇게 되엇다는 것은 戰時狀態의 解消로 보아야 한다。그러나 여기에 問題는 滿洲의 治安은 언제나 滿洲國과 日本이 共同으로 責任을 저야 하겟는데 그리 하려면 現在와 같이 二重 三重으로 官吏가 많이 採用되지 않을 수 업스니 그의 經費가 한 個의 難關이 아닐 수 업고 또 滿洲國은 五族協和라고는 하나 日系의 그들은 사라리맨이나 商人을 勿論하고 財産의 餘裕가 생기는 대로 爲替로 하야서 本國에 遞送하고 잇으며 滿系의 그들은 또한 山海關 以南으로 가저 가려고 드니 이 點이 滿洲 發展에 한 個의 암초가 아닐 수 업다。이것이 내가 滿洲國에 드러서면서의 첫印象이엿다。

敎育의 中心地帶 龍井

間島 朝鮮人의 文化의 中心地도 龍井市이오 朝鮮人 經濟의 中樞地도 龍井市이다。龍井의 市街에 나가면 延吉에서 보는 것 같은 滿洲的 氣分이 업

고 그저 朝鮮 情緖가 그대로 흐르고 잇다. 다만 建物의 樣式 住民의 動作에 어디엔가 移住民이요 開拓地이라는 暗影이 보이나 그것은 할 수 업는 일이다. 宗敎 方面에 잇서 長老敎가 잇고 天主敎가 잇으며 監理敎 大倧敎 等이 잇고 病院이 잇고 그의 附屬한 學校가 잇으며 産業 方面에 잇서서는 어디에서나 마찬가지로 新開拓地에는 開城의 그들이 成功하고 잇나니 龍井에도 大規模의 機關은 全部가 그들의 손에서 運用되고 잇다. 그러나 무엇보다도 龍井의 자랑은 敎育機關의 完備한 것이다. 爲先 中等程度의 學校로만 하더라도 東興中學校、恩津中學校、大成中學校、光明學院 中學部 師範部 高女部가 잇으며 明信女學校의 七 校가 잇서 龍井의 거리에는 이들 男女學生의 거름세가 빛난다. 敎育機關에 言及하니 特히 東興中學校에 對하야 一言이 업지 못하겠다. 웨 그러냐면 恩津은 基督敎에서 西洋人의 宣敎費 中에서 經營하야 왓고 財團法人 光明學院은 日高라는 日本內地人이 잇서 幾多의 當局의 援助 下에서 經營하고 잇으되 東興中學校만은 순전히 朝鮮人의 손으로 이루워졌고 創立 十六 年에 六百餘 名의 卒業生을 내이어서 間島 文化에 功獻이 至大하다. 間島 及 東滿의 農村이나 市街地에는 東興中學校의 出身이 뿌리를 박지 않은 곳이 업다.

—『三千里』, 第8卷 第2號, 1936년 2월

北平의 新年 風景

中國도 陽曆과 陰曆이 서로 交代하는 時期에 있으므로 우리나라와 같이 「설」을 두 번 지내게 된다. 그러나 陰曆은 우리보다 더 훌륭하게 그 前 陽曆이 드러오기 前과 같이 놀내게 되는 편이다.

陽曆 新年에는 官廳이나 學校에서나 놀게 되고 一般 民間에서는 新年 氣分이 조금도 뵈이지 않는다. 그러나 陰曆 新年에는 참으로 「설」 같은 氣分이 濃厚하여진다. 年末에 商店의 繁華하여진 것도 普通 時와 달라지며 빗쟁이의 出入도 잦아진다. 느린 그네들이건만 거름도 빨라지며 奔走한 것이 얼굴에 나타난다. 學校도 이때를 機會하야 放學하게 되는 것이다.

新年이 되면 北平은 氣候가 달라진다. 勿論 겨울 氣候가 繼續하는 해도 있으나 元旦에 날이나 좋으면 宛然히 봄과 같은 때가 있다.

中國도 地域에 따라 그 風俗이 다소 다르리라고 생각되지만은 北平은 古都라 아마 가장 特異한 風俗은 다 뫼와서 있으리라고 생각된다.

元旦이 되면 商店 門은 다 다치고 새 옷 입은 小兒 大人들이 길을 閑暇하게 往來하고 있는 것이다. 그러나 그네들 옷은 黑灰色이 많은 만큼 처음 보면 그다지 눈에 띄이지 않으나 大概는 새 옷이거나 그렇지 않더라도 名節이나 慶事 時에나 내 입는 옷을 내 입고 歲拜를 다니는 것이다.

中國은「절」하는 것이 우리와 다르다. 前부터「百拜致謝」라는 말이 있지마는 이것을 實行하는 곳은 玄海의 건너와 中國이라고 볼 수 있다. 中國에서는 팔장을 끼고 揖을 繼續的으로 몇 번이고 하는 것이다. 또 한 가지「절」은 左便 다리를 기억字로 굽이고 右便 다리는 이은字로 무릎을 따에다 대는 것이다. 그리고는 右便 손을 들어서 따에다 주먹이 닷도록 하고 上半身은 꼿꼿이 세우는 것이다 이 두 가지「절」을 우리는 거리에서 普通 보게 된다. 그러나 이「절」의 樣式은 아마 從來 舊式의「절」이요 學生이라든지 좀 新式의 사람들은 普通 우리네의 禮와 彷佛하게 하는 것이다.

新年이 되어서 다른 나라에서 볼 수 없는 것은「放炮」를 하는 것이다. 우리나라에서도 섣달 그믐날이 되면 鬼神을 쫓느라고 或 銃을 집안에서 놓는 일이 있었지마는 現在 中國에서는 火藥銃을 놓는 것이다. 그 소리가 큰 것은 普通 銃소리보다 더 크며 소리가 적은 것은 딱총 소리와 같은 것이다. 이 소리가 가끔 나는 것이 아니고 繼續的으로 이집 저집에서 나게 된다. 이런 放砲를 하는 집쯤은 퍽으나 和樂하고 繁華하련만은 下宿의 한 구텅이에서 외로이 듣고 있는 이에게는 매우 쓸쓸하고 寂寞하게 느끼여지는 것이다. 寂寞하는 곳에서 孤寂을 느끼는 것은 普通이니까 더 말할 것도 없지만은 남들이 기뻐서 떠드는 판에 혼자서 孤寂을 느낌은 더욱 쓰라려지는 것이다.

飮食店도 다 쉬고 다른 商店도 다 쉬건만 劇場만은 大盛況을 이루게 된다. 舊劇場도 大滿員이 되며 名俳優들은 正初이면 自己의 特長 있는 劇을 하게 된다. 各 遊園地에도 놀러 다니는 사람이 많으며 特히「敞[01]甸」이라는 곳에서 書畵 寶石의 市場이 열리게 된다. 普通 正月 初一日부터 十五日까지 每日 하게 되는데 날만 좋으면 사람이 빡빡히 밀여서 다니기도 어렵게 된

---

01 "敞"은 "廠"의 오식 - 편자 주.

다。中國의 書畵는 眞僞의 未詳한 것이 많으나 大槪 正初에는 큰 賣買가 되
며 파무쳤든 逸品도 가끔 發見하게 된다。北平의 琉璃廠이라면 「熱河日記」
에도 있는 바와 같이 舊本 册店이 연하야 있는 곳이다。恰似 東京의 神田通
과 같이 舊册書店이 많기로 有名한 거리다。

그 近處에서 寶石을 파는 데가 臨時로 設置되는데 亦是 貴重한 物品이 많
이 나오는 것이다。寶石은 本來 眞假를 區別하기가 어려운데 同一한 物品으
로 보이는 것이라도 몇 百 圓자리도 있으며 몇 十 錢자리도 있다。

正月 初 頃이면 貴婦人들이 서로 다투어 이곳으로 뫼우는데 그 寶石들의
번적이는 品이 우리의 門外漢에게까지 暫時 눈을 번적이게 한다。그러나 門
을 나서서 길을 걷기 시작하면 亦是 우들우들 떠는 乞人은 正初이니까 特別
히 한 푼 달라고 뒤를 따라오는 것이다。

正月이 되면 北平은 그 近郊 시내에 있는 「절」(寺、廟)「장」(市)이 特別
히 크게 서는 것이다。黃寺 黑寺 白雲觀 東爺廟 等等이 가장 사람을 많이 꺼
는 곳들이다。한 五 里쯤 떨어져있는 곳도 있으므로 그곳까지 가는 데는 「나
구」(驢)를 타고 古風을 나타내는 사람도 적지 않다。

黃寺 黑寺 같은 데를 가면 古代의 武士와 같이 꾸미고 그 前 時代式으로
競馬를 하는 것도 한 異彩를 띄우게 된다。

어데를 莫論하고 都會의 사람은 外出하기를 좋와하는 傾向이 있으며 사
람이 많이 가는 곳일사록 더 가는 傾向이 있다。그래 그럼인지 北平의 「廟
會」라고 하는 데를 가면 몬지만 나고 볼 것도 없건만은 사람은 굉장히 많이
뫼여든다。

아이들 노는 것은 朝鮮과 비슷한 것이 있다。그것은 「연」(鳶)을 떼우는
것인데 그 「연」의 形貌가 朝鮮과 조곰 다르다。

中國애들이 떼우는 「연」은 擧皆 새(鳥) 모양을 模倣하야 만든 것인데 큰

것은 한 길이나 되는 것도 있고 떼우는 때에는 空中에서 「부웅 ─」 「부웅 ─」 소리가 나게 한다.

「설」이면 조선이나 다른 곳에서는 주정꾼이 많은 것도 한 特色이겠으나 北平은 普通 時도 그렇지마는 「설」이라 하야서 주정꾼이 있는 것도 아니다. 이것이 中國에서만 볼 수 있는 美德의 하나이다. 그네들은 술을 먹어도 門을 꽉 처닷고 音樂을 하여가면서 술을 먹는 것이다.

正初의 花草로는 「水仙」과 「梅花」가 있다. 「水仙」은 本來 中國 것이 有名하거니와 盆栽의 「梅花」도 퍽으나 奇異한 것이 많다.

치운 때 피어나는 水仙을 「쇼·윈도」에서 보는 것도 퍽으나 新鮮한 것을 느끼지마는 乾燥한 北平에서는 綠葉을 보는 것이 가장 爽한 일 중의 한아이다.

그러나 中國에서도 될 수 있으면 舊習을 打破하고 二重 三重의 弊風을 矯正하기 爲하야 될 수 있는 間에서 모든 傳統的 風俗을 消滅시키려고 努力하므로 年一年 舊俗은 稀薄하여 가는 中이다.

─『新東亞』, 第6卷 第1號, 1936년 3월

滿洲紀行

洪陽明

❶ 氷點 下의 曠野 奉天城 지나며

◇

今回의 나의 北滿 旅行은 簡單한 私用을 辦理함에 不過하엿고 滯在 期間 不過 十 日、더욱이 實際도 見聞하기는 新京、哈爾濱에 끄첫슴으로 農業을 土臺로 한 이 따의 鄕村을 視察치 못한 點에 잇서 이 글은 오즉 走馬看山格 의 疎薄한 스켓취에 不過한 것이다.

□ 世界의 滿洲、極東問題의 核心

一九三一年 九月 十八日 滿洲事變 勃發 以後 어느듯 五 個年의 星霜이 지나갓다 事變 勃發 當時에는 나는 이에 對한 直接的 反撥이 가장 强烈하엿든 中國의 『메트로폴리스』인 上海에서 中國民의 그 衝擊的인 그 怒濤와 가튼 驚愕에서 繼起된 모든 事態를 보고 그 翌年 列國의 全 神經을 聳動케 한 上海事變 直後에 그곳을 떠낫다. 그 後 三 年 間 聯盟、中國과 이에 傍系의 美 蘇까지 合勢한 千波萬波의 對日逆流 中에서 滿洲問題는 世界의 問題가 되고 이어서 日本의 聯盟 脫退、滿洲國의 出現에 따라 事態가 旣定의 코ー스

를 가게 되자、世界人의 關心은 世界에 冠絶한 高度軍備國 日本과 蘇聯의 相剋 地點으로써 새로운 注目을 集中케 하엿다、이러한 廣汎한 世界의 問題에서 緊張한 새로운 極東問題의 出現까지에의 轉變에 隨伴하야 無慮 數十萬 語의 報道者로써의 生活을 하여온 나로서는 昭和 十一年 三月 五日、鴨綠江을 건너서면서 康德 三年 三月 五日의 安東縣에 발을 드려노차 綿綿한 懷古의 情과 有爲轉變의 感을 禁할 수 업섯다

□ 安東縣서 奉天에

서울도 今年은 느진 추위가 春色의 根接을 멀리하고 잇는 近年에는 乘侯엿지마는、汽車가 緯度를 北으로 뚤코 突進할사록 冷寒의 度는 틀림업시 猛威를 더하야 車窓으로 숨여든다。氷結한 鴨綠江을 뒤로 하고 汽車가 密輪와 小盜兒(쑈토얼[01])의 粗製都會 安東縣의 通關을 끗내여 滿洲國 領內에 드러서면서 眼界에 展開되는 것은 오즉 荒漠한 曠野의 連續이다 繼續한 白雪에 덥핀 이 無限의 平原은 冬季가 아니엿드면 그 沃土에 맘대로 자라는 배부른 高粱과 『벼』와、이름 모를 푸른 풀포기들의 一望無際한 滄浪의 美觀을 자랑하엿슬 것이다 그러나 氷點 下 十五 度의 이 不似春의 滿洲曠野의 眺望은 너무나 쓸쓸한 것이다 蒼海의 一粟과 가티 沿線에 散在한 小都市의 모양은 그 家屋 빗의 靑灰色、그 住民의 一律的인 푸른 服裝과 함께 더욱 沈鬱한 感을 준다。車內를 보자! 亦是 靑服大軍의 汎濫이다 카ー키服의 軍人、綠衣 巡警 以外에는 모두가 滿人이다 亦是 이곳은、滿洲國이다』 하는 感을 旅行者로 하여곰 切實히 늣기게 할 것이다。

---

01 "쑈토얼": 중국어 "小偸(좀도둑, 소매치기)"의 발음 - 편자 주.

□ 北大營을 지나면서

汽車가 遼東平原을 뚫코 黑煙이 濛濛한 奉天驛을 떠나 鐵道接續市街地가 거의 眼界에 사라지려 할지음 同乘한 滿人(商人인 듯) 三四 人이『베다 — 잉[02]』『베다 — 잉』하고 叫呼한다 이 소리에 깜짝 놀라、窓外를 내다보니『北大營』의 廢墟가 數十 間 밧게 死體와 가티 가로 노혀잇는 것이 눈에 띄인다。十萬의 直屬大兵을 이 北大營을 中心으로 하야 奉天 附近에 配置하고 二萬 名의 職工과 六千百餘 名의 優秀한 外國人 技師를 招聘하야 中國第一、그보담도 東洋一의 大兵工廠을 이 따에 建設하야『看哪? 營垣西邊的鐵路』 = 보냐? 兵營(北大營) 담 西쪽을 지나가는 철로(滿鐵)를 = 하는 標語를 兵營의 구석구석에 貼付하야 滿鐵併行線을 計劃하고 大連에 對抗할 胡[03]蘆島大築港을 計劃하는 等 積極的 抗日政策에 邁進하든 張學良政權의 榮華롭든 자최 北陵에 남은 淸朝의 由緖를 懷古할 때에 이들도 一種 感慨無量한 隔世感을 禁치 못하는 모양이다。世界史的으로 銘記할 九月 十八日 精銳한 日本軍의 一發 銃聲에 依하야 滿洲의 世界問題에의 登場의 第一幕이 演出된 奉天은 아즉도 經濟的으론 滿洲國의 中心을 이루고 잇는 모양이다

❷ 建設途程 上의 新京의 印象

□ 曠野에 찍힌 農民의 感傷

鐵嶺、開原、과 穀物集中地로 有名한 四平街를 지나고 軍隊의 거리 公主

---

02 "베다 — 잉": "北大營"의 중국어발음 - 편자 주.

03 "胡"는 "葫"의 오식 - 편자 주.

嶺을 지나 滿洲國의 首都 新京에 이르는 동안에도 亦是 眼界에 展開되는 것은 가이 업시 질펀하게 連續되는 平野와 平野이다 이러한 平原에다가 곳곳이 山岳과 河川에 依한 自然의 變化를 若干 添加하얏든들 얼마나, 이곳 生活의 單調를 減少하고 美觀을 더하고 또、 土地의 利用價値를 增進함에도 有效하얏슬가? 造化翁의 滿洲의 自然에 對한 配置는 암만 생각하여도 拙作이라고 할 수밧게 업다 곳곳이 적은 뫼가 잇다 할지라도 이 따의 뫼에는 松柏과 갓흔 常綠樹조차도 업기 때문에 眼界에 드러오는 것은 오즉 灰色의 하늘과 滿目荒凉한 氷原과 보 ― 얀 黃土色의 沈鬱이다. 眼精이 弱한 旅行者가 겨울의 滿洲를 다니려면 『비타관[04]』을 때때로 눈에 注入할 必要가 잇다는 엇던 醫師의 말이 眞實하다는 것을 깨닷게 된다 그러나 이러한 風景 속에서도 農民의 生活에 對한 努力은 발서 開始된 것이다. 어름 풀닌 部分의 밧이랑에 一望無際하게 點點히 노힌、 堆肥의 모대기 數千數萬의 數字로써 ―一히 表할 수 업는 堆積은、 이편저편에 牛車를 끌어 黙黙하게 꾸준히 일을 하고 잇는 農民들의 한 거름 두 거름에서 된 것이다. 滿洲의 平原을 開拓하여 가는 滿洲 農民의 執拗한 生活意欲은 그 政治體制의 變動 通貨制度의 轉換 等 社會的 事實의 推移 如何에 關係함이 업시 예나 只今이나 다름업이 繼續되는 것이다. 無感覺하게 소와 가티 木馬와 가티 襤褸를 입고 『따』에서 나서 『따』에 파무치는 이곳의 農民에게는 現代的 明朗은 完全히 除外된 感을 가질 것이다. 그러타고 人間 社會에 『제비』를 잘못 뽑고 태여난 이 따의 農民에게도 詩도 업고 우슴도 업고 한숨도 업슬 理는 萬無하다 다암의 滿洲農民의 애를 깨는 듯한 民謠의 두어 句는 그들의 한숨을 率直히 表白한 것이

---

04 "관"은 "민"의 오식 - 편자 주.

◇

小溪的水呵

你緩緩流罷

待我再添些眼淚寄向故鄉去呵

(意譯＝溪川의 물이여、너는 천천히 흐르라、나의 눈물도 함께 부처 내 곳

으로 흘녀주도록)

◇

脚下的小草呵

你請恕我罷

你被人蹂躪只此時

我被人蹂躪是永遠呵

(意譯＝발 밋혜 풀아 容恕하라、너를 밥는 것은 暫時 동안이다、내가 남에

게 발피움은 永遠이란다)

◇

茫茫하게 數萬數千으로 點點히 散在한 밧이랑의 堆肥의 사이사이에 조
곰 큰 모대기로 보이는 것은 同行 滿人에게 무르니 勿驚! 사람의 墳墓라는
것이다 山 업는 平地에서 나흔 이곳의 農民은 文字 그대로 平地에 나서 平地
에 드러간다! 오! 人間은 亦是 肥料이든가?

□ 馬車의 거리、大食 都市 新京

十一時 五十分 夜半에 新京驛에 到着하얏다 驛에 내리자、어데로 갈가

어름어름 하는 사이에 나는、完全히 馬車夫의 包圍陣 中에 陷入되고 마럿다、數百으로써 헤일 馬車馭夫가、소⁰⁵님을 낙노라고、馬車를 이리 끌고 저리 몰려、宣驕하는 光景은 마치、上海의 黃浦灘의 黃包車夫의 大群 그것에 比할 만큼 大量的 低價 勞動을 現出하는 것이 直感된다 馬車를 타고、旅館으로 가는 동안의 凍結된 밤의 거리를 달니는 馬車와 馬車의 발굽소리가 一種의 諧調를 마처、鼓膜을 울닐 때에、나는 十二 年 前의 西伯利亞 生活에 잇서 밤의 거리를、『드로이카』를 달니는 記憶이 聯想되야 喪失된『보헤미안』的 엑씨오틱한 快感을 늣것다。밤거리의 新京을 달니면서 눈에 띄이는 것은 數로 헤일 수 업는『카페―』『茶房』『食堂』類의 料理店 等屬의『네온』의 燦爛한 光景이다 新開地에는 먹고 娛樂하는 장사가 따라가는 것은 定한 理致이지만은 그 너머나 만흔 數에 나는 一驚치 아니 할 수가 업섯다 이리하야 大食都市 馬車의 都市로서의 新京의 一夜를 보내고 世界의 注目이 集中된 滿洲國 首都로서의 新京은 밝은 날에 拜見하기로 하고 旅館의 꿈속에 드러갓다

❸ 建設 途程上의 新京의 印象

□ 大建設計畫과 新發屯의 一瞥

　滿洲國 首都의 첫 밤을 지낸 나는 午前 中에 目的하고 온 일을 대강 보고 午後에는 特別히 할 일도 업슴으로 왓든 김에 新國家의 首都의 外觀이나

05　"소"는 "손"의 오식 - 편자 주.

마 一瞥코저 馬車를 달녀 城內(滿人 中心)의 市街를 一巡하고、停車場廣場
으로 나왓다가 滿洲國政府 主要機關과 밋 關東軍司令部가 잇는 新發屯으로
向하얏다 大體로 新京은 停車場 附近의 滿鐵附屬地와 寬城子(舊 露人居留
地)와 (城內 滿人 中心)의 市街와 商埠地(一種의 日滿折衝地帶)의 四 部로
되어잇서、舊 露國의 都市計劃 影響으로 마치 大連의 市街地 모양으로 곳곳
에 廣場이 잇서 그것을 中心으로 道路가 放射線狀으로 퍼저잇든 以外에는
特別한 印象을 주는 것이 업다。人口는 滿洲事變 以前의 長春時代에는 不過
十 二三萬이엿스나 交通 其他 關係로 滿洲國의 首都가 된 以後 五 年 間에
六七 萬 名의 人口가 激增된 關係上 住宅難은、極度에 達하고 잇다고 한다、
停車場에서 新發屯에 니르는 廣闊한 一直線의 大路는 마치 中國 南京의 中
山路를 聯想케 하는 엄청나게 넓은 길로 이 길은 新京의 새 中心 大同廣場에
서 大同大街에 連接되여잇다 關東軍 司令官과 駐滿全權大使와 關東局 長官
의 三位一體의 日本 側의 在滿最高指導者가 座定하고 잇는 關東軍司令部를
지나 大同廣場에 니르는 新發屯 一帶의 大建物은 一國의 首都다운 威容을
充分히 나타내이고 잇다고 할 수 잇섯다 新京의 달은 部分의 建物에 比하야
世紀를 隔한 感을 주는 엄청난 巨廈 滿洲電信電話會社、中央銀行、文教部
外交部 國都建設局 等의 列立한 近代的 삘딍의 달은 地方의 그것에 比하야
달은 點은、그 屋上을 東洋的 印象과 幽玄한 王道的 氣分을 줌에 努力한 點
이라 할 것이엿다。大新京의 모든 建設 計畫은 首都建設局의 統制 下에 十
年 以內에 人口 五十萬 二十 年 內에 百萬의 大都市가 될 것을 目標로 하야
急速한 템포로 進行되고 잇다는 것은、新發屯을 中心으로 한 大規模의 建築
工事에서 首肯할 수가 잇섯다 나는 特히 이곳 主要 機關의 當路者들에게 接
見할 必要도 업섯고、또 그러할 興味를 느낀바도 업섯스다 이곳의 新聞通信
의 對外關係를 이미 왓든 길이니 아러보는 것은 無意味한 일이 아니엿슴으

로、午前에 맛낫든 T 氏의 紹介로 滿洲國 外交部의 宣化司長(外國의 情報部長에 該當한 것으로 滿洲國政府의 스폭코스맨) 筒井 氏의 『오피스』의 도어를 두다려 約 半 時間 여러가지 參考될 이야기를 듯고、다시 馬車를 모라、旅舘으로 도라왓다

□ 新京과 朝鮮人

新京의 朝鮮人 居留民은 事變 前 長春時代에는 六 七百 人에 不過하엿스나 現在는 그 十 倍인 約 七千 名에 達하는 狀態라고 한다 滿洲國의 首都에 잇서서의 이들의 社會的 地位는 在滿 百萬 朝鮮人의 滿洲國 밋 在滿 日本側 首腦部의 接觸面인 點에 잇서서 注目되는 바 잇다 그러나 이들을 차저 여러 가지 事情을 듯는 것은 今回 旅行의 目的이 아니엿기 때문에 後日을 期하고 이곳을 떠나 그날 밤으로 哈爾濱으로 向하얏다 滿洲國에 잇는 朝鮮人 關係의 機關으로는 滿洲國 政府 民政部 內의 朝鮮課、關東軍司令部의 朝鮮課가 잇서 朝鮮人將校 尹、洪、兩 氏가 그 責任을 지고 잇스며 朝鮮總督府의 高尾 出張所長이 大使舘의 朝鮮課長을 兼하야 前記 두 機關과 連絡하야 在滿朝鮮人問題의 指導를 擔當하고 잇다고 한다

❹ 過渡期의 都市 哈爾濱의 瞥見

□

日蘇滿 勢力 消長의 指標인 北滿鐵道를 타고 白雪이 자욱한 밤의 北滿平野를 달니는 汽車에 몸을 실다。昨年 三月、北鐵讓渡交涉이 成된 爾來、

이 鐵道의 管理는 滿洲國 國鐵의 손에 너머왓슴으로 모든 써 — 비스는 實質上 滿鐵線의 그것과 달은 것이 업다. 戰時와 가튼 正裝을 하고 長銃을 맨 鐵路 警備員 中에 白系露人이 석겨잇서 列車의 이구석저구석에 無聊히 서 서잇는 것이 異樣의 感을 준다. 三十七 年 前 차 — 露西亞[06]의 帝國主義가 極東 經略의 野望을 實現키 爲하야 三國干涉으로 中國에 賣恩한 代償으로 一八九六年 滿洲 內에 鐵道建設權을 獲得함으로써 出現한 滿洲里 — 보그라니치나야[07] 間 밋 哈爾濱 旅順 間에 敷設한 東中鐵道가 滿洲國鐵이 되기까지의 歷史는 實로 日露、蘇 中日滿 對 蘇의 極東 角逐戰의 勢力消長을 말하는 것으로써 意味深長한 바가 잇다 一九〇五年 日露戰爭에 依하야 現在의 新京 舊 長春 以南의 鐵道 밋 其他 權利가 日本에 讓渡된 後의、大滿鐵의 滿洲 經濟 制覇는 舊 露西亞의 極東 進出의 威光을 萎縮케 하엿다 그러나 北滿에 在한 露國의 政治上 經濟上 基盤은 依然한 바 잇섯다 더욱이 東中鐵道가 볼쇠비키革命 後『호루왓트』等의 幽靈 露西亞의 幹部의 無秩序한 管理와 國際管理의 時代(一九二〇年 — 至 二二年)를 지나긴 一九二四年 蘇中協定에 依하야 蘇中合辨[08]이란 名目으로、實質 上、蘇聯의 管理 下에 드러오게 되면서부터 滿鐵에 對한 對立的 存在로써 蘇聯 極東 進出의 基幹線으로써 東中鐵道의 價値는 그 內容을 달니하야 高價로 評價하게 되엿다. 그러나 一九三一年 滿洲事變 勃發 後 滿洲國이 樹立된 後、事情은 一變하야、蘇聯은 이 鐵道를 政治的 經濟的 諸 觀點에서、滿洲國에 讓渡함으로써 爲先 滿

---

06 "차 — 露西亞": 차리 러시아 - 편자 주.

07 "보그라니치나야": 중국의 수이펀허(綏芬河)와 국경을 마주한 러시아 도시 보그라니치나야(Пограничный) - 편자 주.

08 "辨"은 "辦"의 오식 - 편자 주.

洲로부터 退却하는 것이 有利한 狀勢에 直面케 되엿다、이 結果가、昨年 三月 二十三日 北鐵(東中鐵道의 改稱) 讓渡成立으로써 나타난 것임은 周知하는 바이다、이 讓渡交涉의 支離滅裂과 『에누리』의 破記錄的임은 國際交涉史 上 特記할 것이니 交涉期間은 一九三三年 五月 蘇聯外交人民委員長 리트비노프씨 氏가 正式讓渡提議가 잇슴으로부터 昨年 三月까지 時間으로 二十三 個月 間、이로 因한 折衝會談 回數、無慮 百七十二 回、그리고、價額은 最初의 蘇聯 側 呼價 六億二千五百萬 圓에서 뚝 떠러저 一億七十萬 圓으로 結末이 되엿스니 『에누리흥정』의 標本이 될 만하다는 것은、讀者여! 지난 일이지마는 此際 娑婆風塵錄의 一句로 記憶해 둠도 無意味치 안을 듯、지난 數三年 間 支離滅裂의 代名詞와 가치 생각되든 北鐵交涉의 經過를 남김 업시 그 停頓과 進展에 따러 一一히 報道하는 憂鬱한 일을 繼續하야 나온 나는 이 問題의 鐵道의 軌道를 疾走하는 列車에 몸을 시를 때 一種 有爲轉變의 感이 용소슴침을 禁할 수가 업섯다

□ 『스라브』的 都市와 호텔 모데른[09]

早朝에 北滿鐵道의 心臟인 哈爾濱驛에 到着하다、旗幟와 警備兵의 服裝이 달너지고、日本軍 將校 兵士의 一團이 여긔저긔 往來하는 以外에는 驛과 밋 그 附近의 面貌는 예나 只今이나 달음 업는 『스라브』的 歐化 都市다 귀를 째는 듯한 大陸的 北國的 酷寒은 일은 봄이라지마는 京城의 最酷寒時로서

---

09 "모데른": 러시아어 модерн(현대, 현대적인), 유태계 러시아인 요세프 알렉산드로비치 카스페(Иосиф Александрович Каспе)가 1906년 개업한 하얼빈 최초의 서양식 호텔, 중국어 명칭은 "馬迭爾賓館"- 편자 주

比할 바이 못된다。即時 馬車를 달여 道外에 잇는 A 氏의 事務室로 갓드니 早朝이라 아즉 나오지 안엇다 함으로 爲先 疲勞를 癒키 爲하야 旅舘으로 가서 쉬기로 하고『기따이스카야[10]』街에 잇는、露西亞人의 經營인 호텔『모데른』으로 가서 갑이 적은 房을 占有하얏다。

오래간만에 露人의 生活 雰圍氣를 엿보는 것도 意味가 잇지마는 이 等 露人호텔은 日本人 經營 호텔과 가티 宿食 合한 計算이 아니오 宿料本位로써 食은 自由며 또 飮食을 取하드래도 食堂의 딴 計算이기 때문에 食에 拘束되지 안는 便도 잇고 또 이 호텔이 잇는『기따이스카야』街는 哈爾濱의 國際都市로서의 中心일뿐만 아니라 이 附近은 完全히『스라브』色으로 된 純 外人街인 點에서 旣往 온 김에는 異國情調를 몃 날이나마 맛보는 것이 낫겟다는『보헤미안』氣質에서 그리한 것이다。몸을 쉬이고 아래層 食堂으로 내려오는 階段에서 偶然히 親知 洪錫恩 君이 이곳에 留하고 잇는 것을 發見하야 반가운 마음을 禁치 못하얏다 이 호텔『모데른』은 國際都市 哈爾濱을 지내는 主要 外人들의 宿所로써 이미 널리 世界的으로 알리워저잇지마는 特히 이름나게 되기는 一九三二年 全世界의 緊張한 注目을 集中하고 聯盟에서 極東에 派遣되엇든 릿튼調査團 一行이 日本 中國을 거처 報告書의 焦點이며 判定點인『滿洲現地에 잇서서의 一般的 事態의 發生 及 進展』部分을 쓰기 爲하야、三 週間이나 長期滯留하는 데 잇서 西歐的 設備와 그들의 居住에 便益한 環境을 取하야 哈爾濱의이 호텔『모데른』을 鐵甕城 갓흔 警戒 中에서 獨占하야 宿泊하얏든 事實로써 有名하다 蘇聯의 有名한 評論家、『칼

10 "기따이스카야": 러시아어로는 Китайская(중국의, 중국인의). 하얼빈의 대표적인 상업가로 현재 '중앙대가(中央大街)'로 불린다. 개발 초기에 중국인들의 거주구역이었던 데서 유래한 러시아어 지명이다 - 편자 주

라덱』氏가 그의 論文 『國際聯盟과 滿洲問題』에 잇서 『호텔 모데른에서、외스트민스터의 香煙을 피우면서、이들 紳士들의 그린 幻想은 極東에는 戰爭이 잇섯든가、또는 그와 비슷한 일이 잇섯는가를 區分하는 것이엿다』하는 一句가 記憶된다. 同 調査團의 哈爾濱에서의 報告 作成은 外人記者를 通한 馬占山과의 會見 蘇聯 側과의 折衝不調 等과 合하야 重要한 모멘트에 잇섯든 만큼 그들의 『모데른』에 잇서서의 一言一動은 當時 이곳에 雲集하엿든 外國 新聞 通信 記者의 손을 거처 全世界에 電波를 날 것이엿다. 이 호텔 主人、가즈벡크[11](?)라는 白系露人은 佛國 國籍인데 이곳 일을 맛터보든 그 族카 有名한 피아니스트『가즈벡크』가 再昨年、五十萬 圓인가를 내라고 五 名의 白系露人에게 人質로 잡혀가 죽음으로써 當時 國際獵寄的 事件으로、널니 報道된 것은 더욱이 호텔에 對한 일흠을 世上에 나타내게 한 것이다、[12] 『외잇터』가 가스뽀진[13](蘇 領內에서 廢語가 된 對人稱呼)! 가스뽀진 하고 손님을 接待하는 態度에는 慇懃한 舊 스라브的 長者의 感이 잇다

---

11 "가즈벡크": 요세프 알렉산드로비치 카스페(Иосиф Александрович Каспе), 유태계 러시아인, 1906년 하얼빈에 모데른(модерн)호텔 개업 - 편자 주.

12 일제가 하얼빈을 점령한 뒤 카스페는 일제에 비협력적인 태도를 유지하였는데, 일제는 이에 대한 불만으로 1933년 8월 24일 러시아 마피아조직원을 사주하여 카스페의 아들 시몬 카스페를 납치, 살해하여 세계적인 이목을 끈 "모데른호텔 납치사건"을 일으켰다. - 편자 주.

13 "가스뽀진": 러시아어 Господин(존귀한 남성, 신사) - 편자 주.

❺ 轉形期의 都市 哈爾濱 瞥見

轉形期의 메트로폴리스 哈爾濱

滿洲國의 出現으로 그 政治的 壓力에 萎縮되엿든 國際都市로서의 哈爾濱은 그래도 北滿鐵道가 蘇聯의 管理 下에 잇슬 때까지는 哈爾濱을 中心으로 한 二萬餘 名의 赤系從業員의 포케트에서 굴러나오는 購買力에 依하야 이곳의 五、六萬 名으로써 헤일 白系露人들은 그 政治的 反對의 立場에 不拘하고 經濟的으로는 相互依存關係를 이루어 『스라브』的 雰圍氣와 『스라브』的 生活을 亨[14]樂하면서 잇섯다 哈爾濱의 歐化 都市로서의 生活 氣風과 文化的 樣態는 日滿的 影響이 漸次 各 方面에 滲透强化됨에 不拘하고 亦是 三十七 年 間 그들이 極東 進出 經營의 中心으로써 歐羅巴的 近代都市를 맨드러온 뿌리 깁흔 傳統과 그들의 滿洲人에 比한 文化的 優位에 依하야 亦是 『極東의 小巴里』『極東의 莫斯科[15]』로서의 面目은 依然히 保持되엿든 것이다 그러나 昨年 三月 北鐵讓渡 成立에 依하야 北鐵 從業員이 大量 撤歸하고 그 모든 附帶事業이 或은 廢止 或은 滿洲國 側으로 讓渡되면서부터 事情은 一變하얏다 北滿의 蘇聯 勢力의 總本營이든 北鐵管理局 以下 主要機關에 부텃든 『아브쁘』의 表號는 『滿洲國鐵 哈爾濱鐵路局』으로 屋上에 날리는 『낫』과 『망치』의 赤色旗는 五族協和와 王道를 象徵하는 黃土五色旗로 變하얏다 모든 事物의 轉變과 文化 樣態의 推移는 徐徐히 急急히 이와 步調를 마처 進行되는 것이 街上을 것는 나의 視野에 展開된다 露人 及 外人商街의

---

14 "亨"은 "享"의 오식 - 편자 주.

15 "莫斯科": 모스크바 - 편자 주.

中心인『기따이스까야』街 附近은 勿論 莫斯科나 海蔘威와 가티 그 石片으로 敷設된『스라브』都市 獨自의 舖裝과 그『스톨로바야[16]』에서 흘너나오는『바라라이카[17]』의 愁歡的인 멜로듸와 그 双頭의 露西亞馬車와 그 數업는 거의 全部라고 할 白人의 往來와 그거의 獨存的인 店舖의 占有를 볼 때에 이곳은 아즉도『双頭의 鷲』의 榮華를 꿈꾸는 白系露西亞人의 蘇聯 領土 以外에 잇서서의 世界最大의 最後의 堡壘라는 感을 否定할 수는 업다 文化의 集中과 都市의 形成에는 相當한 時日을 要한다는 것은 哈爾賓의 滿洲國 第一의 大都市로서의 自然스러운 感과 建設에 채쪽질하고 다름질치는 大新京의 都市로서의 疎薄을 對比하면 切實히 늣겨지는 것이다 그러나 이 거리의『스라브』的 外觀이 이러틋이 依然함에도 不拘하고 그것은 발서 過去의 것이오 希望을 일은 廢人의 것이다 店舖는 營養不良에 걸니고 거리를 것는 露人(勿論 그中에는 蘇聯 市民도 잇다)의 大部分의 얼골에는 生氣도 업고 經綸도 업고 오즉 屈從과 憂鬱한 表情이 잇슬 뿐이다 北鐵 從業員의 居住地이든 文化住宅이 櫛比한 南岡 一帶가 日滿人의 國鐵 關係者와 官公吏에 依하야 代位되는 것과 가티 부리스탄(埠頭區) 一帶의 歐化 中心地帶가 나날이 東洋的 面貌로써 變하여갈 것은 必然의 運命일 듯하다。『기따이스까야』街를 것는 동안 哈爾濱이 全部라고 할 露人 밋 相當한 數(約 五千)의 英米獨佛 其他 外人의 中心의 都市이거니 하는 印象을 밧은 旅行者는 이 거리의 終端인 松花江畔에 나와 江건너 太陽島의 사러진 平和 꿉[18]을 꾸든 別莊 地帶를 처다볼 때까지 이 記憶은 有効할 것이다、

---

16 스톨로바야: столовая(식당, 음식점) - 편자 주.

17 바바라이카: балала́йка(삼각형의 러시아 전통 현악기) - 편자 주.

18 "꿉"은 "꿈"의 오식 - 편자 주.

그러나 바로 그 엽 골목『모스토와야』街를 거닐며『우동、소바』집、으로 至『게다야』까지 업는 것이 업는 日本人 中心의 거리의 活氣를 볼 때에、歐化 都市로서의 哈爾濱에 幻滅을 늣길 것이다、더욱 이 바로 한 골목을 隔하야『기따이스카야』와 倂行된 滿人의 買賣街에 발을 드려 노아、傅家甸 一帶를 一巡한다면 哈爾濱에서 滿洲國 以外의 奇蹟을 發見하려든 어리석음을 一層 明確히 께닷게 될 것이다 이러틋 十九世紀와 二十世紀와 東과 西의 文明의 華美한 一部分과 醜惡한 一部分으로써 配接한 過渡期의 沌沌 都市 畸形 都市 이것이 哈爾濱이라고 할 것이다

❻ 頹廢를 말하는 哈爾濱의 밤

□ 샬리아핀의 來哈과 白系露人

내가 哈爾賓에 묵고 잇는 동안에 三月 九日엔가 露西亞가 나은 世界의 低音獨唱家、피오들、샬리아핀[19] 氏가 이곳에 온 것은、白系露人 間에 큰『쎈세이슌』이 되고 잇는 듯하얏다 數年 間 反蘇的 態度를 表示하고 米國에 住居를 定한 그가 王者와 갓흔 豪勢로 極東에 온 後、日本에서、破記錄的인 報酬로『스케쥴』을 마치고 上海、大連을 거처 이곳에 온 것은 이곳에 사는 五六 萬 白系露人의 渴望에 報答키 爲한 것이라고 한다 蘇聯 以外의 他國에 잇서 露西亞人의 가장 密集되여 잇는 이 都市를 그가 無視치 안은 것은、이곳의 白系露人을 大端히 깃브게 한 모양으로 그 三 日 間의 入場券은 夜、五

19　피오들、샬리아핀: 러시아 오페라가수 Фёдор Ива́нович Шаля́пин(1873~1938) - 편자 주.

圓、三 圓의 高額임에 不拘하고 그가 이곳에 오기 前 一 週 前에 발서 賣盡
되엿다고、 호텔 모데른의 뽀이는 露人 特有의 『제스추어』인 억게를 한쪽으
로 웃슥하면서 자랑스럽게 나에게 말하는 것이다、 그는 밤 十時에 호텔 모
데른으로 드러온 채、 長途 旅路의 疲困과 感氣로 房門을 구지 닷고 外出도
안키 때문에、 그가 食堂에 그 巨軀를 나타내는 모양을 볼가 업섯다。 露西亞
에 도라온 것과 가튼 가벼운 氣分으그는 이곳에서 休養하려는 셈인지 그의
音樂會는 一週 間이나 延期되여 밥은 굴머도 藝術의 法悅 업시는 못살겟다
는 이곳 露人 音樂팬들의 가슴을 조리게 하는 것이다。 停車場에서 호텔까
지 오는 동안에는、 이곳 白系露人의 中心團體인 全露팟시스트黨의 眞鍮樂
隊를 先頭로、 王者와 가튼 護衛 行列을 하얏다는 것은 그의 藝術家로서의
偉大에 加하야 政治的으로 反蘇 態度를 表明한 데 對한 敬意가 加重된 까닭
이라고 한다。 現在 哈爾濱은 歐洲에 잇서 키릴 太²⁰公을 中心으로 한 巴里
의 露人軍事同盟과 倂立한 極東에 잇는 白系露人의 中心 機關 파시스트黨
의 本部로서 上海의 지도릭스 蔣軍의 大스라브聯盟과 함께 이들의 策謀의
中心이 되고 잇다는 것은 이곳의 蘇聯 領土와의 地理的 近接과 아울러 注目
할 만한 點이다 그리고 그 뒷날인가 내가 外出하엿슬 때에 좀처럼 號外를 發
行치 안는 露人의 新聞이 號外를 發行하얏기에 한 장 사가지고 들고 보니 큰
글자로』게르만이 라인란드에 進擊』이라는 意味로 마치 獨逸이 당장 佛國을
처드러가는 것과 가튼 衝動的인 題號를 부친 『하르빈스카야·자랴²¹』紙의 號
外이다 호텔에 도라오니 露人 宿客들이 緊張한 얼골과 얼골로 獨逸의 라인

---

20 "太"는 "大"의 오식 - 편자 주.

21 "하르빈스카야·자랴": 백계 러시아인들이 하얼빈에서 발행한 신문 『Харбинская заря
(하얼빈 여명)』 - 편자 주.

駐兵을 論하고 잇는 것이 눈에 띄인다 사러진 옛 祖國의 光榮을 나치스獨逸의 東部 進擊에서 渴仰하고 이에 合流할 機會를 엿보는 그들이、나치스獨逸의 一擧手一投足에 가장 큰 興味를 늣기는 것은 希望을 일은 그들에게는 無理도 아닐 것이다.

□ 캬바레、판타지아와 頹廢 氣分

北滿鐵道 當時 北鐵管理局의 課長으로부터 現在의 滿洲國鐵 哈爾濱鐵路局에 일 보는 崔亞立 氏 洪錫恩 君의 꼬임으로 이곳 밤의 生活 情操를 代表的으로 表示하얏다고 할 수 잇는 『캬바레·탄[22]타지아』에 가보다. 北國的 裝飾과 悠長한 스라브的 亨[23]樂氣分도 소님이 적기 때문에 充分히 橫溢되지 못하는 感이 잇다. 『딴스』를 露人 舞女들이 食事를 하는 손님에게 無料로 써비스하는 以外에 또 때때로 『스테지』에 獨舞 獨唱이 出演되는 以外에는 東京 等地의 『딴스홀』과 다를 것이 업다.

그 빼드의 吹奏하는 樂音은 『르듸·발레이[24]』나 『폴·화잇트맨[25]』 類의 米國的 짜즈의 輕快感에 익은 사람에게는 오히려 陳腐의 感이 잇다 『스텝』의 一部는 아즉도 舊 帝政時代의 그것이 殘存된 듯하다 『칼멘시라』의 情熱的인 『듀엣』과 『집시』춤에서 힌트를 밧은 露人의 獨特한 舞踊 『치가노스카』가 눈에 띄인다. 享樂에서 享樂을 追求하는 以外 明日의 希望도 分明치 못하고

---

22 "탄"은 "판"의 오식 - 편자 주.

23 "亨"은 "享"의 오식 - 편자 주.

24 "르듸·발레이": 미국 영화배우, 가수 Rudy Vallee(1901~1986) - 편자 주.

25 "폴·화잇트맨": 미국 지휘자, 영화배우 Paul Whiteman(1890~1967) - 편자 주.

生活 意慾은 涸渴되고 經濟的으로는 나날이 沒落되여가는 露人들도 經濟的 破綻의 嚴肅한 現實에는 엇절 수 업는 모양으로 나날이 生活의 方途를 차저 上海로 天津으로 몰녀가는 最近 事情은 이 昔日의 華麗하든『캬바레、판타 지아』로 하여곰 一抹의『멜랑콜리』를 感하게 하고 잇는 것이 舞女들의 生氣 업는 表情에서 感知된다 活氣 잇게 이것저것 豊盛하게 飮食을 식여먹는 日 本人소[26]님에게 써 — 비스 하는 것을 그들은 光榮으로 생각하는 모양이다。 『아나다[27]』、『오도리마쇼 —[28]』하고 感傷的인 表情을 하고 무거운 스텝을 밥는 그를[29]의 얼골에는 確實히 明日의 生活에 對한 不安과 焦燥가 떠오른 것을 숨길 수가 업다。大陸의 바람 찬 밤의 거리 우를 午前 三時나 지나 긔 운 업시 거러가는 그들의 疲勞한 얼골이 거리의 등불에 蒼白하게 反照될 때 에 이 都市의 感傷은 더욱 高調되는 것이다 地下室에서 經營하는 갑싼『카 페』의 數千으로 헤일 露西亞 舞女들의 末路를 생각하야 이들 中에는 舊 帝 政時代의 貴族의 딸도 잇고 將軍의 딸도 잇다는 것을 想到한다면 旅客의 맘 은 憂鬱한 轉變感으로 變할 것이다

❼ 在滿同胞에 對한 若干의 斷想

五 日 間의 哈爾濱 滯在로써 나는 充分치는 못하나 이곳 都市 風物을 대

---

26 "소"는 "손"의 오식 - 편자 주.

27 "아나다": 일본어 あなた(당신) - 편자 주.

28 "오도리마쇼 —": 일본어 踊りましょう(춤을 춥시다) - 편자 주.

29 "를"은 "들"의 오식 - 편자 주.

개 一瞥하고 慌急한 旅路를 다시 新京으로 向하얏다. 나는 될 수 잇스면 北滿의 山河와 北滿에 居住하는 朝鮮 同胞의 生活을 더욱이 不安 增大의 感이 잇는 滿蘇國境 方面의 物情이라든지를 個人的 用務로 왓든 길이라 할지라도 旣往 이까지 왓든 길이니 이 機會를 有效하게 利用하야 한번 視察할 생각도 懇切하얏섯다. 그러나 旅行 期間의 短促은 私用을 辯理함에도 不足하얏기 때문에 그러한 餘裕를 가지지 못하야 오즉 新京、哈爾濱의 北滿 二 都市에 足跡을 찍은 以外에는、滿洲의 眞貌를 알기에 이보담 重要한 農村에 한 거름도 드려놋치를 못한 것은 이즐 수 업는 恨事이다. 또한 이곳에 오래 居住하는 先輩들에게서 在滿朝鮮人問題에 對한 여러 가지 智識을 어들 機會를 못 가진 것은 더욱 遺憾스러운 일이다. 따라서 나는 在滿朝鮮人問題를 云云할 資格이업다 오즉 잇다면 이 問題가 現朝鮮人 社會生活에 偏在한 重大問題란 것을 强調하려 感激이잇슬 따름이다.

現在 滿洲의 山野에 散在한 同胞의 數는 昨年 十月 末 推定統計에 依하면 戶數 十五萬 二千八百二十 戶 人口 八十萬 五千七百六十九 人이라고 하나 呼曰百萬이 아니라 實數는 百萬에 到達하리라고 한다 그 分布狀態로 보면 間島、南滿北滿의 順序로 되여잇는데、이들의 거의 全部는 周知하는 바와 가티 先進國의 植民 政策에서 봄과 가티 保護獎勵에 依하야 이른바 計畫 移民으로써 이곳에 移住된 것이 아니오 이른바 自由移民으로써 물이 低邊으로 흐름과 가치 本土의 經濟生活에 敗殘된 結果 生活의 方途를 求하야 떠나기 실은 故土를 떠나 廣漠한 土地가 未開拓狀態로 노혀잇는 이곳으로、몰려오게 된 것이다、勿論 政治的 理由에서 이곳에 移住케 된 一部分도 잇지마는、總體的으로는 滿洲의 朝鮮人은 滿洲가 中國의 統治 下에 잇슬 때에나 滿洲國이 創生된 後이나 依然히 生存競爭이 低位한 方向을 取하야 흘너온 可憐한 農民이 移住民의 中心이다 이들은 中國의 政權 下에 잇서서는 그 水

田經營의 功勞에 不拘하고 日本의 土地兼倂의 先驅로써 誤解되야 不安定한 土地使用契約과 劣等한 政治的 差別 待遇下에서 法律的 無保護의 苦杯를 마시면서 不安한 하로사리를 하엿고 滿洲事變 勃發 後에는 奧地의 同胞는 虐殺、暴行、掠奪의 對象이 되는 等 大部分은 日月이 無光한 慘憺한 生活을 하야 온 것은 여러 가지 其間에 報道된 經過로써도 足히 想像할 수가 잇다.

滿洲國의 創成된 爾後에 朝鮮 農民의 生活 基礎는 法律的으로는 比較的 安定된 地位로 向上되고 잇는 것은 在來의 商租權에서 나아가 今年 七月부터 治外法權이 撤廢된 代價로 朝鮮人도 滿洲國人으로서의 居住權이 賦與되여 土地所有權 其他 公民權 等을 亨[30]有할 수 잇게된 것 等으로 例證할 수는 잇다 그러나 그 數의 滿洲國人에 對한 絶對少數로 因하야 그 密集部落은 別問題로 할지라도 都市에서 遠隔한 地方에 散在하고 잇는 農民에게는 依然히 文化的 民族의 孤立에 依하야 大多數의 滿洲國人의 重壓 下에 잇게 될 것은 免치 못 할 것이다 또한 아모리 土地所有權이 亨[31]受되드래도 이를 行使할 實力 업는 사람에게는 前과 달을 것이 업는 것이 아니랴?

朝鮮總督府가 昭和 六年부터 營口、河東、鐵嶺、綏化의 四 個所에 安全 農村을 建設하야 一部 集團移民을 實行하는 以外에 最近 各地에 金融會를 設置하야 自作農創定에 注力하고 잇는 것과 또 六月 頃에 創立될 半官會社 鮮滿開拓會社가 資本金 三千萬 圓으로 東亞勸業會社를 合倂하야 集團移民 計畫을 進行함에 따라서 生活의 方途를 일흔 朝鮮 內 細窮民의 滿洲에의 大量 進出과 아울러 滿洲의 朝鮮人은 漸次 累進的으로 增加될 것은 必然의 勢이다 이것은 朝鮮人 現下 經濟生活의 重要한 모 — 멘트가 되는 것으로서 朝

---

30 "亨"은 "享"의 오식 - 편자 주.

31 "亨"은 "享"의 오식- 편자 주.

鮮 本土에 居住하는 吾等의 生活과도 有機的으로 關聯되는 것으로 이 事態의 進行에 따라 이에 相應한 批判과 興論이 提起될 것이 客觀的으로 要望되는 듯하다 朝鮮人의 海外 最大 集中地인 在滿洲朝鮮人問題에 對한 社會人士의 硏究와 關心이 너머나 적다는 것을 몃 분 先輩에게서도 들엇다

❽ 在滿同胞에 對한 若干의 斷想

筆者 暫時 旅行 中에 어더들은 이야기를 綜合하야、滿洲의 都市에 朝鮮商人이 進出함에는 이곳 物情에 밝은 滿洲國 商人과 資本과 背景이 나흔 日本 內地人과의 競爭에 버틔여 나가기가 困難하나 農業 經營은 近年 滿洲國 人도 水田 經營의 競爭者로서 登場하얏다 할지라도 아즉도 이 點에 잇서 數年의 長이 잇는 朝鮮人으로써、朝鮮 本土의 農業보담 採算 上 훨신 有利하다는 疎薄한 結論을 내린다면、讀者는 『그런 소리쯤이야』 하고 一笑에 부치고 말 것이다 그러나 드른 風月의 要領을 말하면 滿洲의 都市에 갓가운 比較的 安定된 地方의 沃土 ─ 當年으로 水田이 될 수 잇는 沃土가 滿洲에서 이른바 一晌(한 쌍지기라는 것으로 約 二千 坪에 該當함)에 對하야 上으로 八九十 圓이면 손에 드러오고 조곰 都市에서 遠隔된 地方이면 一晌에 二三十 圓으로 十 圓까지에도 買收되는 것은 틀림업는 事實이다。一 坪에 沃土가 四 錢 五 錢 乃至 一 錢 二 錢이라니 얼마나 헐한 갑시랴? 더욱 이 朝鮮의 農耕土地에 比하야 그 地質이 조흔 點은 肥料를 씀이 업이 四五 年을 繼續 農作할 수 잇는 것으로써 可히 짐작할 수 잇다

그런데 一 晌에서 施肥 업시 年 約 三十 石의 收穀을 하게 되는 것은 普通의 일이 되고 잇스니 돈 잇고、뜻 잇는 實業 志士 諸氏로서 土地 장사로가 아니라 『로버─트 오─웬』의 『하모니』村을 今世에 實現하려 함과 갓흔 큰

뜻으로(五萬 圓이면 朝鮮의 六千餘 石 秋收分은 된다) 相當한 土地를 買收하야 이에 氏 等이 사는 附近의 貧民들을 移住식혀、自主的 理想的、集團的 生活을 經營할 大志는 或是 업는가? 新京에서 奉天까지 오는 동안에 同行이 된 이곳 農業 經營者 丁 氏의 仔細한 말을 드를 때 이런 일에 全然 門外漢인 筆者도 一種 口味가 動하는 것을 禁할 수가 업섯다

◇

다음에 在滿朝鮮人의 經濟 地位의 問題와 아울러 關心되는 것은 朝鮮人의 滿洲에 잇서서의 文化的 地位의 問題이다。言語와 傳統을 紐帶로 하야 結合된 民族文化共同態는 政治的 經濟的 生活의 一致 업시는 그 生活은 畸形이 된다 民族群의 相互孤立 이것처럼 큰 悲劇은 업다 朝鮮人의 大集團部落을 滿洲國의 一定地帶에 建設하야 이에 統一的으로 生活共同態를 集結식힘으로써 眞正한 協和에의 一 構成員이 되게 할 決意는 要路當局者 間에 업는지? 잇는지?

奉天을 떠나 一路 京城으로 向하는 車中에서 나는 스피듸한 不充分한 滿洲智識으로 이 생각 저 생각 하다가 한참 자는 사이에 車가 어느덧 安東驛에 닷게 되엿다 엽헤 안젓든 日本 婦人이 慌急하게 『사과』 상자를 끄내드니 엽헤 안즌 나와 밋달은 몃 사람에게 이것을 좀 먹어달라는 것이다 사과는 國境의 通過가 稅關 規則上 禁斷되어 잇기 때문에 旣往이면 하고 한턱 쓰는 것이다 나는 生前에 吝嗇하게 죽도록 돈을 모을랴고 애만 쓰고 한 번도 빗나게 써보지는 못 하고 잇다가 壽命이 在刻할 때에 니르러야 비로소 엄청나게 數萬金을 神通치도 안흔 데 喜捨하고 죽은 엇던 無智한 致富人을 聯想하야 苦笑를 禁치 못 하엿다 鴨綠江은 아즉도 結氷! 一路 京城에 向하다 이번 旅行

에 만흔 便益을 주신 安鳳梧 氏 卓春峰 氏 溫泉鍾 氏 朴應豹 諸氏에게 感謝
를 드리면서 ― ⒲

―『朝鮮日報』, 1936년 3월 31일 ~ 4월 9일, 8회 연재

北中遊記

於南濟[01] 李貞根

나는 오랫동안 구석진 農村에 묻쳐서 長壽煙을 피여 물고 뜰도 쓸고 닭에
모이도 주었다. 각갑한 생각이 나면 三十五 度 燒酒를 마시면서 억지로라도
閑村에 백여있을려고 애를 썻다. 치운 겨울에는 이럭저럭 지났으나 陽氣가
도타워지고 봄이 되니 빼앙빼앙 우는 병아래소리와 함께 萬物이 우수수 躍
動하는 것 같다. 나 혼자 閑村에서 沈黙을 지키고 앉었기는 참으로 싫었다.
哲人 칸트는 書齋 窓밖에 있는 隣家의 林檎나무를 쳐다보면서 哲學을 생각
하든 中 이런 事情을 몰으는 隣家에서는 林檎나무를 배여버렸다. 林檎나무
가 없어진 後부터는 칸트의 궁리가 잘 돌지 않었다고 한다 나는 칸트와 같은
哲人이 아니다. 때 묻은 環境에 包藏된 頹廢 氣分에서 하로밧비 脫出하고
싶엇다.

때맛츰 北中[02]에는 河北省香河縣公署에 數千 名의 農民請願團이 殺到하
고 王明(朝鮮靑年 李亮)이 統率한 自治農軍이 天津市黨部를 占領하고 殷汝

---

01 "南濟"는 "濟南"의 오식 - 편자 주.

02 "北中": 중국의 장강 이북지역 - 편자 주.

耕은 北中自治를 宣言하면서 冀東政府를 通州에 두게 되어 글자 그대로 北中은 噴火口 上에서 끓게 되엿다. 내가 旅具를 챙겨들고 발길을 向할 곳은 物情이 騷然하고 戰雲이 滾滾한 이 北中이엇다.

× ×

동무들이 수건을 흔들면서 잘 다녀오라는 소리가 귀에 아직 남어있는 듯싶은데 벌서 汽車는 鴨綠江鐵橋를 지낸다. 警察과 稅關들이 車內를 설낸다. 車가 安東에서 떠나자 寢臺에 누어 困이 잠이 들엇다. 奉天에 나리기는 翌朝 三月 一日 六時이엿다. 長友 碧朶 宅을 訪問하고 美鬚翁 李憲 氏와 一默 兄을 만나서 南滿의 情勢를 大略 들었다. 胡酒를 한 잔 마시고 馬車를 타고 紅塵萬丈의 奉天 市街를 一巡하고 나니 滿洲 온 氣分이 생긴다. 午後 二時에 奉山線을 탔다. 汽車는 一望無際의 平野를 다름질치고 있었다. 아직도 滿洲는 치위가 채 풀리지 못 한 關係인지 사람들이 밖에 나와 단기는 이가 적다. 黃土 집웅 밑 굴뚝에서 煙氣가 날 뿐이다. 강낭떡도 굽고 茶水도 끌이는 모양이다. 해가 저서야 山海關에 왔다.

萬里長城을 사이에 두고 이便은 滿洲國이요 저편은 中國이다. 汽車도 終日 달리기에 숨차하는 듯이 헐덕헐덕 萬里長城 고피를 헤치며 天下第一關이라고 써붙인 山海關을 넘어선다. 이곳이 北中이다. 이곳이 物情이 騷然한 北中! 이곳이 戰雲滾滾한 北中! 내가 目的하고 오는 北中인가고 하고 생각할 때 痛快한 感이 생긴다.

書經의 禹貢을 보면 中國古代의 田地는 上之上으로부터 下之下에 이르기까지 九 等으로 區別하였는데 北中의 田地는 上 又는 中을 占하였고 南中 田地는 下之下 又는 下之中을 占하였다 文化 亦是 北方이 絢爛花開하여 文

武巨物은 대개 北中에서 많이 났다. 儒家의 孔子를 비롯하야 子思 孟子 荀子 道家의 老子 列子 莊子 兵家의 孫子 吳子 辯家의 蘇秦 張儀 管仲 韓非子 같은 人物이 全部 北中産이다 그런데、距今 約 千六百 年 前에 匈奴 鞨 鮮卑 抵羌 等의 所謂 五胡라고 稱하는 塞外種族과 烏丸이라고 하는 一族을 加한 所謂 六夷라고 하는 塞外種族이 晉都 洛陽(河南)과 長安(陝西)를 奪取함으로 晉은 할 수 없이 楊子江의 建康(江蘇)에다가 遷都하게 되었다. 그리하야 古來 漢民族의 根據地요 同時에 中國文化 中心地帶이든 北中은 三百餘 年 동안 그들 所謂 塞外諸族의게 占領되여왔다.

×   ×

아츰 六時에 天洋[03]에 나렸다. 旅具를 桃山街 三成公司에 끌러놓고 中國名物인 沐浴湯에 들어가 한잠 자면서 旅困을 풀었다. 天津은 世界의 縮圖이다. 路面에 힌 금 하나 그어놓고 이便은 英租界요 저便은 日租界요 伊租界 佛租界 云云하야 租界에서 租界에 너머설 때마다 交通巡査 服裝까지 各各 달고 모든 文物이 달러 國境을 너머서는 感이 있다. 天洋[04]市의 中央에는 數千 噸級 汽船이 入港할 수 있는 運河가 있어 水陸 共이 交通이 至便하다. 이 運河는 楊[05]子江으로부저[06] 淮河를 經由하야 黃河 白河를 通한 千八百餘 支那里나 되는 大運河이다. 이것이 中國에 있어서 萬里長城과 같이 世界的

---

03 "洋"은 "津"의 오식 - 편자 주.

04 "洋"은 "津"의 오식 - 편자 주.

05 "楊"은 "揚"의 오식 - 편자 주.

06 "저"는 "터"의 오식 - 편자 주.

二大土役의 하나이다. 支那의 國都는 大槪 北中에 두게 되었는데 長安 洛陽 開封 北京 이렇게 國都가 變할 때마다 自然이 이 運河도 多少 變하기는 하였으나 언제나 南方의 米穀을 北方 國都에 搬來하는 命脈이 되어있었다. 唐의 德宗 때에 暫時 이 運河의 漕運이 阻絶되였었든 일이 있었는데 當時 國都인 長安에는 饑窮이 甚하야 民心이 騷亂되였었고 元의 滅亡도 이 運河의 漕運이 阻絶되여 江南의 糧道가 끊어진 것이 큰 原因이였다고 한다. 唐代에는 每年 約 二百萬 石 元 明 淸 時代에는 約 四百萬 石을 南中에서 北中에 이 運河를 通하야 糧米를 供給하였다는 말이 있다. 이것으로만 보더라도 北中의 食糧問題는 거의 南中 米로 解決하였고 또 이 南中 米 北搬에 이 運河가 大動脈의 役割을 하였다는 것을 넉넉히 밀우어 알 수 있는 것이다. 天津은 北中政局의 策源地요 密輸 都市요 陰謀의 都市이다. 北中을 싸고도는 列强의 政治 折衝은 北平보다도 이 곳 天津서 많이 생기게 되고 中國의 모든 秘密結社는 南은 上海 北은 天津에서 起伏된다. 無稅港 大連을 것처 中國에 輸入되는 密輸品이 이 곳 天津서 集散됨으로 天津의 經濟界는 密輸景氣가 左右하고 있다. 이 密輸는 朝鮮사람이 開拓하였고 現在 密輸者도 大部分이 朝鮮사람이다. 이 密輸로 數千萬 잡은 사람도 있다.

×　　×

國民政府는 一九二九年 關稅自主權을 獲得한 以來 通商條約에 規定되여 있는 所謂 五分稅를 廢止하고 同年 二月 一日 輸入品 全般에 亘하야 關稅大改革을 實施하고 다음해 一九三〇年 二月에 銀價低落을 理由로 關稅兩制를 廢止하고 새로이 金單位制를 採用하였음으로 事實上의 關稅 引上이 되었으나 그 後 年年히 小範圍의 關稅引上을 繼續하야오더니 一九三三年 五月 及

一九三四年 七月에 와서는 國內産業保護助成을 標榜하고 全般的으로 關稅
引上을 斷行하였다.

中國關稅改革年度

一九二九年 二月	自主關稅 設定
一九三〇年 二月	金單位制 採用
一九三一年 一月	一部 輸入稅 改變
一九三二年 三月	砂糖類 高率 引上
一九三二年 八月	人絹 絹織物類 引上
一九三三年 五月	全般的 引上
一九三四年 七月	全般的 引上

이와 같이 一九二九年의 自主關稅 設定 以來 近 六 個年 間 前後 七 回 改
革을 行한 結果 輸入稅는 普通 五 割 內外로부터 最高 二十 割을 超過하게
되었다. 이 高率稅金이 密輸入하게 된 第一의 原因이요 政府當局이 關稅 引
上에만 눈이 어두었고 密輸入 取締 機關을 整備하지 못하고 地方軍閥과 稅
關吏가 腐敗한 것이 第二 原因이요 海岸線이 數千 哩나 되니 中國의 現狀으
로서는 警備가 不充分한 것이 第三 原因이라 하겠다.
이제 參考로 關稅 改革 後 秦皇島 天津 龍口 芝罘 威海衛 靑島 等 北支六
港의 總入輸額을 적어보면 이러하다.

一九二九年	二六三、七七六、四二八(自主關稅 設定)
一九三〇年	二九〇、〇三一、四一四(金單位 採用)
一九三一年	二七〇、七三一、八四八(一部 引上)
一九三二年	二六四、四六七、四六四(砂糖 人絹 高率 引上)

一九三三年　　二〇四、七七五、七〇一(全般的 引上)
一九三四年　　一六一、七七六、二三二(全般的 再引上)
一九三五年　　一五〇、一三三、〇四七

關稅는 高率로 引上하는데 關稅 收入은 次次 적어지니 이것이 무엇을 말하는 것인가? 그리하야 密輸는 一九二九年 以後부터 생기기 始作하였는데 斯界 元老 格의 人物들에게 北中密輸入史를 들으면 이러하다. 初期에 密輸 方法은 대개 두 가지 方法이 있었는데 一은 純粹密輸入인데 無稅港 大連에서 商品을 購入하야 戒克[07] 其他 小舟에 싯고는 關東州에서 順風이면 一晝夜에 到着할 수 있는 山東 河北 兩岸으로 건너와서는 其中 商品 조곰 실은 犧牲舟를 一二 隻 準備하야 이것으로 海關의 監視를 集中케 하고 다른 배는 그 틈을 타서 脫稅하는 것이요 二는 腐敗한 群小 軍閥의게 冥加金을 주고 그들의 黙許 밑에 白晝에 海路로 陸路로 公然하게 運搬하는 것으로 이것이 五六 年 前 그때에는 尖端을 것는 密輸였다고 한다. 그런데 只今의 密輸法은 最尖端을 것는다. 아니 完全히 戰爭化되였다. 昨年 六月頃부터 急激히 山海關 方面에 密輸가 盛行하기 始作하였는데 거의 全部가 朝鮮사람으로 白晝에 公公然하게 數百 名으로 一隊를 組成하고 前後에 二十餘 名 騎馬隊의 監視 밑에 武步堂堂하게 進軍하다가 稅關吏의 干涉이 있으면 밧고 차고 뚜들기고 國境隊에 突入하곤 하야 稅關吏는 暴行을 두려워 袖手傍觀하고 있었다고 한다. 그리고 個人 間에는 銀 數百 兩을 지고 萬里長城은 혼자서 발발 기여 넘어가는 勇敢한 사람도 있었는데 이런 方法으로 運搬하는 사람을 斯界의 述語로 (짝지바리꾼)이라고 하는데 무슨 意味인지는 모르겠다. 이런

07　"戒克": 정크(junk) - 편자 주.

方法으로 一但 國境을 突破하기만 하면 稅關吏가 密輸品인 줄 알면서도 말을 못하는 것이 中國 稅關의 通例이다

× ×

密輸品을 가지고 國境을 넘어선 그들은 山海關에서 天津까지 汽車를 타고 온다. 이제 汽車라고 오고가는 동안 그들의 行動에 포복절도할 에비쏘트가 한두 가지가 아니다. 그들은 全部 汽車에 파쓰로 通한다. 그들의 파쓰는 普通 파쓰와 種類가 다르다.

汽車에서 나리고 오를 때 係員의게 주먹을 처들고 엄지손가락만 뒤로 제치면 그만이다. 누구나 이 파스로 通하는데 그 생긴 原因을 알어보면 뒤에 나오는 사람이 내 車票를 가지고 나온다 하는 係員의게 表示하는 信號인데 맨 나종에 나오는 사람까지 母指만 뒤로 제치고 그냥 나오니 웃지 않고는 못백일 現狀이 안인가? (最近은 日本 憲兵이 乘車取締 함으로 적어가니 每日 平均 數十 件을 不下한다 한다.)

이것은 山海關 方面에서 活躍하는 陸戰隊들이요 大連 奉天 間의 海戰隊는 汽船 數 隻式을 가지고 있다. 이 海戰隊 本部는 대개 天津에 있고 出張所를 昌黎 等地에 支店을 大連에 두는 것을 常例로 한다. 그들의 通信은 가장 敏速하야 普通 通信으로 하는 通信은 別로 없다. 대개 長文電報 長距離電話로 連絡한다. 海戰隊에서도 物品을 北支에 풀 때에는 稅關吏와 衝突이 생기는데 그들도 陸戰隊에지지 않게 싸운다. 戰法은 兩 隊가 大同小異하기에 略한다. 그들의 取扱物品은 銀(時勢에 따라서) 人造絹系 砂糖 毛織物 加工線布 絹製品 煙草紙 酒精 고무靴 고무다이야 海産物 味の素 等이 主要商品인데 人絹系는 昨年 六月 以降 十月 十五日까지 四 個月 동안 推定數量(山

海關)이 二萬 一千四百 箱(四百二十八萬 封度)이요 買價는 天津 市場 正當 輸入探算에 依한 買價보다 一 封度 五〇 元의 乃至 八〇 元의 差가 있음으로 一時 支那 市場에 大昏亂이 생기였었다고 한다 最近 組織的인 密輸入團體에서는 一 航海 千 元 內外로 發動機船을 傭船하야 貨物을 大連에서 싯고 稅關吏가 적고 監視가 充分치 못한 秦皇島 昌黎 等地를 利用하여다가 附近 海岸에 陸揚하고는 鐵道로 天津에 輸送하여다가 파는데 發動船 一 回 積載量 人絹 四千 箱、價格 約 四萬 圓 輸送貸을 除하고 一 箱 五六 元의 利益이 있다. 難破 其他 事故(但 稅關에 떼워서 沒收當한 例는 적다)가 있다고 보더라도 一 航海 三千 元 可量의 利益은 確實하다 이렇게 密輸品이 天津에 모여드는 것이 每月 平均 四百萬 圓 程度라고 한다.

×　×

그동안 天津서 密輸界를 視察하노라고 그들의 本部에 들어가 보았다. 斯界의 智識을 얻기에 旬餘나 걸렸다.

三月 十五日 푸로그람대로 冀東政府 長官 殷汝耕 氏를 訪問코저 通州로 向하였다.

通州는 北平서 汽車로 約 한 時間 가는 조고만 고을이다. 通州는 客年 十一月 二十五日 北中自治獨立의 先鋒인 殷汝耕 氏 一派의 冀東自治政府 (當時 冀東防共自治委員會)가 産出된 곳이다. 冀京[08]이라 함은 冀州의 東이라는 意味이다. 또 冀州라고 함은 徃古 九州의 一部로서 지금 河北 河南 山西 滿洲의 一部를 指稱함이다.

08　"京"은 "東"의 오식 - 편자 주.

泰西의『룩섐부르크』公國은 紀元 九百二十三年 以來의 오랜 歷史를 가지고 人口는 二十九萬 九千七百八十二 人이요 面積은 九百九十 平方哩로서 白耳義[09]와 佛蘭西의 사이에 介在하여있는 一 小國이다. 이 泰東의『룩섐부르그』인 冀東政府는 北은 長城을 國境으로 하야 滿洲國에 接하고 東은 渤海灣에 臨하고 南은 白河 西는 北平과 指呼를 境界로 한 二十二 縣으로서 總面積 約 二萬 二千 平方哩에 人口 約 六百萬이라는 一 小國이다. 이 冀東은 開灤 唐山 等의 有名한 炭鑛이 있고 塩田이 있고 豊潤 玉田 遵化 等地의 無類의 農業 地帶가 있다. 이런 點으로 보아서 泰西의『룩섐부르그』보다는 나을 것이다. 이 泰東의『룩섐부르그』冀東政府의 長官 殷汝耕 氏는 本是 蔣介石系의 人物로 日本人 妻를 가진 親日系의 政客이다 浙江省 平陽縣人으로 早稻田大學 政治經濟科를 맛치고 第一 第二 兩 次의 革命運動에 參與한 일이 있고 郭松齡의 反張作霖軍에 參加하야 外交部長이 되여 郭軍의 奉天入城에 日本軍憲의 諒解運動을 하다가 郭軍의 失敗로 日本에 亡命한 일이 있다. 그 後는 浙江自治를 부즈런이 策動하였으나 如意치 못하였다. 上海事變이 이러나자 上海市長 吳鐵城의 代表로 日本 側과 折衷의 役에 當하였고 北中事變이 이러나자 冀東에서 춤을 추고 나서게 되였다. 이와 같이 여러 번 여러 번 出世할 地盤을 닥기에 半生을 허비하였다.

이 殷 長官을 만나려고 森嚴한 番兵의 警戒線을 突破하고 廳內에 들어가 傳達處에 名刺를 通하니 事務員 같튼 이가 應接室로 案內한다. 第一應接室에서 茶를 마시고 앉었노라니까 쉬 — 하는 소리와 가치 房門을 닫는다. 殷長官閣下의 擧動이 게시니 누구나 門밖에 나오지 말라는 것이다. 이러서서 창경門을 通하야 내다보니 日本 貴賓이 왔다 가는데 中門까지 餞送을 나

---

09 "白耳義": 벨기에 - 편자 주.

가는 모양이다. 殷 氏의 周圍에는 拳銃 든 手兵이 七八 人이 옹위하고 나간다. 體格을 보니 中國 장궤디[10]式으로 巨軀에 아랫배가 나오지 않고 細身小軀의 文士타입에 가까운 人物이었다. 거름도 快活明朗한 거름이 아니었다. 그러나 今日 冀東의 政權을 掌中에 넣었으니만큼 얼굴에는 김이 무럭무럭 나는 듯한 화기가 돌았다. 조금 있노라니 秘書 沈達夫 君이 나와서 殷 氏를 만날 要件을 묻는다. 조금 있드니 第二應接室로 案內하고 金井 顧問이 나와서 殷 氏를 代身한 豫備 會見이 있다. 그리고 나서야 殷 長官의 引見이 있다고 長官室로 案內한다. 나는 簡單한 敬意를 表하고 앉었다. 말찐 眼光을 보고 分明한 語調를 들을 때 頭腦明晳한 策士로 보이였다. 그리고 赤銅色의 그 얼굴이 殷 氏의 健康을 말하는 것 같었다. 나는 冀東政府의 農事政策과 輸入品通過稅問題에 關하야 殷 氏의 意見을 물었다. 그리고 北中에 對한 바른 認識을 가지려고 于先 冀東政府 管下 各 縣을 視察하여보겠다고 하매 殷 氏는 各 縣長과 公安局長의게 案內와 保護를 하라는 편지를 써준다.

×　　　×

長官室을 나와서 秘書處長室에서 陳 處長과 意見 交換이 있었는데 맛츰 이곳에서 前日 早稻田大學 在學 當時 同窓인 中國 外交家 陸徵祥 氏의 令息을 邂逅하였다.

君은 如前히 몸이 健康치 못하였다. 이번 冀東政府에서 邂逅되여 日本 鐵道 視察을 간다고 한다. 그의 아버지 되는 陸徵祥 氏는 일즉히 만나지 못

---

10 "장궤디": 중국어 "掌櫃的"(가게 주인) - 편자 주.

하였으나 數次의 國務總理와 唐紹儀 內閣 趙秉均[11] 內閣 段祺瑞 內閣 徐世昌 內閣 等 歷代의 外交總長으로 功勞가 많으며 더구나、우리의 記憶에 새로운 海牙萬國平和會義에 出席하야 歷史的 熱辯을 吐한 大政客인 줄을 잘 안다。[12]

그 아버지와 이 子息을 머리에 번가라 그려보면서 茶를 마시였다。冀東政府 要耶들과 紀念寫眞撮影이 있은 後 冀東政府의 御用自動車를 타고 저녁 어스름에 北平을 向하였다。天津서 볼일이 急하야 北平서 市街 求景을 자세히 못하고 떠나는 것이 遺憾이였다。協和醫院 正陽門 領事館街 等地의 夜景을 走馬看山 格으로 求景하고 北平驛에 드러서니 女巡査가 正服正帽를 차리고 威嚴을 도두고 섰다。아무리 보아도 무서운 생각보다 귀여운 생각이 앞선다。이 날은 北中名物인 蒙古風이 불었다。黃塵이 北平 全部를 뒤덮는 듯하였다。이 蒙古風은 고비沙漠에서 肥料를 가져다준다고 農家에서는 기뻐하는 珍風俗이 있다고 한다。何如間 大陸的이요 原始的이다。蒙古의 沙漠에는 『라주움[13]』이 多量으로 包含되여있다고 하니 蒙古風에는 띠끌뿐 아니라 都會人으로서는 기뻐할 『라지움[14]』도 섞이여있으리라고 생각하고 自慰를 얻을 수밖에 없었다。

× ×

---

11 "均"은 "鈞"의 오식 - 편자 주.

12 사료에 근거하면 陸徵祥은 벨기에 여인과 결혼하였고 평생 자식이 없었다. 이 부분의 내용은 저자의 오해로 보인다. - 편자 주.

13 "라주움": radium의 일본어 ラジウム - 편자 주.

14 동상

三月 十九日 灤縣 縣公署를 訪問하였다。이곳서 처음으로 육모망치 권장장틀 等을 구경하였다 이런 刑具를 느러노아 威嚴을 도둔 法庭이 보인다. 앉어서 號令하는 法座도 있다。우리 옛 할아버지時節을 꿈에 보는 것 같다. 맛츰 陳 縣長은 本部 秘書處長으로 榮轉되여 不在中임으로 陶 秘書를 찾었다。陶 秘書의 案內로 市街를 구경하였다。그곳에 居住하는 同胞도 數十 戶나 되였다。擧皆가 ××를 팔고있다。부탁 맡은 恭親王의 所有土地를 調査하려 하였으나 文簿의 不備로 調査가 困難하였다。이것은 公安局에 付託하고 昌黎縣을 向하였다 昌黎는 古邑이라 古色이 蒼然하였다 城도 둟어진 곳이 많고 市街가 좁고 近代的 市街로 不備한 點이 많이 있다 이곳이 密輸品 搬來의 私設 貿易港이다。浦口에 나가보니 糖類와 人絹類를 滿載한 汽船이 三十餘 隻이나 들어와 섰다。昌黎의 各 旅館에는 朝鮮 손님으로 滿員이다. 縣公署를 訪問하고 田原 顧問의 案內로 大略 視察을 맛추고 秦皇島로 向하였다.

秦皇島에서도 人絹系 白糖(無稅品) 等이 港灣에 山積한 것을 보았다。그러나 中國 稅關吏는 그림자도 찾을 수없었다。이곳서 李亮 中佐를 邂逅하였다。李 中佐는 咸北 出生의 靑年 將校이다。滿洲 建國에 有功하야 飛躍的 昇進으로 哈爾濱停車場 司令官으로 있었다。北中問題가、複雜하게 되매 北平과 天津에서 活躍하였다。數千의 自治農民軍을 組織하야 天津市의 各 機關을 占領하고 滿 六 時間 統治者로서 全 市民의게 約法을 公布하고 大氣焰을 吐하다가 時不利슴를 부르고 下野한 일이 있다。何如間 北中自治問題의 火盖를 朝鮮이 낳은 怪傑 李 氏의 손으로 열었다。李 氏와 數年 前 滿洲서 헤여진 後론 처음이다。참으로 반가웠다。하로 저녁을 가치 지나면서 많은 이야기를 들었다。八面玲瓏한 李 中佐는 或은 冀察의 宋을 論하고 或은 冀東의 殷을 論하고 또 無稅品搬入問題를 論하야 밤이 깊어 行商들이 뛰두는

딱딱이 소리가, 안 들릴 때까지 이야기하였다.

이튿날 아츰 北戴河驛에 나리였다 北中에서 活躍하는 젊은 浪人 金斗翼 君과 가치 이곳의 名物인 나귀(驢)를 타고 海濱이란 곳을 向하였다. 나귀 목에 달린 방울소리를 들으면서 세 時間이나 南으로 南으로 달리였다. 沙場이 있고 힌 모래밭에 맑은 波濤가 밀려들어온다. 北中에서는 드물게 보는 背山臨水의 絶景이다. 山허리 鬱鬱蒼蒼한 松林 속에는 빨간 기와 올린 別莊들이 옹기종기 서서있고 海岸의 맑은 모래는 바람에 불리여 보기 좋게 發育된 二八處女의 젖가슴과도 같이 無數한 沙丘를 일우었다. 非節인 海濱은 極히 고요하다. 蒼波에 뜬 낙배(釣船)에서 漁夫들이 부르는 뱃노래가, 이 고요한 海濱의 空氣를 흔들 뿐이였다. 張學良 氏의 別莊 海濱館에서 커피 한 잔을 마시고 天津을 向하였다.

× ×

天津에 도라오니 思想問題 政治問題가 또 複雜化되는 感이 있다. 華北自治獨立과 가치 日本勢力의 華北五省 浸潤을 牽制하려는 目的으로 蔣介石 氏가 例의 容共政策을 써서 北邊을 放棄하야 西北 新疆省에 中國 赤化의 根據地를 옮긴 蘇聯의 國力에 依하야 蔣 氏 自身의 中國統一을 達成하려고 함으로 毛澤東 軍(中國共軍)은 山西省의 山西軍을 擊破하고 벌써 山西省 中部 諸縣에 侵入할 形勢를 보이고 있음으로 閻錫山 氏 以下 山西 首腦部는 緊急對策을 協議하는 等 混亂狀態를 呈하고 있는 一方 中國共産黨에 依한 支那赤化勢力은 刻一刻으로 擴大 强化되여 東北으로부터 東支那海에로 大陸을 貫通하야 直線으로 퍼지고 있음으로 이에 놀란 南京政府는 近日에 學生의 集會와 運動을 禁止하려고 左記와 같이 行政院 敎育部를 向하야 發令하였다.

『平津學聯會의 組織은 何等 依法行動이 아니요 報告에 依하면 同會 中에는 小數 不良分子가 있어서 操縱을 密謀하야 煽動한다고 하니 中央으로서는 多數 純潔한 靑年을 愛護하기 爲하야 該 學聯會의 活動을 禁止하고 學風을 一新하려 한다. 速히 此意를 辨理케 하라) 이 命을 받은 敎育部에서는 곧 平津當局에 命을 發하고 平津 兩 市長은 官憲의게 取締를 嚴命하야 目下 彈壓을 加하고 있으나 中國 現在의 兵力으로 澎湃되는 赤化를 防止할 수 있을는지 疑問視된다. 如何間 이번 問題가 於我에 何關이리요 귀를 오래 기우리고 눈을 오래 멈출 必要가 없다.

×　　×

지금까지 冀東과 冀察의 管內에서는 大略 視察을 맞추었음으로 山東省 管內로 向하였다. 三月 二十六日 저녁 天津驛에서 津浦線을 탔다. 車內는 뭇척 複雜하였다. 三等은 勿論이요 二等까지 滿員이다. 그동안 南京政府의 命令으로 冀東 管內에 들어온 無稅品을 山東 以南에 搬入을 嚴禁하야 一週 餘나 山東 取引이 杜絶되였다가 昨夜부터 겨우 開通되였음으로 이와 같이 車內가 複雜할 것도 無理는 아니다. 오늘 저녁도 車 떠나기 前 한 時間 동안은 荷主들(全部 朝鮮人)과 小荷物係와 小衝突이 있었다. 例에 依하야 荷主의 勝利로 車가 正刻보다 半 時間이나 늦게 出發하면서 荷物을 全部 실고야 떠났다. 中國 친구들이 어떻게 떠드는지 騷音에 귀가 아프다. 話題는 亦是 無稅品運搬問題였다.

나는 일즉부터 寢臺에 누었다. 이튿날 아츰 九時에 濟南에 到着하였다. 驛 構內에는 靑龍刀를 빗겨든 軍人들의 左往右往하고 있다. 現代武器를 가지지 않고 古代式 靑龍刀를 들고 다니는 것을 볼 때 中國 古代 小說 三國志

挾書를 보는 것 같았다. 旅社를 定하고 浴湯에 들어가 旅困을 풀고는 市街
求景을 떠났다.

濟南의 名勝 趵突泉을 보았다. 넓은 못(池) 가운데서 소사오르는 天然
噴水다. 나는 至今껏 人造噴水는 보았으나 天然噴水는 처음이다. 아름들
이 되는 물기둥이 數三 尺 소샀다. 地面에 떠러지는 雄姿를 볼 때 飛流直下
三千尺의 瀑布를 對하는 것보다도 더 快感을 느끼였다. 이와 같은 絶景을
곱다랗게 장식하야 市民들이 거닐며 노는 公園化 시키지 못하고 自然 그대
로 내버려두었다. 아니 露店과 건물로 더럽여놓았다. 이것만 보더라도 整
頓 못 된 社會인 것은 可히 알 만하다. 그냥 떠나기가 섭섭하야 紀念寫眞을
찍고 黑虎泉을 向하였다.

黑虎泉은 趵突泉의 東 濟南城 南便에 있는 湖水이다. 이곳도 地下에 있
는 물이 소사오르는데 趵突泉과 같이 水柱는 서지 않고 못(池)에 담겨있는
물이 끌는 물과 같이 서물거리고 있다. 湖水는 맑고 湖邊에는 楊柳가 축축
느러저서 夏節의 水泳場으로 適當하여 보였다 이곳에 聽泉山房이란 現代式
洋屋이 있다. 이 집은 濟南 社會의 重鎭 賈資厚 先生의 別莊이다. 建物과
이 湖水가 어디로 보든지 調和가 되여보였다.

案內者의 紹介로 賈 先生을 찾어보았다. 이 聽泉山房의 樓上에서 賈 先
生의 말슴을 拜聽하는 光榮을 얻었다. 이곳서 조금 떠러저있는 大明湖에서
배를 타고 하로를 놀다、 저녁에야 旅社로 돌아왔다. 市街는 그리 넓지는
못하나 中國 市街로서는 그리 不潔한 便은 아니었다.

×　×

二十八日 아츰 西田 總領事를 訪問하고 濟市의 事情을 잠깐 들었다. 市

內에는 日本人이 約 百 戶 朝鮮人이 約 四十 戶 된다는데 生活 狀態는 裕足한 便이라고 한다.

山東 省長 韓復渠 氏를 만나려 하였으나 맞츰 反對派의 피스톨에 맞어서 治療 中에 잇었음으로 만나지 못하고 統稅局(南京政府 直屬)과 財政廳을 數次 訪問하고 充分한 意見交換이 있었다. 그들은 銀 國外流出로 中國 經濟界에 밎인 影響과 無稅品 多數 搬入으로 中國 商界의 昏亂을 말하고 悲壯한 表情을 보인다. 門外漢인 나로서 보기에도 퍽 딱하여보였다.

韓 省長에 治療 經過가 良好하다 함으로 當分間 이곳 濟南에 머물러있으면서 山東의 情形을 視察하여 韓 省長의 完差를 기다리기로 했다.

青島港을 山東의 입이라면 膠濟鐵道는 食道요、濟南은 商品을 消化하는 胃에 該當한다. 이곳 濟南의 商界도 無稅品의 爆擊을 받어 混亂 狀態에 있다.

如何間 北中 七省 即 山東 山西 河南 河北 陝西 察合爾 綏遠 等의 人口는 一億一千八百萬 人에 達하야 全 中國 人口의 二 割 八 分이요 滿洲 人口의 約 四 倍이다. 特히 山東 河北 兩 省의 人口密度는 江蘇 浙江과 함께 中國社會의 中心地域으로 볼 수 있다 그런데 現在 中國人의 生活程度로 보거나 經濟 程度로 보거나 世界 어느 나라 商品보다도 日本 商品이 꼭 適當하다. 그러면 이 巨量의 人口가 日本 商品 購入에 每人 當 年 平均 五 圓을 投한다고 할지라도 實로 五億五千萬 圓에 達한다 이 巨額의 日本商品이 朝鮮人의 손으로 無稅品으로서 北中에 輸出된다면 朝鮮에 밎이는 經濟的 影響도 적지 않을 것이다 如何間 이런 種類의 業이 紳士的 事業이라고 말할 수 없으나 돈은 모히는 것이 事實이니 獎勵는 몰라도 反對는 하고 싶지 않다. (完)

―『朝光』, 第2卷 第7號, 1936년 7월

上海印象記

洪性翰

　내가 본 上海 — 보다도 上海에 對한 나의 感想 — 그것도 閑人軍들이 遊覽으로 단이다가 심심푸리로 旅人의 心情을 갖고 적는 그때그때의 感想의 述懷도 아니다. 웨 그렇냐 하면 上海에서 四 年 동안이나 長久한 時日을 살았고 비록 그 곧의 모든 風情이 딴 사람으로 하야금 역증이 나고 골치가 아플 만한 感을 주었다 하더라도 그것은 오직 나로 하야금 四 年 동안이나 나를 慰安하여주었음으로 지금 나에게는 記憶이 새로워질뿐더러 感慨無量한 한 개의 센치멘탈한 쇽크를 주기 때문이다. 그럼으로 이것은 純然히 한 地方에 對한 印象記가 아니고 오로지 옛 記憶을 追窮하는 데서 마듸마듸 풀어 나오는 내 뼈에 밴 나의 生命의 一部分인 關係 上 人生의 한 도막의 感懷일 것이다.

○ 江南의 自然

　나의 上海 生活 四 年 동안에 가장 印象 깊었던 것은 江南의 風土的 情緒이였고 山 없고 松林 없는 漠漠한 가을 荒野에서 구슬피 울던 귀뜨라미 소리가 가장 詩境이였고 나에게 印象으로 말하면 가장 깊은 印象이었다. 마침 나는 上海市에서 三 里(朝鮮 里數) 가량이나 떨어져있는 市外 江灣이라는 곧에 있었기 때문에 더욱이 江南의 自然界와 接觸할 機會가 많었다. 나에게 貧寒한 것이 도리혀 幸이었는지 모르나 何如間 나는 내 지갑에 一 錢 分이 없기 때문에 複雜한 市街에 들어가지를 못하였다. 都會地에서 靑年으로서 歡樂의 對象은 華麗宏壯한 舞跳場에서 妖艶한 舞女들과 서로 껴안고 亂舞 享樂할 것이오 나 따위는 그런 享樂은 꿈에도 생각지 못할 것이다. 돈 없는 나 따위라도 그런 부질없는 생각이 나면 뻐쓰도 못 타고 두 발로 터벅터벅 걸어서 上海 市街로 들어간다. 勿論 먼저 찾어가는 곳이 南京路다. 이 南京路는 上海서 가장 繁華한 商業區로 넓은 街路 兩쪽에는 十餘 層의 빌딩들이 우뚝우뚝 섰고 路上에는 電車와 自動車가 連絡不絶이다. 西洋사람도 여기에 가장 많이 다닌다. 妖艶한 美人도 여기서 가장 많이 볼 수 있다. 옛날 아가씨들은 化粧을 하되 회칠한 바람벽 모양으로 얼굴에다가 흰 粉만 찍어 바르고 입술에는 빩가게 연주를 찍었다. 그렇나 지금은 化粧品과 技術의 進步에 딸아 그들의 얼굴에는 粉을 발랏것만 아니 찍은 것 같으면서도 그 美로 볼진댄 참말로 百 퍼 ― 센트다. 良心에 좀 안이 되었지마는 人家 없는 곧에서 그러한 美人을 맞나면 억지로 껴안고 입이라도 한 번 마추고 싶었다.

지갑이 불룩하고 洋服이나 뺀뺀이 입고 단니는 紳士로 그린 美人을 보면 한 쪽 눈을 한 번 찌긋한다. 그러면 저쪽에서도 눈으로 대답한다. 그들의 街上戀愛는 이렇게 成功한다. 참말로 壯觀이다. 그러나 돈 없고 衣服 너저줄하게 입고 단니는 우리 따위는 눈으로만 한 번 원망스럽게 처다볼 뿐이요 꿈에나 그런 것을 享樂이나 하여볼가?

上海의 첫 印象은 누구를 勿論하고 그리 神通치 못할 줄 안다. 우리의 言語가 不通하여서 그러한 不快한 感이 이러나는 것보다 얼뜻 보기에 不潔하여 보이고 (事實은 不潔하다) 뿐만 아니라 그 곧의 中國사람으로 우리에게

憂鬱한 감을 주기 때문에 氣分이 그리 輕快치 못한 것이다。 그러나 그 곧의 物情이 낯이 익어가면 그렇한 感情은 消失되고 말리라고 믿음□ 七年 동안 나의 江南 生活이 지금에는 퍽도 그리워진다。

우리 朝鮮의 自然은 대개가 滄鬱한 山岳 쪽에서 寂寥하고도 朦朧한 神秘를 찾어볼 수 있으나、 江南의 自然은 遙遠하고 滄茫한 끝없는 靜黙을 맛볼 수 있다。 四周를 밟아볼수록 渺茫하고 靑空을 볼수록 無限한 神秘境을 늦길 때 우리의 머리는 自然히 哲學的 思索에 흐르게 된다。 漠漠한 荒野의 군데군데에는 垂楊버들과 이름 모를 나무가 數없이 野生하여서 마치 미레[01]의 스프링을 聯想게 한다。 미레트[02]의 스프링은 여름날 비 온 後에 흔히 볼 수 있는 五色燦然한 무지개가 푸른 풀숲풀 우에 걸린 것을 描畵한 印象的이고 詩的인 한 개의 畵幅이다。 넓은 曠野에 드므드믄 보이는 農家는 無限한 平和의 團欒을 꿈꾸는 것 같고 퍽도 閑暇스러워 보이였다。 우리는 이렇한 平和스러운 그 民族의 農家生活 속에서 感情과 表現이 다른 人生의 한 場面을 追求하여볼 수 있음이 한일가? 魯迅의 阿Q正傳이나 孔乙己 같은 價値 있는 藝術品은 다 이렇한 生活 속에서 한 場面을 끌어낸 것이다。

나는 昨年 늦은 가을에 朝鮮서 나왔다。 누른 나무닢도 다 凋落되었고 가마귀 떼만 내가 지금 있는 洗劍亭 집 앞 감나무가지에 와 앉어서 騷動하게 울 뿐이었다。 江南서 七年 동안이나 눈 익게 보면 끝없이 漠漠한 들이 퍽도 글이워섰다。 나의 가슴은 갑갑하였고 슬펏다。 그러나 눈물은 않이 났다。 무엇 보고 울랴? 나으던 눈물도 앞에 가리운 山 때문에 가슴이 너무 답답하여서 나오지 않었다。 뿐만 아니라 나의 想像力 역시 둔하여졌다。 나는 여기서

---

01 "미레": 프랑스 화가 밀레(Jean - François Miller) - 편자 주.

02 "미레트": 프랑스 화가 밀레(Jean - François Miller) - 편자 주.

自然의 힘이 그 얼마나 個人의 性格을 支配하는가를 늣겻다. 그리고 나는 이렇게 생각하였다. 앞뒤가 꽉 맥힌 이 나라 民族은 좁은 思想과 健全한 文化를 創造치 못하리라고 ……. 이러한 自然界 속에서 生長한 個人이나 民族은 勿論 남의 文化를 模倣할 수는 있으나 제 힘으로 自己의 思索으로 무엇 한 가지를 發見하고 創造할 수는 없다. 이것을 볼 때에 自然界의 威力이 그 얼마나 人文史上에 큰 權力을 갖이고 있음을 느끼지 아니할 수 없다.

나는 落葉 진 누른 콩닢 밑에서 구슲으게 우는 蟋蟀의 소리를 들으면서 밭과 밭 새로 낸 좁은 길로 逍遙하는 것이 나의 日課였다. 맑은 가을 하눌을 바라보며 江南의 自然을 힘껏 呼吸하였다. 그때 나의 生活은 極度로 困窮하였지마는 나는 그러한 困窮을 잊어버리고 마치 사랑하는 愛人의 가슴 안에나 안긴 것같이도 맘이 끝없이 간지러웠고 내 心臟으로부터 끌어올라오는 情熱은 抑制키 어려웠다. 小運河 변치의 군데군데에 물소(水牛)는 누르하게 말라가는 풀을 뜯고 있었다. 콩밭 한가운데에 맨 羊들도 군데군데에 보이였다. 색기羊이 퍽도 貴하여 보이었다. 나는 希伯來[03]詩歌의 다음 한 句를 聯想하였다.

「草場以羊羵[04]爲衣
谷中也長滿滿五穀
這一切歡呼歌唱」

海外에 나서 흔히 經驗하는 더욱이 구차하게 지낼 때 以上의 苦痛은 없

---

03 "希伯來": "헤브라이(Hebrew)"의 중국어 - 편자 주.

04 "羵"는 "羣"의 오식 - 편자 주.

다。 구린내 나고 汚穢한 貧民窟 같은 곧에서 或은 그러한 區域이 있는 近處에 있게 되는 疲勞한 感情을 더 傷하는 것보다도 그러한 쎈치멘탈한 情緖를 맛볼 餘暇조차 없다。 그러나 같은 이러한 구차한 生活을 하더라도 空氣 맑고 大陸的 自然을 힘것 맛볼 만한 淸雅한 곧에 있게 되면 있다금 배도 좀 고프고 늦은 가을 같으면 찬바람이 아침과 저녁에는 제법 춥게 하여주겠지마는 사람의 맘만은 感傷的으로 흐르내린다。 이러한 때에 우리는 人生에 對한 眞正한 맛도 볼 수 있고 人生에 對한 眞理도 얻을 수 있음이 안일가 한다。

나는 多幸히 上海 生活 四 年 동안에 自然과 接觸하였기 때문에 같은 굼조림과 日常生活에 많은 苦難은 免치 못하였지마는 그 한편 慈悲로운 自然이 나에게 唯一한 愛人이 되여서 나를 慰安해하여주었다。 이것도 그 얼마나 感謝한 일인고!

◇ 出風頭[05]

中國의 敎育은 自由的 敎育이다。 自由敎育이라기보다도 糊塗[06]敎育이라 함이 妥當하다고 생각한다。 아직 文化的 程度가 低級한 民族에 있어서는 自由敎育이 오히려 利롭지 못할뿐더러 이것을 濫用하기 때문에 더 많은 弊害가 생긴다。 現在와 같이 報酬的 觀念이 濃厚한 個人的 心理에 있어서 어느 나라를 勿論하고 다 比等하겠지마는 中國이란 더구나 이 觀念이 濃厚하기 때문에 學生과 敎員 사이에 充分한 理解가 없고 그야말로 學生은 學生이

---

05 "出風頭": "잘난 체 하며 나서기를 좋아하다"의 의미의 중국어 - 편자 주.

06 "糊塗": "어리석다, 엉망이다, 뒤범벅이다" 등 의미의 중국어 - 편자 주.

고 敎員은 敎員으로 하로에 몇 時間이면 몇 時間만을 敎授하면 自己의 責任은 벗는다。 學生이야 工夫를 하거나 말거나、 操行을 단정이 가지거나 말거나를 責任的으로 義務的으로 關涉치를 안는다。 關涉을 한댓자 別다른 效果도 없을뿐더러 學生 側에서 들어주지도 안는다。 이것은 自由敎育制度가 나은 弊害라고 볼 수밖에 없다。 即 盲目的 自由 때문에 糊塗가 생긴 것이다。

只今 中國은 대개가 物質主義와 享樂主義 名譽主義 等의 傾向으로 기우려져있다。 (本來가 그러하지마는) 中國 學生은 中學時代붙어 名譽主義를 崇상하는 것은 「出風頭」라는 말이 學生 側에서 많이 流行되는 것을 보아서도 그들이 머리를 내밀고 名譽 때문에 그 얼마나 汲汲하고 있음을 알 수가 있다。 即 이러한 弊害는 徹底한 中心思想이 없음으로 그 五官이 要求하는 바 다만 感覺的 要求뿐이니 自然히 享樂과 名譽를 찾을 수밖에 없을 것이며 正義라든가 眞理라든가 하는 것은 다만 그들의 名譽를 얻기 爲하야서 쓰는 手段이고 그의 口頭禪이다。

지금 蔣介石 氏의 파시스트를 爲始하야 新生活運動의 政治的 範圍는 相當한 勢力을 뻣치고 있다。 政治的 機關과 軍隊는 勿論이오 各 中學 以上의 學校에는 이 파시스트 隊員이 暗暗裡에서 活躍하고 있다。 그들은 學校를 監視한다。 敎員이나 學生 中에서 異常한 色彩를 띤 것이 發見되면 即刻으로 政府에 密告하여 그를 監禁하고 嚴重히 調査한다。 그럼으로 名稱이 學校이지 其實은 政治的 舞臺와 같다。 學生 間에 이 政治的 關係는 그들의 同鄕觀念으로 더부러 더 露骨的으로 黨派的 鬪爭이 생긴다。 同鄕觀念이란 條件에서 같은 主義 밑에서도 派가 갈리고 極烈한 鬪爭이 甚하다。 그럼으로 한 學校 안에서도 여러 派가 항상 對立되어있다。

한 社會가 團結하는 데는 嚴峻한 中心思想이 있어야 하겠고 같은 血統을 갖인 民族으로 하야금 地方的 觀念이 뿌리를 끈어야만 될 줄로 믿는다。 中國

社會에서도 이러한 感情에서 離脫하기 前에는 民族 間에 보기 실은 鬪爭이 끝나지 않을 것이다. 만일 한 社會가 이러한 感情을 理解하면서도 名譽와 享樂 때문에 優越한 感情을 抛棄하여버리고 劣等한 感情에 支配를 밖에 된다면 이것은 純然히 教育問題라고 生覺아니할 수 없다. 即 이러한 感情은 後天的이고 第二天性이다. 個人이 自尊心이 너머 强하고 딸아서 너머 盲目的으로 自由를 찾게 되면 個人主義와 利慾主義로밖에는 더 빠질 구멍이 없다. 더욱이 上海라는 都會는 이러한(利慾) 感情에 誘引을 받기 쉬운 곧이다. 그럼으로 自己 一 個人의 享樂을 爲하야서는 上海가 않이고는 보지 못할 惡行을 犯하여 人類史上에 더러운 한 토막의 事實이 記入되는 것이 안인가?

◇ 社會主義者 C 氏의 印象

四 年 동안의 上海生活에 둘재로 印象 깊은 것이 C 氏다. 아직 比較的 年少한 靑年科學者이지마는 그 人格에 對해서 나는 퍽 尊敬하였다. C 氏는 大學에는 단녀보지 못하였으나 堅固한 意志와 꾸준한 努力으로 大學 助教授까지를 하였다.

이 C 氏는 휴매니스트이고 同時에 아나키즘의 色彩를 갖인 自然科學을 兼한 少壯學者이다. C 氏는 自己가 信仰하는 主義 밑에서 더욱이 科學的 根據에서 敏捷한 頭腦와 流暢한 文章으로 唯物史觀에 對한 反駁的 文章을 쓴 것을 나도 雜誌에서 보았다.

그러나 不幸이도 이 C 氏는 肺病者였다. 그러한 才質을 갖인 一 靑年에계서 肺病이 있다는 것은 참말로 야속하게 생각지 아니할 수 없다. 그의 言行은 너머도 淡白하고 活達하였음으로 그에게는 敵이 없었을 뿐더러 敵意를 갖인 사람이라도 그와 마조앉아서 談話를 하여보게 되면 도리혀 好意를 갖게 한다.

　그는 上海事變이 勃發되기 前에는 純然한 아나키스트이었다고 하나 이 事變 以來로 그는 思想的으로 多少의 波紋이 생기여 그 以來로는 社會民主主義와 國家社會主義의 막다른 골목에서 彷徨하면서 때때로는 여기서도 脫線하야 산지가리즘까지에 傾倒되는 것을 볼 수가 있었다. 이 C 氏 自身은 었더한 意味에서 苦悶하고 있었는지 모르나 나로 보기에는 純然한 民族的 苦悶이라고 推測하였다. 그도 때때로 말하였다. 「이 民族의 心理 가지고는 할 수 없다. 民族의 根本的 精神붙어 開拓하지 않으면 안 될 줄 안다. 中華民族의 徹底한 個人主義思想은 오직 그 歷史가 오래지마는 우리의 百折不屈의 努力으로 改變시킬 수 있다」 그는 이렇게 말하다가도 民族에 對한 偏見에 빠지어서 苦悶하는 것을 나는 늘 보았다.

　나는 江南 生活 七 年 間에 남의 도움을 많이 받았다. 그 中에서도 K 氏는 나를 爲하야 많은 애를 써주었다. 原則으로 말하면 이 K 氏가 나에게 印象이 깊을 것이고、또는 義理的으로 보아서도 K 氏를 더 念하지 아느면 안될 줄은 안다. 그러나 나의 主義와 觀念을 끌던 사람은 C 氏였다. 나는 K 氏를 義理的으로 念하는 同時에 내 목숨이 이 世上과 하직하기 前에는 그 갸륵하고도 精誠스럽던 K 氏의 그림자가 내 靈魂에 깊이깊이 남아있을 것이다. 그리하야 나는 뜨거운 눈물로서 지금은 黃泉의 客이 된 K 氏를 追憶하는 同時에 人生에 다문 몇일이라도 남을 爲하야 내 있는 誠意를 다하겠다는 것과 오직 사랑만을 갖이고 同胞를 對하리라 함을 그러케 굿게굿게 盟誓하는 바이다. K 氏는 沈黙의 사람이었고 사랑의 사람이였다. 뿐만 아니라 그는 우리 人類社會에서 要求하는 일꾼이였다. 그는 天文學을 專攻하였기 때문에 그의 人生觀은 宇宙觀을 基礎로 樹立하였다. 無限大의 宇宙의 偉觀은 그로 하야금 無限小의 宇宙를 發見하였다. 이 微小한 無限小의 宇宙는 오직 사랑과 協助로서만 그 微弱한 生命을 永遠히 保存하여갈 것을 그는 늣꼈다.

차듸찬 北風은 사정없이 불어서 불어서 頹廢에 갓가운 날근 草家집의 바람벽을 스치고 지나간다. 冷却한 空氣에 찬 房안 한복판에는 넓은 寢臺 하나가 누여있었고 이 外에 찍으러진 椅子 하나가 바람벽에 기대어있었다. 煖爐도 안 노은 房안은 싸ー늘하였다. 이 나리은 草家집에서 사는 늘근 두 內外는 서로 이야기도 그리 交換치 않고 自己에 혼자말로 중얼중얼 하면서 있다금 서로 마조 처다보다가는 다시 혼잣말로 중얼중얼 하였다. 그래도 아침과 저녁이 되면 찌개 없는 밥일망정 조고마한 남비에 끌여서 서로 권하여가면서 人生의 하로 이틀을 이렇게 지내가는 것을 生覺할 때에 우리는 人生 生活에서 사랑과 協助 以外의 것을 더 求할 것이 무엇이랴?

K 氏는 人生에서 가장 忠實한 것을 찾아내고 그를 爲하야 일하다가 病들어 죽었다. 그는 死後에 아무것도 없음을 안다. 나는 그가 臨終 時에 그의 入院한 病室에 찾아가 보았다. 그는 죽을 瞬間에도 슬퍼지 않었다. 그러나 그의 하야케 여인 얼굴에는 너무도 人生을 애석히 생각하는 빛이 보이었다. 도리여 나의 눈에서는 뜨거운 눈물이 흘러서 그의 얼굴이 잘 보이지 않었다.

나는 나에게 印象 깊은 C 氏를 생각하면서 永遠히 죽어버린 K 氏를 아울러 追憶하여 슬픈 내 맘을 마지 안는다.

◇ 古書店 안에서 바이론과 라스킨을 論하는 老藝術家

上海라는 都會는 참말로 特異한 곧이다. 惡行을 수없이 犯하는 것을 볼수 있는 한편 人生에 根本 되는 原理도 여기가 아니고는 찾아보기 힘들 줄로 믿는다. 上海人의 生活 中에서 우리의 官能을 反省시킬 만한 것이 있다면 果然 무엇일가? 酷熱한 炎天 밑에서 앙발 들고 비지땀 흐르면서 人力車를 끄는 車夫、蒼白한 얼굴에 油汗을 흐르고 人間地獄에 빠진 阿片中毒者와 乞人의 무리들을 爲始하야 人生에서 가장 咀呪 받는 무리들을 聯想하지 아니할 수 없다.

나는 間或 上海에 들어가서 이러한 人間을 볼 때 내 맘은 끝없이 끝없이 슬펐다. 나는 이러한 슬픔을 避하기 爲하야 보다도 내 自身의 슬픔을 避하기 爲하야 그들의 來往이 드문 곳으로 단니거나、그렇지 않으면 도모지 來往이 없는 곳을 찾아 가는 것이 나에게는 習慣이 되고 말았다.

그들의 안 가본 곧、보다도 아니 가는 곧은 오직 책사밖에는 없으리라고 생각하였다. 그것도 普通書店에 가면 돈이 더 들기 때문에 古書店을 選擇하였다. 더욱이 나같이 貧寒한 사람으로 머나먼 異國에 가서 工夫를 하게 되면 이렇한 書店이 아니고는 到底히 工夫할 수 없을 것이다.

나는 一個月에 두 번식은 꼭 이 古書店을 訪問하였다. 돈 없이 가도 終日 自己가 보고 싶은 책을 볼 수도 있었다. 京城에 있는 古書店을 上海에 比하면 規模도 지긴마는 우리에게 주는 印象도 다르다. 京城은 넘어도 商業的(?) 같고 또는 乾燥無味한 氣分이어서 書店에 들어가면 책사에 들어간 것 같지 않고 마치 무슨 雜貨店 商店에나 或은 陶器商店에나 들어간 感을 준다. 그러므로 京城은 아무런 興味도 생기지 않을뿐더러 있든 興味도 깨여저버리게 된다. 나도 京城의 古書店은 꽤 많이 단녀보았으나 다 맛찬가지였다. 別로 神通한 곧은 보지 못했다.

上海에 있는 古書店을 일일이 다 돌아단녀보지는 못하였으나 그 中에도 나에게 가장 印象的이었던 곳이 北四川路에 있는 古書店인데、그리 크지도 못할뿐더러 높은 빌딩 새에 끼인 기리만 길고 넓이고 좁아서 行人에게 그리 注意를 引起치 못하였다. 그러나 안에 書籍은 相當히 많았다. 大部分이 洋

書이였고 日本 書籍도 약간 석겨있었다。 책價도 元定價에서 二 割 乃至 五割까지로 파는 것을 보아서 그 얼마나 책값이 헐하다는 것을 알 수 있다。

나는 二 年 間이나 이 집에 한 달에 두 번식을 빠지지 않고 꼭 단니면서 신세도 꽤 많이 졌다。 나는 우리의 糧食 中에 가장 重要한 糧食은 이 집에서 많이 얻었다。 人間으로 人間 된 價值도 오직 이 집에서 얻기를 始作하였다。

主人은 五十이 훨신 넘은 老人이였으나 젊은 사람의 行勢를 하고 이야기를 하여도 靑年의 興味를 惹起할 만한 話題를 늘 提供하였다。 나는 그를 어떤 타입(型)으로 보아서 老藝術家라고 부르고 싶다。 딸아서 이 老藝術家는 노래 부르기를 즐겨 하였음으로 입에서는 항상 淸雅한 메로디가 흘러나오군 하였다。 店員도 두지 않았고 단지 十 四五 才 가량 되어보이는 少年 하나를 두었을 뿐이었다。 그는 항상 平和한 微小를 띄우고 눈꼬리는 주름이 재피고 눈섭도 힛득힛득 시었지마는 눈에서 흐르는 精氣는 靑年 以上의 情熱을 띄우고 있었다。

나는 이 老藝術家에 興味를 가진 것은 무엇보다도 人生에 對한 態度이었다。 그는 孫文、레닌、맑스、크로포드킨 等의 革命家를 論하지 않고、쉑스피어、라스킨[07]、괴 ― 테、바이론 等의 藝術家를 말하였고、老子、孔子의 哲學을 論하지 않고 陶淵明과 李太白의 詩를 말하였다。 그러나 그는 지금까지 詩 하나 지어보지 않았고 小說 하나 써보지 않았다고 自稱 말하였다。 그는 表現力이 남만 못하여서 그런 것도 아니고 創作慾이 없어서 그런 것도 아니라고 말하였다。

「나는 陶淵明과 라스킨의 詩에 滿足한다。 우리는 이 以上의 詩想을 要求치 않는다」 弄談 질기는 靑年이 어떻게 물으면 이 老藝術家는 亦是 平和스러

---

07 라스킨: 영국의 예술비평가 John Ruskin(1819~1900) - 편자 주.

운 微笑를 띠우고 뭇는 靑年의 억개 우에 손을 걸치고 그렇게 대답하였다.

이 老藝術家에게는 아들이 없었다. 七八 歲 되어보이는 딸 하나가 있었을 뿐이었다. 그럼으로 그는 이 書店에 단니는 靑年들은 마치 自己의 親아들같이 貴하여 주고、늘 단니는 靑年 같으면 茶도 自己 손으로 딸아주고 비스겟까지 권하여가며 自己의 지내온 歷史며 靑年은 엇더한 길을 걸어가야만 옳은 것이며、藝術家는 貧寒한 生活을 하야만 人生에 價値 있는 作品을 이 社會에 내놀 수 있다는 等 마치 사랑하는 自己의 아들을 앞에 놓고 條理 있는 訓戒나 하는 듯이 多感多情한 語調로 말하였다. 나도 이러안 感傷的인 말을 많이 들었다. 우리 靑年들이 果然 信任할 만한 性格을 갖인 老藝術家로 하야금 永遠히 잊어버리게 되었다.

때로 바로 再昨年 가을이였다. 上海에는 十一月까지도 나무닢이 아직 많이 남아있다. 밭에 목하나무가 아직 그대로 남아있고 小運河 변지에는 아직 풀이 파릇파릇하다. 그러나 垂楊버들가지에 기운 없이 매달린 누르한 한 버들닢은 풀은 地球 우에 우스스 떨어지고 或時 세차게 부는 바람에 이리 날리고 저리 날리어 荒凉한 가을의 벌판에서 갈 곳 없어 헤매이고 있다. 누르하게 말라가는 풀 속에서는 버러지가 구슬피도 울었다. 무엇을 그리 哀訴하는고? 나는 이러한 憂愁한 感情을 가슴에 잔득 담아가지고 늘 가는 古書店으로 발길을 옮기였다. 나는 이 書店에 들어서떤[08]서 二 週日 間 보지 못한 老藝術家를 찾았다. 나는 퍽 반갑고 그리운 맘으로 그를 맞으러 하였으나 웬 三十 가까운 靑年 하나가 나를 맞아준다. 그는 시므룩한 얼굴에 약간 微笑를 띠우다가 갑작이 슬픈 表情으로 老藝術家는 十餘 日 前에 감기로 몇일 동안 알타가 원악 弱한 몸이라 心臟痲痺로 죽었다고 한다.

08　"떤"은 "면"의 오식 - 편자 주.

나는 그에게 더 묻지도 않고 그대로 나오고 말았다. 人生의 모든 煩悶은 그 老藝術家로 하야금 解決하였구나 하면서 나는 도로 내 宿所로 오고 말았다.

◇ 街上戀愛와 打野鷄

누구나 都會地의 罪惡을 論하게 되면 資本主義制度 밑에서라는 術語로 먼저 총뿌리를 댄다. 이러한 術語가 너무도 流行이 되기 때문에 그 術語에 對한 妙味도 없을뿐더러 이런 文句를 雜誌 같은 데서 볼 때에 한갓 不快한 感을 맛보게 된다. 딴 사람은 모르나 나는 그러하다.

上海사람이 戀愛라면 밤도 잊어버리고 꼬리를 빛이고 汲汲하다. 만일 女子의 볼기짝에 뿔이 도닷다고 하면 어떠할가? 모양도 모양이러니와 그것이 무슨 作用이 없을가 한다. 만일 사내 배(腹) 우에 뿔이 도다서 그 한 가지 作用을 할 수 없는 것과 마찬가지나 안일가? 그러면 이러한 것은 畸形人間으로 取扱이 되어서 마치 金剛山엣 萬物相이 이 世上 사람한데 觀賞品이 되는 것과 같이 上海로 치면 大世界인데 觀衆의 觀賞品이 되고 만다. 社會에도 이러한 畸形을 갖인 形態가 있다. 나는 資本主義라는 싱거운 術語를 지어치우고 이러케 比喩的으로 말하였다. 이 比喩的 文句가 도리여 싱거울지 모르나 何如間 사탕물에 고초 안 탄 것에 對比할 것이다.

人間 以上으로 淫奔한 生活을 享樂하는 動物은 없다. 음탕한 사람을 보면 野獸를 가르친다. 그러나 나는 野獸가 오히려 性生活에 節制 있는 動物이라고 생각한다. 勿論 動物은 性을 行할 때 一定한 處所를 가지지 안는다. 이러한 것이 오히려 性生活에 있어서 淡白하다고 볼 수 있다. 우리는 性生活을 不潔하게 보며 罪惡視하는 데서 오히려 음란하여지고 動物 以上의 추行이 생긴다.

그럼으로 不自然한 行動을 罪惡視하는 데서 街上戀愛라든가 打野鷄라는 淫奔한 行動은 두말할 것 없이 큰 罪惡일 것이고 이러한 現象을 一般 社會에 暴露시켜 그 뿌리부털 一掃하지 안으면 안 될 것이다.

그러면 上海의 名物 中에 하나인 街上戀愛와 打野鷄란 어떠한 것인가를 찾아보자. 勿論 이러한 內幕을 잘 알라면 直接 經驗이 없이는 모르겠지마는 可惜이도 나는 그런 經驗이 없음으로 그 內幕은 述할 수 없고 다만 街上戀愛 一幕을 讀者에게 紹介하고저 한다.

街上戀愛라는 것은 글字를 보아서 그 뜻이 明白하지마는 打野鷄라면 普通 讀者 귀에는 무슨 뜻인지를 잘 모를 것이다. 이 두 名詞는 전혀 賣笑婦를 두고 말하는 것인데, 이 두 名物은 上海뿐만이 아니라 어느 都會地를 勿論하고 다 있지마는 上海라면 한層 더 甚하고 그런 行爲가 發達된 곳이다.

上海는 밤과 낮이 없다. 더구나 賣笑婦에 있어서는 낮이 밤이고 밤이 낮이다. 上海 뒷거리 紅燈 밑에 군데군데 모여슨 아릿다운 美人 — 美人이라기보다도 고기덩어리는 行人의 注目을 끌 뿐만이 아니라 行人을 誘惑한다. 日本서 건너간 人造絹일망정 반짝반짝하게 내뽑고 싼 香水일망정 行人의 神經을 刺戟하리만치 젊은 女子의 體息과 함께 發散한다. 紅燈街를 지낼 것 같으면 마치 香氣 많이 發散하는 꽃밭으로 지나가는 것과 같다. 이쪽에서 손짓을 하여 行人의 歡心을 사려고 하고 저쪽에서는 눈으로 誘引하고, 甚하면 行人의 앞길을 막으면서 있는 愛嬌를 다하여 끌려고 애쓴다. 만일 이쪽이 조금이라도 弱하여 보이면 부더안고 노아주지도 안는다. 와서 뺨도 대주고 손도 만저주고 참말 별별 手段을 다 쓴다. 이렇게 自己네 맘에 없는 즛을 야속한 金錢에 억메이어서 하는 그들을 볼 때 일변 괫씸도 하여 보이고 불상도 하여 보이었다.

紅燈은 그만하고 우리는 발길을 百貨店 앞으로 옴기기로 하자. 百貨店

앞에도 이러한 賣笑婦들의 군데군데에서 行人을 誘引한다. 百貨店 앞에서 눈만 좀 팔게 되면 벌서 그들이 옆에 와서 옆구리를 살그머니 찌르고 한번 싱긋 웃어준다. 그때 이편서 가만있으면 와서 손목을 쥐어다가 따뜻한 自己의 몸에다 대여준다. 그리고는 장미 같은 입술을 귀에다 가저다 매도 무어라고 쏘근쏘근 하여준다. 이리하여 萬事는 夢中에 沈淪되고 만다.

正體 모를 그네들에게도 眞正한 사랑이 있다 하면 다믄 하로 밤이라도 神의 幸福이 있기를 바란다.

― 끝 ―

―『四海公論』, 제2권 제9호, 1936년 9월

北京의 印象

丁來東

北京에 처음 到着한 것은 九月 初이엇음으로 퍽으나 더운 때였다. 汽車 속에서는 땀을 어찌 흘렸던지 속옷에서는 거위 내음이 날 程度였다. 그런데 다 驛에 내려서 높은 正陽門을 쳐다보니 날은 몇일이나 가무렀엇는지 몬지 가 자욱하다. 우통을 버슨 人力車夫가 떼 지어서 손님을 끌른다. 이리 몰리 고 저리 몰리는 동안에 몬지는 땀난 皮膚에 가죽을 한 벌 더 입이는 것같이 不愉快를 느끼게 한다.

「이와 같은 곳으로 工夫를 오다니 ─」

앞날의 고생은 定한 술잔이었다. 이런 곳에서 오래 있으면 사람이 더러워 질 것 같은 豫感까지 났었다. 그러나 또 다른 곳으로 가는 것도 容易한 일은 아니었음으로 當分間 北京이란 都市나 알고 左右를 決定하는 수밖에 없었다.

높고 큰 正陽門을 바라보는 동안에 中國人의 人工이 偉大한 것을 짐작할 수 있었다. 一 國 一 地方의 文化는 그곳 人民의 性格을 表示한 것으로서 적 고 精密한 建物을 세워서 淸雅한 느낌을 주는 곳도 있으나 北京 正陽門과 같 은 建物은 人工이 아니라고까지 생각되도록 宏壯하고 偉大한 느낌을 주는 것이었다.

人力車를 타고 城 안을 들어가는데 古代의 朱色 탑이 높이 서있고, 近代

의 建物이 間間히 뵈인다. 萬若 古代式 純 中國式 建物과 景致만 보였드라면 그렇게까지 感興이 이러나지 않하였을 것이요 또 近代式 建物만 있었드라도 도리혀 淺薄한 느낌밖에 없었을 것이다.

何如間 神秘스런 都市다. 이 都市 속에는 數百 年 間의 人間 秘密이 숨어있는 것같이 생각되였다.

果然 오래 있는 동안에 漸漸 사람의 最大 罪惡 最高 享樂이 다 都市 속에 숨어있는 것을 發見하였지만은 처음에 척 보기에도 무엇이나 다른 곳에서 發見할 수 없는 것이 갈마있는 것 같었았다.

나는 建築 彫刻 市街에 對한 專門 知識이 없음으로 그것들에 對한 印象은 퍽으나 單純하였으나, 그 前에 내가 본 地方의 것과는 判然히 달랐으므로 그 差異點을 發見하려고 思索도 하였으며 또 朝鮮과의 距離로 본다면 不過 二三 日의 旅程이였지만 퍽으나 멀리 떠러저있는 異國의 孤寂을 느끼게 하였었다. 孤寂이란 말이 났으니 말이지 그 宏大한 城壁 그 中國式의 高樓 巨閣은 恒時 靜謐한 느낌을 주워서 風俗 言語를 잘 理解하지 못하고 親友도 없는 나에게는 늘 孤寂을 느끼게 하는 것이었다 또 歷史的으로 몇 번의 盛衰를 거듭한 이 建物들은 도리혀 人間 社會의 醜惡을 잘 안다는 드시 人間을 嘲笑하고 서있는 것 같은 느낌도 주었다.

果然 그 붉은 기둥만 내여놓고 어스름한 五 間 九 間의 城門과 宮門은 무슨 秘密만 숨어있어 뵈이는 것이었다. 어두운 夏秋의 밤에 그 밑을 徘徊하면서 摸索하여 苦悶하든 것、끗없이 創作慾이 發動하던 것도 벌서 옛날의 꿈이 되고 말았지만은 何如間 北京은 그러한 衝動을 이르키게 하는 곳이다.

外部에 對한 北京의 印象은 大槪 이러치마는 그곳에서 居住하는 人間에 對하여는 如干한 不滿을 느끼게 하는 것이 아니었다. 人力車를 끌른 사람 下宿에서 심부름을 하는 사람은 本來 敎養이 없는 사람이니까 말할 것도 없지만은 그러나 우리가 처음 가서 對할 機會가 많은 것은 亦是 그 사람들이다. 그 사람들에게는 人間의 美點이란 發見할 수가 없었다.

勿論 言語의 不充分한 關係도 있겠으나、그네들은 詐欺 金慾으로만 되여 있고 人情은 없는 것 같이 생각되도록 行動하는 것이었다. 普通 商人들도 그러치만은 一般으로 敎養 없는 사람들은 外國人은 으례히 두를 것으로 생각하고 있는 模樣이다. 勿論 그 廉價인 勞働만으로 生活하여가는 사람들인 만큼 그러한 慾心도 나겠으나 너무나 甚한 느낌이 나게 된다.

知識層에는 烈々한 熱血兒도 많고 沈着하고도 勇敢한 사람도 많거니와 또한 그와 反對로 無風地帶에서는 文筆로 言動으로 가장 勇猛하고 가장 指導的으로 自處하다가도 一段 有事時에는 몬저 꽁문이를 빼는 群小政客 學生도 많은 곳이다.

처음에 北京에 갔을 때에는 그 많은 虛禮와 넘치는 謙讓에 憎惡를 느끼게 되나 그것은 다만 傳統的으로 배워 내려온 것에 不過하고 漸々 오래 있게 되면서 우리는 그네들도 우리와 같은 感情이 흐른 것을 알 수가 있다. 勿論 多少의 差異는 있지만은 ……

다음에 中國 婦女에 關한 印象을 말할까 한다. 北京에서 보고 맛나는 婦女는 조금도 愛態가 없고 謙遜이 없는 데 놀내지 않을 수 없었다. 勿論 東京의 女性들을 오래 보든 關係도 있었겠으나 조금도 사랑스러운 생각이 나지 않은 것이 있다. 人力車를 타고 가는 것을 보드래도 어듸 가서 쌈이라도 하려는 것 같이 뒤로 버티고 거만하게 앉었는 것이다. 한 다리를 다른 다리 우에다 척 얹어놓고 가는 것이 恰似 男子가 女服을 하고 男子의 習慣이 그대로 남아있는 것같이 느끼여졌었다.

다음에 더욱 놀래게 하는 것은 그의 말소리다. 다 그렇다고 말할 수는 없으나 大部分은 깨진 징을 울니는 것 같아 목소리에 潤氣가 없고 목이 걸々하게 쉬운 것 같은 것이였다.

처음에 中國 女性을 볼 때에는 中國 女性이 男子와 같이 活潑하고 부끄럼이 없는 點이 特徵이요 女性으로서의 長點인 溫柔美는 조금도 없어 뵈였다. 그렇게 생각된 것도 不過 數年이였고 言語도 좀 通하게 되고 感情의 變動을 微妙한 行動、態度、言語로 推測하게 된 때에는 中國 女性이라고 다 그런 것은 않인 것을 알 수가 있었다.

中國 女性의 外形美는 東洋 第一로 나는 본다. 北京에는 典型的 美人이 많다. 곧 다시 말하자면 女子가 萬若 그렇게 생겼으면 缺點 없는 美人일 터인데 할 만한 美人을 發見할 수가 있다. 勿論 多大한 金錢의 힘으로 裝飾을 하고 化粧을 하는 原因도 있겠으나 大體로 본다면 거리에서도 完全無缺한 美人을 볼 수가 있다. 우리는 어려서 「玉洋木」의 表紙 等에서 中國 女性의 그림을 본 바 있었거니와 그것은 그림이거니 할 뿐이었지 實地에야 그런 사람이 있으랴 하였든 것인데 北京에 처음 와서 女性을 볼 때 느끼는 바는 그 전에 玉洋木 表紙에서 보든 美人 그대로가 聯想되는 것이였다.

中國 北方人은 人種이 本來 굴거서 西洋人도 거리에서 그렇게까지 커 뵈이지 않는 것이였다. 女性도 亦是 키가 훨신 크고 몸이 호리호리하야 西洋 女性에 지지 않게 體格이 좋다. 또 中國 女性은 그 皮膚가 매우 特色이 있다. 日本 女性은 透明한 맛이 있다면 中國 女性은 깎까놓은 大理石과 같이 고으나 透明치 못하다. 우리는 그 實感을 몰으거니와 表面으로는 中國 女性이 더 아름다워 보인 것이 事實이다.

北京은 一般으로 奢侈하게 보인다. 人力車夫라든지 一般 勞働者는 그렇게 더럽지만은 또 奢侈하는 層은 퍽으나 甚하다. 그 生活의 差가 懸殊한 것이 눈에 띄이게 나타난다. 假令 劇場이 破할 때쯤 되야서 그 近傍에서 觀望한다면 「하리우트」의 女俳優같이 奇裝怪態를 지은 사람이 있는 一面에、땀

내가 쿨々 나는 人力車夫가 우쭐우쭐 뫼여있다. 어디서나 그런 現象은 볼 수 있으나 北京은 唯獨 甚함을 느끼게 된다.

北京에서 무엇보다도 눈 띄이는 것은 淸朝의 宮殿이다. 어느 나라나 古代의 宮殿은 莊嚴한 곳이 많지만은 北京과 같이 大規模的인 곳은 世界에서 그 同級 될 宮殿이 없다고 한다. 다른 것은 다음에 이야기한다 하드라도 北京 周圍의 城을 보면 果然 그 人工이 얼마나 많이 드렀는가를 斟酌할 수가 있다. 네모가 반듯한 四十 里 周圍의 城壁은 高가 十餘 丈이 되고 廣이 「아홉 馬車가 竝行」할 수는 없다 하드래도 自動車 二三 臺쯤은 竝行할 수가 있도록 넓다.

그것이 全部가 벽돌로 싸히여있다. 그 벽돌 한 개에 손이 한 번式만 대인 것이라도 幾十 萬으로 해아릴 터인데 그것을 흙으로 만들어 굽고 運搬하고 싿는 勞動을 總和한다면 그 얼마나 될까? 하는 것을 생각할 때 人力의 偉大한 것을 알 수가 있다. 勿論 그 人力을 正當하게 썻느냐 하는 것은 別問題이지만은 ……

北海 中南海 같은 큰 못(池)、景山과 같은 山、萬壽山과 같이 豪華로운 離宮 모다가 驚異를 느끼게 하지 않는 것이 없다.

끝으로 한 가지 더 써볼가 한다. 그것은 北京의 거리에 關하여서다. 北京의 거리는 白晝에도 黃昏을 느끼게 되는데 北京의 特色이 있다. 灰色 煉瓦를 쓰는데도 거리를 暗黑하게 하는 原因이 있지만은 그 높은 담과 樓閣은 많은 暗黑面을 만들고 몬지와 灰色 道路는 暗黑을 느끼게 한다.

나는 暗黑을 바라볼 때 무슨 神秘가 숨어있는 것 같이 느낀다. 처음에는 明朗치 못한 이 거리가 매우 不愉快하였으나 오래 지낼사록 오히려 이 어두운 北京은 더욱 魅力이 있었고 그 暗黑 속에 숨어있는 모든 것을 알기 始作하자 漸々 그 暗黑한 곳이 恰似 잠잘 場所나 發見한 것같이 그리워지는 것이다。

   지금도 그 暗黑의 秘密이 더 알고 싶은 때가 많다。 나의 搖籃과 같은 北京은 가끔 여러 가지 點으로 그리워지는 때도 있다。

―『四海公論』, 第21號, 1936년 9월

北京雜感

一

『北平의 몇일 간은 내 一生 生活 中 가장 아름다운 部分의 하나이었소』

歸國하는 길에 잠시 北平에 들려서 몇일 놀고 간 皮千得 兄의 편지의 한 句節이다.

『藝術家는 반듯이 北平을 보고나서 붓을 들어야 할 줄 알어요』

이것은 靑年畫家 金永基 君이 年前에 筆者와 더불어 後悔[01] 가 버들村의 夕陽을 거닐면서 感激에 넘치어서 發하든 感歎詞이었다.

『北平서 三 年만 살어본 사람이면 다른 곳에 가서 재미 붓처 살기가 不可能합니다. 그래서 도로 보찜 싸가지고 北平으로 찾아옵니다. 나도 내 나라로 갔다가 암만해도 北平이 그리워서 이렇게 도로 오고야 말았소』

이것은 어떤 西洋 建築師의 이야기다.

『北平을 보지 못하고는 中華民國을 구경했다고 말할 資格이 없을 겝니다』

이것도 어떤 西 作家의 感想談이다.

果然 北平은 아름답고 平和스럽고 안윽하고 古典的이고 高貴하고 사랑

---

01 "悔"는 "海"의 오식 - 편자 주.

스런 곳이다. 「都會」란 말을 않 쓰고 그냥 「곳」이라고만 일부러 썼다. 인구가 一百五十萬이 넘는 都會地라고 하면 누구나 다 北平의 참 모양을 상상하지 못하고 엉뚱한 틀린 觀念을 가지겠기에 말이다. 그것은 世界 어디나 都會地란 더럽고 분주하고 냄새 나는 것이 定例이기 때문이다. 北平은 그런 意味에서 都會라고 할 수는 없는 곳이다. 人口 一百五十萬이 사는 한 公園이라고 함이 適當한 命名일 것이다. 하기에 北平은 원래가 都會로 發達된 곳이 아니고 天子의 한 庭園으로 發達된 곳이니까.

경치가 아름다운 것도 한 特色 아닐 수 없고 人心이 純厚한 것도 한 特色 아닐 수 없으되 그것들보다도 이 城內를 充溢하는 安靜感, 폭 가라앉은 듯한 마음의 느긋함과 餘裕, 여기에 北平의 참맛이 있는 것이다. 醫學者의 말을 들으면 神經衰弱者가 北平으로 오면 神經이 누그러지고 高血壓 患者가 北平으로 오면 血壓이 현저하게 나저진다고 한다. 그것은 事實일 것이다. 筆者도 地球의 弱 三分之 一쯤은 편답해본 經驗이 있거니와 이 北平에서처럼 몸과 정신과 마음의 平和를 누려본 경험이 일즉 없었다.

二

編輯者가 筆者에게 맡긴 課題가 雜感이니만치 事實 이 글은 純 雜感으로 一貫될 것을 미리 말해둔다.

朝鮮의 인테리들은 좀 더 地理 工夫가 必要하고 신문을 좀 더 자세히 읽을 必要가 있지 않은가 하고 생각할 때가 많다. 「北平雜感」에 갑작이 이게 무슨 소리인가 하실 이가 있겠으나 事實 내가 切實히 느낀 것 中에 하나이기에 쓰는 바이다.

바로 얼마 前 일이다. 京城 某 友에게서 내게로 오는 편지가 皮封에 빨간 줄과 글字들이 하나 가득 들어앉아서 그야말로 우서운 꼴을 해가지고 配達되었다. 그 편지는 서울서 맨 먼저 水原으로 갔다가 水原서 다시 이리로 넘어왔다. 北京이라고 몹시 흘려 쓴 글씨가 「水原」으로 보인 것은 있을 수 있는 일이다. 그러나 내가 지금 말하려는 것은 水原 郵便局員의 地理常識이 너무 貧弱함에 一驚을 한 일이다. 水原 郵便局員은 皮封 꼭대기에다가 「滿洲國」 三 字를 커다랗게 朱書해놓았다. 北平을 滿洲國 都市로 만들어놓은 地圖는 아마 새로 만들기 前에는 世上에 없는 물건이다. 地理에는 常識 以上의 知識을 가지고 있으리라고 自他가 公認하는 郵便局員으로써 故意라면 모르거니와 놀라지 않을 수 없는 일이다. 유독 水原 郵便局員뿐이 아니다. 나는 가끔 朝鮮 인테리층의 靑年들에게서 「滿洲國 北平」이라고 쓴 편지를 받는다. 받을 때마다 나는 赤面한다. 年前에는 朝鮮 謀 雜誌社 主筆로부터서의 原稿 請託 便紙가 「滿洲國 北平」으로 씨워온 것을 받고는 意外도 有分數지 참으로 한참을 멍하니 앉았다가 失笑하고 말았다.

가령 地理에 無識하다한들 新聞紙를 每日 對하는 사람이라면 北中問題가 지금 活潑히 論議되는 이때(冀察政務委員會가 成立된 지 이제 一 年을 조금 넘은 이때에) 그런 망발은 아니 했을 것이겠다.

이야기를 水原을 거치어온 그 편지로 다시 돌리자. 滿洲國을 반듯이 「東三省」이라고 말하는 이곳 사람들에게 「北平」 우에 「滿洲國」이란 肩書가 씨운 것을 볼 때 미상불 밸꼴이 틀녔을 것은 이 또한 常情일 것이다. 그래서 이곳 郵便局員은 水原 郵便局員이 朱書한 그 「滿洲國」 三 字를 보다 더 붉은 잉크로 줄을 그어 빡빡 지우고 그 옆에다가 「中華民國」이라 크게 朱書하고 日附印을 철컥 찍었는지라, 이 편지를 받아든 내가 그 皮封의 몹시 요란스러움에 놀라지 않을 수 없었던 것이다. 水原 郵便局員 公、만일 그가 新京이나 奉天으로 가는 편지 웋에다가 「中華民國」이라고 朱書를 했던들 단박 免職은 물론 어둔 房 살림을 몇 달 착실히 살고야 말 것이 아닌가. 아!

三

北平에는 三多가 있다. 樹木이 一多요、담정이 二多요、人力車가 三多다. 都會地로써 樹木이 많기로는 아마도 北平이 世界 首位일 것이다. 집집마다 커ー단 나무들이 섰고 景山이나 北海에 올라서 市街를 내려다보면 집들이 모두 무성한 수목 속에 가리여서 市街地 같지 않고 森林 같은 感을 준다. 깨끗하고 노블한 白松도 첨보는 사람에게는 한 驚異려니와 太廟 안엣 古木 속으로 散策하는 氣分이란 이야말로 신선이나 된 듯한 感을 주는 것이다. 그보다도 北海와 後海의 수양버들! 능나도 수양버들과 벗하여 어린 시절을 자란 筆者로써는 이 수양버들村이 없었던들 얼마나 적적하였을가? 버들 꽃이 못 옹에 때 아닌 雪景을 꾸며놓은 한 폭의 그림 같은 경치는 아마도 北平이 아니고는 맞나보지 못할 일일 것이다.

둘재로 北平은 담정의 都市이다. 골목 골목 골목! 골목의 도시인 北平은 담정 담정 담정의 都市이다. 담정도 요만조만의 담정이 아니라 세 길 네 길식 높이 올리고 기와지붕까지 얌전히 올린 담정의 羅列에 놀라지 않을 수 없는 일이다. 古宮 안에를 들어가 보면 한 宮女의 殿에서 다른 한 宮女의 殿으로 가는 中間에도 다섯 길식이나 되는 담정을 쌓아논 그것을 모방했는지 中國人의 舍宅은 웬만한 城 못하지 않은 담정으로 둘려 맥혀있는 것이다. 그러나 이 높은 담정들이 이곳 生活의 고즈낙하고 안옥한 맛을 돕는 한 重大한 要因이 된다고 말할 수 있다. 事實 이 사람들의 한 家庭은 이 城이오 宮이라 할 수 있는 것이다.

日前에 青年會에서 나서서 金魚胡同 골목으로 들어섰더니 十餘 名의 人力車군이 싸후다시피 달려들면서 타주기를 哀願하였다. 그러나 얼마 멀지도 않은 길인 故로 散步 겸 걸어볼 생각으로 걸었더니 그 人力車꾼들 「東安市場까지 가는데 큰 銅錢 한 푼만 주시고 타십시요!」 하고 아주 빌면서 따라

들 왔다. 銅錢 한 푼! 銅錢 한 푼이면 一 錢의 半도 채 못 되는 四 厘 가량이다. 아마도 四 厘를 내고 人力車를 탈 수 있는 곳은 世界에서 北平밖에 없을 것이다. 靑年會서 東安市場까지면 通常時면 그래도 一 錢 五 厘 가량이나는 주어야 탈 수 있는 거리인데 이렇게 갑작이 단 四 厘로 暴落이 되는 理由가 이상해서 한 人力車꾼에게 물었더니 그 대답이

「저 中間에 派出所가 있는데 거기서 巡査가 빈 人力車는 이 길로 通過하는 것을 許諾지 않습니다. 東安市場까지 가야 그래도 밥버릴 할 텐데 다른 길루 도라가자니 그게 어딥니까. 그저 積善하는 줄 아시고 타주십시오』

하는 대답이었다.

사실 北平서는 거리로 散步하기가 어려운 곳이다. 「사람이 끄는 차를 人道 上 어떻게 할 수가 있나?」 하는 것도 값싼 良心의 수작이다. 人力車를 타 주는 것이 慈善行爲가 되는 이곳에서 꾸준히도 따라오면서 「타줍쇼」 「타줍쇼」 하고 조르는 人力車꾼의 떼를 볼 때 散步가 결코 즐거운 일이 못되는 것이다. 단돈 四 厘에 끌겠다는 그 人力車꾼에게 同 距離를 택씨로 가려면 그 四 厘짜리 銅錢 二百八十 枚를 주고야 된다는 말을 들려주고 또 그 運轉手는 팁으로 적어도 二十二 枚 以上을 주어야한다는 말을 들려준다면 아마 그 人力車꾼들이 氣絶을 할 께다. 人力車를 타고 가서 아모리 短距離라기로니 四 厘짜리 銅錢 한 푼을 던져준다는 일은 아모리 人力車꾼 自身은 哀願하는 것이지만 참아 못할 노릇으로 생각되었다. 더구나 早春의 밤 날씨도 유난히 좋은지라 그들의 哀願을 물리치고 그냥 徒步로 걸었다. 그랬더니 웬걸 金魚胡同 한길에서 乞人을 맛나기 무릇 네 번 동전 한 푼씩 던져주고 나니 都合 너 푼이 달아났다. 人力車를 탓드면 한 푼에 올 곳을 안 타고 것기 때문에 너 푼에야 오는 내 꼴! 이런 經濟學 解說은 무어라고들 하는지 한번 「學者」의 卓說을 듣고 싶었다.

四

「고래 쌈에 새우」하는 말은 아마도 北中 一帶의 朝鮮人의 運命을 두고한 말인지 새로운 民族的 또는 國民的 感情과 覺醒으로 끌어 올는 中國人들이 最近 朝鮮人의 職業에 對하여 反感을 가지고 辱하는 것도 또한 當然한일인 줄로 생각한다. 그러나 다시 한 번 생각한다면「무엇이 朝鮮人들을 그렇게 만들었나?」하고 물을 때에 一種 同情을 不禁할 것이 아닌가!

거의 每日 이곳 中國人 新聞紙들은「鮮浪人」「鮮浪人」하고 大書特書 해서 朝鮮人을 辱하고 있지마는 조곰만 그들 記者와 編輯人들이 생각을 깊이 해본다면 왜 하필 朝鮮人뿐인가?『朝鮮人 阿片 小賣商의 뒤에는 大利를 차지하는 大製造主들이 있지 않은가. 朝鮮人이 小規模的으로 옮기는「私走」(인조견, 설탕 등속의 密輸入을 말하는 漢文 文字)의 뒤에는 그 物品들의 製造業者와 大資本主들이 있는 것이 아닌가? 結局 朝鮮人은 입에 풀칠할 길이 없으니 이런 資本家들의 잔심부럼이나 해주고 겨오 동전푼이나 얻어서 糊口해가는 것이 事實인데 무슨 朝鮮人이 모두 惡漢이나 되는 듯이 떠들어대는 이곳 新聞紙의 態度에는 卑怯한 데가 없다고 볼 수 있을가? 배경이 튼튼한 浪人들이 일을 저지를 때에는「某國」云云으로 우물쭈물해버리는 그들 新聞紙가 朝鮮人이 조고만 일을 저질르면 곧 무슨 큰 수나 생긴 듯이「鮮浪人」의 非行을 四 段、五 段으로 내리 뽑는 그것은 너무나 깔보는 하는 짓이 아닐가? 물론 朝鮮人의 禁品 販賣나「私走」가 正當하지 못한 일인 줄을 누구나 모르는 바 아니요 할 수만 있으면 그렇게 않고 살어갈 수 있으면 좋은 줄로 朝鮮人들도 누구나 다 痛感할 것인 줄 믿는다. 참으로 어렵고 뗄리케트[02]한 問題이다.

02　"뗄리케트": 영어 delicate - 편자 주.

『慢然히 北平까지 왔다가 兄의 消息을 學校로 물었더니 春期放學으로 나오시지 않고 住所도 알 수 없다 하여 섬섬히 數 字를 써서 부칩니다. ……맞났드면 좀 身世도 지고 놀기도 하였을 것을 섭섭합니다. ……』

春期放學으로 두어 주일 놀고 어제 처음으로 登校했더니 全武吉 兄으로써부터 이러한 편지가 와있는 것을 받고 여간 섭섭하지 않았다. 海外에 살면서 同胞를 日常 敬而遠之한 罪의 罰을 받았다. 그러나 내가 근무하고 있는 學校 고직이한테까지도 내 住所를 아르켜주지 않아야 하는 이 苦衷은 海外에 오래 산 經驗이 없는 이로는 理解하기 어려울 것이다. 더욱이 나 自身만이 욕을 먹는다는 것도 不服이다. 그렇게까지 해야 하는 重大한 理由들 中에 하나는 海外에는 洋服 입고 人力車 타고 단니는 同胞 乞人이 많은 것이 그 하나이다. 좀 더 自立的 精神이 있는 民族의 一員으로 태났던덜 그런 不愉快한 일은 없이 살 수 있을 것이다. 하필 뜻 아니 한 때에 불쑥 全 兄이 다녀갈 줄이야 꿈이나 꾸었으랴! 참으로 섭섭한 일이다. 全 兄에게 깊이 謝罪하는 바이어니와 내 환경을 理解하시는 맘으로 너그러히 용서하실 줄 믿는다. 이야기가 낫든 김에 한 마디 더할가.

昨年 盛夏의 일이었다. 大陸性 酷暑의 威壓을 잠시나마 避해보려고 北海公園 안으로 들어가서 어떤 茶房에 앉어 한 잔 울룽차를 벗하여 空想에 잠겨있었다. 때에 문득 머리 뒤로 들리는 女子의 朝鮮말소리 거기에는 어떤 젊은 朝鮮 婦人 한 분이 朝鮮 저구리 치마를 입고 맨발에 게다를 신은 후 고꾸라[03] 校服에 역시 맨발에 게다를 신은 少年 두 명을 데리고 散步를 나오셨었

---

03 "고꾸라": こくら(小倉, 허리띠나 학생복 만드는 데 쓰이는 두꺼운 무명 직물) - 편자 주.

다。 내 옆 卓子에는 中國人 中學生이 三四 人 앉아서 땀을 들이고 있었는데 그 中 한 學生이 曰

『에키 저기 日本 女子가 公園 구경 왔다』 한즉 그 中 다른 學生 하나이

『아니다 日本人이 아니고 朝鮮人이다』

『어째서 日本 女子의 옷은 소매에 긴 헌겊이 달려서 무릎에까지 치렁거리고 또 옷감도 문의가 얼럭덜럭하지 저렇지 않다。 더구나 저렇게 치마와 저구리를 따로 입은 것은 朝鮮 옷이다。』

『아니다。 나는 옷은 잘 분간 못하지만 저 발에 신은 것을 보아라 맨발에 나무토막 신을 신는 것은 日本人이다。 朝鮮 신은 우리 中國 신과 大同小異하더라。』

『글세 난 신은 몰라도 옷을 보면 아무래두 朝鮮 女子다』

『아니 日本 女子다』

이렇게 論爭을 하고 있는 것을 엿들으면서 나는 罪 없는 茶만 자꾸 들이키였다。 허허!

허튼소리를 몇 마대 쓰지도 못했는데 벌서 所與의 紙面이 다 차버렸군。 애초에 雜談인지라 아무데서 뚝 끊어버린들 어떠리。

― 끝 ―

― 『白光』, 第6輯, 1937년 6월

南北滿洲遍踏記

咸大勳

滿洲로 가는 길

「滿洲로 간다」

이 말이 滿洲事變 前엔 朝鮮서 쫓겨가는 불상한 農民들의 박아지를 깨차고 보따리를 든 초라한 貌樣을 聯想했지만 滿洲 建國 以來 六 年의 歲月이 흘른 今日에 있어서는 滿洲로 간다는 말이 「일을 하러 가고 希望을 갖고 간다」고 할 수 있게끔 되었다。

滿洲事變을 契機로 新興 滿洲國이 建國되자 民族協和 王道樂土의 精神 밑에 朝鮮人의 滿洲 生活은 무엇으로나 다 變해지고 따라 朝鮮人 問題가 더욱 重大化 하게 되여 이에 對한 關心은 識者 間에 더욱 喫緊하게 되엿고 또 滿洲를 한번 본다는 것은 크게 意義 있는 일이 되었다。 이리하여 이번 「朝光」에 滿洲問題特輯號를 내려는 計劃과 아울러 滿洲의 一般 文化를 한번 보고 오라는 社命을 받고 나는 한편 기쁘면서도 또 한편 責任이 重大하야 喜悅과 緊張 속에 하롯밤을 지내고 五月 十三日 午后 三時 二十分 京城發 新京行 特級 『노조미』 二等室 한 자리에 앉게 되었다。 編輯局長 및 僚友、親友들 多數가 驛까지 고맙게 보내주는 好意를 感謝하면서 떠나가는 汽車 昇降口에서 漸漸 멀어지는 面影을 바라보았다。

滿員된 室內에 겨우 한 자리를 찾이하고 앉었으니 때는 五月도 中旬 車窓 밖으로 보이는 軟綠色 입새들이 微風에 간들그려 明朗 五月의 色彩를 어여 뿌게 丹粧했다.

山도 프르고 들도 프르고 논도 물이 번뜩이니 外國사람들이 그저 무슨 公式처럼 「朝鮮의 山川은 아름답소」 하는 그 말을 그대로 首肯해도 좋을 만 하다.

봄에 진달래가 피고 여름엔 프른 綠陰으로 沿線 風光을 자랑하는 朝鮮의 自然은 旅客의 눈을 慰撫하기에 넉넉한 一 畵幅이다. 新村 水色 一山 陵 谷 等에 停車도 않고 얼른 지나 沙里院 黃州를 지나니 沿線 風光은 北國의 내음새다.

八時 頃 平壤에 車는 다았는데 窓外는 어둠만이 흐르고 大同江 물과 함께 흐르는 時間은 어느덧 平壤의 밤 景致를 보여줄 뿐이다.

平壤에 知己도 많고 또 늘 그이가 한번 오라던 곳 平壤을 지나며 感懷는 더욱 깊다 예서 北으로 車는 달리는데 내 일찍 平壤 以北을 못 본 터에 意外에 달좇아 없는 캄캄한 밤이니 이 얼마나 哀惜한가. 보고 또 보고 해도 보이는 것은 어두움뿐 때때로 停車도 않는 中間驛의 불빛만이 이따금 내게 반기는 눈웃음을 보일 뿐이다.

車가 新安州를 지날 무렵 車窓을 때리는 빗소리가 요란하다. 더구나 寢 臺를 꾸민다고 앉인 손님을 딴 칸으로 보내는데 나는 食堂엘 갔다가 자리를 잃고 한참이나 彷徨하였다. 앉았던 손님의 자리를 만들지도 않고 寢臺를 꾸 민다고 손님을 쫓으니 不快하기 끝없었으나 싸움도 할 勇氣가 없어 躊躇하 고 있노라니 一等室 옆 展望車로 案內를 해준다. 그 好意에 感謝하면서 나 는 展望車에 앉아서 新刊 雜誌를 뒤적거렸다. 遠路에 寢臺도 못 사고 앉어 서 읽으려니 한편 서글펐으나、數三 日 前 豫約치 않으면 京城서는 살 수가 없는지라 하는 수 없이 앉아서 조을밖에 없다.

조을다는 깨어 다시 책을 들었으나 눈에 잘 들어오지 않는다. 中央公論에서 「早大物語」를 읽었다. 創立 當時의 여러분의 努力한 자최를 보고 다시 感激했다. 무슨 일이나 熱과 誠意만 있으면 되는 것이라 생각했다. 近刊 內地 雜誌는 追憶記가 많다. 日本評에서 河合榮治郎 氏에게 敎壇二十年史를 쓰게 하여 그 當時 學說、思想、氣風、校內 紛糾 等을 그리는데 이 早大物語는 努力한 자최만을 썼다. 東京朝日에는 東大理工科物語가 실린 것같이 생각되거니와 어떻든 東大紛糾事件 以後라 이런 글은 신문 雜誌에서 取扱할 課題다.

午前 一時 頃 鴨綠江을 지나는데 어둠 속에 비바람이 요란하여 보지 못하고 安東縣에서 車가 停車하자 稅官吏들의 行裝 檢査가 야단이다. 밝은 날 여기를 지나왔으면 볼 것이 많았을 것을 두고두고 遺憾이다.

窓外에 비가 나리니 鴨綠江을 건너며

鴨綠江水何時盡 別淚年年添綠波의 一句가 생각나며 여기 뿌린 눈물도 적지 않으리라 믿고 비오는 소리에 다시 感慨가 깊었다.

奉天의 異景 數題

安東에서 行裝 檢査는 大端하였다. 多幸히 우리 것은 그리 甚하게 보지 않고 갔으므로 덜 不快했으나 아무튼 行裝을 남에게 보인다는 것은 그리 좋은 일이 아니다 그러나 稅官吏의 하는 일이라 거기다 蛇足的 口吻이 무슨 必要가 있을 건가?

생각하면 이 稅官吏의 눈을 피해 密輸入 密輸出이 한동안 이 國境 地方에 物情을 騷然히 했고 또 이 때문에 江과 江 鐵橋와 鐵橋 사이에 큰 亂이 있

었다 하거니와 稅關吏의 일이란 참으로 苦心이 많은 것도 事實이다。滿洲
建國 以來 이 密輸出이 그리 크게 問題는 되지 않았다지만 支那事變 以後로
爲替管理法에 의한 所持金의 制限 其他 輸入出品에 對한 制限 等으로 퍽 말
썽이 되는 모양이다。이리하여 稅官吏의 일이 더욱 苦되게 될 것이라 생각
하였다。

나는 잠을 들다 깨다 하여 아침 六時쯤 하야 눈을 完全히 뜨고 窓밖의 녀
른 平野 속에 드문드문 보이는 滿洲 農家를 보았다。朝鮮 農家처럼 집으로
이엉을 이었으나 制度가 洋式처럼 되었다。滿洲옷을 입은 사람도 이따금 보
인다。

여기서 나는 大陸的인 呼吸을 했다。즐펀한 너른 들이 보기에 너무 시원
하다。

奉天에 다키는 午前 七時 十五分 豫定보다 十五 分 延着이다。驛에 내렸
으나 電報를 치지 않았더니 知己는 하나도 없다。서투르게 出口를 빠져나와
驛廣場에 나리니 비는 나리고 갈길은 모르고 캄캄하다。

自働車를 빌려 타고 十間房에 있는 支局을 찾으니 支局長 金奭恩 氏가 반
가히 맞아주며 깜짝 놀래인다。

「消息도 없이 이게 웬일이서요」

「電報 친다는 것을 잊었죠」

하고 나는 그前부터 面識 있는 金 支局長과 握手를 하고 나서 旅舍를 찾
았다。몇 군데 內地 旅館 朝鮮 旅館을 찾았으나 滿員이라 하여 그만 더 찾을
勇氣도 없고 더구나 시장하여 견딜 수가 없어 滿人이 經營하는 飯店으로 가
서 露西亞料理를 滿腹하도록 먹고 나니 어젯밤 잠 못잔 疲勞가 갑자기 食困
과 함께 몸을 掩襲한다。그러나 내게 있어 지금은 一秒가 貴하다、그리하야
金 支局長을 督勵하여 困한 몸을 수일 사이도 없이 奉天 市街 求景을 떠나

기로 하였다.

第一 먼저 간 곳이 國立博物館、우리는 馬車에 올라앉아 거드럭거리며 三經路 十韓[01]路에 있는 博物館 앞에 내렸다.

그런데 이 馬車란 風景이 大端히 멋들어져서 滿洲에 있어서 없지 못할 珍品이다. 말 하나에 四輪車를 붙이고 車夫가 맨 앞에 높다랗게 앉고는 客은 뒤에 앉힌다 따르락 말굽 소리와 함께 굴러가는 그 風景이 제법 멋들어졌다. 紳士도 타고 淑女도 탄다 혼자는 洋車를 타고 二人 以上이면 馬車를 탄다. 洋車、馬車 이것은 이 滿洲의 交通機關의 重要한 任務를 遂行하는 것의 하나이어니와 그 다음이 뻐스요 電車 같은 건 있는가 없는가 그 存在를 알 수 없을 만하다.

그런데 馬車에서 나려 넓은 庭園에 깔린 푸른 풀과 나무에 疲勞한 視野를 慰撫하며 白亞[02] 三層집을 들어서니 佛像이 먼저 눈에 띈다. 舊 東北軍閥의 驍將 湯玉麟의 私邸였다는 이 建物은 훌륭하여 私邸처럼 보이지도 않는데 陳列品은 周漢時代의 銅器、天下에 없다는 刻絲、刺繡를 爲始하여 遼、宋、金 時代의 陶瓷器、宋、元 以來의 名書畵、魏 以後의 墓誌 等이 눈에 띠인다. 더구나 契丹文字、哀冊類를 볼 때 契丹의 兵禍가 朝鮮에 미처 遷都까지 하시었던 일이 있는 朝鮮의 王君을 생각하니 歷史란 興亡의 자최를 돌아보고 다시금 感懷가 깊었다. 더구나 이外에 熱河離宮에 秘藏되었던 世界 珍寶 三千五百餘 點이 陳列된 것을 보매 이것은 寶物로서 크게 값있는 것이라 하여 몇 번이나 눈을 거기에 보내었다. 그러나 내 눈은 거기서만 스톱하고 있을 수가 없었다. 그래서 거기서 나와 다시 馬車를 타고 同善堂、慈善事業機

---

01 "韓"은 "緯"의 오식 - 편자 주.

02 "亞"는 "堊"의 오식 - 편자 주.

關을 찾기로 했다. 마침 오늘은 日曜日이 되어 官公署도 쉬고 學校도 쉬므로 찾지 못함이 遺憾이나 그러나 그 代身 奉天의 名勝과 古蹟을 찾아보는 것도 意義있는 일일까 하야 方向을 이리로 돌리었다.

朝鮮人 生活의 諸態

奉天 同善堂은 원래 左寶貴 氏의 創設로 慈善事業機關의 하나이다. 特히 注目되는 것은 救生部인데 父母 없는 어린애를 기르는 곳이다 收容人員이 百餘 名인데 全部 善字 姓을 갖었다. 金寶玉이란 朝鮮 女子의 案內로 一巡하고 다시 우리는 北陵으로 갔다. 北陵은 奉天驛에서 北方 六 粁 뻐스로 約 二十五 分이면 갈 수 있다. 陵은 淸朝 第二代 太宗 文皇帝의 陵墓라 하거니와 境城의 周圍가 約 八粁、外壁이 十七粁、內壁 높이가 六米나 되고 入口에는 華表같은 一大 牌樓가 섰는데 前三門(正門)을 들어서면 老松이 욱어진 곳에 砷[03]道가 깔려 이곳을 밟으면서 거러가면 어떻게 옛날에 돌아간 느낌이 난다. 兩側에 나란히 石獸들 獅子며 走獸、麒麟、馬、駱駝、象 等이 있고 그 中 二 頭의 石馬는 太字[04]의 乘馬形으로 有名하다고 한다. 더 길게 逗留할 時間도 없고 또 여기 길게 늘어놓을 紙面의 餘裕도 없어 이만 두기로 하고 나는 다시 朝鮮人이 많이 산다는 十間房과 西塔을 보기로 했다. 十間房보다도 西塔엔 朝鮮人의 商店、市場、旅館、카페 等까지 있고 朝鮮文字로 廣告까지 써있어 어떻게 故鄕에 온 것처럼 반가웠다. 平安道 사투리도 들리

---

03 "砷"는 "磚"의 오식 - 편자 주.

04 "字"는 "宗"의 오식 - 편자 주.

고 慶尙道 사투리도 들린다. 누구 하나 붓들고 이야기라도 하고 싶다. 支局長 말에 依하면 奉天 在住 朝鮮人의 生活은 大槪 有足한 形便이고 只今 人口는 四萬을 算한다고 한다. 城內는 大槪 商業을 主로 하고 城外는 農業을 主로 하는데 刻苦 勤勉 自活의 길을 열고 있다 한다.

더구나 中學校로 東光中學을 經營하여 벌써 二十萬 圓의 在滿同胞負擔金은 據出되었고 朝鮮 內 同胞의 負擔金 二十萬 圓이 據出되지 않어 이에 크게 期待를 갖고 있다 한다. 東光學校 側 여러분을 만나려고 했으나 마침 日曜日이 되여 만나지 못했으나 어떻든 現在 三學年까지 길렀는데 三學年서부터는 農科、工科로 分하야 所謂 綜合中學으로서 實際敎育을 시킨다고 한다. 現在 九 學級、生徒가 五百餘 名、將來 奉天의 中學으로써 面目이 설 만하다. 그리고 小學校는 二 個 處、幼稚園도 二 個 處、媬姆傳習所가 一 個 處가 있어 奉天의 朝鮮人 敎育機關은 어느 程度의 完全을 期하고 있는데 이 方面에서 活動하는 人士를 만나지 못한 것은 두고두고 恨이다.

우리는 西塔서 朝鮮人의 市場을 求景하면서 朝鮮 내음새를 맞고 바로 그 옆 西塔을 求景하였다.

이 西塔이란 바로 朝鮮人市場이 있는 옆에 높이 솟아있는 것으로 奉天城外 四方에 護國寺塔이라는 都城鎭護를 爲한 勅建에 의한 四 座의 喇嘛塔 中의 하나이다. 그런데 이 西塔은 그 代表的인 것으로 西塔 大街에 沿하야 延壽寺 境內에 古色蒼然히 서있을 뿐 그 周圍는 襤褸까지 던저 더럽기 한량없다. 그러나 基壇、塔身、相輪의 三 部로 되여 基壇에 있는 큰 浮彫의 唐獅子의 하나하나는 그 옛날의 喇嘛의 權勢를 엿볼 수가 있다.

여기서 寫眞 一 葉을 박히고 우리는 滿洲色이 있는 滿人 經營의 百貨店을 찾기로 했다. 滿毛라는 內地人 經營 百貨店과 伯仲되는데 滿毛엔 사람이 들끄러도 滿人 百貨店엔 웬일인지 쓸쓸하다. 滿人 百貨店 「吉順」 屋上에 올라

옛날 東北軍閥로써 東北天下를 呼令하던 張作霖、張學良이 있던 大建物을 바라보았다。茶褐色 기와로 집웅을 이은 그 建物은 只今 滿洲國에 依하여 守備되고 있다고 하거니와 年前엔 公開도 하셨다는데 今日엔 그 恩澤을 입지 못하야 參觀할 수가 없었다。

張作霖이 일즉 그 豪勢를 자랑할 때야 이 滿洲 天下가 제 것이었지만 張作霖의 運은 結局 東北의 한 頭目으로서 盡했고 張學良 또한 滿洲事變을 一劃線으로 永遠히 東北을 떠났다。한때의 榮華가 꿈같은 것이어니 옛것을 볼 때 恒常 感懷가 깊어지는 것이다。

奉天은 하로쯤 더 묵으며 여러 곳을 보고 싶었으나 앞길이 총총하야 그만 그 날 하로를 分秒도 수이지 않고 돌아다니다가 十時 四十分 車로 新京行 寢臺車에 몸을 실으니 全身이 녹아내리는 것 같다。

數日 못 잔 잠이 一時에 몰려 팔다리가 저리고 精神이 흐리터분할 지경이다。

滿洲 國都 新京

아침 車掌의 웨치는 소리에 소스라처 깨이니 어떻게 困히 든 잠이었든지 눈이 떠러지지를 않는다。겨우 눈을 부비고 자리에서 일어나 낯을 씻고 窓外를 바라보니 어느덧 車는 新京驛 構內에 슬며시 停車를 한다。여기가 國都 新京인가 하고 다시금 感激된 가슴의 波動으로 驛에 第一步를 내어드디었다。「휘익 ―」바람이 모라친다。大陸의 바람이다、어쩐지 北方땅 스케일이 크고 氣壓이 세고 거츠른 맛이 내 性格에 맞는 것 같어 좋다。人波에 섞여 改札口를 나서랴니 영자(英字)로 WAY OUT(出口)」이란 아레 露字로 「보이호드**05**」란 것이 보인다.

「아마 여기도 露人이 꽤 사는가 보다」

하고 나는 驛廣場 앞에 서서 높다란 建物과 유난히 넓은 길을 바라보고 다시금 大陸 滿洲國 國都 新京의 面貌에 括目하였다.

滿洲國이 建國한 지 六 年 그 동안 여기 이 높고 큰 建物과 넓고 긴 道路가 秩序整然히 째엇다. 이 建設이 滿洲人도 아니오 朝鮮人도 아니오 日本人이다. 日本人의 威力은 이만큼 크다. 이제 支那事變이 長期戰에 갔으나 이 滿洲事變으로부터 八 年. 建國으로부터 六年에 이만한 建設面을 보면 支那에 對한 것도 넉넉히 短時日에 建設할 것이라 보는 것이 여기 와서 더 느낄 수 있다.

驛까지 나와 주신 H 兄과 같이 旅館으로 가서 짐을 풀고 다시 疲勞를 풀 餘地도 없이 거리로 나섰다. 때마침 오늘도 休日이라 만날 만한 人士를 만날 수가 없다 新京神社祭라 하여 거리는 人波로 헤여날 수가 없다. 露西亞 喫茶店에서 紅茶를 마시며 이야기의 꽃을 피우다 六堂 崔南善 先生을 私宅으로 찾기로 하고 大同大街 너른 길을 택시로 몰아 南쪽을 향해 다름질첬다.

때마침 六堂 先生은 宅에 계셨다. 반가히 맞어주시는 얼굴로 情이 넘쳐 흘렀다. 六堂 先生은 只今 建國大學 敎授로서 滿洲國에 빛나는 存在의 한 분으로 學部가 아즉 생기지 않어 他 敎授들과 같이 硏究員의 一人으로 계시며 敎授는 하시지 않는다 그리고 滿鮮日報에 顧問으로 계시며 滿鮮日報에도 盡力을 하시고 계시다.

元來 滿洲國 內 新聞은 弘報協會에 統轄下에 있게 되여 오늘날 滿洲國 內

---

05 "보이호드": 러시아어 выход(출구) - 편자 주.

의 新聞은 이 統制 內에 있거니와 滿鮮日報도 또한 이의 하나로써 在滿 朝鮮人에 對하여 滿洲國에 對한 精神을 宣揚 指導하는데、重大한 任務를 遂行하고 있다。

「滿洲를 보면 六 年 동안에 더구나 支那事變으로 二 年 間은 充分히 能率을 내지도 못하였는데 이처럼 된 것은 日本人의 참된 集團的 建設精神의 偉大한 것을 알 수가 있습니다」

하고 六堂 先生은 말을 끄내기 시작하였다、

「滿洲國都로서 아즉 完成하지는 못했어도 이만했으면 六 年 間 建設한 것으로서 훌륭한 것입니다。그리고 朝鮮人의 生活은 그 어떤 自立的 自治的 精神이 없는 것이 遺憾입니다 新京만 해도 萬人이 사나 뿌리백혀 사는 사람이 적은 것은 좀 더 自立해나가는 精神이 적은 탓이 아닐까 합니다 할 일이야 많잖습니까 더구나 水田 開發은 朝鮮 農民이 한 것이니까요、只今 滿洲 國 內에서 四百萬 石이나 쌀이 生産되는데 이것이 모두 朝鮮人의 水田 開發에 依해서 生産되는 것임을 알 때 이것은 놀랠 일입니다 一 俵 十六 圓을 치고 四百萬 石이면 六千二百萬 圓의 巨額이니 이야말로 相當한 額이 아닙니까? 그래서 朝鮮人은 水田事業과 精米業을 많이 하는데 過去 朝鮮 農民은 組織的으로 契約을 못했기 때문에 地主인 滿人이 開發한 土地를 回收하는 일이 많어 多少 問題되는 것도 있다 합니다、仔細한 것은 滿洲拓殖 金子 少將을 紹介할 터이니 거기 가서 물어보라 하고 그 問題에 대해선 이야기가 중단되고 滿洲國의 對外交 問題 其他에 言及했으나 이는 割愛하기도 하고 나는 宅을 辭했다。오늘은 滿洲에서 보기 어려운 따스한 日氣라 한다。事實 京城 氣候와 조금도 다름없이 日暖風和하고 하늘이 맑다。멀리 툭 터진 空地엔 푸른 버들이 微風에 가볍게 흔들리고 있다。이 넓은 길을 나는 혼자 것고 있다。어쩐지 좀 寂寞하다、휘파람이라도 불고 싶다。

開拓總局 尹 科長과의 面談

翌朝 北國의 氣候로는 大端히 좋은 편이다. 그러나 바람은 如前히 거세여 모라치는 몬지바람에 눈을 뜰 수가 없다. 아침 十時 滿蒙産業株式會社 社長 孔濯 氏와 開拓總局 尹 科長을 찾기로 했다. 첫째 朝鮮移民問題에 對한 意見을 들을 樣으로、

尹相弼 科長은 六 尺 巨軀 初印象이 퍽 좋다. 軍人다운 威風과 政治家的 閃光이 어딘지 보인다.

移民에는 集團、集合、分散 移民의 세 가지가 있는데 集團移民은 滿鮮拓 殖에서 行하는 것 集合移民은 金融會와 農務稧 等을 通해 하는 것、分散移 民은 緣故移民이라고도 하는 것으로 在滿 朝鮮 農民의 親戚 知己를 通해서 오는 것으로 大概 移住期는 舊 正月서부터 陽 五月 十日 頃이면 끝난다고 한다.

그런데 十三年 十二月 移民政策을 再檢討하기 爲하야 關東軍 中心으로 移民國策을 세우려고 各 方面에 對해서 여러 機關을 總動員 會議했고 또 十四年 一月 五 六日 現地案을 作成하야、日滿會議를 開하고 다시 五月 東 京에 이 移民國策에 對한 會議가 있었는데 朝鮮 移民을 國策移民의 하나로 取扱케 되었다는 것이다.

事實 滿洲에 있어서 水田의 開發은 朝鮮人의 손으로 된 것은 누구나 是認 하는 것이오 또 朝鮮人의 손으로가 아니면 水田 經營에는 큰 困難을 當할 것 도 事實이다. 그러기 在滿 朝鮮 移民의 待遇는 年復年 높아가는 것이다.

그런데 今年부터 移民의 形態施設、土地制度 等에 많은 變革이 있을 豫 定인데 그 中 하나는 靑少年移民問題라 한다. 이 靑少年移民은 各 民族을 너어서 共同訓鍊을 시킨다는데 朝鮮 靑少年移民은 今年度 二十 名을 間島 省에서 募集하야 寧安에서 訓練시킨다 한다.

그리고 明年度에는 二百五十 名을 募集할 豫定이라 하니 朝鮮 移民의 滿洲國 內에 있어서도 民族協和는 漸次 順調로히 進行될 것이다. 今年度부터는 一萬 名의 朝鮮 移民을 식힐 作定인데 國境에 開拓總局辦事處를 두어 移民에 對한 것을 統轄한다고 한다.

한 가지 今年부터 土地開拓事業에 難關은 米穀統制法에 依해서 水田 造成에는 滿洲國의 認可를 얻게 된 것이나 그러나 堅實한 事業家이면 이는 그리 難事는 아닌 모양이다. 어떻든 朝鮮農民은 歷史的으로 滿洲와 因緣이 있고 더구나 滿洲 建國 以來 秩序가 維持되었으니만큼 滿洲 移住는 樂土를 찾는 것과 다름이 없나니 그 一例로는 첫째 朝鮮 內와 比較해서 土地價가 低廉(畓 一坪 十五 錢 內地 二十 錢)하고 一 町步 生産高가 二 石 乃至 三 石、인데 肥料는 통 쓰지 않으니 年 三 割의 收穫이 된다는 것이다.

그러므로 資本家나 農民이나 營農에 있어서 滿洲는 樂土라 할 것이다. 더구나 農民으로서 有利한 것은 小作料로 地主에게 받치는 것이 三分之 一、乃至 五分之 一이라 한다 이렇다면 確實히 農民의 滿洲 移住는 有利할 것 아닌가? 그런데 滿洲國에서는 移住 農民에게 自作農 創定에 對해 努力 中이나 移住 初年부터 負擔이 過重하다 하여 數 年 后 安定을 待하여 하기로 하였다 한다.

그런데 이제 數 年 內 滿洲國 內로 入植된 開拓農民(이것은 朝鮮 移住農民을 이렇게 부른다)의 統計를 보면

康德 四年

集團	二三二九 戶	一二、一五九 人
(安圖 汪淸、延吉、營口 方面)		
〃	二七九九 戶	一四、一九 人

(皮[06]圖、汪淸、延吉、樺甸、金川、柳河)

康德 五年

自由　　　　　　　三一五六 戶　　　　　九、九五八 人

(主로 吉林、間島、奉天、牡丹江、通化、濱江、)

〃　　　　　　　　五、九五五 戶　　　　　二四、一五六 人

康德 六年

集團　　　　　　　四、〇〇〇 戶　　　　　二一、四九〇 人

(安圖、汪淸、樺甸、懷德、稜稽、寧安、興京、密山 方面)

集合　　　　　　　九九一 戶　　　　　　三四六一 人

(間島、牡丹江、奉天、興安、通化 方面)

分散　　　　　　　五二五〇 戶　　　　　一七、三七五 人

(間島、吉林、奉天、濱江、牡丹江、通化 方面)

　이렇게 每年 移民은 增加하고 있으며 그 中에도 分散移民이 많은 것은 當局이 좀 더 國策移民으로서 斡旋할 勞를 아끼지 말기를 바라마지 안는다.

　尹 科長과의 長時間의 面談이 있은 뒤 나는 車를 몰아 內務局 參事官 秦學文 氏를 찾기로 하였다. 陳學文 氏는 穩健 着實한 紳士風의 人物로서 滿洲 內 朝鮮人敎育問題에 關해서 論했다. 在滿朝鮮人의 敎育問題는 滿洲 建國 以後도 아직 滿洲國 內로 移管되지 않어 劃一的 敎育을 받지 못하게 되는데 現在 初等 敎育은 大使館 直營의 普通學校와 民間 私立普通學校가 있다 하며 入學律은 宏壯히 높다 한다 여기서도 朝鮮人의 敎育熱이 높은 것을 보고 朝鮮人의 向學熱에 對한 感激 속에 나도 아는 듯 모르는 듯 感激이 되었다.

06　"皮"는 "安"의 오식 - 편자 주.

建國大學 教授 崔南善 氏의 紹介로 滿拓에 金子 少將을 만날 樣으로 內務局 參事官室을 나와 自動車로 滿拓을 찾으니 外出하고 안 계시다 한다. 그리하야 다시 協和會로 갔으나 時間도 늦고 또한 만나볼 분도 있지 않어 不得已 오늘은 이것으로 新京 일을 끝내이는 수밖에 없다. 그리하야 協和會를 나와 馬車를 타고 거리로 방울소리를 울리면서 달리었다.

나는 馬車 위에 H 兄과 나란히 滿鮮日報社를 向하면서 생각에 깊었다. 朝鮮人의 理想은 滿洲에서 어느 程度까지의 實現을 볼 수 없을까 하는 것이다.

新京의 밤 風景

그날 밤 新京의 거리로 나서기는 했으나 그 밤으로 哈爾濱으로 가야 할 몸인 만큼 朝鮮서 볼 수 없는 밤 風景의 한두 가지를 보려 했다. 그리하야 馬車를 타고 ○○캬바레에 발을 들여놓기는 밤 八時 半 頃이였다. 여기는 白系露人이 經營하는 곳 홀 바로 마진편에 뺀드가 있고 客들은 홀 한편으로 쭉 들린 食卓에 걸어앉어 飮食을 먹으며 리즈미칼하게 흘러나오는 音樂에 마초어서 任意로 땐써를 붓들고 춤추는 것이다. 映畵에서 큰 홀 華麗한 無[07] 踏 場面을 보아서 그런지 어떻게 音樂이나 춤이나가 그렇게 나의 神經을 興奮시키지 못한다. 그건 그런 理由도 있을 것이 내가 數日 內 旅行에 몸이 疲困했고 또한 新京 와서 政治 經濟 各 方面에서 많은 衝動을 받은 때문에 이런 歡樂街에 興味를 느끼지 못한 탓도 되리라、 아무튼 나는 朝鮮서는 볼 수 없는 캬바레 風景에 興味를 갖고 때때로 흘러나오는 리즘과 돌아가는 스텝에 눈을 모으고 있었다.

---

07 "無"는 "舞"의 오식 - 편자 주.

午後 十時나 돼서 우리는 北國 밤바람을 쏘이며、다시 新京驛으로 갔다。마침 北鐵의 崔亞立 氏와 同行하게 되어 나는 寢臺의 하로ㅅ밤 편한 꿈을 꿀 수 있었다。우리는 只今 哈爾濱으로 가는 것이다。메칠 내 자지 못한 잠을 오늘밤은 寢臺를 얻었으니 한잠 깊이 드리라 하는 생각으로 나는 寢衣로 바꾸어 입었다。

哈爾濱의 一日 半

平北 定州서 나서 中學을 마치고 一路 모스크바로 가서 大學을 나온 뒤 北鐵時代부터 只今 四十七歲가 된 오늘날까지 그 殘務 處理에까지 손을 대고 있는 崔亞立 氏와 哈爾濱에 到着하기는 아침 六時가 지나서였다。

旅舍로 간다 하나 期於히 朝飯만이라도 自己 집에서 가치 하자 하야 露人 택시를 불러 타고 南崗 西市場町에 있는 氏의 宅을 찾었다。

朝飯을 난흐고 로시아에서 나서 그곳서 敎育 받은 夫人을 紹介받고 다시 거리에 나섰을 땐 北滿 獨特한 몬지바람이 거세게 몸을 휘갈겼다。거리를 나서서 露人거리로 第一 繁華하다는 키타이스카야 街의 모데른호텔 바 ― 로 들어섰을 땐 暴風雨가 窓을 마구 두들긴다。

人口 五十萬이나 되는 이 哈爾濱、北滿의 政治、經濟、文化의 中心 文化都市로서 또 東洋의 巴里라 別名을 듣는 이 哈爾濱 더구나 내가 항상 憧憬하던 이 哈爾濱에 발을 내려놓니 무엇부터 보고 어떻게 하여야 좋을지 頭緖를 차릴 수가 없다。

元來 이 哈爾濱은 一八九八年 五月 只今으로부터 四十一年 前 東淸鐵道가 起工했을 當時엔 無名한 漁村이던 것이 波瀾 많은 露支 兩國의 勢力을 不斷히 反映하면서 發展해서 東洋의 巴里로서 堂堂 豪華로운 氣勢를 보이

던 것이 昭和 十年 三月 二十三日 北滿鐵路 讓與를 契機로 해서는 露支의 勢力은 흘러가고 日滿 兩國의 勢力이 이 하르빈의 君臨하야 새로운 劃期的 飛躍을 하게 되었다.

이 哈爾濱이란 元來 虎視眈眈 滿洲 經略에 눈을 뜬 帝政露西亞의 검은 배ㅅ장으로 맨들어진 都市이거니와 이것이 日露戰爭 以來 餘地없는 露國의 敗北로 滿洲 經略은 一 頓挫가 되고 露人의 勢力은 漸漸 衰殘하야 白系露人 三萬 一千餘 蘇聯人 六千餘、內地人 三萬 二千餘、滿洲人 三十八萬 五千 朝鮮人 八千 가량의 數로 露人의 勢力은 如干 크게 떨린 것이 아니다.

〃모데른〃 카페에 앉아 露人 女給에게 비로서

「차 두 잔」

하고 露語로 茶 두 잔을 注文하였다.

어쩐지 가슴이 울렁거린다 얼마 있다 崔 氏를 보내고서 支局으로 電話를 걸어 支局 記者 嚴時雨 君과 같이 모데른에 앉어 이야기하다가 우리는 다시 하르빈 市街 求景을 떠났다.

哈爾濱 市街를 大別하면 新市街、埠頭區、馬家溝、舊 哈爾濱、나하롭흐카 八區、傳家甸으로 되었는데 이들 市街는 그 前에는 北滿特別區의 官下에 있었는데 滿洲國 成立 後에는 人口 百萬을 目標로 하는 大哈爾濱市建設計劃이 樹立되는 同時 松花江 對岸의 松浦와 合併되어 昭和 八年 六月 一日부터 大哈爾濱市로서 哈爾濱特別市公署의 管理 下에 있게 되었다.

나는 只今 키타이스카야街를 걷고 있노라. 露文字로 크게 쓰인 看板이 높다란 建物에 붙어 아즉도 露西亞人 거리의 殘影을 볼 수 있거니와 어떻든 여기는 日本人、滿洲人、白系露人이 建設한 滿洲의 三大都市로서 또 그들의 面貌를 여기서 찾을 수 있는 것이다.

여기저기 커다란 露文字의 看板에 威壓되며 몬저 찾은 곳이 賣買街의 協

和會朝鮮人分會였다 여기서 朝鮮人의 實情을 알자는 생각이다.

分會長 黃義明 氏 副分會長 宋義淳 氏를 만나 朝鮮人의 生活形態를 물으니

여기 八千 人의 朝鮮人이 있는데 大概 農業이오 一部 商業을 합니다. 그리고 分會에서는 移住民에 對한 斡旋에 努力하고 있습니다.

하고 移民 統計 移民 斡旋에 對한 資料 等을 끄내인다, 時間이 없어 긴 말을 못 하고 氏 等의 努力을 謝하고 同文學院을 찾기로 했다. 同文學院은 國民高等學校로서 여기 朝鮮人이 校長인데 朝鮮人 生徒는 不過 數 名 大概 滿人이라 한다. 校長을 찾으려 했으나 外出하여 못 만나고 洪淳晶이란 同校 々員을 만났다. 氏는 나의 畏友 洪淳福 氏의 遠戚으로 반가히 만나 우리는 셋이서 朝鮮人이 經營한다는 오리엔탈삐ー루會社를 찾았다. 同 會社는 露人을 相對로 二十九 錢의 都賣價로 파는데 北滿 産業 中의 有數한 實業으로써 斯界에 신임을 받고 있다.

北滿 曠野에 工場을 짓고 이 事業에 눈떠 오늘날은 確乎不動의 地位를 가진 同 工場 金 氏에게 感謝를 드리고 우리는 外人墓地를 찾기로 했다. 新市街 大直街의 北端 廣大한 地域에 至하야 슬라브人 墓地, 猶太人 墓地, 타타ー르人 墓地, 朝鮮人 墓地 等이 있는 이 外人墓地를 바로 그 앞 뻐스에서 나려 들어서니 堂塔이 正門에서 보힌다 그리고 左右로 十字架를 세운 墓碑들이 이름 모를 꽃 우에 옛 追憶 애닯게 서있다. 여기는 全部가 露文字로 적혀있다.

外人의 墓地에 가면 恒常 느끼는 것이 墓碑에 쓴 墓碑銘이다, 간절한 한 마디 말이 墓碑 우에 쓰여저서 봄이나 가을이나 비바람에 그 잊지 못할 文句가 永遠히 살아지지 않고 있다. 나는 墓地를 돌면서 때때로 朝鮮人 墓地에 十字를 것고 멧 時間을 徘徊하였다. 그러다가 나는 문득 어떤 墓碑 앞에서 어떤 *母女*가 꽃 심그는 것을 보았다. 그 墓碑에 쓴 것에 依하면 「平和가 내 사랑하는 男便 가슴 속에 영원히 기뜨리라」는 것이다. 그리고 西比利亞에

서 四十二(?) 歲에 죽은 그 男便의 靈을 爲해 只今 그들이 꽃을 심그는 것을 볼 때 死後 自己 墓地에 이렇게 꽃낭구 하나라도 각구어주는 이가 있다면 이 얼마나 幸福된 일이랴? 하고 나는 한껏 感傷的인 氣分에 사로잡혔다. 三 時間 後 여기저기 滋味있게 쓴 墓碑銘을 보며 徘徊하다가 松花江 구경을 하기로 하고 다시 우리는 뻐스에 올났다.

哈爾濱 名物 中의 하나는 松花江일 것이다. 「숭가리⁰⁸」라고 하면 男女老幼 몰으는 사람이 없고 또 거긴 여름의 水泳場으로 納凉터로 有名해서 이 흐르고 흐르는 물은 哈爾濱人의 가슴에 끝없는 로맨쓰를 남겨주는 것이다.

여름에 뽀 — 트를 젔는 것도 水泳으로 한날을 보내는 것도 좋지 않은 것은 않이다. 고기를 낙그면서 冷 크봐스⁰⁹에 목을 축이는 것도 좋다 한다, 더구나 겨울이면 一面이 어름이 되어 이 氷上을 설매를 타고 달리는 것도 韻致 있다 한다. 그러나 내가 간 때는 五月 十八日 아직도 여름이 일러 뽀 — 트도 탈 수 없고 더구나 그 날은 이상하게도 北滿의 바람이 거세어서 물길이 높아 배를 탈 勇氣도 없었다.

거센 물결이 멀리 極樂島와 對岸 松浦에 기슭을 때릴 때 나는 멀거니 悠々한 江水에 시름을 잊었노라, 어디를 가나 山이 있고 江이 있는 것이나 이 江 이 물이 오늘은 웨 이처럼 내 가슴을 설레일고? 나는 露文學을 硏究하면서부터 北國을 좋아했고 눈 오는 北國 깊이 다친 房門 안에서 이야기를 즐기는 北國사람을 좋아했다. 그리고 여름이 되어 生動하는 푸른 움이 쑥 소사나와 바람과 함께 흔들리는 그 情趣에 끝없는 憧憬을 갖었다. 거센 바람 거친 물결, 푸른 잎을 보니 마음이 설레인다.

---

08 "숭가리": 만주어에서 송화강(松花江)을 이르는 말 - 편자 주.

09 "크봐스": 러시아어 КВас(곡류와 엿기름으로 만든 러시아 청량음료) - 편자 주.

나는 끝없이 흐르는 江水를 나려 굽어보고만 있었다. 억센 呼吸 거센 바람 거츤 물결 나는 마음이 뛸 것처럼 좋았다 어떻게서든지 이 하르빈에 묵고싶다。

阿片窟을 보고서

松花江서 도라오든 길에 滿人이 經營하는 書舘으로 갔다。이 書館이란 朝鮮의 遊廓과 같은 곳이다。그러나 이 書館은 꼭 遊女와 자야 가는 것은 아니다。한 時間 쯤 이야기나 하다 올 수도 있는 곳이다。아직 西便의 해도 지지 않은 때 우리 一行 三 人은 書館을 찾아 드러갔다。十餘 名 遊女가 몰려온다。그러나 어쩐 일인지 그곳에 드러서면서부터 구역이 나서 견딜 수가 없어 곳장 나와 그 옆 阿片窟을 찾었다。여긔서 나는 人生의 一面을 더 하나 알았다、알엣層은 下層階級이 吸煙하는 곳 二層은 多少 높은 客인 모양 別室들이 있다。한편 別室을 들여다보니 男女가 누어 잠이 들었는지 三昧境에 이르렀는지 숨결쫓아 없다。또 한편 휘장을 떠들치니 거기는 웬 젊은 女子 하나가 누워서 알콜불에 阿片을 누르고 있다。깜짝 그 瞬間 놀래드니 平正한 氣分으로 돌아서서 愛嬌 있게 우슴을 진다。그리고 自己는 元來 病이 들어 먹기 시작했다는 둥、自己는 그렇게 많이 먹지 않는다는 둥 이런 辯明을 한다。우리는 그 먹는 모양을 한참 보다 다시 거리로 나오니 어느듯 거리는 어둑어둑하여졌다。

哈爾濱의 밤거리

「마르스」란 露人 飮食店에서 하로終日 疲勞한 다리를 수이며 露西亞料

理 定食을 먹고 나니 밤은 어느덧 九時를 가리킨다。支局長 沈俊善 氏가 찾어와 저녁을 畢한 後에 밤거리 구경을 나가기로 하여 우리 一行은 ××댄스홀로 발을 드려노았다。二層 々階를 올라가서 門을 드러서니 와르츠曲이 운다。舞踏는 벌서 始作이 되고 있었다。홀 테두리로 쭉 둘러놓인 테블에 依支하고 자리에 앉으니 生動하는 青春男女의 스텝이 제법 멋드러지게 흘러나오는 音樂에 마초어서 움직여진다。한번 추고 싶은 衝動이 가슴에 뭉클 솟는다。그러나 나는 不幸히 댄스를 배우지 못했다。明滅하는 電燈 下 흘러나오는 빤드의 興겨운 리즘에 마처 도라가는 青春男女의 스텝 그리고 그 孔雀의 날개처럼 퍼지는 쥬레쓰의 亂舞、一 時間 餘를 멍하니 거기서 앉어있었다。그러나 나는 거기 오래 앉어있을 수가 없다。屋外로 나가니 只今 防空演習으로 거리는 캄캄하다。불빛 하나 새지 않는 하르빈의 暗黑街、나는 더 다른 곳으로 갈 勇氣가 없었다。

露人이 經營하는 호텔 「모데른」에 자리를 잡고 누으니 房은 좋으나 몸이 困하야 참을 수 없는 疲勞가 온몸을 掩襲한다。

그 翌日 나는 崔亞立 氏를 만나 哈爾濱의 有志 몇 사람을 찾고 午後엔 金應斗 氏의 招待宴에 나아가 異域에서 朝鮮料理와 朝鮮人 妓生의 노래를 들으며 술에 醉했다。그러나 그 밤 나는 哈爾濱을 떠나지 않을 수 없어 十一時 新京行 車에 몸을 실으니 이것으로 이번 旅路를 끝내이는가 하면 어쩐지 섭섭하다。더욱이 哈爾濱의 歡樂街를 더 못 본 것을 섭섭히 생각하며 차에 올랐다。

公主嶺의 一夜

나는 廻路 公主嶺을 들르기로 했다。公主嶺엔 滿蒙産業株式會社가 있고 또 거기 農場을 求景하려는 생각에서였다。

그리고 또 하나는 公主嶺 有志와 懇談할 機會를 갖자 함이다. 이것은 同會社 々長 孔鎭恒 氏가 한번 그런 機會를 만들어 公主嶺 有志와의 懇談을 하루 하자는 好意가 있었기 때문이다. 그런데 公主嶺에 다으니 그곳 有志들의 一部는 現場(農場)에 나가 있고 또 孔 氏도 不可避할 私事로 新京에 赴하야 不得已 이 機會는 잃게 되어 나는 同社 經營의 農場을 보러 떠났다. 同社 宋 副支配人과 같이 二頭馬車를 타고 넓은 벌을 흔들리며 닷는다. 거센 바람이 분다. 몬지가 인다. 曠野에 二頭馬車가 방울소리를 울리며 마부의 채찍을 맞어가며 달린다. 이 滿洲 曠野、무연히 갈어 넘긴 논과 밭 거기 田中 包林으로 버드나무들이 옹기종기 바람에 흔들린다. 말들은 발을 맞춰 달리고 볕은 나려쪼인다.

副支配人의 말에 의하면 이것을 開拓하기는 五六 前[10] 그 當時에 擔銃兵士와 같이 나아가 이 일을 하였는데 六十 垧(一 垧 二千三百 町步)을 開墾하는 동안 苦勞가 적지 않었다 한다. 더구나 安家에는 이 보담 몇 倍의 農場을 經營한다니 滿蒙 産業의 滿洲의 現勢는 놀라웁다.

滿人 小作人의 집에서 茶 한 잔을 마시고 우리는 農場을 一巡하고 저녁에 돌아와 마첨 朝鮮에서 돌아왓짝던 同社 常務 李瑄根 씨를 만나 하로밤을 이야기하고 그 翌日 나는 朝鮮을 向해 떠났다.

—『朝光』, 第44號, 1939년 7월

10　"五六 前"은 "五六 年 前"의 오식 - 편자 주.

北平에서 본 中國 女學生

옛 전통에 새 빛을 받아들이는 중국의 새 젊은 어머니들!

오월 하순 어떤 날

하르빈(哈爾濱)에서는 아직도 연한 연두 빛의 버들닙을 보고 그 다음날 아츰은 산해관(山海關)에 내리어 만리장성(萬里長城) 문허진 어느 어구에 몸을 긔이대고 안내인의 역사타령 싸움이야기를 듯기에 눈이 감길 듯 감길 듯 하는 것을 참어가며 멀리 발해(渤海)의 푸른 물을 바라보고 잇노라니 성 밋헤서 날어오는 버들개지(柳絮)가 뺨을 스치고 가볍게 눈압흘 흘러갑듸다.

초하의 구름은、저편 쪽이 열하(熱河)라고 가르처주는 산마루에 뭉게뭉게 뭉처서 떠오르고 있었읍니다 멀리 벌판에서 벌판으로 끝없는 광야를 달려온 나그네의 피곤은 알지 못하게 도회의 화려한 풍경이 그립어젓습니다、북평(北平)! 력사의 북평보다도 소문에 듯든 북평! 거리의 북평이 시각이 밧부게 보고 십허젓든 것입니다

×

북평! 력사의 북평、명승의 북평、궁궐의 북평! 상상도 못하든 웅대한 규

344 '한국근대문학과 중국' 자료총서 **9**

모와 옛 문화의 정수의 어마어마한 유물 유적에 마츰내는 형용의 말을 찾기를 단념하고 역시 넷 궁정(宮庭)의 어느 일부라는 북해(北海)공원 못가에서 조고마케 핀 빨간 석류꽃가지에 캬메라를 겨누고 있었습니다. 그때 물 우에 비치운 한 폭의 그림자를 발견한 나는 문득 샤[01]메라의 「샤터」를 실을 것을 잇고 망연히 그 그림자만 바라보고 있었읍니다.

그 밤이였읍니다. 오래간만에 맞나는 친절한 선배 한 분이 애용의 자동차를 몰아가지고 차저와서 어듸를 구경식혀줄까 밤의 북평이야말로 또 화려하니까 하고 뭇는 말에 나는 서슴지 안코

「뻬하이쿵원[02]!」

이러케 대답했습니다. 그이는 허 「뻬하이?」 하고 우슴을 띠우며 머리를 약간 흔들읍니다.

「으때요。 겸하여 달밤이 아닙니까!」

「그도 조치만 동무도 없이 …… 」

그이도 아는 말이 잇습니다. 나는 나제 보아두엇든 그 그림자를 다시 이 밤에、 이 달밤에 잠들은 넷 궁정 못가에서 차저보고 싶엇든 것입니다.

「그저 그림이요 꽃가지의 새가 안이어요!」

나는 다시 이러케 설명을 부치었읍니다. 그이도 반대치 않었읍니다.

「중국의 신녀성이야말로 이 땅의 싹이요 꽃일 것이요。」

자못 엄숙을 품은 어조이였읍니다.

---

01 「샤」는 「캬」의 오식 - 편자 주.

02 "뻬하이쿵원": "북해공원(北海公園)"의 중국어 발음 - 편자 주.

다음날도 구경 단니고 남는 오후 시간에 나는 양초우[03](腕車)을 잡아타고 거리로 헤매이었읍니다. 그러다가 돌연히 휩쓸어오는 모진 비바람을 만나 서툴은 말로 「쾌조우」(快走)를 련방 불고 잇든 그때 나는 무엇이라고 말을 해야 조흘런는지 몰으고 「만만디」의 호령으로 차를 잠간 멈추엇든 것입니다

주먹 가튼 빗방울이 떠러지며 나뭇가지가 휘잽히는 거리에는 사람의 그림자도 별로 보이지 안는데 저편에는 빨간 옷을 입은 절문 녀자가 지우산을 빗드름이 들고 한손으로 자전차를 타고 오는 것입니다. 나이는 수무 살이나 수물한 살이나 낫슬까 단발 한 머리카락이 바람에 불리워 압이마를 가리우는 것도 거더채일 새 업시 다소 안정을 일흔 자전차 우에 올라안즌 채 태연한 안색으로 박휘를 굴리는 것이엇읍니다. 자전차 한쪽 핸들에는 책가방을 걸첫스니 뭇지 안어도 녀학생입니다 녀학생 중에도 대학생.

잘 아시겟서요. 중국 녀학생. 최고학부의 대학생들 발을 조려서는 안 된다는 것. 남녀 학생은 공학(共學)을 식힐 것. 등은 나라의 명명으로 의례히 실시한다는 것쯤은 이미 넷날넷적의 이얘기인 것쯤이야 아시겟지요 그러나 자전차 타고 학교에 단니는 대학 녀학생들의 풍속을 짐작하시겟슴니까、 서양에선 특히 영국의 「옥쓰포드」 가튼 곳은 오래전부터 잇든 풍속이라 하지만은.

---

03 "양초우": 중국어 "洋車"(인력거)의 발음 - 편자 주.

×

　자전차를 탄대도 한두 개쯤이야 보앗다면 문제업겟는데 바로 하학시간에 보니 수로 헤일 정도가 아니엇읍니다. 물론 인력거 싹도 싸니까 인력거 소위 「양초」를 타고 단니는 녀학생들도 만히 보앗습니다. 거러서 단니는 것도 만히 보앗습니다. 그러나 자전차 타고 단니는 것이 제일 만타는 것은 아니나 완전히 대학교 녀학생들의 풍속이 되여잇는 것만은 확실히 알 수 잇엇읍니다. 그만큼 많앗읍니다.

　이것은 보통 우리가 상상하든 중국에 대해서는 경이의 사실이라 할 것입니다. 특히 우리 조선 녀학생들에 비하여 볼 때 그러합니다. 더구나 저곳 대학생들이라면 상당히 부유한 가정의 자녀들이니까 인력거 삭을 앗겨서 자전차를 타는 것도 아닙니다. 하물며 나찰은 처녀로 옷도 대학생인 만큼 모다 상당히 깨끗이 입은 그 몸으로. 기다란 중국옷을 그대로 입고 태연한 표정으로 정강머리가 빗죽빗죽 박게 나오는 것쯤은 생각에 걸치지도 안코 자전차를 달리는 광경은 청년 중국의 명일을 가르치는 신시대의 풍경이라 하겟읍니다.

　그 녀자들이 모두가 깨끗이 생긴 미인들이거든요. 과연 미인들입듸다.

×

　중국 미인! 남방에 가면 더욱 이쁘다고 하나 북평 녀자들 또한 이쁩니다 이쁘다 뿐입니까, 그 체격이 건전하고 아름답고 표정이 모다 침착하야 오랜 그들의 전통(傳統)이 새 빛을 내는 듯 보입니다.

　그래서 나도 처음 「뻬하이」공원 못가에서 보앗든 중국 녀자의 미인관을 저들 녀학생 풍경을 보고 엄연히 정정치 안흘 수 없었든 것입니다.

보매 그들은 사치도 합니다. 전하는 말에 중국 신녀성들의 사치와 류행이란 말할 수 없는 것이라고도 들었었으나 사치도 단순한 사치가 안입듸다. 거리에서 보는데 출가한 부인인 듯 보이는 동부인하고 단니는 녀자들은 다소 달으나 학생들은 사치는 해보이어도 빛갈 같은 것도 허동지동 화려를 차즌 듯이는 보이지 안코 점잔코 침착한 빛갈에 모든 매무시가 그 거리에 온당히 어울리워 보이는 것이 그들은 자긔 전통을 일치 안엇다는 것을 느끼게 합니다.

그리고 옷 제도가 억개에서 발끝까지 기다라케 느리워 입은 것이 상체와 하체 특히 다리에 밋는 곡선을 부드럽게 그리어가지고 건전한 체격의 전체의 미를 유감없이 나타내인 것이 특색입니다. 이렇게 보면 그들의 옷이 그들의 건전한 육체의 발달을 도운 듯도 하여 보이었읍니다. 숭한 체격을 가지고 그 옷을 입엇다가는 아주 숭할 터이니까요.

그리하여 천천히 활발히 침착한 표정을 그리며 넷 전통에 새 빛을 바더드리는 중국의 새 젊은 어머니들! 연약과 섬세의 미인은 아님을 보았읍니다. 더구나 이 앞으로 다 그러할 것을 믿으려 합니다.

북경의 여행은 하기는 했으나 이러한 새 시대의 미인의 인상을 품고 온 것만으로도 유쾌했읍니다(六月 十七日)

─『女性』, 第2卷 第8號, 1937년 8월

哀愁의 하르빈

洪鍾仁

달밤의 松花江畔을 거니르다 춤과 술의 까바레에서 나오니 때는 새벽 네 時。

바람찬 大陸의 새벽은 훨 밝다。

하르빈! 哀愁의 하르빈!

라일락 꽃다발 장사가 많이 나도는 「기타이스카야」에서 나는 「라스꼬리니꼬프[01]」를 많이 보았다。

威壓的인 大陸의 風貌

光哉 兄!

하르빈! 하르빈! 하는 이 붓을 들면서 몇 번인가 입속으로 「하르빈」을 외여보았다。「하르빈」의 일흠은 滿洲語에서 나왔는지 蒙古語나 露語에서 나왔는지 그 出處조차 未詳하다는 그 일흠、何如턴 입으로 불러서 아름답게

---

01 "라스꼬리니꼬프": 도스토예프스키의 소설 「죄와 벌」의 주인공 - 편자 주.

들리는 것도 마음을 끄는 무엇을 가졌었거니와、實地로 보고 난 뒤의 印象이 보기 前에 많이 들었든 想像의 하르빈을 몇 倍나 適確한 핀트로 擴大시키어 준 것은、옛날 읽든 露西亞 小說의 어느 句節의 記憶을 새롭게 해준 點에서 또 그때의 想像을 延長시켜준 點에서 愉快하기도 했다.

벌서 十몇 年의 歲月이 흘렀던가 아츰저녁으로 만나면「투르게네프」니「췌홉」이니「떠스토이에프스키」니 또 누구누구하며 露西亞文學에 心醉하여、서로 이야기가 끝날 줄을 몰으든 그때의 우리가 우랄山 저편의「모스코우02」는 몰라도「極東의 모스코우」라는 하르빈만이라도 보고 싶다고 노상 입에 거품을 물고 뒤떠들든 그때의 우리 ― 兄과 같이 하르빈의 露西亞거리로、달밤의 松花江畔으로 또「까바레」로 喫茶店으로 발 가는 대로 散策하며 露西亞的 異國情調를 어느 程度까지 맛볼 수 있은 것은 또한 愉快했다. 當年의「로맨틔씨즘」이 흘렀든 것이다.

하르빈! 나는 果然 놀랬다. 끝없이 버려진 地平線의 滿洲에서도 荒蓼한 北滿의 벌판! 날만 흐리다면 南北의 方向도 가릴 수 없을 만큼 아무런 目標도 세울 거리가 보이지 안는 벌판! 요행 내가 가든 그때는 新綠 우에 五月의 해가 맑게 빛나든 때이라 眼界는 하늘과 맛다은 아득한 地平線까지 마음껏 터지어 여긴가 저긴가 地圖를 가르치며 地勢도 짐작할 수 있었지만.

이가치 하여 大陸을 달리는 가운데 어느듯 크다란 波濤가 가슴에 안겨드는 듯한 威壓을 느꼈다. 또 어느 瞬間에는 하염없는 센틔멘탈리즘과 同時에 苦難의 人生行路의 嚴肅을 느꼈다.

그날 날은 맑었으나 大陸의 列風?이 어지간했다. 間歇的으로 불어오는 突風이 때때로 實로 萬丈의 黃塵을 나리는 것쯤은 單調로운 列車風景에 變

---

02 "모스코우": 모스크바 - 편자 주.

化를 주는 異色의 風景이라고도 하겠으나 달리고 달리는 超特急이 一直線으로 달리두 새 끝이 없어 보이는 地平線은 처음에 느끼든 廣漠한 視野의 興味를 어느덧 廣漠의 偉大에 抑壓을 느끼게 하였다. 눈에 서틀은 自然의 景觀은 自己의 存在를 다시금 삶이게 하였든 것이다. 그리고 車窓으로 문득 七八 歲의 어린애를 보았다. 나뭇가지가 휘잽히는 바람을 안고 손에 문둘레 같은 꽃을 한줌 꺾어들은 그 어린애는 아버지인 듯한 어런에게 이끌려 타박타박 끝도 없는 벌판의 小路를 걸어가고 있었다. 그 널은 벌판에서 洞里는 어데 있는데 어듸로 가는가 싶었다. 그러나 아버지를 따러가는 그 애에게는 또 그 애의 目標가 있었음은 勿論일 것이다. 大陸을 것는 어린애의 조고마한 발거름 너머도 아득하여 보이는 그 거름이 내 가슴에 感傷의 발자국을 눌렀다. 그러나 다음 瞬間, 거기에 大陸을 것는 어린 애기의 嚴肅한 生長이 있음에 머리를 숙였다.

光哉 兄! 이런 말은 너머나 陳腐하다고 할런지 몰은다 그러나 이러한 가운데서 斷念과 前進을 저울질하며 最低級의 生活을 하고 있는 露西亞 農村의 어느 風景! 小說의 어느 句節을 聯想케 하는 것이 잊지는 않는가.

人種展覽會場의거리

却說

「하르빈」이 크다는 말이야 들었었지 人口는 五十 몇 萬、西歐 都市의 華麗한 어느 한모를 그대로 떠다 노은 그런 都市가 있으리라고는 曠野를 달리는 車中의 感想으로는 想像키 어려웠다. 더구나 案內書에 씨워있는 바를 보건댄 일흠이 뚜렷한 人種만도 三十四 個 民族에 또 기타 어떤 種族인지 몰으지만 其他 部類에 드는 種族까지 있고 領事館을 가진 種族만도 十五 個

國、國際都市라기보다 混血의 都市이다. 이런 點으로 보아도 北滿의 心臟地帶인 하르빈이 國際的으로도 얼마나 크게 關心을 끌고 있는 곳인가를 짐작할 수가 있었다. 人種 別로 數를 헤이면 제일 많은 것이 滿洲國人의 漢族 四十二萬 餘 滿族 二萬 六千 日本人의 日本 內地人 約 三萬、朝鮮人 五、六千 蘇聯人의 二萬 餘、無國籍 三 五千 勿論 이 無國籍人은 白系露人들이라고

車에서 내려서 兄을 만나기 前 몇 時間 동안 自動車로 이리저리 달릴 수 있었다. 一巡 後 느낀 바는 亦是 都市의 規模가 크다는 것이었다. 未完成의 그대로 帝政露西亞가 退却을 보았다고 하나、未完成 都市로서 發展된 그 規模가 어데까지나 大陸的이었다. 露人의 솜씨 큰 것이 놀랍지 않을 수가 없었다. 그리고 滿洲人거리 「후자첸」(傳家店)의 그 混沌한 街頭의 複雜、整頓도 淸潔도 考慮의 餘地가 없을 만큼 店鋪와 店鋪 露店과 露店이 빈틈없이 들어앉은 거리에 밀려드는 검은 옷의 사람의 떼! 무서운 數의 波濤이었다. 또 店頭에서는 二、三 層의 窓口에서 저마다 웨치는 알지 못할 소래의 汎濫이었다. 나는 天津에서도 北平에서도 이런 風景을 못 보았다. 이런 地帶를 한편에 두고 약간 높은 地帶에 建設된 當時 露人의 市街 메인 스튜릿[03]이라는 「기타이스카야」에 나섰을 땐 歐羅巴에 가면 大槪 이렇겠지 하는 感이 저절로 나지 않을 수 없었다. 三、四 層 四五 層의 빌딩이、城을 싸은 거리는 男女 洋人의 人種展覽會場이었다. 그중에서도 루바시카[04]의 露人、우리 中學生帽子같은 것을 우뚝하니 쓴 靑年들 절문 女子를 끼고 지나는 鴛鴦의 쌍들. 그중에 봄옷도 있고 아직 겨울 外套도 있었다 크다란 體軀에 더부룩한 수염이

---

03 "스튜릿": 영어 street - 편자 주.

04 "루바시카": 영어 rubashka, 러시아 남자들이 착용하는 블라우스풍의 상의 - 편자 주.

들썩들썩하며 비앗는 「바쓰[05]」! 말소래도 은근하고 큰 것이 大陸사람들의 風貌였다.

光哉 兄!

그런데 그처럼 華麗했었다는 기타이스카야를 혼자 돌아단니면서 나는 例의 殺人大學生 「라스코르니꼬프」같은 靑年 壯年이 얼마던지 거리에 널려있음을 보앗다. 이것이 말하자면 勢力이 발 펴는 하르빈의 어느 過渡期라는 것인지 그 說明을 해줄 사람은 따로 있겠지만 何如턴 하르빈의 거리에 쓸쓸한 빛이 어느 곳에나 흘으고 있다는 것은 선듯 發見할 수 있었다.

거리의 建物이며、都市의 配布로 보아 帝政露西亞時代의 하르빈은 어떠하였으리라는 것도 짐작이 안 가는 것은 아니었다. 官吏와 軍人과 商人의 거리! 歡樂의 거리! 果然 豪華를 마음껏 하였을 것은 勿論이다. 最近의 事情을 듣건댄 北鐵의 賣渡로 蘇聯의 北鐵 從業員과 이에 딸은 蘇聯이 五萬餘人이나 撤去한 例의 하르빈은 다시 쓸쓸해졌다는 것이다. 五萬의 消費力이란 것은 무서운 것이다. 더구나 異邦에 나와 있는 官吏들이라 消費力은 決코 적지 않았다고 볼 것이다. 白系露人들은 戴天之怨讐같이 赤色 露人과 對峙는 하여있었으나 亦是 그들의 生活의 根底는 大部分이 同語人인 蘇聯人에 依存되어있었음은 물을 것도 없다. 白系露人 中에는 昔日의 貴族도 高官도 富豪도 있다고 하나 逐放된 그들이라 商人 以外에는 大部分 零落의 길을 밟어온 것이다. 赤色은 怨讐이었을런지 몰으나 顧客으로서는 貴한 손님이였든지라 怨讐라는 그들도 一斷 撤歸한다는 소래가 들리자、全 市街 一 特히 白露의 商人은 아무리 覺悟는 했었다 해도 實로 靑天霹靂이었든 것이다.

---

05 "바쓰": 영어 bass - 편자 주.

라스꼬리니꼬프的 風景

光哉 兄!

그날은 마츰 日曜日이 아니었던가。日曜의 단장이 깨끗하고 맵씨 있는 婦女子들이 짝을 지어 억개를 겻고 지나다 거리에 버려노은 「라일락」 꽃다발을 사노라고 喜喜樂樂할 때 그 곁으로 누더기 옷을 걸친 거지 떼가 두세 명 式 — 그도 우리가 冊에서밖에 보지 못하든 몸집이 늠늠한 碧眼의 壯丁이 아닌가 勿論 늙으니도 있었다。또 우리가 鐘路 바닥에서 보든 소위 깍쟁이 가튼 少年거지도 있었다。鬥이 다친 크다란 店鋪 압 層階에 세네 명이 모여 안저서 그 時間의 話題가 무엇이엇던지 알지 못할 말로 웃고 떠드는 것이 自己네들로서는 자미로운 모양이었으나 보기에는 너머나 측은하였다。거지의 유래야 어느 곳이나 마찬가지나、이곳의 거지가 政治의 變革에서 一瞬間에 저모양이 된 것도 있었을 것이어니 하고 생각하면 어린이의 身勢가 참말 너머나 가긍했다。

그래 「라스꼬리니꼬프」의 風景말이지、보매 表情도 本來가 無智와 貧困을 타고난 거지 가터 보이지도 안는 壯丁이 學生帽 같은 것을 비스듬이 쓰고 얼굴을 찡글며 손을 내밀었다가 빈손만 그대로 들고 들 곳을 몰라 하는 듯한 恥辱感에서 울분의 찡글인 눈총을 돌아서가는 사람의 등골에 퍼붓는 表情이야말로 무서운 것이다。그 憤怒의 表情에는 自己가 스서로 求하지 안는 거지의 運命에 反逆하는 深刻한 무엇이 숨어있을 것을 發見할 수 있었다。이런 風景 이런 거지를 많이 볼 때마다 「라스꼬리니꼬프」를 聯想하고 나 스서로 憂鬱한 表情을 짓게 되였던 것이다。

그리고 거리 한 모퉁이에서는 三十의 고개도 훨신 넘었을 장님 거지가 볕에 깨깨 쪼이어 검은 얼굴에 아무런 表情도 없이 쭉으리고 안저서 빠르지도 느리지도 안흔 單調로운 曲調를 한 개의 손風琴을 가지고 數없이 反覆하고 있었다. 그 앞에 노힌 양철통에는 銅錢이나 몃 닙 간 들어있었는지 알 수 없으나 옷벌이나 깨끗이 입은 사람들은 기웃해 보지도 안코 코 흘리는 애들만이 보여서 즐겁다는 表情도 없이 그저 물끄름이 서서 듯고 있는 것이었다 그러고 있는 즈음에 다른 壯丁의 거지가 지나가다가 아무 생각도 업는 듯이 발을 잠간 멈추고 듯는 듯하더니 양철통을 기웃해보고 지나간다.

光哉 兄! 그저 설어운 風景이라고 보는 수밖에.

哀切한 茶房處女의 노래

때마츰 열나흘 달이 밝은 그 밤을 松花江畔에 거니를 수 있은 것은 무었보다도 記憶에 남는 收穫이었다고 할 것이다. 넓은 「쏭가리」[06]! 참말 글字 그대로 悠悠히 흘으는 大陸의 大河이다. 東亞의 人類史 創始의 많은 歷史를 감추고 있는 쏭가리! 나제 볼 때보다도 밤에 歡樂의 거리를 등지고 달을 밟으며、江岸의 逍遙하는 것은 一層 쏭가리의 情調를 도치는 듯 싶었다. 아직 밤은 바람이 차든 때이래서 散策客이 적다고 하나、검은 몰우에서는 이따큼、간얄피 들리는 女子의 나즌 소래의 노래가 들려온다 뭇지 안허도 情다운 사내와 배를 띄운 것이다. 江岸에도 이따큼 쌍을 지어 다니는 그림자가 나타난다 팔을 꼭 끼고 間斷 없이 주고밧는 말은 끗없이 情다워 보인다. 말의 內容이야 알 길은 없으나 혼자 旅行에 지친 疲勞와 孤寂은 그들의 알지 못할 속삭임이 몃 倍나 情다워 보이는 것이었다. 아마 어데로 먼 길이나 남몰으게 떠나자는 구든 言約이나 하고 있는 것은 아니었는지.

---

06 "쏭가리": 만주어에서 송화강을 이르는 말 - 편자 주.

江 건너便에는 別莊地의 燈불이 밝아케 보인다. 여름이면 거리의 歡樂이 江邊으로 完全히 移動된다고 水泳에 「요트」에 뽀 — 드에 男女가 混沌된 江邊은 果然 하르빈的이라고.

그러고 江가에서 돌아올 때 들어가보자든 조고마한 酒幕에 나는 퍽 興味를 가젓었다. 아마 勞働者를 相對로 하는 여기의 선술집이나 어떤 안즌 술집 格이나 되는 모양이었다. 中年의 露人 女子가 입술에 연지를 빨아케 바르고 눈을 힐끗거리며 있는 것이 窓박그로 보이었다. 그 안에는 露人 巡捕가 두엇이 얼건해서 떠들며 손風琴을 타고 있는 것이 色달은 風景이었다.

그러나 兄이여! 나는 이런 것보다도 또 한 가지 印象에 깊은 것은 露人 茶店이었다. 좁은 房에서 분주하게 왔다 갔다 하다 暫時 쉬는 틈을 어더서 레코 — 드에 귀를 기우리든 써비쓰껄! 무었인가 民謠 같은 노래가 울려나오니 自己를 이즌 듯이 소래에 醉하여 따라 불으다가 어느 句節에 가서는 참을 수 없다는 듯이 머리를 뒤로 제치고 허리를 빗꼬든 二十 內外의 處女의 그 몸부림! 兄은 이러케 말하였지! …… 露西亞사람들은 音樂, 노래라면 초벌 죽네, 죽어!

民謠의 露西亞이거던 멀고먼 故鄕! 記憶에 희미한 情다운 故鄕! 돌아 못가는 故鄕의 情이 노래에 넘처 나올 때 어느 누가 가슴이 맥히는 듯하지 안켓는가 그러나 남에게 매인 몸이라 불고 싶은 노래도 마음껏 불러 못 보다가 그 노래를 두어 마데 불고 있을 그때 저 구석에서 무어라고 야단치는 소래가 들리니 그 處女는 忽然 시치미를 떼고 이러선다.

노래일망정 單 한 曲調라도 그 자리에서 마음 노코 불으는 것이 보고 싶었다.

까바레에서 새인 그 밤

光哉 兄! 그리고 술과 춤과 女子의 까바레에선 하르빈의 밤을 보는 것보다도 생각할 수 있었다. 조고만 「밴드」의 樂手이나 露人의 땐서들의 얼굴에는 어쩌면 그러케 서먹서먹한 表情이 많었든가 싶다. 그때 한 녑자리에는 學生群이라는 露人 靑年들이 아주 愉快히 서로 웃고 마시고 춤추고 떠드는 것도 보았지만 歡樂場으로서는 너머도 興이 적어보이었다. 勿論 興을 비저 만들어 파는 곳이라 절로 샘 솟 듯하야 할 興을 그런 곳에서 차즈려는 것이 오히려 無理한 注文일 것이다. 兼하여 相對者는 言語도 風俗도 通하지 안은 異國의 손이 큰 顧客이 되여있어 남들의 비위를 맞추기에 餘念이 없을 터이니까 또 그럴 것이 춤추는 그 女子들의 생김이 어쩌면 모다 그러케 노불[07]하던가 上流의 까바레라니까 그곳에 모은 女子도 깨끗한 것들일 것이나 까바레에 춤추는 女子로 무더두기는 아까울 만치들 생겼섯다. 그리고 그 女子들이 機會를 보아서는 賣春도 職業的으로 한다지 生活難이란 무서운 것이었다. 生活 때문에 반갑지 않은 그날의 그 살림을 하고 있다면 또 그나마 保障이 없는 職業이라면. 亦是 政治의 不安에서 바든 動搖가 얼굴에 그대로 나타나있는 것 가텃다.

바로 우리가 同席하였든 그 女子、그 後에 正體를 잡었는가 露人을 아버지로 하고 中國人을 어머니로 하였다고 하지만 或 朝鮮人은 아니었는지 하르빈의 짧은 한 밤을 까바레에서 混血女와 상종할 수 있었다는 것도 자미스러운 일이었다. 그러나 말이 通하지 않으니 웃는다는 것도 벙어리의 웃슴이 될 것밖에 그저 曲調에 맞추어 서트른 대로 스탭을 밟는 그때만이 마음에 매

---

07 "노불": 영어 noble - 편자 주.

친 生活의 不安, 情緒의 混迷를 마음껏 불사루는 듯싶었다.

두時 세時. 밤은 깊어간다기보다 새여갈수록 몽룡한 알콜 氣분에 自己를 이즈려는 焦燥가 한層 더 깊어가는 듯싶었다 한 사람 두 사람 어느듯 場內에도 비어졌는데 혼자 남아서 참을 수 없는 哀愁를 짜내이는 듯이 탕고의 스탭을 情熱的으로 끌고 가든 靑年의 마즈막 그림자다[08] 아직도 눈에 훤하다. 그들은 언제나 저러케 놀기만 조와하나, 기뻐서 노나, 안타까워 노나, 헤매이는 無國籍人의 설어운 그림자임은 틀림없었다.

兄! 그때도 말하였거니와 나는 까바레의 밤까지 보고 나서 눈에 보이지 안는 하르빈의 밤의 電光的 視線을 想像하고 一種의 무서움을 느꼈든 것이다, 彷浪의 無國籍人의 汎濫의 都市, 軍事的 緊迫性을 가진 이 都市. 있는가 없는가 우리가 짐작할 바는 아니지만 이른바 國際「스파이」가 있다면 얼마던지 있을 수도 있는 곳이 이 하르빈이 아닐까, 더구나 쓸쓸해가는 하르빈 生活難의 無國籍人이 수없이 헤매이고 있는 이 하르빈. 治安은 滿洲國이 된 今日에 大端히 回復되였다고 하나 犯罪 都市로 警戒만은 前이나 오늘이나 거의 달은 것 없을 것이다.

새벽 네時.

하늘은 훤하니 밝었다. 바람은 차다 大陸의 밤! 짧고 새이기 쉬운 北國의 첫 여름밤 東天이 맑게 빛나는 별이 무엇인가 비웃는 듯하여 보이는 것을 모른 체 하고 새벽거리를 달릴 때

그래 그만하면 하르빈의 멋을 보았는가?

라고 뭇든 兄의 물을 때 나는 精神이 번뜻 더 드는 듯싶었다.

印象的인 하르빈!

---

08 "다"는 "가"의 오식 - 편자 주.

哀愁의 하르빈!

ㅡ『朝光』, 第3卷 第8號, 1937년 8월

上海를 떠나며 - 派⁰¹浪의 港口에서

金光洲

上海를 떠나면서

朝鮮의 아름다운 山川이 때로 形言키 어려운 鄕愁를 자아내는 것과 같이 上海의 複雜한 表情과 여름 — 黃浦灘을 스쳐 불어오는 시원한 바람、가을 — 거울같이 반드러운 『페이브멘트⁰²』를 구르는 『마로니에』의 잎사귀、그리고 저 明朗한 南國 아가씨들의 씩씩한 거리、그것들은 때로 나를 울렷고、때로 미지근한 慰安과 안타까운 愛着을 가지게 하엿다.

主人이 없는 이 거리、아모에게나 秋波를 던지든 이 거리、뺨을 맞고 다리을 거더채우고 옷을 갈갈이 찢긴 채 엉거주춤하고 섯건만、黃浦灘 건너 높은 塔 위、海關의 커다란 時計는 오날도 變化 없는 表情으로 하로 해의 저므러감을 가라치고 잇다.

나를 태운 배 — 이 나라 저 나라의 旗발과 旗발이 이른 겨울 黃昏에 나뿌끼는 黃浦灘 一角에서 두 줄기 검은 煙氣를 가늘게 내뿜으며 航海의 信號

---

01 1938년 2월 18일 연재를 시작할 때의 부제목은 "派浪의 港口에서"였지만 제2회부터는 "流浪의 港口에서"로 바뀌었는바 제1회의 "派"는 "流"의 오식이다. - 편자 주.

02 "페이브멘트": 영어 pavement - 편자 주.

를 期待리는『盛京號』— 나는 黃昏의 灰色 빛『베일이』아장아장 기어 내려오는 甲板 欄干을 依支하고 서서 달려드는 어둠과 함께 머러질 上海의 表情을 바라보고 서잇다. 무엇을 남기고 왓는고? 내 사랑하는 아가씨를 홀로 남겨두고 떠남도 아니어든 — 무엇이 이다지도 나로 하여금 납(鉛)덩어리 같은 憂鬱을 안게 하는고? 오날밤에도 이 거리에는 數千數萬의 虛榮과 罪惡이 저 어두침침한 뒷골목으로 고요히 고요히 明滅하겠거니 ……

前後로 六七 年 — 그 동안에 이 散亂한 都市의 구석구석으로 힘없이 찍힌 나의 발자욱들이 하나하나 또렷하게 혹은 흐미하게 眼界에 어른거려 떠나지 안는다. 馬糞紙『추렁크』한 個를 들고 동그마니 浦東埠頭에 나려설 때 그때도 떠나는 오날같이 勿論 나를 마저주는 아모도 없엇건만 異域의 흙을 처음으로 밟는 文學少年의 좁은 가슴은 國際都市의 新奇한 情緖를 對하는 무지개같이 燦爛한 好奇心과 이 넓은 南國의 大陸을 훨훨 거리낌 없이 허매이고 그 속에서 複雜한 人生을 思索하고 티 검불 하나 걸려본 일이 없는 純潔한 情熱과 아름다운『멜로디—』로 東方의 넓은 벌판、이 따의 온갖『삶을 詩로 역거 싸코 또 싸코 고히고히 藝術塔을 建設하랴든 그 時節!『까—든·뿌리지03』아래、비탈진 넓은『애스발트』위로 다름질치는 한『黃包車』(人力車)夫의 黑銅色 다리、이마를 흐르는 땀、그리고 이 땅 藍衣人들의 特有한 텁텁하다면 텁텁하고 구수하다면 구수한 그 내음새 — 거기서도 나는 얼마나 커다란『삶』의 歡喜와『生存』한다는 것의 喜悅感을 느끼엇던고 —。

그리고『魯迅』의 小說과『沫若』의 詩、좁디좁은 亭子間04 안에서 손바닥

---

03 "까든 뿌리지": 영어 Garden Bridge, 상하이 황포강에 세워졌던 다리. 중국어로는 "外白渡橋" - 편자 주.

04 "亭子間": 층집의 계단 뒤쪽에 위치한 비좁은 방을 가리키는 상하이 지역의 방언 - 편자 주.

만 한 유리窓으로 南國의 아침을 呼吸하면서 『魯迅』의 점잔으나 차디찬 諷刺와、『沫若』의 가을날의 湖水를 聯想케 하는 沈着과 新鮮에 近接하든 때、그때의 나로 하여금 檳榔 열매를 씹는 것 같은 쌉쌀하나 어데인지 口味 당기는 一種의 形言키 어려운 愛着을 가지게 하든 上海

그가 오날 敗戰者의 悲哀를 沈黙으로 옷 입힌 채 우리 앞에 쓰러진 채로 꼼짝 못하고 누워있으리라고는 누구나 想像치 못하였을 것이다.

쓰러저잇는 지금의 上海에게 베푸러주자는 것은 아니나 『魯迅』이 多難의 生涯를 五十一 歲로 끝막고 民國 二十五年 十月 十九日 地下에 누운 지 채 一 年도 못되어 그를 오래동안 隱身케 해주던 上海가 槍林彈雨의 暴風雨를 치르고 悲慘히 쓰러지리라고는 『魯迅』인들 뜻햇으랴! 『魯迅』! 그는 지금 地下에서 무엇을 생각하고 잇는고? 中國을 사랑하고 사랑하는 남어지 도리혀 그를 미워하고 그를 諷刺치 아니치 못하던 『魯迅』! 짓밟히고 씹히고 貞操를 드러운 손수건같이 放賣하고 쓰러진 『上海』를 보지 안코 俗世를 하직한 그는 도리혀 幸福되엇으리라!

『孩子長大、倘無才能、可尋點小事情過活、不可吉[05]做空頭文學家或美術家』(어린 놈이 자라서 才能이 없거던 아모 것이나 平凡한 적은 일을 찾어 生活케 할지언정 어줍지 안흔 文學家나 或은 美術家를 식혀선 안 된다)

『魯迅』이 눈을 감기 前 世上에 마지막으로 남기고 간 일곱 마디(七 句) 말 가운데 다섯째 말이 그의 아들이 長成한 뒤 特出한 才質이 없을진대 애當初에 文學이니 美術에 뜻 두게 하지 말라는 이 말이다 그가 한 말도 채 다 하지 못하고 이대로 어떠케 흐를지 임자조차 알 수 없는 이 母土 支那를 떠난 뒤 世上은 그에게 『支那文豪』、『中國新文學 樹立의 第一人者』 等等 … 듣기 조

---

05 "吉"은 "去"의 오식 - 편자 주.

은 名詞를 받엇고 『阿Q正傳』의 評價에 對하야 새로히 活字로서는 더할 나위 없는 最高의 讚辭를 느러노하주엇다.

그러나 그의 生前 支那의 社會와 文壇은 그에게 하로 세끼 밥이나마 마음 편하게 때 차저 먹을 만한 生活을 주엇던가?

上海를 떠나는 오날、昨年 十月 霞飛路 『마로니에』 입사귀 누런 빛을 재촉하든 때 『萬國殯儀館』 一隅에 嚴肅히 누어잇던 『魯迅』의 蒼白한 얼골이 이러타고 꼬집어 말할 아모 까닭도 없건만 왜 그런지 한 幅의 鮮明한 水彩畵같이 黃浦灘、저 넓은 黃昏의 하날 위로 배와 배가 서로 비빌 틈도 없이 떠 잇는 누런 江물 위로、그리고 이 좁은 三等船室의 船窓으로、甲板 위로、나의 視線의 焦點을 向하고 달려들엇다가는 흐미하게 사라지고 사라젓다가는 쏜살같이 다시 떠올으곤 한다.

그가 죽기 몇 달 前、上海에 來訪한 『野口米次郞』과 주고 받은 말 가운대 다음과 같은 한 마디 말도、出帆을 期待리고 甲板에 서서 저무러가는 黃浦 一帶를 바라보고 잇는 이 길손의 가슴을 어디인지 찔으는 곳이 잇다.

『自古 이래로 支那에서 所謂『成功者』라고 일커르는 人物들은 그 大部分이 政治나 文化 어느 方面을 勿論하고 强盜가 아니면 詐欺漢、둘 中의 하나이다. 可憐한 것은 民衆이다. …… 그들은 政治의 主權者가 어떤 種類의 사람이던 그런 것을 念頭에도 두지 안코 마치 벌(蜂)떼같이、개아미(蟻)떼같이 살어 나가고 잇을 뿐이다. 이것은 어떠케 생각하면 甚히 悲慘한 事實이다. 그러나 다른 反面으로 생각해 볼 때 實로 이런 民族性 때문에 비록 『支那』는 滅亡하는 날이 잇을지언정 『支那人』은 永遠히 滅亡치 안흐리라고 나는 생각한다.』

何如튼 文壇의 第一人者이면서도 하로 한時도 安定된 "삶"을 갓지 못하고 때로 몸을 避하고 때로 이름을 갈고 눈을 감기 前날까지 藍빛 무명 두루막이를 질질 끌며 그 긴 소매에 두 손을 꼿고 思索하든『魯迅』!『아들이 長成하거던 文學家를 맨들지 말라』고 遺言에까지 저바리지 안흔 그의 心境이 얼마나 쓰라리엿을고! 志操를 직히기 爲하야 괴로우고 아푸나『淸白』을 生命으로 삼고 죽기 前까지『나의 죽엄으로 말미암어 남에게 分錢이라도 받어드리지 말도록 하라』고 안해에게 付託하고 눈을 감은『魯迅』의 거룩한 精神!

出帆을 告하는 싸이렌소래 黃昏의 하날 위로 기다란 餘韻을 남기며 曲線을 그린다『霞飛路』의 明朗한 아침『四馬路』의 鄕愁를 안고 나리든 봄비 北四川路의 淫蕩· 虛榮· 詐欺· 罪惡의 交響樂 그리고 新鮮하고 淸雅한 空氣 속에 끝없는 自然의 哀傷을 싸안고 있는 저『췌스□』公園의 넓은 잔디밭 南國 處女의 간얇힌 哀愁를 거리거리로 뿌리고 다니는 胡弓의 리듬 — 모든 것은 지금 움즉이는 배를 따라 나의 視覺과 聽覺에서 머러진다.

『上海여! 잘 잇거라!』 그리고 남기고 온 生活의 모든 破片들 — 우슴 우름 憂鬱 未練 後悔 …… 漂浪의 港口에서 아참이슬같이 내 가삼에 번적인다 사라진 南國 아가씨들의 구슬같이 玲瓏하던 눈瞳子 … 깨끝이 자최 없이 사라지라!

아! 平凡한 너무나 平凡한 航海의 出發이여! 어둠의『베일』에 쌓여 머러지는 上海의 埠頭 — 거기는 손을 흔드러 나를 떠내보내는 아모도 없거니 …

◇ 統艙 風景

灰色빛 어둠이 漆黑으로 變하야 黃浦灘을 물드릴 때、배는 벌서 吳淞 一帶의 이른 겨울 초저녁 景物들을 兩옆으로 끼고、茫茫한 黃海를 向하야 거치러지는 물결을 빠른 거름으로 해치면서 突進한다. 인제는 나의 眼界에서 完全히 사라진 上海埠頭 — 하나 둘、깜박깜박 졸고 잇는 電燈들만이 上海를 代身하야 나와 作別하자는 듯、그조차 朦朧한 어둠 속으로 사라지고 甲板을 스쳐 부러오는 첫 겨울 저녁바람이 槍聲砲火의 지나간 자최를 더듬기에 넋 잃고 섯는 나의 두 뺨에 싸늘하게 부다친다.

떠나는 배、닷는 배、그것은 끝없는 生의 航海의 極히 적은 部分이어든 무엇이 이다지도 나의 가삼을 설레이는고? 文學、藝術、小說、詩 — 江南의 끝없이 넓으러진 봄 잔디밭、그 위에 고히고히 쌓아올리든 나의 貧弱한 藝術塔 — 그를 자최 없이 허무러트린 槍聲砲火!

밤새도록 시커먼 어둠을 뚫고 다름질친 배가 黃海바다 한복판에 나왓을 때、아침은 統窓의 코구멍만한 窓틈으로도 한줄기 눈 부시는 햇발을 쏘아드려보낸다.

統窓 — 四等船室 — 여기다가 『等』字를 부치는 것이 도리혀 우습다 — 배의 最下層、좁쌀짝、棉花짐、비릿내 나는 생선、가지가지의 海産物、쌓일 대로 쌓인 짐짝、짐짝을 싸코 남어지 마루바닥(그나마 없으면 짐짝 위에)을 乘客이라고、그래도 대접하야 내논、地下室船艙이다.

여기서는 짐짝이 사람보다 편안한 待遇를 받는다. 太陽光線은 뚫고 드러올래야 몇 個의 코꾹멍만한 窓과 하나밖에 없는 出入口을 除하고는 드러올 곳이 없고、서너너덧 個의 石油燈이 간신히 사람 사람의 얼골을 分間할 수 잇을 뿐.

그러나、짐짝과 짐짝 사이로、無數한 얼골과 얼골들이 이리 기웃 저리 기웃。여기도 分明히 人生이 呼吸하고 잇는 한 바다 위의 社會임에는 틀림없다. 하날로 뚤린 出入口를 은사다리를 타고 올러가서 아래를 내려다보면、

無數한 대가리와 대가리든[06]이 구데기 끌 틋 꿈틀거린다. 이것은 한 줄의 더러운 形容이다. 그러나, 이 地下室 속의 손(客)들은, 한 個라도 貨物을 더 많이 옴겨주고 한 번에 많은 利를 남기자는 이 汽船 主人에게는 事實로 구데기만도 못한 存在일 것이다. 그리고, 이 구데기만도 못한 待接을 받으면서도, 〃삶이란〃 악착한 〃慾求〃를 위하야 이 속에서 꿈틀거리지 아니치 못하는 것이 人生이요, 또한 나이기도 하다.

七, 八 年 前 어느 해 여름 — 그때에도 나는 統艙을 타고, 營口서 上海까지 흘러간 일이 잇엇다. 그러나 그때 든[07]어앉엇든 統艙 속과, 지금 바라보는 이 統艙 속이 이다지 느낌이 다를 수가 잇을 것인가? 짐짝과 짐짝 사이로 어둠에서 번적어리는 無數한 얼골들, 웨 이다지도 가엾이 보히며 풀이 다 죽어 보이는고? 『魯迅』의 말과도 같이 어떤 사람이 施政者가 되어 그들 머리 위에 서서 다사리던지, 그런 것은 생각하랴지도 안코, 또 생각할 만한 틈도 없이 그저 自身의 조고마한 〃生〃을 위하야 정말로, 개아미(蟻) 떼같이 살아온 그든 — 軍閥의 싸움이 갈어논 논과 받을 荒蕪地같이 허트려놔도 아들을 一 個月 八 圓이라는 月給으로 싸움터로 빼서가도, 그리고 누구와 누가 싸우는지 알지도 못하는 싸움에, 귀여운 안해와 딸자식의 生命은[08] 貞操을 산 祭物로 받히고도 쓰다 달다 말 한 마디 제로 해보지 못하고, 고삐 매인 황소같이 〃삶〃이란 채축(鞭) 아래 매 마저 오던 그들 — 그들은 이제 이 地下室 船艙 속에서 돌떵이같이 굳어진 따빙[09](大餅) 쪽을 뜨드며 將次 어디

---

06 "든"은 "들"의 오식 - 편자 주.

07 동상.

08 "은"은 "을"의 오식 - 편자 주.

09 "따빙": 중국어 "大餅"(밀가루 혹은 옥수수가루로 빚은 떡) - 편자 주.

까지 흘려가랴 함인고? 南方에서 쫓기어 北方으로、北方에서 쪼끼어 南方으로、南方을 다 허매이고 난 다음에는、어디로 발길을 둘 것이랴!

하로 밤과 하로 낮을 이 生地獄 같은 地下室 船艙(船下室이라고 부르는 것이 올켓지만)에서 지낸 얼골과 얼골들은 해가 또 다시 西녘에 기우러지랴 할 때 벌서 한집안 食口같이 서로 익숙어젓다. 한편에서는 十五、六 歲밖에 안 되어 보히는 시골 『구냥¹⁰』(姑娘)이 어머니임즉해 보이는 中年 마나님의 등을 힘없이 붙들고 안저서 배멀미를 참지 못하야 세수대야를 노코 누런 물을 吐하고 잇으나 바로 그 옆에서는 勞動者임 즉 해 보이는 대여섯의 우락부락한 얼골들이 세수대야보다도 갑절은 더 커 보이는 『따빙(大餠)』쪽을 내노코 나누어 먹고 잇다. 방정마진 上海音、혀바닥이 공중에 노는 듯한 山東音、달달달달 나무통이 비탈을 굴러 나리는 듯한 廣東音、그리고 점잔코 느릿느릿한 北京音 ― 地方地方의 獨特한、發音들이 한데 어우러저서 船艙 속은 떠나갈 듯이 와글와글 끌른다.

『이 날리 속에 제길할 걸 어델 가면 살 수 잇겟소! 廣東이 살기 조타고 그야 돈 잇는 사람 말이지 우리같이 그날 벌어 그날 먹는 놈이야 ……』

流暢한 上海말을 하는 그 勞動者의 두 눈에서는 금시에 怨恨이 사모친 눈물이 터저 나올 것 같엇다. 그는 한숨을 길게 쉬고 나서 다시 돌떵이 같은 밀가루떡을 누런 이빨로 한입을 크게 물어뜯엇다.

『차표우(査票)! 차표우(査票)!』(배표 금사합니다)

까마케 올려다 뵈는 層階에서 배會社의 『마 ― 크』를 팔뚝에 감은 船員들이 대여섯 名 懷中電燈으로 아래를 빛이이면서 외치고 내려왓다. 統艙 안은 금시에 물 끌 드시 머리와 머리들이 부글부글 끄러올럿다

---

10   "구냥": 중국어 "姑娘"(딸, 소녀, 처녀) - 편자 주.

한 사람 두 사람 票 調査하는 船員들은 발 드딜 틈도 없는 굴속 같은 地下室 속을 비비고 헤치고 구석구석 혹시 배票 없이 탄 사람이 없는가 하야 눈을 독수리 눈같이 새파라케 번적어리며 갈팡질팡한다.

배票를 한 손에 꺼내들고 그들이 내 앞으로 닥어오기만 期待리고 잇든 나는 짐짝 싸인 저편 어두컴컴한 구석에서 별안간 왁자지껄하는 여러 音聲을 듣고 無意識 中에 몸을 벌떡 이르키엇다.

『盜賊배를 타도 분수가 잇지. 작으마치 어린 것들을 셋씩이나 데리고 배票 한 장으로 … 안 될 말이오。 빨리 두 장 더 사시오 ……』

『아니얘요! 사기는 삿서요、아가 주머니 속에 分明 드럿섯는데 … 사람들이 하도 만허서 어제다 흘려버린 모양입니다。』

對答하는 主人公은 좀 멀리 떠러저서 똑똑이는 보히지 아느나 그러치 아느면 黃包車夫의 안해같이 보혓다. 査票員이 공연히 으르딱딱어리는 바람에 열서너 살 먹어 보히는 맛아들놈은 어머니의 저고리자락을 쥔 채로 부들부들 떨고 섯고 그 아래로 둘째 아들과 끝으로 서너너덧 살 되어 보히는 게집兒孩는 무슨 일인지 영문도 모르고 치마자락에 매달려 목소래가 잇는 대로 악을 쓰며 울기 시작했다. 그러나 査票員이 그대로 물러설 리 없었다. 배會社는 英國사람에게 屬하고 같은 中國사람이니 슬적 눈을 감어줘도 統艙 안에서 생긴 일을 그들이 알 리 없건만、콧날이 매섭게 앞으로 꼬부러진 그 査票員은 눈 하나 깜작하지도 안코 그를 잡아끌고 간다.

무를 것도 없이 그는 싸움에 男便을 빼앗기고 流離하는 한 가엾은 女人이다.

船長室로 끌려 올러간 그 女人은 한 時間、두 時間、黃昏이 水平線 저편에서 아득하게 기여들 때가 지나가도 보히지 안는다. 벌서 數많은 얼골들은 그 女人의 얼골조차 생각나지 안는다는 듯이 『설마、산사람을 배票 한 張 때문에 바다 속으로 집어던지기야 하랴!』 하는 무심한 생각들을 제各其 얼골에 나타내이고、 封햇던 입을 前과 같이 떠들기 始作했다.

나는 저무러가는 甲板 위로 다시 나왔다. 〃人生이란、 結局、 제各其 몸씨 싸늘한 마음으로 險惡한 〃生〃의 바다를、 一葉片舟로 저어나가는 動物이거니〃 하는 끝없이 孤獨한 마음에 내가、 지금、 黃海바다 한복판에 떠잇다는 것도 그리고 언제 어느 港口에 다시 나리리라는 것도、 다 이저바리고 어제 이맘때、 그리고 來日 이맘때、 하로도 걸르지 안코 차저왓다、 도라가고、 도라갓다 다이시 차저올、 바다의 黃昏을 부둥켜안고 서서、 물결을 스치고 떼를 지어 나라다니는、 저녁 갈매기 떼를 바라보앗다.

배는 다름질친다. 港口와 港口에서 갓득 실은 人生의 人生의 온갖 喜劇과 悲劇과、 즐거움과 슬픔과、 幸福과 不幸을 다음 埠頭에 뿌려노흘 計劃에 곁눈질 할 사이도 없이、 水平線 저편을 向하고 기운차게 다름질친다.

◇ 天津·雪夜

靑島 － 威海衛 － 塘沽 － 複雜多端한 人生의 喜怒哀樂을 南方에서 싸움과 굶주림에 쫓끼어 北方으로 흘러오는 避難民들의 눈물과 한숨을 한 묶음 두 묶음 씩 港口와 埠頭에 씨 뿌리듯 흘으려노코 배는 지칠 대로 지친 船體를 天津埠頭에 닻(錨)을 꽂엇다.

七、 八 日 동안 맑든 첫 겨울 날세는 눈(雪)으로 變하야 모진 北方의 바람과 함께 코를 베어갈 뜻 싸늘하다.

逃亡꾼이 보따리 같은 冊가방 하나를 『달랑』 든 채로 埠頭에 내려 날도 저므럿고 처음 내리는 곳이라 어디가 어딘지 方向조차 分揀키 어려워 성큼 黃包車로 올럿다.

날 期待려 줄 아무도 없는 이 港口、또한 날 맞어 埠頭에 손잡어줄 이 잇을 理 없다. 溫室에서 자란 軟弱한 한 포기 花草가 별안간 바람 찬 外界에 나온 것 같이 南方에서 눈 求景이라고는 一年 열두 달 가야 별로히 해보지 못한 나는 北方의 모진 눈보라에 두 볼이 얼어붙어오건만 七、八 年 동안 雪景을 對해보지 못한 차인지라 눈사람 만들 꿈으로 잠 못 자고 날 밝기를 期待되는 어린 兒孩의 마음과도 같이 이따금 이따금 黃包車의 〃앞가리〃를 제치고 나러 드러오는 눈송이를 뺨으로 받으며『須磨街』로 車夫의 거름을 재촉하엿다.

『須磨街』한 모통이에 車를 멈으러 세노코 부들부들 떨리는 몸으로 故 李錫一 氏의 宅 굳게 잠긴 大門을 두다릴 때는 겨울밤도 저윽이 깊을 때엿다. 北京大學을 秀材로 마추고 天津에 團樂한 家庭을 꾸미어 아들딸 거느리고 社交家로 이름을 날리든 봄눈 녹는 듯한 우숨소리에 끝없는 仁慈를 품고 사람 조키로 손꼽히든 李錫一 氏도 人生의 運命을 어찌할 수 없엇던지 사랑하는 婦人과 어린 아들딸들을 남긴 채로 故人이 된지 오래니 나를 맞어줄 理 없고 그 의 婦人 — 忠淸道사투리가 듣는 사람에게 구수한 溫情을 갖게 하든 『聖淑』女史 —

나의 변변치 안흔 詩줄、小說줄이나마 누구보다 기뻐하야 읽어주며『R 專』文科를 身病 때문에 채 마추지 못한 분함에 至極히 文學을 사랑하는 女史도 蘆構[11]橋의 砲聲에 어린 아이들의 將來를 怯내어 朝鮮으로 避難을 가고 텅비인 主人 없는 집에는 홀로 집 직히고 잇는 婦人과 同鄕인 K 氏와 밥 시중 하는 마나님 한 분이 不意의 來客에 깜작 놀라 허둥지둥 나를 맞어드릴 뿐이다.

---

11 "溝"의 오기.

이글이글 피어오르는 『스토 — 브』가에 짐을 끄르고 배에 흔들린 몸을 쉬이자니 — 週日 동안의 旅行이라기보다 生地獄사리래야 올흘 生活이 새삼스러히 무슨 긴 꿈에서 나 깨여난 것 같은 까마아득한 느낌을 갖게 한다.

北方의 겨울바람은 눈을 모러다가는 길거리로 난 유리窓을 두드린다. 이따금 이따금 거리로 徃來하는 行人들의 말소리부터가 南方말에 오래 젖은 내 귀에는 어디잇지 느릿느릿하고 가라앉은 北方情緖를 자아낸다.

언제 또 어디로 흐를지 모르는 몸이지만 爲先、當分間 이 主人도 없는 집에서나마 허트러진 머리속을 整頓하고 쉬여 볼 생각으로 生疎한 따의 첫 밤을 차디찬 鐵寢臺 위에 누엇다. 위 — ㅇ、南方에서는 드를 수 없는 大陸의 겨울바람소래다. 눈! 눈! 송이송이 바람에 훗날리는 눈보라를 타고、끝없는 漂浪의 旅愁는 깁허가는 겨울밤 싸늘한 空氣에 싸여 넓은 높은 華北의 저 먼 虛空으로 몽게몽게 피여올러간다

이튿날 날이 밝기를 期待려 天津高女에 敎鞭을 잡고 잇는 崔瑠順 氏를 찾엇다. 밤새도록 싸인 눈이 窓밖에 銀世界를 이루고 北方의 차디찬 아침해빛이 明朗하게 흘러드러오는 氏의 日本式 書齋에서 불 꺼진 火爐를 끼고 社會와 生活에 關한 여러 가지 感想과 高見을 듣는다.

『金 君! 잘 오섯소! 사람이 그래도 살라고 마련임넨다! 君으로서 함즉 한 일이 나설겝넨다.』初對面이엇으나 胸襟을 푸러노코 眞情으로 이야기해주는 氏의 말은 몹시 愼重하고 믿엄즉한 印象을 갖게 한다. 氏는 生活第一主義로 敎鞭을 잡는 一面 史學에 專力하고 잇는 篤實한 努力家이다.

『우리는 우리의 眞實한 길을 것는 以外에는 다른 길이 없을 것이외다. 우리가 지금 붓대와 粉筆 쥐던 손으로 珠盤을 들고 나선다고 장사를 하겟소? 一攫千金을 꾀하겟소? 지금의 華北 天津은 實로 混沌한 狀態에 빠진 社會외다. 더군다나 우리 朝鮮사람社會야 더 말한 것이 잇겟소!

事變 後의 好景氣라는 風說에 땅을 파러라 집을 典當 내라 해가지고 華北으로 華北으로 어느 장단에 춤을 추는지도 모르고 하로도 數十 名 式 同胞들이 橫財를 꾀하고 들끌어오지만 이런 未整頓된 時期에 함부로 덤벼드는 것은 成功보다는 흔히 失敗를 가저오는 것이오。 더군다나 우리 같은 사람들이야 무엇을 덤벼드러 致富를 꾀하겟소?

要컨대 過去의 華北의 우리사람社會란 너무나 悲慘한 待遇와 그릇된 認識을 받엇소。 글字 안다는 우리들로써 이 그릇된 認識을 萬分之 一이라도 바로잡고 우리네 實生活에 必要한 文化向上을 꾀하는 것도 이 時代에 태어나 異域에 삶을 가지고 잇는 우리들의 輕視치 못할 使命이라고 나는 믿소 ……。』

날로날로 移住人口는 增加를 보히나 이러타고 내세울만한 言論機關 하나도 갖지 못한 朝鮮사람 社會를 痛嘆하는 氏의 態度는 至極히 當然할 것이다.

그러나 웨 이곳뿐이랴! 海外의 어딜 가보아도 朝鮮사람처럼 文字와 近親하지 못하고 沒趣味한 生活을 하는 社會는 없을 것이다. 먹고 사러야 한다는 意識과 觀念 앞에 허덕이는 그들에게 언제 文化를 생각하고、生活向上을 꾀할 時間과 餘裕가 잇을 것인가!

밤! 눈 그친 뒤의 天津의 거리거리는、살을 베여낼 것같이、싸늘하다. 尹白南 氏가 在津한다는 消息을 듣고、崔 氏에게 길案內를 받어、華北에 먼저 와잇는 氏의 心境을 두다려볼 생각으로 法租界 氏의 寓所를 찾어 나섯다. 거리거리의 建物이나 或은 風景이 小規模라는 것을 除하고 『애스팔트』길이 어떤 곳에는、몹시 높은 傾斜를 짓고 꾸불꾸불 도라서 뻐처진 特色 以外에는 上海에 比하야 아모먼[12] 特別한 느낌이 없으나 별들도 어러부튼 듯 높고 싸늘한 겨울 하날과 거리 구석구석으로 느린 거름으로 왓다 갓다 하는 人

---

12 "먼"은 "런"의 오식 - 편자 주.

力車꾼들의 긴 두루매、十字街頭에서 털帽子와 外套로 왼 몸을 싸고 얼골만
내노코、각금 팔을 드럿다 내렷다 하는 交通巡警、그것들은、確實히 北쪽의
느린、밤 情緖를 끝없이 자아내고 잇다。

　힘없이 머리를 숙이고 大地의 밤을 것고 잇는 이 한 異國 漂浪客의 憂鬱
한 마음이여! 나는 이 漂浪의 港口의 灰色빛 哀傷과 보라빛 憂鬱을 선물하
고 將次 어느 港口로 또 疲困한 배머리를 돌릴 것인고? 뭉게뭉게 피여오르
는 길손의 노스탈쟈 ― 여! 北國에 겨울바람을 타고 고요히 고요히 자최 없
이 사라지라!(了)

一月、天津旅窓에서

―『東亞日報』, 1938년 2월 18일~23일, 4회 연재

移民部落見聞記[01]

李泰俊

(一)[02]

車에서 만난 친구들에게 끌리어 平壤에 나리어 하로 놀고 다시 平壤서 탄 奉天行은 밤車가 되였다.

平壤 以北은 二十餘 年만이요 安東縣 以北은 生後 처음이다 少年 때 無錢 旅行이랍시고 徒步로 나오던 安州、定州、宣川、義州 다 한번 내다보고 싶은 追憶의 風土들이나 밤車라 커튼을 나리고 잠이나 請하는 수밖에 업시 되엿다.

三等 寢臺의 下段、긔여서 오르나리는 曲藝는 하지 안허 조흐나 내 얼굴에서 석자도 못되는 距離에 다른 사람, 그 사람 우에 또 그러케 한 사람, 내가 맨 미테서 그들을 떠밧들기나 하는 것처럼 무겁고 갑갑하다. 주머니세간 만흔 저구리를 이븐 채 누엇스니 도라누을 때마다 거북하다. 벗자니 거러노흘 데가 벤벤치 안코 개켜노흘 자리는 더욱 업고 아무턴 매무시를 고치려 이

---

01 이 글은 약간의 수정을 거쳐 「滿洲紀行」이란 제목으로 이태준의 문집 『無序錄』(1941년 9월, 博文書館)에 수록되었다. - 편자 주.

02 『無序錄』에 수록될 때는 '巨大한 空間'이란 절 제목이 첨가되었다. - 편자 주.

러나니 정수리가 딱 부디친다. 鶴의 목아지로 한참 견디여보니 그래도 눕는 편이 훨신 편하다. 눕는 以上엔 내 몸 容積만한 空間이면 足할 것인데 事實 인즉 시렁에 언진 가방처럼 無心해지지 안는다 桶 속에서 산 哲人의 생각이 낫다. 三等 寢臺에서 自安하기에도 多少 修養이 必要한 모양이다.

○

大陸 그리워한지 오랜 風景이다. 東京 잇슬 때 한번 新興露西亞美術展이 잇섯다. 애온이란 사람의 『무지개』란 한 風景畵는 지금도 머리속에 싱싱한 印象이 잇다. 雨後에 鮮明한 色彩로 뻐더나간 끗업는 地平線、길 업시 흐터 저버린 放牧의 무리 무지개도 한낫 홍예문처럼 두 뿌리가 平原에 박혓슬 뿐 으로 最大의 空間을 展開시킨 畵幅이엿다. 그 後 다른 美展에서도 가끔 風景畵를 구경하엿스나 그런 巨大한 空間은 다시 보지 못하엿다.

巨大한 空間 露西亞 小說들이 우리를 누르는 것도 그것들이엿다. 過去 여러 世紀 동안 大國이 海東半島를 누른 것도 그들의 巨大한 空間의 농간이 엿슬 것이다.

그런 大陸、그런 空間을 向해 내 車는 밤을 갈르고 다라난다. 처음으로 그에게 간다는 것은、그가 사람이거나 自然이거나 몹시 이쪽을 興奮시키는 모양으로 子正이 가까워도 잠이 오지 안는다. 車가 安東縣에 이르니 稅關吏 가 뛰여오르며 車 안이 왁자해진다. 사람은 모두 일어나고 짐은 모소리 끌 리운다. 나도 손가방을 열어노코 해태□갑에 도장을 바덧다. 停車 三十 分、擴聲機는 騷亂해야 國境이라는 듯이 半 時 동안을 始終이 如一하게 重言復 言한다.

車는 다시 떠난다. 客은 모두 다시 눕는다. 이곳을 누어서 지나거니 깨다르니 문득 나의 머리엔 成三問의 생각이 떠오르는 것이다. 世宗께서 지금 내가 쓰는 이 한글을 만드실 때 三問을 시켜 明의 翰林學士 黃瓚에게 音韻을 물으러 다니게 하섯는데 黃 學士의 遼東 謫所에를 凡往返十三度云으로 傳하는 것이다.

그때는 고작 말을 탓슬 것이다 日行 不過 六七 十 里엿슬 것이다 이제 누어 夜行千里를 하면서 생각하기엔 너머나 아득한 傳說이 아닌가 더구나 一二往返도 아니요、 凡十三度라 하엿스니 成三問의 奉仕도 끔직한 것이려니와 世宗의 그 억세신 經綸에는 오직 머리가 숙여질 뿐이다

車는 행결 카브가 업시 一直線으로만 달리는 듯하다 巨大한 陸地、 巨大한 空間 그 우에 더핀 밤도 巨大한 帳幕일 것이다 어서 이 巨大한 것들을 내다보고 시프나 車窓이 밝을 時刻은 아직 멀엇다

(二)⁰³

깜박 잠이 들었다 깨이니 건너편 窓이 히끄므레하다. 옳다 밝앗구나 하고 나는 일어나기 前에 머리맛에 커튼부터 올려 밀엇다. 무엇이 멀직이서 히끗히끗 지나가나 아직 이쪽은 西편이라 낮이기보다는 밤인 편이다. 時計를 보니 다섯시가 휠신 지낫다. 여기만 해도 서울보다 얼마쯤 동이 늦게 트이는 모양이다. 나는 일어나 세수부터 하고 窓이 넓은 식당으로 갓다. 뿌ー연 안개 속에 집들이 지나간다. 朝鮮서 보는 農家들과는 輪廓이 다르다. 모다 直線들이다. 길다란 한 채를 칼로 똑 똑 짤라노흔 것처럼 左右에는 처마

03　『無序錄』에 수록될 때는 '흙·흙'이란 절 제목이 첨가되었다. - 편자 주.

가 업시 窓 업는 壁이 올라가 집웅을 끈허버린 것들이다. 조선서도 東洋畵家들이 흔히 그려노흔 집들이다.

사래 긴 밭들이 無數한 直線으로 연달아 부채살가티 열리고 접히고 하며 지나간다 마을 뒤나 밭 사래 끗테는 막힌 것이 아모것도 업다 山은 물론 언덕 하나 보히지 안는다 밧치 지나가고 밧치 연다라 오고 그리고 지리할 만하면 白楊木 대여섯 株가 모여 선 숩히 지나가고 그러다가는 칼로 똑 똑 짤라노흔 것 가튼 單調스런 農家 한 部落이 지나가고 차츰 藍衣의 土民들이 한둘식 길 우에 나서기 시작하고 그리고 여기서도 車窓 안에 안자 읽을 수 잇는 것은 『仁丹』이나 『味之素』따위、萬里同風이다 도랑에는 살어름 밧테 나룩 그루에들은 하얏케 서리가 더피엇다 아득한 안개 어디를 보나 땅과 한눌의 境界線은 흐려지고 말앗다. 돌각담 하나 업는 도토리가루 같은 빗 진한 흙、흙、그 우에 잘 달리는 말이 금만 그웃고 다라난 것 가튼 질펀한 밧이랑들 그 밧 넘어에 또 그런 밧이랑들、急行車가 달리어도 달리어도 끗업시 작고 나서는 밧이랑의 世界 車 안에 안저서도 泰山에 오른 듯한 廣漠한 시야엔 一 個 書生의 胸襟으로도 不知中 족기 단추를 끄르고 긴 호흡을 드리켜보게 한다 이 하눌에 뜬구름박게는 目標를 삼을 것이 업는 흙의 바다 우에 맨 처음 이런 鐵路를 깔고 마치를 든 채 試運轉을 했을 그들의 힘줄 일어선 붉은 얼굴들이 번뜻번뜻 눈 속에 지나간다 모 — 든 舞臺는 오직 主演者에게만 榮譽를 허락하는 것일 것이다.

○

이 車窓에 안자 저 변두리 업는 흙을 내다보며 순전히 흙으로써 感激하는 사람은 흙을 주지 안는 故鄕을 버린 우리 移民들일 것이다. 처음엔 땅도 흔하다!

하고 놀랄 것이요 다음엔 밧머리마다 옌장을 들고 반기는 表情이라고는 조금도 업시 지나가는 車를 힐금이 처다보고 섯는 푸른 옷 입은 사람들을 볼 때에는

그래도 모두 임자 잇는 밧들이 아닌가!

하고 疲困한 머리속엔 메마른 生活의 꿈이 어지러웟슬 것이다。

○

무슨 屯家[04] 붙은 驛名만이 한참 지나가더니 蘇家屯이란 큰 停車場이 나온다。여기서는 四 分 동안이나 쉰다。驛員、警官들 모다 누루퉁퉁한 制服이다 蘇家屯을 다시 떠나니 곳 車掌이 나타나며 얼마 안 가 奉天이라 한다。車도 奉天이 終點이거니와 지날 바엔 半 日 동안이라도 奉天의 印象을 갓고 십다。

車에서 나리니 여덜시 조곰 前、일흔 아침의 異國 都市는 낫선 뻴딍들의 어두운 그늘과 텅 비인 街道에 아침해의 逆光線이 눈부실 뿐이다。나는 다시 驛 待合室로 드러섯다。

(三)[05]

驛內엔 드러서기가 바쁘게 海風 같은 찝찔한 냄새가 홱 끼친다。물 귀한

---

04 "家"는 "字"의 오식 - 편자 주.

05 『無序錄』에 수록될 때는 '骨肉感'이란 절 제목이 첨가되었다. - 편자 주.

이곳 사람들의 옷에 쩔은 體臭일 것이다 포스터 ─ 들、賣店의 物色 모두 京城驛에서 보던 것 따위다. 奉天案內란 것을 하나 사들고 三等 待合室로 갓다. 자리가 업게 그득한 滿人들 틈에 흰옷 입은 사람들이 여기저기 보인다. 그중에 奉天 때가 묻어 보이는 사람들은 引客군들인 듯 充血된 눈을 脈업시 껌벅거리거나 옹송구릴 구석만 잇스면 봇다리에 업듸려서라도 코를 고는 사람들은 지난 밤차나 오늘 아침 차에 나려서 갈아탈 車를 기다리는 所謂 自由移民의 同胞들인 듯하다. 防寒帽는 썻스면서도 두루매긴 입지 못한 젊은 이、볼은 호믈거리면서도 더벙머리 孫子 녀석과 나란히 안자 복근 콩을 씹는 할머니 그들의 여페는 빗 낡은 반물 보통이 꿰여진 홋니불 봇다리들이 으레 호텔렛벨이나처럼 크고 적은 바가지쪽들을 달고 잇는 것이다. 老婆에게로 가 어디까지 가느냐 물으니 콩을 그저 씨브며 허리춤에서 꼬기꼬기한 하도롱봉투를 꺼내 보히는 것이다 牡丹江 어디라고 씨인 것이다. 자근아들이 三 年 前에 드러가 사는데 굼주리지는 안흐니 도라가실 때까지 배고픈 것이나 면하시려거든 드러오시라고 해서 큰아들의 자식까지 하나 다리고 『피안도 쉰천골』(順川) 어디서 떠나 드러오는 것이라 한다.

二等 待合室에 가니 거기도 자리가 업다. 손 씻는 데로 가니 거기엔 女子專用도 아닌 데서 시뻘건 융 속적삼을 내여노코 목덜미를 씻는 조선치마의 女子가 잇다. 보니 그 옆엔 조선 女子가 여럿이다. 까므잡잡한 三十이 훨신 넘어 보히는 女子가 하나、아직 十六七 歲밖에는 더 먹지 못햇슬 솜털이 까시시한 少女가 하나、그리고는 목덜미를 씻는 女子까지 세 女子는 모다 二十二、三 歲 程度로 핏기는 업슬망정 유들유들 젊고 健康한 女子들이다. 그들은 빨간 병、파란 병들을 내여노코 값싼 香氣를 펏드리며 化粧들에 분주하다. 나는 제일 먼저 化粧을 끗내는 듯한 女子에게로 갓다.

『실례올시다만 나도 여기가 초행이 돼 그럽니다 어디까지들 가십니까?』

『예?』

하고 그 女子는 놀날 뿐 그리고 그들은 일제히 나를 보던 눈으로 마즌편에 이들과는 상관이 업는 듯이 따로 서있는 老紳士 한 분을 처다보는 것이다 작은 눈이 날카롭게 반짝이는 이 노랑 수염의 老紳士는 한손으로 금시게 줄을 쓰러만지며 나에게로 닥아왔다.

『실례올시다만 신경 갈 차가 아직 멀엇습니까?』

『차시간을 몰라 물으실 양반 같진 안은데…』

하는 그의 눈은 더욱 날카로워진다.

『몰라 뭇습니다 신경들 가시지 안습니까?』

『우린 북지[06]루 가우』

하며 그는 나의 아래우를 잠간 훑터보더니 이내 賣店으로 가 五 錢짜리 미루꾸[07]를 한 갑식 사다가 女子들에게 나눠주는 것이다. 모다 주린 듯 달게 뜻어먹는다. 거이 하나씩은 다 해 넣은 듯한 금니빨을 뻔쩍거리며. 그리고 그네들은 모다 이 老紳士더러 『아버지』라 불렀다. 그는 물어보나마나 北京이나 天津 가튼 데 무슨 樓 무슨 館의 主人일 것이다. 이 눈섭을 그리며 미루꾸를 씨브며 無心한 체 즐거히 먼먼 他國에 팔리어가는 젊은 게집들, 나는 그들의 비린내 끼치는 살에나마 여기에선 새삼스런 骨肉感을 느끼지 안흘 수 업섯다.

---

06 "북지": 지나(支那) 북부, 즉 화북(華北)지역 - 편자 주.

07 "미루꾸": 밀크캐러멜의 일본식 표현 - 편자 주.

나는『奉天案內』에서 어든 知識으로 택시를 타고『야마도호텔』로 갓다。
戰勝紀念碑를 가운데 노흔 大廣場 한편에 屹立한 아메리칸·루네쌍스式이란
端雅한 四層 洋館、北國에보다는 綠陰 만흔 南國에 더 調和됨 직하게 露天
廊下가 많은 白堊의 殿堂이다 클락⁰⁹에 가방과 外套를 맛겨노코 食堂으로
갓다 구석구석에 碧眼 紳士 淑女들이 향기로운 커피 ― 와 빛 고흔 果實들을
먹는다 나도 新鮮한 아침메뉴가 주는 대로 朝飯을 마치고 나의 新京行 特級
『亞細亞』의 急行券을 뷰로 ―¹⁰에 부탁해노코 거리로 나섯다 어디서 보앗는
지 快車(人力車) 두 대가 一時에 달려든다 조선 人力車보다 훨신 낫다 조고
만 장명등 가튼 것이 左右에 달리고 안는데도 울긋불긋한 무슨 술을 만히 느
리여 호사스럽다 기중 깨끗한 데로 올라안저

　『하꾸부스깡¹¹』

　하여 보앗다。車夫는 누 ― 런 이빨만 내여노흘 뿐 못 알아듯는다。地圖를
꺼내 博物館의 位置를 指摘하여도 도시 모르는 모양이면서도 乘客만은 노치
지 안흐려 허턱 끌고 다라나는 것이다。한참 끌려가다가 글자를 알 만한 사
람을 만날 때마다 소리를 질러 車를 세우고 地圖를 펼처들엇다。그러나 저이
끼리 한참 떠드러대기만 할 뿐 車夫에게 博物館을 터득시키는 사람은 좀처
럼 만나지 안는다。그러나 車夫는 허턱 뛰기만 한다。乘客은 目的地로 가

08　『無序錄』에 수록될 때는 '奉天博物館'이란 절 제목이 첨가되었다. - 편자 주.

09　"클락": 영어 clark - 편자 주.

10　"뷰로 ―": 영어 bureau - 편자 주.

11　"하꾸부스깡": 일본어 博物館[はくぶつかん] - 편자 주.

던 못 가던 自己는 태우고 끌기만 하면 놀기보다는 버리가 된다는 心算인 듯하다。畢竟은 이 盲走快車에서 쌈싸우듯 해가지고 나려 택시를 주어탓다。

三經路 十緯路라는 데 잇는 前 東北軍閥 湯玉麟의 私邸엿섯다는 白堊 三層樓 周漢時代의 銅器 遼宋 黃金時代의 陶瓷器 宋元 以來의 書畫 等이 主要한 陳列品으로 刻絲라는 것과 刺繡品들은 染織工藝로서 特記할 만한 것이엿다。自由畫의 風致가 만흔 彩紋土器들과 世界的으로 이름난 郎世寧[12]의 原畫를 版畫化한 佛人 꼬샨[13] 氏의 作品을 볼 수 잇슴은 意外엿고 東洋畫는 大體로 山水인데 扇面에 재미잇는 것이 만헛다。總 藏品 三千五百餘 點 大陸民族의 精力 有閑 緻密 圓熟 이런 것은 十二分 느껴지나 우리 高麗와 李朝의 센치멘탈이나 유모어와 가튼 좀 더 感性的인 데를 찔러주는 것은 너무 업섯다。더구나 漢民族을 統治한 大淸帝國의 故土인 奉天으로서의 意義를 갓기엔 質로나 量으로나 甚히 貧弱한 博物館이엿다。滿洲에 왓다가 東洋 第一이라고 宣傳되는 大連博物館을 구경하지 못하고 지나는 것은 遺憾이다。

나는 이번에는 馬車를 타고 同善堂으로 갓다。同善堂만은 貧民들과 緣分이 깊은 機關인만치 馬車군은 어렵지 안케 알아듯는다。

(五)[14]

同善堂이란、孤兒、乞人、貧民 그리고 藝酌婦、娼妓、私生兒、이런 不遇

---

12 "郎世寧": 이탈리아 예수회 선교사, 본명은 Giuseppe Castiglione(1688~1766), 1715년 선교 차 중국에 온 뒤 입궐하여 강희, 옹정, 건륭 삼대에 거쳐 궁정화사로 일했다. - 편자 주.

13 "꼬샨": 프랑스 화가 Charles Nicolas Cochin(1715~1780) - 편자 주.

14 『無序錄』에 수록될 때는 '同善堂'이란 절 제목이 첨가되었다. - 편자 주.

한 人生 七百餘 名을 收容하고 잇는 大規模의 慈善機關이다。三十餘 年 前、左寶貴라는 個人의 事業이 자란 것으로 特書할 奉天의 名物의 하나가 되여 잇는 것은 다른 곳 孤兒院이나 養老院에서는 보지 못할 道德과 施設이 잇는 때문이다。

『爲善不倦』이란 커다란 扁額이 걸려잇는 事務所 그 左右便으로 시작하여 뒤로 드러가면서 洋館과 中國式의 單層建物들이 無數히 널려잇다。어떤 데는 病院 어떤 데는 木工、印刷、織造工場、또 幼稚園、學校들인데 가장 印象 기픈 것은 救産所와 濟良所와 救生門의 風景이엿다。獨自 生業이 不能한 老人들은 勿論이거니와 樓主의 虐待를 못 견디여 逃亡 온 藝酌婦、娼妓、强制賣淫을 當하게 된 婦女들까지 바다 保護 先導하는 것이며 더 나아가서는 夫婦싸흠을 하고 온 女子까지 밧는다는 것이다 그런 안해는 대개는 석 달이 못 돼서 흔히는 男便 쪽에서 和解를 申請하고 다려간다는 것이며、다려갈 사람이 업는 女子는 娼妓든 處女던 人妻던 同 堂이 周旋하여 相當한 자국에 婚姻을 시키는데 그 색시들의 살림 成績이 조키 때문에 뭇 총각、호래비로부터 求妻申込이 가끔 잇다는 것이다。그리고 더욱 珍奇한 風景은 救産所와 救生門인데 私生兒의 被殺을 막기 爲해 貧民 아니라도 助産을 請하는 女子면 얼마던지 歡迎할 뿐 아니라 産母의 住所、姓名、姙娠 關係 等엔 一切 不問에 부치는 것이요 아이를 나허노흐면 아이만 마를 뿐、産母는 언제던지 쏙 빠저 自由로 자최를 감초게 한다는 것이다 救生門이란、뒷골목 길에 나선 소슬大門 가튼 데다 어린애 하나 드려노흘 만한 구멍에다 함지 가튼 것을 노흔 것이다。그리고 어린애를 노흐면 함지가 눌리며 招人鐘이 울리도록 裝置되엿다。누구나 무슨 手續은커녕 얼굴 한번 내여노흘 必要도 업시 기르기 딱한 아이면 이 함지에다 갓다 노코만 가면 그만이게 되여잇다。罪는 덥고、不幸만을 救하는、聖스런 慈善機關이다。

여기를 나서니 午後 한時、여기 時間푸리로 열세時가 넘엇다 馬車를 타고 城內로 드러가 먼지와 金 글자와 뻘건 글자 투성이의 商店街를 한 바퀴 돌아서는 호텔로 오고 말앗다. 점심 먹을 시간도 업시 가방을 차저들고는 부리나케 停車場으로 나갓다.

東洋 第一의 快速車라는 大連 할빈 間의 特級 『亞細亞』 深綠色의 彈丸과 같은 流線型이다. 얼마 쉬일 새 업시 곳 奉天을 떠난다 이내 速力이 난다. 別로 振動이 업시 줄곳 等速力으로 제비가티 가볍게 다라난다. 새 理髮器械로 머리를 감는 때 가튼 感觸이다. 窓박근 그저 밍밍한 벌판이다. 登山 조와하는 친구들을 생각하고 그들이 이런 데 와 산다면 생각하니 사람 따라서는 平原도 地獄일 수 잇는 것이 우어웟다.

점심을 먹으러 食堂車로 가니 給仕가 모다 露人 少女들이다 하나는 히고 야위고 반듯한 이마가 映畵 「罪와 罰」에서 본 쏘니야 가텃다. 국적이 업는 白系露人의 딸들、鄕愁조차 품을 곳 업시 單調한 平原만 내다보고 사는 가엽슨 處女들 그들이 가저오는 한 잔 커피 — 는 술만 못지안흔 毒한 浪漫을 풍기는 것이엿다. 그런 커피 — 를 잔을 거듭하며 나는 내일 移民村을 찾아 끗업는 벌판에 외로운 그림자가 될 것을 걱정스럽게 생각해보앗다.

(六)[15]

저녁 여섯時가 지나서 新京에 다엇다. 驛을 나서니 바람이 씽 — 씽 귀를 치는데 廣場에서 放射線으로 뻐더나간 길들은 끄티 모다 어스럼한 저녁 속

---

15 『無序錄』에 수록될 때는 '新京'이란 절 제목이 첨가되었다. - 편자 주.

으로 사라젓다. 헌것이고 새것이고 삘딩들은 비인 것처럼 꺼시시하다. 外套 깃을 올리고 한참이나 기다려서 小型 택시 — 하나를 주엇다. 永昌路에 잇다는 滿鮮日報社를 가자 하엿다. 正面으로 제일 큰 길을 달려가는데 모다 애스팔트, 언덕이 진 데는 두부모 가튼 돌로 波紋을 그려 깔앗다. 市街地가 그냥 水平面이 아니요 군데군데 高低가 잇서 東京생각이 나게 한다. 큰 삘딩 하나, 혹은 두셋이 있는 사이엔 으레 무슨 會社 무슨 店 建築用地란 판장 울타리가 지나간다.

것는 사람이 적은 길 우에 차는 마음대로 다라난다. 한 十五 分 지나갓슬가 할 때에야 시뻘건 깃빨이 날리는 힌 삘딩 아페 머무르며 다 왓다 한다.

마침 그때까지 退社 안코 있던 橫步[16]、麗水[17]、台雨[18] 諸兄이 반가히 마저준다. 내 딴은 天涯地角에 온 듯한데 이 낫닉은 친구들이 책상에 턱 턱 자리 잡고들 안저 일하며 生活하는 모양은 그들이 딴 사람들 가튼 錯覺도 일어낫다 이내 麗水 兄 宅으로들 가서 훈훈한 뻬치카 아페서 새로 진 저녁을 먹으며 新京이야기로 또 移民村이야기로 서로 신세타령으로 질기다가 台雨 兄이 앞장을 서 밤 新京 구경을 나섯다.

해진 지 오랜 하늘이나 아직 西편은 파르스럼하다. 날카로운 별들이 뜨고 바람이 웅 — 웅 지나가는데 째릉째릉 하는 馬車 방울소리만이 말굽소리와 챗죽소리와 함께 멀리서 가까이서 지나간다. 집들은 모다 空襲이나 當하는 것처럼 불비치 적고 초저녁인데 억센 덧문들을 다덧다. 우리는 馬車를 타고 찬 별 깜박이는 하늘을 쳐다보면서 네온싸인이 만흔 거리로 왓다.

---

16 "橫步": 염상섭 - 편자 주.

17 "麗水": 박팔양 - 편자 주.

18 "台雨": 이태우 - 편자 주.

처음 드러선 집은 『몬테카르로』란 딴쓰홀、처량한 듯한 왈쓰멜로듸에 한 홀 그득 찬 男女는 물 우에 뜬 浮萍처럼 흐느적거렷다. 台雨 兄이 곳 그 속에 뛰여들 뿐、麗水는 나나 마찬가지로 茶만 마시면서 新京에 十 年을 더 산다 해도 딴쓰는 배울 것 갓지 못하다 하엿다. 다음엔 다시 馬車로 十 里는 되게 와서 滿洲人 旅館을 차젓스나 모다 滿員이다. 할 수 업시 旅館을 定해노코 열한時나 되엿는데 또 거리로 나왔다. 『開盤子』라는 여기 妓房 구경을 갓다. 그들의 旅館집 모양으로 드러서면 가운데는 마당처럼 되고 四方으로 三四 層의 客室이 欄干과 복도로 둘리엇다. 案內하는 대로 二層 한 방에 드러가니 찻주전자가 노힌 테불과 나무걸상들과 넓은 寢臺와 거울과 美人圖 鏡臺 等이 重要한 家具들이다. 麗水가 뭐라고 그들의 말로 交涉을 하니 곧 불이나 난 것처럼 큰소리가 낫고 여기저기서 數十 名의 게집이 우리 房으로 몰려들엇다. 손님 側에서 점지하는 대로 세 게집만이 남고는 모다 나가버린다. 가치 수박씨를 까먹고 가치 이야기만 하는 것으로 한 시간에 一 圓씩 그리고 子正이 지나면 營業 內容이 突變하여 娼婦가 된다는 것이다. 麗水와 台雨 兄은 꽤 지꺼리고 웃고 하나 滿洲語라고는 『만만듸』한 마듸박게는 모르는 나로선 소와 닭이엿다 한 시간도 답답해서 못다 안젓다 나온 우리는 白系露人들이 만히 사는 거리를 지나보앗다. 『카바레』라고 名稱되는 그들의 酒店은 그들 樂隊가 있고 그들 단싸 —[19]들이 잇서 손님이면 누구나 가치 추고 질길 수 잇는 것이 異國的인 風情인데 더구나 잠간 모힌 손님 속엔 露人、滿人、獨人、希臘人、그리고 우리 이러케 다섯 民族이 석겨저잇섯다.

　돌아오는 길에서도. 문 닫은 商店 아페는 열댓 집 지나서 한 국[20]대씩 시

---

19 "단싸 —": 영어 dancer - 편자 주.

20 "국"은 "군"의 오식 - 편자 주.

커먼 그림자가 하나씩 서고 안고 해잇섯다 盜賊을 직히는 夜番들로 零下
四十 度의 치위와 긴긴 밤에도 저러케 안거나 서서 새운다는 것이다. 하루
저녁 지키는 데 一 圓 멧 十 錢、白系露人들만의 단골 職業이라 한다. 憂鬱
한 밤거리요 憂鬱한 人生이엇다.

(七)²¹

이튿날 나는 일어나는 길로 麗水 兄에게로 달려가 移民村 事情에 밝은 멧
분에게 紹介를 바덧다.

滿洲에서 가장 오랜 편이요 가장 큰 問題가 이러낫던 곳이요 가장 먼저
朝鮮人의 손으로 큰 水路가 荒蕪地를 貫流하게 된 데가 萬寶山 一圓인데 萬
寶山의 여러 部落 中에도 新京서 가기 便利한 곳은 『쟝쟈워후(姜家窩堡)』란
곳이라 한다. 그러나 알고 보니 거기도 그리 交通이 便한 곳은 아니다. 新京
驛에서 白城子行을 타고 두 停車場 만에 내려서 朝鮮 里數로는 한 三十 里
드러가야 朝鮮移民의 집들이 나타나기 시작한다는 것이다. 朝夕으로 두 번
박게는 업는 아침車는 벌서 노첫거니와 車에서 나려 三十 里가 문제다. 집
들도 그리 업슬 荒原일뿐 아니라 滿洲語를 모르는 나로 길을 물어 갈 수는
업슬 것이다. 馬車를 交涉해봐도 안되고 小型 택시 一 를 알아봐도 갈 수 업
다는 것이다. 이왕이면 새로 드러와 處女地에 괭이를 찍기 시작하는 部落을
보고 시펏스나 그런 部落을 보려면 間島省으로 가서 集團入植(移民)을 하는
대로 가야 본다는 것이다. 그것은 滿鮮拓殖會社의 이름이나 國策으로 되여

21　『無序錄』에 수록될 때는 '쟝쟈워후'란 절 제목이 첨가되었다. - 편자 주.

지는 것이기 때문에 名色 업시 차저가기도 어렵거니와 거기도 安圖縣 가튼 데가 그런 地域인데 明月溝란 驛에서 나려 가까운 入植地가 五六十里、그 담에는 百里 二百里식 奧地로 드러가야 하고 아직 그곳에서들은 나무 하나를 찍으러 가더라도 警士 혹은 軍人이 따라가 警備를 해주는 形便이라 하니 그런 데를 單身으로 드러가자면 먼저 武裝이 必要하고 武裝을 한다 해도 그 야말로 覺悟가 업시는 나설 수 업는 것이다. 이런 新入植地는 斷念하고 萬寶山『쟝쟈워후』로나 가기로 決定하니 마침 어디서 消息이 오기를 내일 아침車엔 新京에 왓던 그곳 朝鮮사람들의 도라가는 편이 잇다는 것이다. 마음 노코 新京서 하로를 묵고 이튼날 아침車에 나가니 麗水、台雨 兄이 나와 滿洲 服色을 한 朝鮮 靑年을 차저내준다. 그 靑年을 따라가니 조선 두루매기를 입은 사람도 둘이나 잇고 所謂 自由移民인 中年 양주가 안해는 젓먹이를 업고 더벙머리 계집애 하나를 꼭 끄러안고 안젓고 남편은 동저고리 바람으로 바가지 달린 왕산만한 짐작을 들고 어따 노아야 할지 몰라 두리번거린다. 車 안은 푸른 옷빗과 더러운 銅錢에서 나는 것 가튼 냄새로 그뜩 찻다. 제時間에 떠나기는 하나『慢慢的』이다. 가려고 하기보다는 서려는 狀態를 繼續하는 것이다.

이 同行하게 된『장자워후』사람들은 베를 팔러 또 도야지를 팔러 新京으로 왓던 사람들이다. 곡식은 대개 가을에 朝鮮人 精米業者들에게 한목 팔아버리는 것이나 糧米를 조곰 넉넉히 남기엿다가 돈 쓸 일이 생기면 쫄금쫄금 팔아 쓴다는 것이다. 그들이 新京서 사가지고 가는 물건은、옷감、양말、고약、비누、성냥、사기그릇、실、바눌、냄비、씨앗、편지지、그리고 유성기판을 하나 사던 사람도 잇다.『新담바구타령』이란 것이다. 또 布木店에서 삿는지 어덧는지 필육 감앗던 널판대기도 한 쪽 짐에 꼬처잇다. 여기선 두 가지 貴物이 잇는데 돌과 나무라 한다. 돌은 사올 수도 업서 주춧돌을 노코 집을 세우는 집이 별로 업고 널쪽도 문패만한 것 하나라도 新京서 사다 쓰는 수박게 업다는 것이다.

『朝鮮은 벌서 풀이 도닷겟죠?』 혹은

『양지짝 산엔 진달래도 폇슬 걸요?』

이런 것들을 뭇는 그들의 눈은 거섬프레해지며 五六 年 혹은 十餘 年 前에 떠난 故鄕山川을 追憶하는 모양이다 젓메기를 업었던 어머니는 띄를 풀어 안고 젓을 빨린다. 이곳 사람들이 떠드러대는 바람에 눈이 휘둥그럿다가도 젓메기를 나려다 볼 때만은 그의 야윈 볼에도 어설피나마 우슴이 어리는 것이다. 男便은 자리가 업서 그저 짐작 여페 서서엇다.

(八)[22]

우리는 한 五十 分 뒤에 小合隆이라는 驛에서 나리엿다. 驛에는 銃을 멘 巡警이 섯다가 봇다리를 모조리 끌러 檢査를 하고 한 사람씩 내여보낸다. 驛舍는 모두 벽돌인데 門들은 下半이 鐵甲으로 되여 有事時엔 驛 全體를 砲臺로써 應戰할 수 잇게 되엿다. 驛을 나서니 鐵道 官舍가 두어 채、土民의 오막사리 酒店이 한 채、그리고는 길이 따로 잇스나마나한 벌판이다.

『물덜 먹을 사람은 여기서 아에 먹구 갑시다』

하고 酒店으로 드러가 술도 한잔 하고 나오는 사람도 잇는 눈치다. 가는 길엔 먹을 물도 벤벤치 안흔 모양이다. 봇다리를 낀 사람、진 사람、아이를 업은 그 어머니、큰 고무신을 철덕철덕 끌면서 어머니의 치마꼬리에서 떠러

---

22   『無序錄』에 수록될 때는 '바가지'란 절 제목이 첨가되었다. - 편자 주.

지지 안는 소녀, 밀방을 고처가지고 全財産의 봇다리를 걸머진 그 男便, 나는 그 봇다리에 매여달린 바가지 쪽을 바라보면서 그들의 뒤를 따라 것는다.

조선사람은 얼마나 저 바가지와 함께 살고 시퍼 하나? 바가지로 샘을 푸고 바가지로 쌀을 일고, 바가지로 장단을 치고 産母의 첫 국밥도 저 바가지로 먹는다.

어대로 가나 저들은 박 덩쿨 엉킨 집웅 밋치 그리울 것이요 흥부와 놀부가 박 타는 이야기는 淳朴한 저들의 永遠한 眞理요 道德이요 즐거움일것이다. 박이 여므러 볼 새 업시 서리가 와버리는 이 北녁 나라에선 故鄕에서 달고 온 저 멧 쪽의 바가지들이 저들에겐 祖上 적 기물이요 故土를 생각하는 唯一의 앨범일 것이다 거로도 거로도 길이나 展望이나 變化가 업다. 벽도 흙이요 집웅도 흙인 土民들의 집들이 한둘씩 나타낫다가는 지리하게도 안 사라질 뿐, 도야지를 數十 마리를 몰고 나오는 사람, 家族을 말 다섯 匹에 끌리는 수레에 태우고 新京 구경을 가는 듯한 사람들을 만낫슬 뿐, 새도 까치도 별로 볼 수가 업다.

『어디서 떠나오십니까?』

『기장서 옵니더』

바가지 달린 봇다리 主人의 대답이다. 『기장』이란 慶南、東萊 어디 이름이라 한다. 전에 이웃사람이 먼저 와 사는데 農土는 흔하니 드러오라 해서 차저오는 길이라 한다.

西北편만 向하고 한 十五 里를 걸으니 물밑도 보히지 안는 누 — 런 개울물이 어름장을 이끌며 흘러간다. 이 개울물이 上流에선 地帶가 좀 놉기 때문에 우리 移民들이 거기서 봇통을 내여 가지고 논을 푼 것이라 한다. 거터 안즐 돌멩이 하나 업기 때문에 길 우에 퍼더버리고 안저서 한참씩 쉬여가지고 다시 한 十五 里 거르니 여기서부터 논이 나오기 시작한다 논이라야 베

그루가 여간 성기게 박히지 안헛다 正租植도 아니요 논둑들도 아이들이 물
작난으로 막아노핫던 것처럼 물러안젓다。 오래간만에 힌 빨래 넌 울타리가
보힌다。 노 — 란 잇짚 집웅과 잇짚 나까리들이 아득한 地平線 우에 드러난
다 보히는 것만으로는 느려지게 거러서야 그 마을 아페 이르른다 봇도랑이
나온다。 그 有名한 萬寶山事件을 일으킨 보ㅅ도랑이라 한다。

바닥 널비는 十 二三 尺、 우윗 널비는 廿 一二 尺의 全長 廿餘 里의 大幹
水路다。 이곳 勞働者『苦力』들도 만히 부렷지만 大體로 우리 移民들의 血汗
으로 完成된 꽤 大規模의 工事엿다。

물 마른 보ㅅ도랑 여페는 여라믄 살 된 조선옷의 소녀가 갓난이를 업고
서서 우리를 멀 — 거니 처다본다。 금잔띄 언덕도、 금모새 강변도 이 少女에
게는 神話와 가튼 것일 것이다。

(九)²³

이 봇도랑의 마을을 지나 또 한참 그냥 거러야 學校도 잇는 큰 마을 『장쟈
워후』다。 붉은 양철 집웅의 한 채가 學校다。 그냥 벌판보다 마을이 도리어
더럽다。 발을 한참씩 골라 디저야 하게 군데군데 수렁인데 도야지가 한 떼
씩 몰려다닌다。 집들은 가까이 오니 수수깡울타리에 무쳐버린다。 맨 수수
깡나까리요、 집나까리요、 또 그런 검불투셍이다。 담배불 하나만 떠러저도
온 洞里가 타버릴 것 갓다。 이 울타리 저 울타리에서 아이들이 나온다。 개도
나오고 닭들은 쪼껴 드러가고 가치 오던 사람들은 서로 저이 집으로 가 점심

23　『無序錄』에 수록될 때는 '배는 부른 마을'이란 절 제목이 첨가되었다。 - 편자 주。

을 먹자고 請한다。中國옷 입은 朴 氏의 집으로 따라 드러갓다。

이 집도 수수깡울타리가 바람에 솨 — 솨 — 울린다。마당에 볏집과 수수깡나까리가 山 갓다。火木이 따로 업스니까 一 年 내내 穀草를 땐다는 것이다。한일자 집 가운데로 난 문으로 드러가니 그냥 흙바닥 부엌이다。양여프로 방들이 달렷는데 그냥 맨땅인 채 드러서니 신 벗을 만한 공지를 두고는 中國式 높은 溫突 캉²⁴이라는 것이 되여잇다。갈자리가 깔려잇다。

올라안즈니 窓부터 처다보힌다 南向으로 미다지를 가로 부친 것 만한 큰 들창 벽에는 滿洲國地圖 한 장、滿鮮日報로 도배가 되엿다。北편으로는 갈자리를 깔다가 모자랏는지 곡식 부대가 그뜩 싸혀잇다。들창에 부튼 유리쪽으로 내다보니 키가 한 길이 넘고 통이 세 아람은 됨직한 수수깡발로 여러 벌 둘러치고 영을 이어논 깍다우리가 잇다。소 멕일 깍지냐 무르니 여긴 소가 업다 하며 깍지가 아니라 광이 업스니까 베를 그러케 너허두고 먹는다는 것이다。쥐는 먹지 안느냐 하니 먹는다야 메 푼어치나 먹겟느냐 한다。그리고、닭도 도야지도 가끔 쑤시고 먹지오 한다。그들이 낫알에 이만치 寬大한 것만은 잠시 한 끼 손님이지만 過한 페가 아닐 듯싶어 기쁘다。배가 고프다。다리도 아프다。아무 소리도 들리지 안는다。窓유리에 비치는 것은 하늘뿐、窓을 연다야 여태껏 허덕허덕 헤염치듯 해온 히멀건 空間일 따름일 것이다。커 — 다란 單調가 숨이 마키게 꽉 누른다。아무것도 무러보거나 생각하거나 할 맥시 업서진다。그저 입을 떡 버리고 바보가 되여 누어버렷스면 조흘 環境이다。

밥상을 보니 정신이 좀 난다。이밥이다。胚芽米밥처럼 누르다。국은 시래기 새우가 어쩌다 한 마리씩 나온다。배추김치가 노혓는데 고추보다는 고

---

24 "캉": 중국어 "炕"(온돌)의 발음 - 편자 주.

추씨가 더 燦爛하다. 그리고는 유기쟁첩에 통고추가 노혓다. 허 — 여케 뜬
것, 시커머케 언 것들을 말렷다가 밥솟에 찐 듯한데 저것을 어떠케 먹나 하
고 主人이 먼저 먹기를 기다렷더니 먼저 그것을 그냥 간장에 꾹 찍어 먹는
것이다 나도 하나 씩 — 씩거리고 먹어보앗다. 이 거이 原料 그대로인 세 가
지의 菜蔬만으로도 나는 再昨年 腸感 以後로는 처음 달게 먹어보는 음식이
엿다. 수북수북 떠주는 대로 네 공기나 밥을 먹엇다.

『이전 뱃속은 아무걸루던지 채웁니다만…』

밥을 더 먹으라 勸하며 이런 말을 하는 主人에게 더부러 食困에 작고 하
품이 나고 눕고만 시픈 입을 억지로 디실려가며 나는 다시 이런 것 저런 것
을 뭇기 시작한다.

(十)²⁵

『농작물은 대개 어떤 겁니까』

『벼、조、수수、모밀、콩、옥수수、감자、대개 그런 것과 채소지오』

『여기 와 지내는 분들은 생활 정도는 평균합니까?』

『꼭 갓다군 할 수가 업습니다 이 장자워훈 만보산사건 일어난 후로 벌써
여러 해 아닙니까 아마 이민부락으론 꼴은 이래두 기중 자리 잡힌 편인가 봅
니다. 그리게 시찰단이 오면 흔히 이 동네로 다리고 오드군요』

『이 동넨 다 자작농입니까?』

25　『無序錄』에 수록될 때는 '여기 전설'이란 절 제목이 첨가되었다. - 편자 주.

『자작농은 별로 업습니다 모다 만인[26]의 땅을 차입해가지고 하니까 결국 소작 셈이죠 애초에 이 만보산에 드러온 사람들이 돈을 모아가지구 황지차입운동(荒地借入運動)을 한 겁니다』

『네 자세 좀 말씀해주십시오』

『호(胡)가란 여기 사람을 구문을 주구 내세서 신경 잇는 만주인 부호의 땅을 오백 상(五百垧、一 晌 二千 坪) 지길 차입한 겁니다 그때 계약 관계는 지금 다 이젓습니다만……』

『네』

『그런데 이 근방에 만주인 토민들이 들구 일어남니다 그려』

『왜요?』

『조선사람이 와 논을 풀어노면 저이 밧들이 결단난다구 들구일어낫습니다』

『왜 그 사람 네 밧이 결단납니까』

『오시면서 보섯지만 여긴 벌판이 모두 장판방 갓지 안어요? 그러니까 논에서 나오는 물이 빠질 데가 업습니다 저 가구픈 대루 사방으로 흐터지니까 그 옆에 있는 밧들이야 사실 결단이조』

『그럼 그 사람네두 밧을 논으루 풀면 좀 조와요?』

『그 사람 넨 수종할 줄 모릅니다 그리구 무슨 사람들이 이밥을 먹으면 배가 아프답니다 그려 그리구 베농살 저논는대야 베를 어디 갓다 팔아야 할지두 모르구요 … 그저 답답히 저이 먹을 것 저이 밭에서 소출시키는 걸 기중 안전하게 생각하니까요』

『그래서요? 반대운동이 어떠케 됏나요?』

『그 사람 네들도 사실 우리가 널비가 이십여 척이나 되는 큰 수로를 내니

26　"만인": 만주(滿洲)의 본토인을 말한다 - 편자 주.

까 단단히 서두르드군요 여러 백 명이 관청으로 달려갔습니다. 조선사람 때문에 저이가 못살게 된다니까 관청에선 개간권을 허가해주고도 무책임하게 모른다고 내댑니다 그려 백성들은 조선사람들한테 양식두 안 팔죠 우물도 못 쓰게 허죠 그때 생각을 하면 …… 결국 우리두 사생결단으루 대들 수박겐 업섯습니다 아 가저온 양식 가저온 밋천을 그 땅 차입하는 운동과 봇도랑에 집어너 봇도랑이 거이거이 완성돼 가는데 가라니 어딜 갑니까? 갈 노자도 업고 가서 농사 준비할 미천이 잇서야죠? 그걸 물어준다고 하더라도 이십 리나 되는 봇도랑을 내계 우리가 피땀을 어떠케 흘렷는데 …… 황차 그저 어디로구 가라구 내댑니다 그려 토민들은 우리가 파는 봇도랑을 군데군데서 작구 메웁니다 그려 그러면 우린 또 달려가 그들을 죽일 드시 으르대구 또 파냅니다 그려 말이 우습지 참 사생결단하는 투쟁이더랫습니다 우린 밤에도 팟습니다 나중엔 토민들이 다시 관청으루 가 야단을 처 결국은 중국 군대가 나와 총을 막 쏘게 됏됏습니다 머리 위로 총알이 씽 — 씽 지나가지만 우린 이래 죽으나 저래 죽으나 죽긴 마찬가지라 그냥 도랑 속에서 흙만 파냇드렷습니다』

하고 주인은 그때 광경이 눈속에 새로운 듯 땀 업는 이마를 멧 번 문지른다.

(十一)[27]

그러나 그때 그들의 총알에 命中된 사람은 하나도 업다 한다. 멀니서 威脅하노라고 彈丸이 空中으로만 지나가게 쏘아 그런지 한 사람도 傷한 사람

27　『無序錄』에 수록될 때는 '山不高 水不麗'란 절 제목이 첨가되었다. - 편자 주.

은 업섯고 멧 청년들이 잡혀가 여러 날 가치엿다가 나왓슬 뿐인데 오히려 朝鮮에서 彼此에 殺傷이 생겻다는 것은 여간 遺憾이 아니라고 한다.

아모턴 軍隊의 出動은 別問題로 하고 萬一 그 土民들이 殺生을 질기엿다면 그 土民들의 몽둥이에라도 犧牲者가 업지 못햇슬 것이다.

나는 이 朴 氏의 案內로 洞里와 學校를 구경하엿다. 집들은 戶數도 二十戶 以內거니와 中心이 업시 散在 그대로두. 집 모양은 모두 朴 氏 집 본이다. 모다 수수깡 울타리 안에서 팔장을 끼고 햇볏을 쪼인다. 播種은 늦고 秋收는 일르니까 農閑期가 南朝鮮보다는 倍나 길다 한다. 釀造는 自由로 술이 익으면 서로 請하는 것이 이웃 간의 樂이요 個人으로 樂은 彩票의 꿈이라 한다. 滿洲國에서 每月 一 回씩 一 圓씩에 파는 萬 圓짜리 彩票이다. 이 나라에 居住하는 사람으로는 누구나 살 수 잇는 것으로 每月 한 사람씩은 頭彩가 빠지는 것이요 頭彩면 一 圓 내고 萬 圓을 타는 것이다. 朝鮮사람으로도 新京서 기름장사 하던 老婆와 어떤 會社 給仕로 잇던 少年이 타먹엇단 것이다.

『그거나 빠지면 우리도 다시 한 번 고향산천에 가 살아볼가요 …… 그러치 못하면 밤낮 이 꼴이다가 호인들 밧머리에 무치고 말죠 …』

이것이 그들의 唯一한 希望이요 또 슬픔이기도 할 것이다.

學校도 역시 『투피』[28]란 흙벽돌로 올려싸아가지고 함석을 잇고 유리창을 박은 것뿐이다. 마루도 업시 흙바닥이다. 一二 十 里 周圍로 널려잇는 여러 部落으로부터 近 百 名의 아이들이 모힌다 한다. 마침 放學 中이여서 이 洞里 아이들만 七八 名이 모여서 해진 풋뽈을 차고 굴리고 하고 잇다. 애초엔 移民部落들이 聯合해가지고 設立 維持한 것인데 인전 滿洲國서 引受해가지고 그들의 方針 下에서 經營되는 것이니까 不遠하여 敎科書나 敎員에 變動

---

28 "투피": 중국어 "土坯"(흙을 다져 만든 벽돌)의 발음 - 편자 주.

이 생길 것이라 한다. 그것보다 오히려 萬寶山 一帶는 首都의 隣接地라 國境地帶나 마찬가지로 朝鮮人移民地區가 아니니까 언제 어떤 整理를 當할지 測量할 수 업다는 것이다.

午後 세시가 되는 것을 보고 나는 저녁 일곱시 車를 타러 小合隆을 向해 혼자 『장자워후』를 떠낫다.

나는 내일이나 모래면 山高水麗하다 해서 高麗란 나라이름까지 생긴 내 故鄕 錦繡江山에 드러서려니 생각하니 荒漠한 벌판에 남는 저들을 한 번 더 돌아볼 염치가 업서진다.

수굿하고 거러 아까 그 봇도랑의 마을로 오니 八九 歲짜리 少年 셋이 수수깡 속과 껍질로 안경을 하나씩 만드러 쓰고 수수깡 속을 卷煙처럼 하나씩 물엇다 뽑앗다 하며 이런 노래를 부르고 노는 것이다.

『유꾸리[29] 천천히 만만듸[30] 다바꼬[31] 한 대 처우옌바』

나중에 알고 보니 『처우옌바』는 담배를 피우자는 滿洲말이엿다.

한 시간 뒤에는 잇짚 집웅들도 흰 빨래 울타리들도 다 사라젓다. 멧새 한 마리 날지 안는다. 어린아이처럼 타박거리는 내 발소리뿐 나는 멧 번이나 발소리를 멈추고 서서 귀를 밝혀 보앗다. 아 ― 모 소리도 오지 안엇다.

그 悠久함이 바다보다도 오히려 호젓하였다.

― 『朝鮮日報』, 1938년 4월 8일 ~ 21일, 11회 연재

---

29 "유꾸리": 일본어 "ゆくり"(천천히) - 편자 주.

30 "만만듸": 중국어 "慢慢的"(천천히) - 편자 주.

31 "다바꼬": 일본어 "タバコ"(담배) - 편자 주.

江南紀行

大連에서 姜鷺鄉

第一信
船夜·旅宿·鄉愁

理想에 운다!

現實이 너무 좁으냐? 너무 貧弱하냐? 나는 그 對答을 기다릴 틈도 없이 다시금 朝鮮을 떠나고 말엇다. 事實 내 理想은 하늘 끝처럼 높고 높다. 그 것이 이 現實과 보담 가까우면 가까울수록 나는 朝鮮은 안 떠낫을 것이고 또 理想에 嗚咽하지도 안흘 것이다.

그러나 나는 이제 理想에 운다 괴로운 몸과 마음을 뎌隆丸 船室에 실허노 코 보니 그제야 安穩한 餘裕와 沈着을 느꼇다. 이 배는 大連을 向해 出帆한 다. 三等船室은 超滿員을 이루웟다. 그 殆半이 天津行의 船客들이다. 바로 내 옆에는 脂肪냄새를 풍기는 賣春婦 四、五 名이 자리를 잡고 잇엇다. 煙氣 를 품은 듯이 混濁해 보이는 厭女들의 눈과 눈이 어쩐지 내 마음까지 어둡게 하엿다.

그러나 바다에서 밤을 마지하자 침침한 불빛 밑에 피는 夜話는 자못 즐것 운 것이 잇엇다. 즉、그들이 가슴에 품고 잇는 輝煌燦爛한 明日의 꿈이 너무 나 엄청나고 너무나 甘美하고 愉快하엿다는 그것이다. 옆에서 그 夜話를 들으면서 나는 다만 나도 몰르는 사이에 서늘한 微笑를 흘리고 잇을 뿐이엇다.

子正이 지나서 船體가 제법 上下動을 하엿으나 그래도 나는 뱃멀미를 하지 안헛다. 그것은 仁川 出帆 前夜에 仁川道立病院에 勤務하는 申 氏에게 鎭靜劑와 其他 뱃멀미에 듯는 몇 가지 藥을 가지고 왓기 때문이다. 나는 그 藥들을 먹고 나서 오롯한 船窓 넘어로 바다를 바라보앗다.

밤바다는 휜 ― 하엿다. 열사흘 달이 뚜렷히 보엿다. 아마 이때쯤 되면 바다의 寵兒 갈메기의 두 눈도 어지간이 조름겨울 것이다.

나는 도루 자리에 들어누엇다. 문득 옆을 보니 거이 胸部를 풀어 헤트리고 例의 賣春婦들이 꿈을 꾸고 잇다. 나는 그만 눈쌀을 찦으리며 이쪽으로 돌아누어버렷다.

晉州에 남겨노코 온 南의 생각이 나고 뒤니어 京城에 잇는 文友들의 얼골이 하나하나 눈에 떠올른다 떠날 때 인사말로는 約 一 個月 假量이면 돌아오리라고 말하엿으나 其實 몇 달、몇 年이 될지 期約할 수 없는 旅路다. 나는 一 個月 前 생각한바 잇어서 十餘 年만에 처음으로 故鄕을 찾어갓다. 後代 子孫들의 손길의 感觸을 받지 못한 先祖의 山所에 看墓를 하고 또 정성드려 伐草를 하고 돌아왓다. 오래간만에 본 故鄕의 風貌엇으나 나는 어쩐지 아모런 感慨도 일어나지 안헛다. 단지 앞 시내가에 잇는 蒼然한 水車간이 내 少年時節을 어렴풋이 追憶에 불러내엇다고나 할까 …… .

허나 古西城 기슭에 외로이 떨어저잇는 아담한 酒幕집에서 濁酒를 몇 잔 기우리며 求禮서 흘러왓다는 몹시 肉感的인 그 酒幕 안主人이 불러주는 六字백이의 旋律 속에서 나는 異常하게도 몇 世紀 前의 朝鮮 古代小說 ― 其中에도 深深한 山ㅅ골의 山賊 이야기를 聯想하기도 하엿고 또 속으로 하나하나 역거보기도 하엿다. 그리고 이 酒幕 안主人은 어떤 山賊의 首領의 마누라로 들어앉으면 제법 格에 마지리라는 생각까지 들엇다.

深夜의 船室에서는 이런 追憶이 모두 그리운 것이엇다. 十四日 正午 배는 大連에 入港하엿다. 나는 여기서 上海行의 船便을 기다려야 되는 것이다. 나는 트렁크를 들고 上陸하엿다. 찾어들어간다고 간 것이 大同旅館이라는 朝鮮旅館이다 旅館 附近에는 公園이 하나 잇엇다 그래도 나는 春節이면 滿洲 一帶를 휩쓰는 萬丈의 黃塵 때문에 外出을 모하고 旅館에 처백혀잇을 수밖에 없엇다. 몸이 으시시 추워오는 것을 보니 아마도 감기 氣味인가 보다.

旅館에도 亦是 北支 方面으로 가는 旅客이 만헛다. 밤이 되자 그들 中의 한 사람이 露西亞街에 散步를 나가자고 끌엇으나 나는 微笑로서 謝絶하고 자리에 들어누어버렷다.

上海行의 배는 來日 正午에 出帆한다고 한다. 이 밤이 새면 나에게는 또 먼 一 航海가 시작되는 것이다.

第二信
明暗、上海航路

가뜩이나 즐거운 날이 없는 나에게 또 氣候와 水土의 變調로 나는 近 一 個月이나 시름시름 알엇다 몇 번이나 붓을 들고 싶엇으나 健康이 許諾치 안는 데야 어쩔 수 없엇다. 이번 旅行記의 稿를 굳게 서로 言約한 R 씨에게도 未安할뿐더러 그동안 궁금한 나머지 여러 번 書信을 보내준 여러 文友에게 아울러 謝意를 表한다.

지금 그리운 鄕土夢의 情緖를 멀리 느끼며 다시 이 붓을 들엇다.

大連서 定期的으로 出帆하는 上海行의 奉天丸은 約 五千 噸의 巨大한 船體엿다. 이 奉天丸은 靑島에 三 時間 假量 寄港햇다가 上海로 航海하는 것

이다. 東洋第一을 자랑하는 大連埠頭는 으리으리하게도 豪華로윗다. 나를 태운 奉天丸은 四月 十六日 午前 十一時에 이 埠頭를 出帆하엿다.

나는 生後 처음으로 外國 航路의 二等船을 타보앗다. 그것은 내게 그만한 餘裕가 잇엇던 것도 아니고 그 實은 大連의 知友 한 사람이 자기 주머니를 탈탈 털어서 二等船票를 선사한 것이다. 그 知友는 내가 몸이 弱한데다 먼 一航海에 지처 或是 배ㅅ멀미나 하지 안흘까 하는 念慮로 二等船票를 선사한다고 하며 豪氣롭게 우섯다. 나는 그의 손목을 잡고 오직 感謝할 다름이엇다.

배 안은 如前이 混雜을 이뤗다. 二等船室도 거의 滿員에 가깝고 三等船室은 定員이 超過하야 자리를 잡지 못한 船客들은 食堂의 椅子에서 바다의 꿈을 準備하고 잇엇다.

亦是、船客의 殆半은 娘子群이엇다. 그 中에는 十三、四 歲밖에 안 되어 보이는 어린 少女도 잇엇다. 구석진 곳에 蓄音機 소리가 드린다. 그쪽으로 視線을 돌리니、가벼운 트롯의 曲에 마처 땐서 一 風의 두 女子가 서로 맛물어 땐스를 하고 잇다. 저편 구석을 보니 中支[01]로 팔려가는 상 싶은 어떤 女子가 흙 흙 느끼고 잇다. 슬픔을 하소할 길 없어 곁에 앉은 同僚에게 가끔 우름석인 소리로 무엇을 중얼거리는 소리를 들으니 確實이 慶尙道사투리다.

『우리들은 어디로 간다나?』

『몰라 ……』

이 구석 저 구석에서 娘子群들은 자기네들의 가시 만흔 人的 行路의 方向을 서로를 물어보는 모양이엇다. 그러나 눈앞은 限定 없이 넓고 갈 길은 너무나 멀 一 다. 그들의 괴로운 行路가 끝나는 날 아마도 그들의 人生도 끝나고 말 것이다.

---

01 "中支": 지나(支那), 즉 중국 중부 - 편자 주.

悲劇이다! 그리고 夕陽은 멀 — 리 水平線으로 기우러저간다.

나는 甲板 위를 얼마동안 거닐다가 二等船室로 돌아가는 途中 意外에도 大同大學 時代의 張陰桐 君을 만낫다. 邂逅의 반가움에 어쩔 줄을 모르고 우리는 그동안의 生活을 이야기하엿다. 들으니 張 君은 三 年 前 와세다(早稻田)대학 政經學部에 留學햇엇는데 今番 事變으로 因하야 昨年 七月에 歸國햇다는 것이다. 그리고 지금은 北京 中華民國新民會指導部의 일을 보고 잇다고 — 그는 밤 깊도록 東洋의 諸 情勢를 이야기하고 아울러 自己의 抱負와 信念을 披瀝한다. 그는 그의 故鄕인 蘇州에 다니러 가는 길이엇다.

十七日 午前 八時에 배는 靑島에 寄港하엿다. 船客의 三分之 二는 靑島에서 내려버렷다. 埠頭에는 憲兵 七、八 人이 警戒를 하고 잇엇다. 事務長의 말을 들으니 靑島 上陸者 以外의 船客은 絶對로 上陸을 許치 안는다는 嚴則이다. 그래도 幸여 하고 나는 憲兵에게 二 時間 可量의 上陸漫步를 交涉해보앗으나 憲兵隊의 證明書가 없는 限 許可할 수 없다는 것이다.

할 수 없이 上陸을 斷念하고 食堂에 가서 麥酒를 한 잔 마시고 甲板에 서서 戰火를 입은 靑島의 市街를 展望하엿다. 靑島에는 二、三 次 들린 일이 잇엇는데 어쩐지 그때마다 남은 印象은 蕭條 그것뿐이엇다. 그러한 靑島가 이번에는 아주 荒廢한 것이 아닐까 … .

靑島에 戰禍가 미치기 前에 日本軍艦의 入港을 두려워하야 그 水路를 遮斷하라는 蔣介石의 指令 下에 靑島의 中國軍은 自國의 船泊을 港內에 自沈식힌 일이 잇엇는데 그 船泊들의 殘害가 내 눈에 歷歷히 보엿다.

上海 入港은 十八日 午後 二時 頃이엇다. 나는 트렁크를 들고 上陸하엿다. 내 옆에는 張 君이 잇엇다 나를 마종 나온 사람도 없고 또 그것을 바라지도 안는 寂寞한 午後의 港口엿다. 택시에 오르니 그제야 비로소 새삼스럽게도 黃浦江畔의 感慨가 울어나는 것이엇다. 戰禍를 입고 허무러진 滬江大

學、吳淞砲臺、江畔의 竹林 細柳 等等 아직도 가느다란 呼吸을 게속하고 잇는 것 같앗으나 疲勞해진 그 悲慘한 形骸에는 내 自身까지 憂鬱해저오는 것이엇다. 그리고 繁華를 자랑하던 웨이·싸이드[02]의 한복판 내가 自動車를 달리고 잇는 이 港街의 心臟部의 荒廢함은 어떠냐! 너무나 달러진 現狀에 戰亂과 함께 살아진 아득한 昔日이 오히려 바로 내 눈앞에서 서성거리는 것 같다. 世紀의 受難! 그리고 그 受難의 記錄이 여기에도 잇다.

第三信
虹口 一帶 素描

虹口 一帶는 이번 事變에 支那軍의 砲擊을 가장 만히 받은 地帶다. 밤의 豪華版、上海의 歡樂街 北四川路 一帶는 當分間 再起不能의 現象을 呈하고 잇으며 아직 이 地帶는 銃劍을 가진 警備兵의 姿態를 볼 수가 잇다. 軍의 許可를 얻어 戰禍를 입은 店鋪들을 곳처서 營業을 始作한 집도 몇 집 잇으나 그것의 殆半은 飮食店들이엇다. 北四川路에서 老靶子路로 돌아들면 거리는 俄然 活氣를 띠엇다. 朝鮮民會 앞을 지나 吳淞路로 들어서면 여기는 宛然히 日本街의 感을 가지게 할 만큼 日本店鋪가 櫛比햇다. 事變 後부터 느는 것은 오직 商店뿐이라는데 그래도 吳淞路 一帶에 陣을 치고 잇는 이 大小 商店들의 收入이 事變 前보다 엄청나게 만타고들 한다. 하기야 日支聯絡船이 入港할 때마다 滿員을 이룬 四、五百 名의 船客들이 上海의 거리에 쏘저 나가는 現狀이니까 거기에 正比例하야 그도 그럴 법하다.

---

02   웨이·싸이드: 영어 wayside - 편자 주.

現在 上海朝鮮民會는 養正幼稚園으로 經營하고 잇다. 어느날 民會 職員의 案內로 어린 그들의 律動을 參觀한 일이 잇엇는데 먼 — 海外에서 보는 어린 그들의 姿態가 한층 더 사랑스러웟다. 嫄姆 되시는 李 氏는 不得已한 事情으로 머지 안허 그 職을 辭한다고 하는데 어디 맛당한 保姆가 잇으면 紹介를 해달라는 民會 職員의 付托이 잇엇다. 月給은 六十 圓, 거기에 便이 居處할 洋室을 준다고 하며 赴任 時에는 따로 赴任費를 支拂한다고 하엿다.

現在 在留總數는 事變 前보다 훨신 超過한 모양이다. 앞으로 船便마다 五、六百 名씩 쏟아질 豫想이니 그들의 눈에 비치는 上海 景氣도 어지간한 모양이다.

이번 事變바람에 朝鮮人 中에는 數千 圓 乃至 數萬 圓을 잡은 사람이 제법 잇엇다. 大槪 陸海軍慰安所 營業이 아니면 煙草장사를 한 것이엇다. 그래 남의 使用하던 것이나마 中古品의 自動車를 가진 사람이 만타. 그러나 지금은 그런 營業도 한물 지낸 모양이다.

밤의 通行은 午前 一時(上海時間)까지다. 間或 時限 지낸 줄도 모르고 醉中漫步를 하다가 留置場 行을 하는 사람도 더러 잇으나 通行時限만 지나면 軍部 自動車의 엔진소리도 조심스럽다. 그래도 밤이야 깊엇던 말던 이집 저집에서 흘러나오는 蓄音機소리에는 진저리가 날 지경이다.

날이 더워젓다.

이곳저곳에서 虎列刺 患者가 생기게 되어 當局에서는 그 防役에 奔走하는 모양이다. 앞으로는 一般 通行人에게 『虎列刺注射完了證』의 有無를 調査할 方針이라고 한다. 事變을 겪고 난 上海는 이제 夏節을 마지하면서 또 새로운 恐怖에 떨고 잇는 것이다.

上海의 더위는 벌서 華氏 九十 度를 훨신 넘어섯다. 그러나 해가 설핏해지면 시원한 바람이 불기 시작하야 밤이 지터지면서부터 그 바람은 氣味 나쁜 濕氣를 띠고 몰려온다. 때로는 이 바람이 暴風雨를 부루기도 하엿다.

오날은 五月 卅一日! 卽 다시 말하면 五、卅一暴動記念日이다. 一九二五年 初春 以來 上海日本紡績會社에서는 支那 職工의 中心으로 同盟罷業이 頻頻이 發生하엿는데 其中『內外棉』은 五月 初부터 激化하야 卅一日에 가서는 最高潮에 達하엿다. 이날 그들은 租界 內에서 一大 데몬스트레이슌[03]을 決行한 바 잇엇는데 그때 工部局 警官의 發砲에 端을 發하야 드디어 排英運動에까지 進展되게 되엇다. 이런 五卅一記念日을 事變 下에 맞은 上海의 各界는 果然 緊張한 빛을 띠웟으나 이번 記念日만은 아주 平穩無事 裡에 점으러젓다.

例年 擧行하던 閘北 胡家木椿의『五卅一』公墓의 祭式도 斷念하고 다만 全市 各 團體가 簡畧한 記念式을 擧行하는 한便 집집에서는 半旗를 걸고 哀悼의 意를 表하는 程度에 끝친 모양이다.

— 『東亞日報』, 1938년 4월 24일, 6월 23일, 6월 24일, 3회 연재

---

03 데몬스트레이슌: 영어 demonstration - 편자 주.

大連星浦

金煥泰

요 몇일 前에 學生들 달이고 滿洲에 갓다가、大連에서 六 年만에 바다를 보았다。바다는 亦是 언제나 푸르렀다。그 우에 포기포기 하 — 안 물결이 피었다。멀거니 멀니 아물거리는 水平線 저쪽만 바라다보고 있든 나는 學生들의 왁자짓걸 하는 소리에 精神이 번적 들었다。學生들이 滿洲人 船夫들과 뱃삭을 흥정하고 있는 것이었다。「바람이 있으니、배를 타지 못하도록 하여야겠다」생각하였으나、검고 주름 잡힌 늙은 船夫들의 핏줄 슨 팔뚱이 믿음직스러웠고、또 까닭 없이 그저 孤獨해 보고 싶어서 모르는 체 돌아서、저便 낭떠러지를 向하야 조악돌을 밟으며 걸어갔다。조악돌이 或은 동굴동굴 或은 납작납작 한없이 아름다웠다。나는 나도 모르게 그것들을 주어서 하나하나、호주머니에 넣었다。이윽고 낭떠러지까지 다달아 다시 그 낭떠러지를 끼고 바다 가운대로 작고만 걸었다。걷다가 길이 맥힌 곳에 바위가 하나 있어 나는 그 바위에 올너앉았다。그저 공연히 외롭고、슲으고、안타갑고、쓸쓸하였다。호주머니에서 조악돌을 내어서、만저보고 뺨에다 대어보고하였다。바다의 이야기가、다 그 속에 담긴 듯、波濤소리가 그 속에 어리인 듯、미억 내음새가 그 속에 어인 듯、끝없이 그 조악돌이 情다웠다。그리는 中 내 가슴 속에는 무슨 느껴움이 움틀거리기 始作하였다。그러나 詩人 아닌

나이매、그 느껴움이 말이 되지 못 했다。그리는 中에 문 득 지용의 「바다는 뿔뿔이 달어날랴고 햇다」 이 詩句가 생각났다。그리고는 연달아 「고래가 이 제 橫斷한 뒤 海峽이 天幕처럼 퍼덕이오。」「미억 닢새 향기 찬 바위틈에 진 달레꽃 볏 조개 햇살 쪼이고」「외로운 마음이 하로종일 두고 바다를 불러」 「어덴지 홀로 떨어진 이름 모를 스러움이 하나」「바둑돌은 내 손아귀에 만 저지는 것이 퍽은 좋은가 보아」「바둑돌의 마음과 이내 심사는 아모도 몰를 지라도」 이런 詩句들이며 빠이론의 Roel on、thou der and dork blue Oceau-roll[01]? 이런 詩句를이 斷片的으로 두서없이 입술을 새어나왔다。그 아름다 운 詩들의 全篇을 외우지 못함이 안탁가운 배 않이었으나、생각나는 그 詩 句들만 몇 번이고 몇 번이고 외움만으로도 나는 完全히 幸福했다。이윽고 가까이 波濤소리를 익이고도 남을 만한 우렁찬 合唱소리가 들렸다。갈메기 처럼 멀리 바다ㅅ 가운대로 날러같든 學生들 탄 배가 돌아오는 것이었다。 集合 時間이 갖가웠다。나는 손아귀에 들었든 조악돌을 바다 가운대로 내어 던지고 일어났다。그더[02]나 내가 걸아갖든 길은 벌서 들물에 잠겨바렸다。

　이제 바닷물에 섰겨 패이고 或은 불거진 絶壁에게처럼 부터서 기여 나오 는 수밖에는 없다。그러나、그 패인 자국과 불거진 모슬기란 決코 발드딤 하 고、손잡이 하기에 充分한 것은 않이었다。아모래도 「事件이 있고야 말가 보다」 하였다。果然 그 낭떠러지를 다 돌아 나올 동안、몇 번이나 물속으로 떠러저、구두 속으로 물을 넣고、洋服바지 아랫도리를 적시고 하였다。참말 자칫하면 事件이 있을 번했다。

01　"Roel on, thou der and dork blue Oceau-roll"은 "Roll on, thou deep and dark blue ocean-roll!"의 오식。바이런의 시 「The Dark, Blue Sea」 중의 구절 - 편자 주。

02　"더"는 "러"의 오식 - 편자 주。

거기서 우리는 다시 電車를 타고 星浦로 갔다。星浦는 뒤로는 조고만 언덕 우에 잘 整齊된 公園을 등지고、오른 便에는 文化住宅이며 料亭이 櫛比하고、물넝우틀에는 老虎灘과 달라、장크며 帆船 대신 뽀ー트가 매어있고、아조 現代的 感覺이 澎湃하였다。

따라 老虎灘에서 맛보든 그런 조용하고、太古然한 맛을 얻을 수가 없다。波濤가 아까 老虎灘에서 보다 더 높다。그래 그러함인지 보ー트를 타겠다는 學生이 없다。學生의 慾求를 拒絶하는 때 맛보는 不快感을 맛보지 않게 되었음을 多幸으로 녁이며、조악돌을 줍고 있든 中、同僚 한 分이 뽀ー트 타자 한다。바닷가에서 잘어난 分이라 배 젔는데 自信이 相當하신 模樣이다。나는 그의 自信을 믿고 같이 뽀ー트에 올넜다。그러나 가상 타고 보니、들물인 데다 波濤가 제법 높어、은근히 不安한 마음이 들었다。아마 이 不安한 마음을 스스로 끄기 위하였음이리라。「내 잘은 못해도 뽀ー트도 좀은 젓고、휘엄도 좀은 할 줄알어、이만한 바다에서는 죽지 않을 自信은 있지요。」이런 객쩍은 소리를 同僚에게 던졌다。同僚는 나의 말을 들었는지 못 들었는지 다만 나를 바라보고 微笑할 뿐、뽀ー트를 熱心히 바다 가운대로 向하야 저을 뿐이었다。멀니 큰 바윗덩이로 된 섬이 하나 뵈는데、아마 게까지 자어 갈 決心인 模樣이다。앗가 그런 풍은 첫지만、나의 不安은 조금도 갈아앉지 않고 漸漸 커질 뿐이다。

그래 泰然히 同僚에게 「이제 그만 돌아갑시다」하여보았다。그러나 그는 如前히 微笑할 뿐 젓기만 한다。그 微笑에는 滿滿한 自信과、적은나마 그 冒險에서 맛보는 快味가 가득 담겨있었다。이제 그로 하야금 뱃머리를 돌리도록 하자면 「무서워 못겨대겠으니、인제 제발 뱃머리를 돌려주시오。」이렇게 哀願하는 수박게는 없다。그러나 아까 처 논 풍이 있으니、이는 참아 大丈夫 體面에 못할 노릇이었다。이에 나는 이런 꾀를 내는 수밖에 없었다。

「여보, 저 섬까지야 언제 가겠오. 인제 集合 時間이 다 되였는데, 그만 돌라 갑시다. 學生들이 우리를 기둘으고 있으면 었저오」同僚는 이 말에는 었지 할 수 없는 模樣이었다. 입맛을 쩍쩍 다시면서 뱃머리를 돌려대었다. 그리고는 뽀 — 트를 沙場으로 끄러 올닐 때까지, 「에이, 저 섬까지 가보았드면 좋았을걸!」 이렇게 몇 번이고 몇 번이고 되노웠다. 그러나 나는 가슴을 쓰다듬으며 저, 「섬까지 갔드라면, 무슨 事件이 일어나고야 말었을는지도 몰을걸!」 이렇게 맘속으로 중얼거렸다. 돌아오는 길에 電車 안에서, 호주머니에 주어 넣었든 조악돌을 만작어리며, 오늘 하로 아모 事件도 없었음을 조용히 마음속으로 기뻐했다. 그러나 이제 생각하니 그때, 내가 生命까지 잊어버리지만 않을 무슨 事件이 있었든들、編輯 先生의 「事件 있는 海邊風景」이란 題目으로 글을 쓰라는 附託을 그대로 받어들일 수가 있었을 것을 忿한 노릇이다.

—『朝光』, 第5卷 第8號, 1939년 8월

國境의 圖們 ─ 滿洲所感

一

八月十八日 ─ 午後 四時 二十五分發.

나는 오래간만에 먼 길을 떠나본다. 더구나 滿洲 旅行은 이번이 처음이다. 西北으로는 여태까지 平南 咸南의 테밖을 나가보지 못했던 나로서 滿洲國의 大陸을 見學한다는 것은 實로 조련치 못한 일이었다. 따라서 나는 이번 機會를 기쁘게 맞았다.

그러나 나는 한편으로 주저하였다. 그것은 蟄居者로서의 自怯이었다. 이 더운 때에 水土가 다른 異域 數千 里를 東馳西驅 無數히 踏破할 수 있을까 더구나 그런 自怯은 며칠 前부터 들린 感氣가 念慮를 더하게 한다. 그래서 나는 感氣藥과 胃腸藥을 準備해 가지고 되도록 輕裝으로 나섰다.

驛에는 天波 兄과 H 君이 餞送을 나왔다. 定刻이 되자 사이렌이 요란스레 울며 車가 움직인다. 이에 나는 꼼짝없이 車中人이 되었다.

나는 마치 시집가는 색시와 같이 遠旅의 初行이 不安하였다. 圖們에는 學藝社 崔 兄의 紹介로 玄 兄이 있는 줄 알았으나, 얼굴은 한 번도 보지 못했다. 오직 親이 아는 親舊는 牡丹江에나 있는데 거기까지 갈 일을 생각하니, 까맣게 멀다.

이런 생각 저런 생각에 헤매던 中、車는 어느덧 元山을 접어들며 날이 저문다. 나는 上段의 寢臺를 사다리를 타고 올라가서 無聊한 旅情을 꿈속에나 파묻으려 했다.

그러나 자리가 不便해서 도무지 잠을 잘 수 없다. 덜커덩거리는 騷音과 아울러 全身이 결려서 못견디겠다. 어서 速히 날이나 밝았으며 좋겠는데 여름밤도 이런 때는 지리하다. 그런데 何必 이 車가 공교히 城津驛까지 두 時間이나 延着되었다 한다. 아직 캄캄했어야 할 城津驛에서 날이 활짝 새었다. 그러지 않아도 車멀미가 나서 죽겠는데 延着까지 하다니 모처럼 내가 길을 나서니까 이런 일까지 생기는가 싶다. 나는 車時間表를 들여다볼쑤록 心思가 뒤틀렸다. 다른 乘客들도 두덜거린다. 나는 車 밖으로 나가보았다. 東海의 滄浪이 눈앞에 굼실거린다. 바다를 보는 기쁨이 용솟음친다. 이 亦是 延着한 德이라 따지고 보매 나는 저윽히 부풀었든 마음을 가라앉힐 수 있었다.

車는 어느덧 關北 二千 里를 거진 突破해간다. 車가 會寧을 지나서이다. 檜川의 흐린 물이 濁浪을 굼틀거리며 차차 巨流로 흘러간다. 그 골짜기 사이로 起伏이 重疊한 丘陵形 地帶가 異常히도 視線을 끌게 한다. 그것은 國境이 가까움을 暗示하는 것 같다. 初行客에게도 그런 느낌을 선뜩 준다 車가 上三峰을 지나고、南陽을 접어들 때、그런 感은 더하였다. 山勢와 水態가 內朝鮮과는 아주 判異해 보이는 것이 珍奇하다.

이제는 江 하나를 지나면 정말로 滿洲 땅이요 間島의 初入이란 바람에 나는 더욱 緊張하였다.

車가 南陽驛을 떠나며 果然 朝鮮에서는 듣지 못하던 말까지 들린다. 車掌이 외치기를、이 車가 지금 곧 國境인 豆滿江을 건너서 滿洲國 圖們에 到着하기는 열세시 몇分이라는 것이었다.

豆滿江! 이 이름은 얼마나 우리의 귀에 익은 것이냐! 昔時에는 越江曲으로 有名하던 이 江이요 近年에는 間島 移民이 좁박신세를 한탄하며 또한 이 江을 無數히 넘나들지 않았든가! 江水는 古今에 變함이 없이 흐르건만、人事의 無常함은 이루 測量할 길조차 없다。歷史의 變遷을 가만히 생각할쑤록、感慨無量한 中에、나 또한 이 江을 건너갔다。

그러나 구태여 지난 일을 물어 무엇하랴! 圖們은 滿洲事變 以後 急템포로 發展하였다 한다。더욱 京圖線[01]과 圖佳線[02]이 開通된 後의 圖們은 間島의 圖們이요 國境都市로서 面目이 一新하여 한때는 旭日昇天의 氣勢를 뫃하였는데、그것은 周知하는 바와 같이 密輸 景氣가 多分히 情熱을 發揮하게 하였다는 것이다。

圖們은 五六 年 前까지도 一 個 落寞한 江村에 不過하였다 한다。앞으로 豆滿江을 안고 뒤으로 北江을 낀 圖們은 前後左右로 山이 삥 둘러싼 盆地다。山에 나무 한 그루 서지 않은 瓶 속 같은 이곳은 事實 住民이 살아갈 길이 없어 보인다。田地가 없으니 農事를 지을 수 없고、無人之境의 山속이다。따라서 이곳을 彷徨하는 者로는 往年에 있어 越境하는 이 亡命客……[03]

이즈음 密輸 景氣가 없어진 뒤로는 灰幕洞도 寒散해져서 住民의 大部分은 이런 뜨내기 장사를 하게 된 모양이다。그렇지 않으면 自由勞働者로 팔려서 그날그날의 生計를 붙여간다。그러나 지금은 密輸의 景氣가 없는 대신、各處에 道路、鐵道、建築業의 工事가 많기 때문에 女子들이 조악돌을 고르는 일에도 近 二 圓을 벌 수 있다 한다。나는 그보다도 劇場의 入場料金

01 "京圖線": 신경(新京, 현재의 長春)과 투먼(圖們) 사이의 철도 - 편자 주.

02 "圖佳線": 투먼(圖們)과 자무스(佳木斯) 사이의 철도 - 편자 주

03 뒤로 두 쪽(179쪽, 180쪽) 원본 분실 - 편자 주.

이 普通 一 圓 五十 錢이요、그래도 늘 滿員이라는 데는 놀라지 않을 수 없었다. 따라서 朝鮮 內의 興行團은 하나도 빼지 않고 이곳을 찾아온다던가、金姬座 一行이 不日 來演한다는 廣告가 붙었다.

나는 山麓으로 올라가서 圖們 市街와 豆滿江岸을 내려다보았다. 그런데、나는 뜻밖에 일이 생겨서 圖們에서는 前後 周餘를 묶게 되었다. 나는 그날 하루밤을 자고、이튿날 낮車로 牡丹江을 向하였으나、小題를 圖們으로 붙였으니 나중 이야기도 이 자리에서 마저 하는 것이 좋을 것 같다.

나는 三 日 後에 圖們으로 나와서 京城 消息을 五六 日 간 기다리는 中에 豆滿江을 人道橋로 다시 건너가보고、南陽의 장거리를 散步하며、朝鮮 담배를 사 피우기도 하였다. 南陽公園은 豆滿江畔에 있는데、樹林이 鬱蒼하다. 모두가 버드나무 같기에 同行한 金 兄에게 물었더니 柳木이 아니라、스무나무라 한다. 나는 그 말을 듣자 문득 金笠의 詩句「二十樹下三十客」이 생각났다. 스무나무의 큰 나무를 보지 못한 나는 그 前에 그 글을 疑心하였는데、여기 와서 大木을 보고나니 비로소 疑惑이 풀리었다.

이튿날은 혼자 豆滿江가를 徘徊하였다. 江邊을 찾아가보니、路傍의 滿人 집에서 징과 북을 울리고 새납을 분다. 무슨 일인가 들여다보니 그 집에 喪事가 난 것 같다. 이야말로 珍奇한 風俗이다. 喪家에서 징 북을 울리다니 하고 나도 구경꾼 틈에 끼어 보았다. 처마 밑으로 銘旌 같은 旗대를 세우고、그 앞에 祭物을 차려놓았는데 祭物床 앞으로는 喪主같은 사람들이 흰 깃옷을 입고 꿇어앉았다. 이쪽으로 間隔을 좀 떼어서 테블을 놓고 테블 위에 紙筆을 놓은 앞에 두 사람이 마주 앉았는 것은、必是 吊問客을 應接하는 護喪所인 듯、그 옆에서 한패가 單調한 징 북을 울린다. 나중에 들으니、이렇게 징 북의 風樂을 갖추는 것은 도리어 亡人의 豪喪으로서 婚禮 時에 禮樂을 갖훈 者만 限하여 喪樂을 쓸 수 있다던가.

滿人의 風俗 말이 났으니 또 한 가지 들은 것을 적어보자. 滿人은 棺을 野外에 내던져서 所謂 「風葬」을 한다는데, 어린이 주검은 그대로 屍體를 내다 버릴 뿐 아니라, 죽으면 父母가 屍體를 때려주는 習慣이 있다 한다. 그것은 假令 人命을 六十으로 限定한다면 더구나 兒童으로 夭死하는 것은 罪人으로 看做하기 때문이라 한다. 그래서 어른 命限 안에 죽은 사람은 屍體를 묻지 않고 두었다가 그 해가 돌아온 뒤에야 묻는다는 것이다. 나는 公主嶺에서 村農場을 보러 갔을 때 밭둑에 잿더미 같은 흙가리가 있기에 무엇이냐 물었더니, 그것이 假葬한 屍體라는 말에 가슴이 선뜩하였다.

圖們에는 往年의 密輸 逸話가 많다 한다. 그러나 그것은 지리하겠기에 여기서는 고만두기로 한다.

—『文章』, 第1卷 第13號, 1939년 11월

北支見聞錄

林學洙

1 山海關

가도 가도 들이었습니다. 이쪽도 뽀오얀 地平線, 저쪽도 뽀오얀 地平線. 마치 저 잿빛 들 끝이 안개 낀 바다와 같아 검은 구름 한 點이 너울 날르는 갈매기인 듯 그리웠습니다. 그런데 山海關, 그 옛날 秦始皇이 변방의 오랑캐를 막던, 長城의 비롯한 이곳에 이르니, 갑자기 峻嶺이 멀리 北方에 소소아 걸리지 않았겠습니까? 中原의 關門인 이 天下第一關에서부터 까마득히 山봉우리를 타고 구름 위에 솟은 城壁이 河北 山西, 陝西, 甘肅, 諸 省의 外廓이 되어 內外 蒙古와 寧夏省을 塞外로 돌리고, 멀리 玉門關 陽關에까지 蜿蜒히 닿아 「고비」 회오리바람과 우박을 품은 朔風이 함[01]부로 와 부디치게 하는 이는 現世에 와서는 오히려 하나의 神秘한 것입니다. 그 옛날 저녁바람에 쓸려나온 희미한 별들이 떨며 깜박일 제, 獰猛한 독수리 날개를 도사리고 바위 欄干에 오뚝 앉아 불타는 눈으로 먹이를 노릴 제, 그 얼마나 다름질쳐 알리워지는 烽燧와 烽燧가 언 하늘을 무찌르던 곳입니까? 邊城에 胡笳 丈夫의 肝腸을 끊는데 갈기 치세우고 달리는 蒙古馬와 화살 화살이 또한

---

01 "합"은 "함"의 오식 - 편자 주.

얼마나 南方으로 울며 날르는 雁群을 感慨 깊이 바라게 하던 곳인가요!

다시 끝없는 平原이었읍니다. 列車는 한결같이 미끄러져 갑니다. 아, 나는 자나 깨나 벌판만 바라보기에도 지쳤읍니다. 담배연기를 훅 뿜고 단번에 흩어져 흔적도 없어져버리는 연기를 보고, 化學敎科書에는 物質不滅과 定比例의 定律이라는 法則이 있는데, 대체 이 담배연기는 어디까지나 눈에 안 보일 元素로 되어 흩어져가며, 結局 무슨 物質로 變化하는 것인가? 이런 些少한 일을 생각하고 있었읍니다. 그러나 보세요, 저기 또 突兀한 連峯! 그 꼭대기에는 城이 달리고 있겠지요. 들 가운데에는 작은 江도 흐르고 있어 밀과 보리가 푸르고 이따금 한 무더기씩 무덤이 모였읍니다. 곳곳에 버들수풀이 무성하고 그 사이에서 田婦 野老 광이를 휘둘러 밭두던을 짓고 있읍니다. 어떤 데에는 사내와 녀인과 五六 歲로 보이는 小孩까지도 있어 一家 總出動입니다. 때는 바야흐로 봄인지라, 閑暇하고 悠長합니다. 眞實로 平和스럽습니다. 저 건너 안개에 쌓인 들 끝이 人類의 몇 萬 年 間 찾고 憧憬하던 淨土인 것같이도 보입니다그려. 어찌 잊으리까? 여기가 얼마 전까지 戰場이었고 아직도 奧地에서는 征馬 그믐달 아래 울부짖는 版圖 안이 아닙니까? 그러나 그와 그들과는 아무런 관계도 없는 게지요. 벌써 언제 戰地였든가 티끌만치도 헤아릴 수조차도 없는 樂地입니다.

― 우리는 흙 파는 사람이예요. 四月이니 씨를 뿌려야죠! ―

大地와 陽光과 아지랑이와 農夫 ― 모두가 平和 그것입니다.

2 葬式

北京에는 子正에 내렸지요. 이튿날 아침 바로 旅館 앞을 지나가는 喪式의 行列을 만났읍니다. 金빛 무늬 논 靑衣를 입은 樂隊가 앞서 가는데 두 사내가 긴 나발을 번갈아 불고 그 뒤에 胡笛과 중이 따르고、그 뒤에는 여섯 童子가 白衣의 차림차리에 白旗를 들어 二 列로 서고、그 뒤에는 또한 靑衣의 네 사내가 푸른 문의 있고 때 묻은 喪輿를 끌고、그 뒤에는 馬車 한 臺가 가는데、그 안에는 老婆 하나와 襁褓를 안은 젊은 女人이 흰옷을 입었습니다。그뿐이었읍니다。旅館 門간에 대령하고 있는 양처(人力車)군들과 路傍의 만또오(饅頭)[02]와 쏘오다를 많이 넣고 기름에 튀긴 밀가루 전병을 파는 사람들은 눈도 거들떠보지 아니하고 지껄이고 있습니다。素朴한 行列이었습니다。

3 朝鮮人 氣質

北京 東堂子胡同 총독부 출장소 내의 某 事務官 談

北支의 朝鮮人은 대단히 평판이 나쁘다。물론 예외도 있지만、개괄적으로는 원인이 둘로 나뉘는데 一은 朝鮮人의 職業이 모히[03]、코카인의 禁製品을 密賣하는 것。二는 善良한 中國人에게 詐欺、恐喝 等 不良한 行爲를 하는 것。北支 在住 約 四萬 名인데 大槪는 滿洲에 있다가 들어온 사람들로、九 割 五 分은 표면 잡화점 등의 看板을 걸고 있으나 실질적으로는 그 대반이 밀매사이다。사실 중국인은 모히를 絶對로 必要로 한다。

---

02 "만또오(饅頭)": "찐빵"의 중국어 - 편자 주.

03 모히: 모르핀(morphine)의 준말. - 편자 주.

그러므로 場所에 따라서는 그들이 이 밀매자들을 保護하여주기도 한다. 또한 朝鮮人만이 密賣하는 것은 아니다. 그리고 「오로시 모도」⁰⁴는 外國人이다. 그들은 X艦에다 싣고 오기까지 한다. 結局은 조선인이 그 手足 노릇을 하는 것으로 問題는 조선인은 대부분이 밀매를 한다는 것이다.

이번 聖戰의 目的하는 바는 人道的으로 그들을 지도하자는 것이요, 「모히」를 팔아 自滅케 하는 것은 아니다. 그러므로 自然 取締의 對象은 조선인이 된다. 이의 對策으로는 그런 사람들에게 生業을 轉向시키는 것이다. 그래 京漢線 沿線에다 方今 農庄을 準備하고, 거기 모여 農作을 하게 하고 資本을 融通하여 줄 計劃이다.

그러나 이보다도 困難한 것은 勢力을 믿고 不良한 行爲를 하는 것이다. 朝鮮人은 事變 前부터 들어온 사람이 많아, 중국인의 生活과는 密接한 關係를 가지고 있어 中國語도 能하다. 그래 軍이나 憲兵隊의 通譯으로 많이 起用하는데 그 中에는 實로 勇敢하고 忠直한 훌륭한 사람도 많다. 그러나 어떤 사람들은 이 通譯 等을 가운데 두고, 그의 勢力을 빌어 家屋을 얻고 貰錢을 아니 내거나 米穀을 徵發하는 수가 종종 있다.

그러므로 이러한 일들이 北支에 있어서의 조선인의 發展에 큰 障害를 일으키고 있고, 또 중국인은 조선인에게 怨恨을 가지게 된다.

最近에 와서는 모든 點이 次次 好轉하여지고는 있다.

---

04 오로시 모도 : 일본어 "おろしもと(주 고객, 단골손님)". - 편자 주.

事變 前부터 北支에 들어와 着實한 職業으로 相當히 成功한 이도 있었습니다. 그러나 事變 直後 一攫千金을 꿈꾸고 물밀듯 밀려든 그들은 男子나 女子나 차라리 滿洲로 集團移民이 되어가는, 그 生活은 어려우나, 끝까지 素朴하고 純眞하고 사랑스러운 農民들과는 유달리 오로지 세상을 꾀와 속임수로 살아가려는 사람들이었습니다. 중국인은 아무리 쿠우리[05]일지라도 그 민족의 독특한 예의라든지는 철저히 지키지 않습니까? 왜 우리는 우리네 전체에게 汚辱 되는 일을 눈앞의 적은 이끝을 위하여 敢히 한다는 말이요. 資本 없고 就職 못하고 먹을 것이 없어 그 길로 나서는 것은 同情할 餘地도 있기는 합니다. 그러나 그렇게 單純히 집어치우기에는 大陸 進出의 뜻을 둔 後進에게 아니 여러 가지 意味로 너무나 影響이 큰 問題입니다. 多幸히 當局에서는 장차 農場을 베풀고 資本까지 融通하여준다 하니, 부디 그 땅이 肥沃하고 또 天災도 없어 하루速히 神聖한 開拓者가 많이 나기를 祝願합니다.

4 解決方法

우리들의 居留民은 넷으로 나눌 수가 있읍니다. 着實한 職業을 가진 이와 軍이나 官憲의 指導 下에서 勇敢無比한 活動을 하는 이와 위에 말한 禁制品 密賣者와 女子를 더불고 가서 하는 料理店 等屬. 前者의 둘은 各界에서도 稱讚하고 있으나 極少數입니다. 그러면 어떻게 하여야 名譽를 挽回할가? 自己의 힘으로 正當한 일을 開拓하여야 할 것입니다. 每日 北支로 北支로 밀려드는 그 많은 사람들을 一一이 官憲이 指導하고 生計를 세워줄 수는

---

05   쿠우리: 중국어 "苦力(고된 육체노동을 하는 노동자)", 영어 "coolie". - 편자 주.

到底히 없는 일입니다. 農場 以外의 方法으로는 民間으로서의 有力한 會社가 생겨서 거기 優秀한 分子는 수용하고、 또 一般 居留民도 어느 程度로 連絡을 가질 것입니다. 얼마 前 이 抱負를 가지고 當局의 諒解 下에 北京의 어떤 有力한 이가 서울 와서 活動하였으나 朝鮮 안의 實業家 諸氏는 그 뜻에는 크게 贊同하면서도、 結局 自己가 五十萬 圓의 物産貿易會社를 만들기 위하여 十萬 圓을 責任지겟담에도 不拘하고 다 資金 내기를 躊躇하여 失敗하였다 합니다. 또 한 가지는 從來와 같이 質이 나쁜 사람만 몰릴 것이 아니라 相當한 敎養과 人格을 가진 사람들이 많이 進出하여 健實한 일을 할 것입니다. 何如間 큰 活動舞臺는 이미 있으니、 남은 문제는 우리들의 準備如何가 아닙니까?

5 烤羊肉

倉島 事務官의 案內로 東安市場 안 回回敎徒의 烤羊肉을 먹으러 갔습니다. 東萊順 三層에서 茶를 마시다가 童子를 따라 別室에 이르니、 이것은 純全한 蒙古의 파오(包)[06]. 천장이 가죽으로 만든 돔인데 한 가운데 화덕이 있고、 그 周圍에는 좁은 막대기 걸상이 있었읍니다. 서서 바른편 다리를 구부려 발을 그 걸상에다 얹고、 긴 대가지 저로 큰 쇠화로에 장작이 훨훨 붙는 위에 놓은 석세에다 羊고기 半、 파 半을 한데 두적어려 구워 마늘 둔 초간장에다 찍어먹는 것입니다. 백알은 목이 타도록 따겁고 純粹하고 고기는 軟하고 기름진데 마늘과 쑈오핑(燒餠)이 또한 格에 맞고 煙氣가 자우욱 장작이

06　"파오(包)": 몽고인들의 이동식 가옥 - 편자 주.

새빨갛게 달아, 그 불 뒤에 재빛 草原과 沙丘와 胡弓이 움크린 듯 太古然합니다. 이 고기는 허리에 粧刀를 차고 羊皮 웃옷을 입어 긴 막대기 하나에다 몸을 의탁하고 不毛의 曠野를 오늘은 東, 내일은 西에로 水草를 쫓던 그 牧者들의 財産이었겠지요. 王昭君이 안장에 올라 羅衫으로 눈을 씻으매 長安의 紅桃花 날려 편편하였나니, 函谷關을 넘어 胡地로 들어 生涯를 울어 시들게 하든 바로 그곳이 여기 완연히 나타났습니다. 單于 昭君을 맞아 잔치를 베풀 새, 그 酒宴의 豪華함도 이러하였겠지요.

고기와 술은 엄청나게 가저온다고 개념할 배 아닙니다. 먹는 대로만 따져서 치르면 됩니다. 자리를 바꾸어 小米粥에 雪糖을 가득 타 입가심을 하니, 그리고도 여섯이 먹은 代金이 팁 一 割까지 넣어서 三 쾌 류 毛[07].

宿舍로 돌아와 慰問品만 到着하면 내일이라도 現地로 떠나려고 짐부터 싸누었읍니다.

6 北京과 午睡

五千 年의 古都. 아침부터 저녁까지 구름이 낀 것도 아니고 해가 난 것도 아닙니다. 머리를 돌리면 金殿玉樓가 저기 아라비아의 夜話처럼 소소았는데, 골목길에는 行商과 車夫들이 팔을 베고 누웠습니다. 가다가는 十六七의 少年이 小學校 正門 앞 양처 위에서 누워 잡니다. 中折帽를 삐뚜루 쓰고 다아설(大襦)[08]을 입은 채 — 아마도 小學校 門衛인 게지요. 眞實로 우리

---

07 "三 쾌 류 毛": 중국어 "三 塊 六 毛(3 원 60 전)" - 편자 주.

08 "다아설(大襦)": 중국식 저고리 - 편자 주.

의 想像 저편 희미한 안개 속에 있는 五千 年이 또한 몽롱한 春困을 자아냅니다. 長安街의 한복판을 트럭이 달리고 구르마[09]가 굴러가는데、트럭 위에는 쿠울리가 팔벼개를 하고 모두 누워 汽車(motor-car)와 自行車[10]와 警笛과 먼지 뒤로 사라지는 徒步의 무리들을 白眼視하고 구르마 위에는 두 사내가 서로 다리를 빌어 비고 거리와 오고 가는 무리를 玩賞하며 갑니다。電車 안에서 車僮은 종을 치는 대신 出發信號로 호로락이를 불며 乘換場에서 한 時間 기다리기는 茶飯事입니다。거리거리에 陣을 친 觀相師、卜術家。바라를 치며 피리를 부는 장님의 行列。그러나 乞人은 없습니다。서울 鐘路에서와 같이 죽는 시늉을 하고 돈을 請하다가 안 주면 辱지거리를 하고 뛰어가는 그런 백성의 종류의 乞人은 없습니다。

7 蘆溝橋

ㅡ 자우욱히 휘몰려오는 먼지와 저 아득히 砂丘 너머로 뻗친 駱駝의 行列
ㅡ 蘆溝橋는 北京의 西南 宛平縣에 있었습니다。蘆溝曉月은 北京八景의 一로서 그 옛날 罪를 얻어 멀리 정배되어 떠나갈 제 華麗한 都人들이 여기까지 나와 餞別하던 곳입니다。다리를 건느면 또 萬里平原。해 저문 異鄕에는 故人 없고 밤을 타 잔나비소리만이 처량하였겠지요。

서리 찬 하늘에 月輪만 외로워 十 里 川光이 스스로 희미하여지려고 할 즈음 짧은 꿈을 깨우치는 이웃 마을의 鷄鳴聲에、征馬 발 구르던 이 돌 欄干

---

09 "구르마": 일본어 くるま(車) - 편자 주.

10 "自行車": 중국어 "자전거" - 편자 주.

이, 이제 외로운 길손이 잠간 다리를 멈추고 머리 돌이켜 帝都를 그리워하던 곳이 아닙니까?

아니 그러나, 바로 再昨年 七月 七日 銀河 西으로 기울어지고 그믐달이 꺼지려 할 未明, 突然히 터진 一 發의 銃聲이 퍼지고 퍼져 저 하늘가 닿은 陝西、四川에까지 干戈 부디치고 戰雲 휩쓰러 東洋의 天地를 動亂의 도가니 속에 집어넣고 同文 同族의 兄弟가 서로 피 흘러 싸우게 하고야 만 이 다리가 또한 한없이 원망스럽습니다.

8 萬壽山

歸路에 車를 몰아 萬壽山에 이르렀습니다. 珊瑚와 翡翠와 金과 銅과 玻璃[11]와 大理石! 昆明湖는 조으는 듯하고 長廊 左右의 柳絲 사이에는 胡蝶이 서로 談話를 하는 듯, 雙去雙來 합니다. 西太后의 臥床과 교의를 보고、매양 아침 머리를 간주리던 鏡臺를 보았습니다. 거울은 아직도 빛나고 있었습니다. 그 전날 西太后의 一笑一嚬을 反映하던 이 거울이 이제는 그 누구의 꽃 같은 양자를 비취려는고! 案內하는 이가 西太后의 畵舫을 가리켜 가로되, 저 大理石 배의 上層에는 모두 유리를 꼈으므로 거기 앉아 昆明湖에 배 띄운 內外 諸國의 선비를 바라다가, 뜻에 合當하면 불러들이고, 그 다음 處置하여 그를 아래층으로 던져버리던 곳이라 합니다. 나는 그 말의 眞僞를 믿을 수 없었습니다. 그러나 可히 昔日의 豪奢와 快樂을 짐작할 수는 있었습니다. 五方閣 아래 엄청난(內金剛、妙吉祥만 한) 거울이 있었는데 그

---

11 "玻璃": 중국어 "유리" - 편자 주.

는 義和團亂 時에 佛國人이 떼어가버렸다 하며、寶雲閣에 올라 案內하는 童子는 자랑스러이 말하되、『저 門樓의 大理石은 모두 雲南에서 가져온 것이요 이 銅은 모두가 朝鮮에서 가져온 것이외다。』事實 寶雲閣은 지붕과 천장과 기둥과 방바닥과 층층계와 섯가래와 창살과 그 안에 세운 테불과 의자와 모두가 純全한 靑銅이었습니다。勿論 그 銅은 全部를 朝鮮에서 進上한 것이라는 것도 정말이겠지요。그러나 나는 이때처럼 不愉快하고 모욕을 느낀 일은 없었습니다。果然 豪華롭고 壯大하고 육중합니다。그러나 萬壽山을 보고 나서 무엇을 느꼈느냐? 그냥 휘황하고 찬란하고 엄청나던 것뿐이요、돌아서면 아무것도 없습니다。그는 萬壽山뿐이 아니라 紫禁城도 天壇도 심지어 오히려 칙은스럽게 보이도록 精微 細密하게 彫刻을 하여놓은 작은 骨董品 하나를 보아도 다 그러하였습니다。보고 나서 무엇이 남느냐? 아무것도 없습니다。돌이、玉이、金이 ― 그 바탕은 실로 稀世의 보배입니다。그러나 藝術은 그것과 아무런 상관도 없는 것입니다。高邁한 精神이 빛나고、幽玄한 情緖가 흐르고、香氣가 품기는 그러한 것이 아니면 眞實로 훌륭한 藝術品이 아니겠지요。巧妙한 彫刻、奇怪한 形狀、高價의 玉石을 나는 輕蔑합니다。그보다도 石窟庵의 彫像、樂浪古墳의 壁畫、高麗의 瓷器를 가진 우리는 얼마나 幸福입니까!

9 石家莊의 一夜

北京은 平穩하기 짝이 없으나、石家莊부터서는 戰線의 氣分이었습니다。그러나 夜半에 銃소리를 들었다거나 그런 關係가 아니라、이번 旅行에서 가장 愉快하였던 것은 石家莊의 하룻밤이요、언제까지나 잊혀지지 않는 건 宮川○○의 親切입니다。처음 石家莊에 내려서 停車場 ○○○에 人事를 하니、證明書를 보자 하고、왜 兵站 給與의 證明을 받지 않았느냐 하므로、事情을 이야기하고、밖으로 나와 宿舍를 잡으려 할 제、옆구리에서 튀어나오며 내가 案內하겠노라 한 것은 아까 停車場 ○○○에서 黙黙히 우리의 이야기를 듣고 있던 宮川○○이었습니다。그는 무大 出身으로 우리를 보니 이야기가 하고 싶었다는 것입니다。그는 宿泊費까지 主人과 妥協하여 割引하여 주고 오랫동안 이야기하다가 갔습니다。또 밤중에 우리에게 電話를 하고 慰問品을 託送하여주는 등 이튿날 早朝에 일부러 驛에 나와 餞送을 하여 주는 등、서울이나 이 國內에서 좀체로 보기 어려운 友情과 親切을 우리는 異域 戰地에서 보았습니다。그는

『이 聖戰은 決코 中國의 民衆을 相對로 하는 것이 아니므로 꼭 成功할 것을 믿는다』

라고 하며、자기들은 恒常 이 城에도 皮膚病이 거의 全部에게 있는 民衆을 爲하여 病院을 設立할 것、共同浴湯을 施設할 것 등을 主唱한다 하였습니다。

10 異域의 꽃

石家莊을 떠나서 조금 가면 井徑驛。그 다음이 바로 娘子關입니다。鴨綠江을 넘어서부터 가도 가도 끝없는 平原이던 게 여기서부터는 層岩峻嶺의 가도 가도 山岳이었습니다。구부리고 돌고 오르고 오르고 내리고 …… 斷壁을 두 줄 레일이 달리는데、그 아래 맑은 시내가 흐르고 있습니다。이것이 汾河의 물줄기! 漢武帝가 樓船을 띄우고

『簫鼓 울어 棹歌를 發하니、歡樂이 極하여 哀情 많도다。靑春이 그 얼만고 오는 白髮을 어이하리』

하여、그 哀切한 秋風辭를 읊조리고、蘇頲이 汾上駕秋라 題하여
『北風이 흰 구름을 쓰니、萬里 河汾을 건너도다。내 마음 落葉을 만나니
가을소리 차마 못 듣겠더라』
한 그 汾河가 이닙니까!

서울을 떠난 지 旬日、올해에는 진달래도 개나리도 못 보고 봄을 보내나
보다 하여 저윽히 섭섭하던 나는 문득 들 끝에 한 포기 연분홍 복사꽃을 보
았습니다。가슴은 뛰었습니다。복사꽃은 나와 因緣이 있는 꽃입니다。어렸
을 때 내 아버지의 뜰에서 봄마다 바라던 꽃입니다。故鄉이 생각납니다。얼
마 전까지 있던 松都가 그 滿月臺의 개나리와 彩霞洞의 진달래가 그립습니
다。나는 읊어 가로되

山 넘어 또 山 넘어
疊疊한 峻嶺 넘어

푸르른 汾水 가에
조그마한 들 끝에
대 한창 얽혀 핀
복사 배꽃。

戰友야 잠깐 쉬자
나는 그리워
복사꽃이。

娘子關

娘子關! 娘子關! 飛鳥도 못 날르는 곳. 바람도 쉬여가는 곳.

여기서부터는 站長도 列車長도 모두 軍人이었읍니다. 勿論 夜間에는 車를 움직이지 않지요. 乘客은 大槪가 軍人 軍屬과 第一線에서 旅館業 料理業을 하는 商人들. 구름 너머 저 山꼭대기에는 들 너머 저 골작이에는 아직도 敗殘兵이 숨어있어 군데군데 山上에 모닥불의 검은 煙氣가 하늘을 찌르고 토 — 치카 위에 黑旗가 펄럭어리는군요.

밤이면 때때로 그들이 逆襲을 하여온대요. 그야말로 武器도 시원히 갖이지 못하고 이 二十世紀에 비가 오면 우산을 쓰고서. 그러나

『쫓아버리면 또 나오고 쫓아버리면 또 나오고 正말 할 수 없어요』

하는 옆에 앉은 兵隊의 말은 그들 敗殘兵의 遊擊戰術을 說明한 것으로서 오히려 意味深長하였읍니다.

아、개미집같이 — 하늘이 우리에게 준 이 地球를 어찌 이렇게 戰備를 위하여 冒瀆하였나 하도록 뚫린 몇 十萬 몇 百萬의 토 — 치카를 보고 우리는 占領 當時의 激戰을 想像하지 아니할 수 없읍니다.

쳐다보면 層巖 실 한 올에 소소아 걸리고 찢긴 蒼穹、바람이 위태히 휘몰려오는데 그 위에 독수리 한 놈이 뜨고 아래는 적은 시내. 가도 가도 絶壁과 絶壁 사이를 꼬부라진 溪谷이 이었다가는 끝히고 끝혔다가는 이으는 곳을 「레일」이 달리고 있읍니다. 그리고 그 양쪽 斷崖에는 實로 한 돌 한 나무의 뿌리에도 구녁이 뚤리고 周圍에는 鐵條網을 둘렀읍니다.

一의 堡壘를 버리고 二의 堡壘로 그에서 또 三四에로 옮아가며 왼 하루 왼 한밤을 퍼붓는 彈雨、진동하는 砲火 黑煙 軍號 …… 喊聲 발굽 발굽 劍光 피! ……

모든 풀 피에 자라 살찌고 모든 돌 피에 삭어 검습니다.

山西省

山西省은 山뿐이고 山에는 나무가 적고 물은 말랐읍니다. 그러나 中國은 歷史가 오라고 地質이 오란 나라입니다. 無限의 富와 無限의 넓이와 無限의 太古 그대로의 神秘를 지닌 나라입니다. 이 山뿐인 山西省은 一見 퍽 地味 貧弱한 土地로 보이나 實은 亦是 世界 寶庫의 一입니다. 鹽稅와 阿片稅는 閻錫山의 重要한 收入이었읍니다. 木花도 납니다. 葡萄는 太原의 名物이지요.

「葡萄美酒夜光杯를 마시고자 할 제 말 우에 琵琶는 우는도다. 醉하여 沙場에 누었다고 그대 웃지 마라. 예로부터 征戰에서 몇 사람이나 돌아온고.」

한 것은 우리들의 日常 즐겨 외우는 노래가 아닙니까?

勿論 地下에는 또한 無盡藏의 富源이 묻혀있겠지요. 沿線의 군데군데에는 새깜한 기름이 번지르르한 石炭塊가 露出하여 있읍니다. 이들을 開發하면 그 얼마나 多數의 民衆이 그 福利를 享受할 수 있을까요?

그러나 보세요. 附近의 住民은 다 襤褸를 걸치고 飢餓에 울고 列車가 적은 驛에 다을 때마다 數많은 少年들이 손을 벌리고 『신죠오 신죠오(進上)』[12] 외오칩니다. 兵隊들은 다 窓을 열고는 먹다 남은 혹은 전연 箸를 대지 않은 한고오(飯盒)[13]의 밥을 『쇼오하이[14](小孩)』하고 불러서 논아줍니다. 나도 맛없는 「이나리스시」[15] 몇 조각을 논아주고 싶었으나 처음이라 쑥스러 그만 두었읍니다.

---

12 신죠오(進上) : 돈을 구걸하는 의미의 일본어 - 편자 주.

13 한고오: 일본어 飯盒(밥그릇) - 편자 주.

14 "쇼오하이": "小孩(어린이)"의 중국어 발음 - 편자 주

15 이나리 스시: 일본어 稻荷壽司(유부 초밥) - 편자 주.

前線의 將兵

列車가 楡次에 다었읍니다。우리는 여기서 또 묵지 않으면 아니 됩니다。바로 一 週日 前 飛行機 七 機가 來襲하여 爆彈을 投下하였으나 結局 城外의 中國人 住民 몇이 犧牲되었을 뿐이라고。同宿의 商人은 여기서부터가 危險한 곳으로서 바로 二三 日 前 에도 逆襲을 받었다고。

이튿날、또 우리는 終日 흔들리면서 수없는 골작이를 돌아 돌아 갔읍니다。조고마한 들이 열렸는가 하면 벌써 봉우리가 튀어나오고 레일 양편에 깎아 세운 斷壁이 달려 마치 기나긴 하늘을 덮은 鬱蒼한 숲속을 한 갈래 길이 열린 것처럼 山 사이로 벋친 철로는 그러하였읍니다。

— 저 커 — 브에 아니 또 저 커 — 브에서 銃을 나려쏜다면 영낙없이 이 窓을 깨트리고 알이 날라오겠지。그러면 나는 어데다 隱身을 하나? — 이러한 일을 想像한다면 眞實로 머리끝이 쭈삣하지 않을 수 없었읍니다。둘러보니 아침에 가득 탔던 兵隊들과 宣撫官들은 여기저기서 어느새 헤여져 나려버리고 차 안에는 不過 ○○○ 名의 兵隊가 남어있지 않었겠읍니까 나와 이웃에 앉은 兵隊들과의 사이에는 이야기가 시작되였읍니다。

드르니 바로 내 옆에 앉은 ○○警備隊의 ○○兵은 고향이 ○○으로서 再昨年 事變이 勃發하자 바로 天津으로 와서 ○○戰線에 있다가 南下하여 上海、南京의 攻略戰에 참가하였고 다시 北上하여 徐州會戰、거기서 娘子關을 넘어서 太原에 갔다가 張家口에까지 갔었고 이제는 다시 山西로 도라왔다고。實로 支那의 거의 모든 全土를 行軍하여 大會戰에 遭遇하기 三 回、小掃蕩戰에 叅加하긴 그 數를 이루 다 헤아릴 수 없다 합니다。그러컨만도

『이 劍으로 버혔지요。』

하고 칼자루를 어루만지면서 웃는 그에게는 조고마한 疲勞의 빛도 없었읍니다。

또 그 옆에 앉은 이는 설흔댓 되는 ○○ 出身의 電信隊 上等兵으로서 역시 再昨年에 와서 支那의 거진 全土를 行軍하여 오르나렸음으로 犧牲된 戰友도 相當히 있다 하며 感慨 깊은 얼굴로 國內의 事情을 여러 가지 묻습니다.

마침 점심때가 되였기에 菓子를 勸하였더니 사양하고 서울서 가지고 간 蜜柑을 쪼겠더니 二 年 만이라 즐기며 반쪽을 집습니다.

혹 車가 적은 驛에 到着할 때면 그들은 모두 昇降臺에 나가 悲壯한 얼굴로 거기 나와 있는 戰友를 慰勞하고 狀況을 듣습니다. 저 들 가로 갈기갈기 찢어진 軍服의 엉둥이를 만지며 部下 數 名을 거나리고 머러져가는 士官의 뒷모양 ……

이윽고 해도 질 것이거늘! 아 옛 壯士도 胡笳에 萬里 옛집을 생각하고 悽然하던 이 山西 어느 이슬 우에서 또 오늘밤의 짧은 꿈을 그들은 맺으려는고!

堯舜의 都

翌日의 旅情은 臨汾서 運城까지. 그야말로 黃塵萬丈의 世界로 그 옛날의 堯舜禹湯의 聖都도 이미 荒廢尤甚하여 군데군데 山꼭대기 토 ― 치카 우에 悄然히 서있는 步哨 外에는 山野에 人기척 없고 白骨만이 풀 밑에 굴러 임자 없는 개들이 怪異한 것을 물고 橫行하였습니다.

『南風의 향그러움이어、내 백성의 성남을 푸르리로다』

하던 곳이 이제는 가마귀 落日을 우지짖고 戰雲 하늘을 덮어 兵馬 어둠을 타 馳驅하는 마당 되다니!

碑도 새로운 勇士의 墓前에 깨어진 싸이다 ― 瓶에도 복사꽃 한 가지를 꽂아 세웠음을 봄에 따라서도 이는 어제까지 辛苦를 같이하던 戰友였으리라 생각함에 그 兵士의 꽃을 꽂일 때의 心境은 과연 어떠하였을가고 이 異

域의 들 끝의 風景이 모두 感慨 깊었읍니다. 하루바삐 樂土가 이루어지기를
축수하지 않을 수 없었읍니다。

―『文章』, 第1卷 第6號~8號, 1939년 7월~9월, 3회 연재

北京往來

金時昌[01]

　지난번 北京에 갔다 왔지마는 가면서도 漠然한 길을 떠났다。 그렇기에、 安東을 건너서면서 巡警에게 무슨 장삿군이냐고 訊問을 當할 적에는 對答하기가 어색하였다。 旅行券을 내여보이니 고개를 끄떡끄떡한다。 그럴 법도 한 일이다。 거창스럽게도 北京 古代文化의 視察이라 하였으니。 그러나 超滿員을 이루어 北支로 몰려가는 이 車에는 수를 피우려는 축들만이 몰려가는 모양이다。 巡警은 고개를 끄떡끄떡한 뒤에는 「그럼 당신은 骨董品 장사인 게로군」한다。 흔한 색씨 장사가 아닌 것만이 좀 神奇하다는 이야긴가 싶다。

　미리 山海關을 넘어서면서 電報를 쳤으나 세 時間이면 간다더니、 그 이튿날 밤에야 配達된 탓으로 몇 時間 差異로 믿고 갔던 李 君은 벌써 딴 곳으로 떠난 뒤였다。 그러나 北京서만 하드래도 뜻하지 않고 만난 사람이 많다。 낮에는 주로 大學이나 或은 博物館을 찾아다니고 밤에는 中國의 戱劇을 보러 다녔는데 萬壽山에 가던 길에 ― 昆虫學者 石宙明 君을 뻐스 停車場에서 만난 것은 意外이었다。 學會에 報告할 일로 滿洲와 北支의 昆蟲旅行을 떠난

01　김시창(金時昌)은 김사량(金史良)의 본명 - 편자 주.

것이라는데 바로 燕京大學에 가는 길이었다. 하로는 北京大學에를 갔는데、미리 紹介를 받은 前 文科 敎授 周作人 氏를 맞나려고 構內에 있는 北支文化協議會인가 한 곳에 들었다가、范 君을 맞난 것도 참으로 놀낼만한 일이었다. 同 君은 나와 한때에 東京서 한 아파 — 트에서 살았는데 같은 大學 文學部 大學院에서 東洋史를 專攻하고 있었다. 그리고 東安市場에서 山田 君을 맞난 것도 痛快한 일이다. 君은 高校는 先輩였지마는 大學은 나보다 늦게 들어와 美學을 工夫하다가 召集되어 그 곳에 駐屯하고 있는 一 兵卒이었다. 한번 便紙를 받은 적도 있었으나 그런 곳에서 맞나게 될 줄은 몰랐다. 또 하나의 邂逅는 北京서 天津에 왔다가 奉天行 車를 기다리는 푸랫트홈에서 吳坤煌 君을 맞난 일이다. 吳 君이라면 아는 사람도 많은 줄 안다. 臺灣 出生의 詩人으로 東京서도 文名을 날리고 있었다. 그는 現在 天津서 살지만、바로 北京을 가는 길이라는데、車가 와서 우리는 一 分 동안도 이야기를 하지 못한 것은 매우 섭섭하다. 大學 말이 났으니 말이지만 天津서는 南開大學의 爆擊된 자리를 駐屯部隊의 指示로 參觀하였는데、여기 大學生은 完全히 共産化 한 武裝部隊였다는데 많이 學校의 주추돌을 베고 죽었으며、나머지는 現在 北京 萬壽山 뒤의 險峻한 山岳에 蟠居하야 저항하고 있다 한다.

무엇보다도 北京서 첫째로 生覺된 것은 모든 것에 『위 — 버』라는 接頭辭를 부처야 되겠다는 것이다. 宮闕도 너무 宏大하고 寶物도 너무 燦爛하고 사람의 數爻도 너무 많고、또 떠드는 소리도 너무 크다. 朱耀燮 氏 夫婦의 招待로 金得洙 氏 夫婦와 高 醫師 夫婦들과도 함께、中國 一流의 料亭에서 저녁을 먹었는데 그때의 料理도 너무 맛있고 너무 가지수도 어수선하였다. 이것을 中國의 偉大라 하겠지마는 과연 偉大하기는 하나 역시 朝鮮사람이 되여 그런지 우리의 古雅와 素淡이 없음이 슴슴하였다. 그들의 個人主義는 옛적부터 흔히 깎어내리여오지마는 宮闕文化만은 참으로 民衆 生活을 떠난 그들 王侯의 個人主義의 勝利를 말한다. 장사는 中國人의 最大의 長技라고 하드니 과연 可觀이였다. 蔣介石의 命令이 울리든 時節에는、阿片密賣人이 보이기만 하면 목을 비여 죽였다는 市郊의 天橋라는 곳에도 나가보았지마는 現在는 길거리에 한집 건너서는 土藥店(阿片吸煙所)이 서있으니、그들의 장사가 利取를 向하여서는、얼마나 突擊態勢를 가지고 있는지를 알 수가 있겠다. 그러나 껠리라戰法이 流行하는 時節이 되어 그런지、장사도 껠리라戰法에 의하여 武裝된 것 같다. 北京서 돌아올 때에 그곳 사람들의 말을 듣고 事實로 이곳서 四十 圓은 하는 고 ― 드방[02] 구두가 十六 圓이면 싸기에 한 커레 사 신고 나왔더니 한 달도 못 신어서 앞뿔이 한 치나 되게 터지고 말았다. 껠리라戰法을 多角戰이라고 解釋하는 限에서는 이것도 戰爭의 ― 部門일 것이다.

요지음 나는 한 달도 못가서 꾸여진 고 ― 드방 구두를 신고 다니면서 남들의 구두를 有心히 보는 習慣이 생기였다. 이렇게 본다면、서울 長安에만 하여도 수를 피우려고 北支를 단여서 구두만 속아서 사온 사람이 매우 많은 모양이다. 내 것과 꼭 같은 고 ― 드방 구두를 빼그덕거리며 신고 다니는 축들이 두문 보이다. 그러나 우리들은 에나멜구두의 敗殘兵이다. 누구인가 그곳에서 나온 사람의 말을 들으면 그것은 고 ― 드방이 아니라 어느 가죽에 에나멜 칠을 한 것이라 하니 그들의 銃에 나는 바로 다리를 마진 세음이다.

―『博文』, 第10輯, 1939년 8월

---

02 "고 ― 드방": cordovan, 스페인 Cordova 산 고급 산양가죽 - 편자 주.

"大地의 아들"을 차저

李箕永

❶ 風土

집을 떠나기는 八月 十八日 — 서울은 그때 한참 더위에 감움이 繼續되든 무렵이엇다.

나는 和信『뷰로』[01]에서 滿洲 回遊券을 삿다. 그래서『코 ― 쓰』를 咸鏡線으로 도라가자고 定한 後에 그날 午後 四時 二十五分 發 羅津行 急行車를 잡어탓다.

豆滿江을 건너갈 때의 첫 感想은 어떠할는지 滿洲를 처음 가보는 나는

『인제 朝鮮 땅은 다 지나왓구나』생각하니 어쩐지 마음 한 구석이 서운하고 孤寂한 느낌이 업지 안헛다.

그러나 國境의 圖們市를 건너와 보아야 山容水態가 若干 다를망정 異國의 情調를 차질내야 別로 보잘것이 업슴은 웬일일까?

01　"뷰로": bureau - 편자 주.

朝鮮人이 大多數인 圖們市는 對岸의 조선 땅인 南陽이나 一般이다. 停車場의 乘降客이나 街道를 往來하는 行人이나 甚至於 洋車까지 朝鮮사람이 끈다.

따라서 圖們은 亦是 朝鮮의 어떤 都市와 別로 다른 것이 업는 朝鮮의 延長과 가텃다.

다만 한 가지 몬지바람이 大端한 것은 確實히 滿洲의 特色이엇다 나는 驛에서 내리자마자 댓듬 風塵의 洗禮를 밧고 이거야말로 정말 滿洲가 아니면 볼 수 업는 光景이 아닌가 하엿다.

果然 滿洲의 風土는 朝鮮과 懸殊한 것이 잇다 한다. 圖們과 南陽과는 不過是 江 하나를 사이에 둘 뿐인데 水土는 別하게도 國土를 달리한 것처럼 判異하다 한다 땅은 검고 물은 억세고 바람은 거세、말하자면 이런 것을 大陸的이라 할까.

따라서 滿洲의 道路가 나뿌기로도 이 또한 名物이라 할 것이다. 나는 참으로 길이 나뿐 데 如干 애먹지 안헛다 그것은 市街地도 그러코 村길은 더 말할 것 업섯다 어떠케 된 땅이 비가 오면 곤죽가치 푸러지고 힘이 업다가도 그것이 마르면 돌덩이처럼 단단해진다. 그러니 길이 질 때는 진 수렁가치 빠지고 마를 때는 또한 凹凸이 甚하여 발을 드딀 수가 업다. 나는 滿洲에 馬車와 洋車가 만흔 까닭을 비로소 알 수 잇섯다. 참으로 馬車나 洋車를 타지 안코는 通行하기가 어렵겟다. 그런데 비가 오면 그러케 질던 길이 비가 개이면 개이기가 바쁘게 벗적 말으고 今方 몬지가 (폴폴) 이러서 눈코를 뜰 수 업게 한다. 그래서 그곳 사람들은 말하기를 여기는 하루도리로 비가 오

고 개이고 해야 한다는 것이엿다. 未嘗不 나 亦是 두고 보니 그 말이 正當하
게 들리엇다.

　흙이 거문 代身 물은 누르다. 나는 豆滿江을 보기 前에는 江물이 맑은 줄
아럿는데 그때는 雨後라 그런지는 몰라도 江물이 매우 흐리엇섯다. 그곳 사
람들에게 무러보아도 그 江은 原來로 흐린 便이라 한다.
　흐르는 물이 맑지 못한 證據로는 그 後로 다른 곳을 가 볼쑤록 더욱 立證
하고도 남엇다.
　圖們에서 牡丹江까지는 보통 急行으로도 七八 時間이 걸린다. 그동안에
大小의 河川이 만흐나 하나도 朝鮮가치 맑은 시내는 업다. 모두 다 흙탕물
이요 꾸정물이다. 나는 그곳 地名을 살펴보앗슬 때、滿洲人은 벌서 그런 줄
을 잘 아럿다는 것이 感心 된다. 滿洲의 地名에는 도랑 溝字가 만히 씨워잇
다 나는 처음에 생각하기를 조흔 글짜를 노아두고、웨 何必 또랑 溝字만 부
첫는가 하여 그들의 心思를 疑心하엿다. 頭字로 爲始하여 一 二 三 四 五 六
七 八 九 等의 『道溝』라든가 大荒溝니 老道溝니、모두 다 溝字투성이를 보
고、이상히 여겻는데、未嘗不 그곳을 보고 가만히 생각해 보니 果然 도랑 溝
字박게는 다른 字를 부칠 수 업겟다. 거기에다 시내 溪字를 붓첫다가는 얼
토당토 안흔 妄發이 되기 때문에 一 。

　그런데 地名에 對한 興味는 東北滿과는 反對의 立場에서 南滿에서도 볼

수 잇다. 東北滿에는 어디를 가보나 또랑물가치 濁水만 잇던 것이 奉天을
지나서 安東縣 便으로 가까워질쑤록 업든 山이 생겨지고 골작이를 일우어
간다. 本溪湖를 접어드니 비로소 江물이 히안하게도 맑어지는 것이엇다.
참으로 그들은 경우가 分明하다. 시내 溪字를 그들은 本溪湖의 맑은 江물을
보고야 비로소 썻구나 생각할 때 나는 다시 또 한 번 感心하지 안흘 수 업섯
다。

❷ 生活狀態

圖們은 京圖線[02]과 圖佳線[03]의 開通으로 한 때 殷盛을 極하엿다 한다. 그
러나 滿洲事變 直後의 密輸景氣가 꺼진 뒤로는 當年의 新興都市로서의 市
況도 挫折되어 以來 寒酸하기 짝이 업다 한다. 元來 圖們은 瓶 속 가튼 山
間의 僻地이다. 따라서 住民은 田地가 업스니 農事를 지을 수 업고 柴山이
고 보니 柴炭業을 할 수도 업다. 그래서 往年에는 一 個 寒村으로서 灰幕洞
의 細民이 豆滿江을 依支하야 零細한 生涯를 삼은 以外에는 『越江曲』의 옛
歷史의 뒤를 이여、쪽박신세인 間島 移民의 발자최가 이 地境을 넘나드럿을
뿐이엿다 한다.

그만큼 圖們의 朝鮮人은 生活의 根據가 오히려 薄弱한 듯십다. 그것은
灰幕洞의 초라한 朝鮮人部落이 그들의 生活을 如實히 說明하는 것 가텟다.

圖們의 景氣는 新興都市 牡丹江으로 옴긴 듯하엿다. 牡丹江은 牛車夫도

---

02 "京圖線": 신경(新京, 현재의 長春)과 투먼(圖們) 사이의 철도 - 편자 주.

03 "圖佳線": 투먼(圖們)과 자무스(佳木斯) 사이의 철도 - 편자 주.

一 日 七八 圓의 純利益이 잇다는 것이다. 그것은 汽車 안에서 보아도 圖佳線에는 乘客이 물밀듯하는데, 그들은 擧皆 牡丹江으로 간다는 것이엿다. 牡丹江의 景氣가 조타는 말은, 멀리 南朝鮮까지 所聞이 난 모양이다. 晋州 馬山 等地에서 오는 男女老少가 車멀미를 내서 북새를 노앗다.

圖們에서 牡丹江까지도 到處에 朝鮮사람이 널려잇다、山속이나 들판이나 滿人의 生活은 도리혀 드물게 보인다. 石峴驛의 東洋『팔푸』工場이 잇슬 뿐 大興溝를 지나서 駱駝嶺까지는 三防峽谷과 가튼 山峽뿐이다. 駱駝嶺을 지나며 左側으로는 平原의 水平을 지은 遠山이 蒼海와 가치 보이나 그 동안에 水田은 한 곳도 안 보이고 욱어진 草原 틈에 田穀이 석겨잇슬 뿐 間間이 담배바티 보이는 것은 나의 어린 時節을 追憶케 하는 奇異한 風景이엿다. 멀리 東京城을 바라보는 斗溝子와 馬蓮河 附近에서야 비로소 水田이 開拓된 것을 發見할 수 잇섯다. 거기까지의 鐵道 沿邊의 住民은 大槪 火田民과 가튼 山間의 외딴집이 만엇고 그로 보아 그들의 生活이 艱難할 것은 勿論이엿다. 그러나 그들이 異域 他國에 와서 그러케 孤寂한 生活을 잘두 참어간다는데 나는 內心으로 그들의 强大한 生活力을 感歎하엿다.

이런 光景만 내다보다가 牡丹江을 드러가 보니 넓은 벌판에 一大 文化都市가 展開된 中에 朝鮮人도 억개를 견주어 市街地의 한복판을 차지한 것이 于先 마음에 든든해보엿다.

朝鮮人 商街는 마티 서울의 南村거리를 것는 것과 가치 特殊한 朝鮮色을 띄운 것이 異彩엿다.

農村도 水田을 開拓한 데서 비로소 生活의 탐탁함을 엿볼 수 잇섯다. 나는 海林事件[04]으로 有名한 저 沙虎屯、南甸子、大屯의 海林江 對岸인 拉古

---

04 "海林事件": '남전자(南甸子)사건'이라고도 불리는 마적단 습격사건으로 1934년 7월 7일

(라쿠)의 自由集團農場을 가보앗는데 올에는 더욱 豊年이 들어서 住民은 농사를 잘 지엇다 한다.

나는 이번 길이 農村을 視察함이 目的이엇스므로 가는 곳마다 于先 그들의 生活을 調査해보앗는데 都大體 朝鮮에 比하면 小作料가 헐한 外에 所出은 만흔 便이엇다. 水田 한 쌍(晌)이 約 二千 坪인데 이에 對한 租子(小作料)가 普通 四五 단(一 단은 約 二百 六十六 斤 四 兩重임므로 朝鮮 斗量으로는 一 石 四 斗 假量이라 한다)에 不過하다 한다. 그런데 普通 所出은 南滿에는 十 三四 단이나 東北滿은 十五 단 乃至 二十 단이요 新푸리(今年 初墾)에는 近 三十 단을 收穫할 수 잇다 하니 그것을 一 晌 平均 十五 단式만 쳐도 朝鮮 石數로는 近 二十 石 되는 셈이다. 그 속에서 一 晌(二千 坪) 小作料 五六 石을 除하고 나면 十 四五 石은 小作人의 차지가 된다. 그런데、每 戶에 세 쌍 以上으로 五六 쌍을 짓는다 하니 그들은 農費를 除하고서도 豊年만 들면 數 十 石 乃至 百餘 石을 所得하게 된다는 것이다. 그것을 打作 마당에서 비짜루만 들고 나선다는 이곳 作人게 比한다면 참으로 同一의 比較가 아니건만 滿洲의 移住農民의 大多數가 오히려 生活의 安定을 엇지 못하고 四處에 彷徨하고 잇는 것은 무슨 까닭인가? 거기에는 勿論 여러 가지 原因이 잇슬 줄 아나 次項에서 나는 들은 말을 綜合하여 보는 同時에 病弊인 浮動性과 一攫 千金의 夢想을 깨우처 보랴 한다

(延吉、龍井村 等地의 移住農民의 由來 기픈 元 間島地方은 그러치 안흐나 그 外에는 只今도 浮動農民이 만타 한다)

만주의 무단장(牡丹江) 하이린(海林) 부근의 남전자라는 조선인마을이 마적의 습격을 받아 19명의 조선인이 피살된 사건을 말한다. - 편자 주.

❸ 小作關係

萬一 以上과 가틈이 事實이라면 滿洲 入植의 農家는 擧皆 饒足한 生活을 누릴 수 잇슬 것으로 말이 너무 풍을 띄여서 讀者는 나를 滿洲바람이 드럿나 疑心할런지 모르나 그것은 또한 그러치 못한 事情이 잇다 滿洲에는 所謂 방천(半作農)이 만타 한다 그것은 小作人이 地主에게 直接으로 作權을 엇는 것이 아니라 中間人이 滿人地主에게 小作權을 비러가지고 中間作의 利得을 取함을 이름이다 即 土地借得人은 自己가 農事를 直接 짓지 안코 小作人에게 農糧을 대주어가며 代作을 식힌 後에 收穫 穀物을 折半式 分配하는 制度라 한다

滿洲에는 이러한 악덕 『뿌로커』가 만허서 直接 間接으로 愚直한 農民을 弄絡하는 弊端이 적지 안타 한다 그들은 巧妙히 官邊을 利用하야 無辜한 細民을 못살게 구는 實例가 非一非再라 한다 따라서 自由農村을 振興 改良하려면 먼저 이런 者들의 跋扈를 防止해야 한다는 것이다 一例를 들면 그들은 滿洲人 地主를 충동해서 小作權을 흔들게 한다 即 租子를 더 줄 테니 小作權을 떼라 하고 그래서 作人이 안 드르면 裁判을 걸라고 꾀인다 地主는 그 말이 自己에게 有益함으로 小作人에게 租子를 더 내든지 不然이면 土地를 返還하라고 威脅한다 그러나 小作人 便으로 보면 그것은 매우 억울한 일이다 그는 荒蕪地를 水田으로 開拓한 功勞와 水利權이 잇슴에 不拘하고 一朝에 作權을 떼라는 것은 억울하다고 呼訴한다. 그러나 地主는 다른 사람 — 너의 同族이 그 논은 租子가 너무 헐하다고 면단을 더 내여도 조흐니 떼여달라는 데야 어찌 하느냐고 事情을 말한다 이런 境遇에 小作人은 할 수 업시 울며 겨자 먹기로 小作料를 그러케 올리든지 그러치 안으면 農地를 빼앗기게 된다. 나는 吉林에서 이와 가튼 裁判事件의 書類를 엇더보앗다.

그것은 小作人의 辯解書인데 그 作人 亦是 滿人 所有의 荒蕪地를 水田으

로 開拓한 것이엿다. 그는 水利權을 主張하기를 水田은 荒蕪地를 所有한 地主만으로도 될 수 업고 水利를 開拓한 小作人만으로도 될 수 업다는 것을 前提한 뒤에 그것은 마치 一家의 夫婦와 가치 共同 結合이 되여야만 圓滿한 家庭을 일룰 수 잇다는 比喩를 부첫다. 그런데 몇 해 前에 들어와서 子息을 잘 나코 사는 안해를 一朝에 逐出하려는 暴君과 가치 水田의 功勞 잇는 小作權을 何等 正當한 理由도 업시 移動하랴는 것은 아무리 地主라 할망정 沒人情한 所爲가 아니냐고 懇曲히 陳辯한 것을 나는 興味 잇게 보앗다기보다도 눈물겨운 생각을 더 하게 하엿다. 그런데 近年에는 滿洲에도 肥沃한 水田可耕地나 荒蕪地가 차차 적어짐으로 旣耕作權에 對한 爭奪戰이 甚해져서 이러한 訴訟事件이 昨今으로 매우 增加되는 現狀이라 한다.

이것은 農家를 搾取하는 一部의 惡德 中間人의 弊害라 할 것이나 無自覺한 農民 自身 속에도 이만 못지 안은 害惡이 잇슴을 아러야 할 것이다.

한 말로 말하자면 그것은 浮動性이엿다. 滿洲에 들어온 사람들은 걸핏하면

『여기가 어딘 줄 아늬? 여기는 滿洲다!』

이런 말을 입버릇처럼 다한[05]는 것이다. 그것은 아무러케 해도 조타는 막보는 말이다. 滿洲에서는 무슨 짓을 해도 조흐니 너는 相關말나는 것이란다. 따라서 그들은 마치 金점軍처럼 오늘 忠淸道 明日 咸鏡道 式으로 一攫千金을 夢想하면서 넓은 滿洲벌판을 彷徨한다는 것이엿다.

事實 그들은 農事도 投機的으로 금점 하듯 하엿다 한다 몇 해 前만 해도 肥沃한 荒蕪地는 얼마든지 잇스므로 그들은 한 곳을 發見하자 한해의 農事를 짓는다. 그러면 朝鮮에서는 도무지 볼 수 업는 農事를 힘 안 드리고 잘 짓게 된다.

---

05 "다한"은 "한다"의 오식 - 편자 주.

누구나 滿洲의 農事 짓는 方法을 들어보면 거짓말 가튼 참말에 놀래지 안흘 수 업스리라. 荒蕪地 開墾을 所謂 新푸리라 하는데 解凍 後에 물을 대노코 거기다 그냥 씻나락(벼種子)을 삐워둔다. 몃 날 뒤에 落種이 악퀴를 틀 臨時해서 作人은 물속의 풀을 위둥지만 쎄取해버린다. 그러면 벼 싹은 물 위로 커 나오고 풀뿌리는 물속에서 썩어서 그 놈이 도리혀 肥料가 된다는 것인데 그 뒤에는 두서너 벌 김만 매주면 고만이란다 자 — 이렇게 쉬운 農事가 어디 잇는가. 참으로 朝鮮 內地의 農家로서는 그것은 想像치도 못할 奇蹟 가튼 農耕法이라 할 것이다.

❹ 浮動性

그러케 짓는 農事도 所出은 朝鮮의 몇 倍가 더 난다니 滿洲의 水田農이야말로 금점軍이 投機心을 낼 만도 할 것 갓다.

그들은 肥料를 하지 안코 二三 年 間 힘 안 드리는 農事를 짓는다. 그러나 아무리 肥沃한 滿洲땅이기로 長久히 그럴 수는 업다 地力은 遞減하여 차차 收穫이 주러들게 된다. 그와 同時에 돌피(稗)가 茂盛하게 되는데 그 해에 피사리를 안 하게 되면 翌年에는 피밧치 된다는 것이다.

여기에 分岐點이 갈려진다. 그 作人이 實農이라면 그는 그 前에 肥料를 하여서 돌피도 들 나게 되고 따러서 피사리를 잘 햇슬 것이다 그러나 그가 元來 浮動性이 잇는 浮荒한 懶農이라면 그곳을 내던지고 다른 곳으로 옮겨간다. 그들은 마치 火田民처럼、奧地로 奧地로 옮겨간다. 그들의 心算에는 다른 곳으로 가면 얼마든지 조흔 땅이 잇스리라 십헛고 그럴 바에는 힘드러서 피를 뽑아가며 農事를 지을 것이 무엇이냐는 것이엇다.

따러서 그들은 어디를 가나 마찬가지다. 멧 해를 지나도 살림은 제턱으로 늘지 안는다. 그래도 언제까지 그럴 줄 알고 해마다 農事를 지으면 濫費를 한다. 滿洲는 술이 싸고 阿片과 賭博이 盛行한다. 酒色雜技에 눈을 뜬 그들은 穀식이 채 익기도 前에 先貸(長利 낸 돈)를 내다가 하루밤에 털어 업새고 만다는 것이다.

하긴 그들이 이와 가치 墮落되는 데는 外他의 原因이 업지 안타 滿洲事變 以前에는 治安이 維持되지 안헛슬뿐더러 政治的 環境이 不利한 것은 그들의 浮動性을 助長하게 되엇다 한다.

그러나 아무리 그러타고 하더라도 그들이 滿洲를 第二의 故鄕으로 알고 永住할 目的으로써 實로 開拓民的 自覺을 가진바 잇엇다면 비록 방천살이 (半作農)를 햇슬망정 그래도 多少間의 貯蓄을 햇슬 것이다. 그들이 先祖의 墳墓가 잇는 情든 故土를 떠나올 적의 지난 일을 도리켜보라! 거의 大部分은 小作農도 할 수 업서 바가지를 차고 國境을 넘어 바람 거친 滿洲로 들어오지 안헛던가. 그런 생각을 하면 切齒腐心을 해서라도 日夜勤農하여 生活을 向上하고 남는 것이 잇스면 故國의 親戚을 돌봄이 可하거늘 滿洲벌이 좁다고 뛰여단이기만 하면 무슨 所用이 잇드냐. 그들은 적게는 自己의 一家를 亡치고 크게는 朝鮮 移住民 全體에게 惡影響을 끼처서 同胞의 信任을 墜落케 하는 罪過를 免치 못하게 될 것이다.

따라서 그들은 當局에서도 크게 念慮하여 善導에 全力함은 물론、一般的으로 朝鮮人의 自淨運動을 慫慂한다 하거니와 이제는 더욱 前과도 달라서 一攫千金의 夢想 가지고는 渡滿의 目的을 達하지 못한다 한다.

農事를 짓고자 하는 農民이라도 아무 根據 업시 들어갓다가는 中間人에게 속아서 多少 携帶햇던 農資金도 업시하는 수가 만타 한다. 荒地푸리가 收穫이 만타는 바람에 紹介料를 비싸게 주고 땅을 삿다가 地形上 水汰를 내지 못하면 永永 荒을 그리고 마는 수가 만헛다 한다. 過去에 數千 金을 지고

滿洲로 農場 經營을 들어왔다가 經驗이 업서서 擧皆는 그러케 失敗하고 돌아간 사람이 不少하다지 안흔가. 그러므로 不得已 渡滿할 境遇에는 아주 滿洲를 第二 故鄕으로 알고 勤艱着實히 永住할 目的을 첫째 決心한 뒤에 먼저는 혼자 들어와서 一二 年 間 經驗을 싸는 것이 조타 한다.

그래서 그곳의 言語、風俗、習慣도 알고 地盤을 닥거논 然後에 家族을 불너들이는 것이 失敗率이 업다 한다.

이와 가치 着實한 農民이 들어온다 하면 그는 비록 방천사리를 할지라도 數三 年만 勤苦하면、제 압가림은 할 수 잇다는 것이다. 大會社의 開拓民은 會社에서 모든 것을 周旋해주지만은 自由農民은 모든 것을 自力으로 해야 되기 때문에 남보다도 더욱 信用을 어더야 될 것이다. 그것은 雇用사리를 할지라도 朝鮮보다는 낫다 한다. 一 年 삭영이、멕이고 普通 正租 十二단(朝鮮 石數로 約 十七 石)을 준다 하니 換算하면 三百 圓 內外의 年 收入이 된다. 이러케 몃 해만 勤苦한대도 近 千 圓이나 貯蓄 될 것이요、그 돈으로 땅을 산다면 自作農은 될 수 잇슬 것 아닌가. 그러나 이것은 저마다 그럴 수는 업는 것이니、一律 論할 수는 업슬 것이나 何如間 그의 自覺 如何로 滿洲는 王道樂土를 만들 수도 잇는 反面에 墮落의 구렁을 永久히 헤맬 수도 잇다는 것이다.

❺ 安全農村

그래서 當局에서는 그들의 浮動性을 定着시키기 爲하여 되도록 集團農村을 建設하도록 獎勵한다는데、나는 約 一 個月 동안에 牡丹江에서부터 間島 吉林 等地와 哈爾濱 新京 公主嶺 奉天 安東의 諸 都市와 五六 個所의 農村을 찾아가 보앗다. 그 中에 個人의 自由農村으로는 牡丹江 附近의 拉古農

場 哈爾濱 郊外의 顧鄕屯農場 奉天 市內의 三間房農場이요 會社의 安全農
場으로는 公主嶺 附近의 劉大壕農場과 秦家屯 高麗城을 가보는 길에 鮮拓
의 懷德農場을 지나며 보앗다 나의 豫定으로는 萬寶山事件이 잇든 萬寶山
農場을 꼭 보러드럿는데 그리고 現在 그 農場의 理事長으로 잇는 金鎔珏 氏
와는 내 故鄕의 親知이엿든만큼 그분이 잇단 말을 듯고 나는 더욱 가보고 시
펏으나 그때 마침 비는 오락가락하는데다가 거기는 停車場에서도 近 三十
里를 徒步로 갈 수바께 업다 하므로 나는 섭섭하나 斷念지 안흘 수 업섯
다. 그리고 哈爾濱에서는 現在 그곳 協和會 朝鮮人分會長 黃義明 氏가 自
身으로 開拓한 綏化農場이 安全農村으로 可謂 模範이 될 수 잇단 말을 듣고
그 農場도 꼭 보고 시펏으나 綏化農場은 哈爾濱에서도 四百餘 里를 奧地로
더 들어가야 할뿐더러 그때도 비가 와서 斷念하고 附近의 顧鄕屯農場을 가
보고 말앗다.

나는 拉古農場을 말할 때 個人의 自由農村 生活은 大綱 적은 바가 잇스니
인제는 끄트로 會社의 安全農村에 對하여 한 마디 言及해 보랴 한다.

나는 公主嶺에서 滿蒙産業株式會社 經營인 劉大壕農場을 가보앗다. 同
會社의 社長 孔鎭恒 氏와 重役 李瑄根 氏는 前부터 잘 아는 만큼 兩 氏를 異
域에서 만나보매 반가움도 더욱 格別하엿다. 나는 同 會社의 重役인 韓永昌
氏 案內로 近 三十 里 되는 劉大壕農場을 『지까다비[06]』를 신고 걸어갔다. 나
는 本文의 初頭에서 滿洲의 風土를 적을 때에 길이 나쁜데 애먹엇다 햇거니
와 實相은 劉大壕를 往復하느라고 큰 苦生을 햇기 때문이다. 큰길은 잇으나
길이 낫뻐서 馬車도 못 간다 하기에 不過 五六十 里 쯤이야 當日 往復을 못
하랴 하고 壯談하엿던 것이다. 그러나 나는 그때까지 徒步로는 十 里 以上

---

06 "지까다비": 일본어 じかたび(노동자용의 작업화) - 편자 주.

을 거러보지 못하엿다. 더구나 나쁜 길을 近 六十 리나 갑짜기 것자니 갈 때
는 好奇心으로 無難도 하고 또한 발도 덜 아펏스나 돌아올 때는 果然 한 발
자욱을 떼여놀 때마다 입이 딱딱 버러지도록 부르튼 발바당과 티눈이 마처
젓다 그러나 目的地를 到達햇슬 때는 苦生햇던 以上으로 所得이 잇섯다.

『滿洲의 眞味는 村으로 걸어 다녀보아야 알지 自働車만 타고 다녀서는
모릅니다』

하던 바로 會社를 떠날 때에 듯던 말이 果然 그러쿠나 시펏다.

劉大壕에는 移住民이 不過 數十 戶라 한다. 그래도 小學校가 따로 잇고
올해도 벼가 잘 되어서 그들의 生活은 漸次 安定되엇다 한다. 우리는 방천
하 洑頭에서 싸가지고 온『벤또』와『위쓰키』한 瓶을 기우리고、마을의 學
校로 들어가서 暫時 다리를 쉬엇다.

그러나 그곳 農場은 小規模의 것이므로 別般 施設을 크게 한 것은 업다
한다. 한 가지 보암직한 것은 洑를 막은 것이엇다. 거기는 큰 도랑물을 버
들가지로 막엇는데 버들을 포갬포갬 싸 올린 위로 장나무 토막으로 만든 枕
木을 땅밋까지 내려 박엇다 한다. 그리고 洑 안으로는 흙으로 막어둔다는데
그랫서도 물이 새지 안는 것은 모래가 업는 개흙인 까닭이겟다.

이러케 洑를 막아노코 左右의 滿洲人 旱田 사이로 洑똘을 길고 깁게 내서
논으로 물을 대게 하엿스니 水田開拓地에는 到處에 물싸움으로 有名햇다는
滿洲人과의 歷史的 紛爭事件도 未嘗不 그럴 수박께 업겟다는 根據가 잇서
보인다.

古來로 旱田만 지어먹던 물이 귀한 滿洲의 平原曠野 사람이다. 그래 그
런지 滿人은 물을 第一 무서워한다는 것이다. 그런데 朝鮮人이 侵入하여 난
데업는 洑똘을 자기네 밧 사이로 뚤코、그래서 허영벌판에다가 별안간 물을
가득 실허서 바다가치 만드러노흔 것을 내가 보앗슬 때 平生 물논이라고는

못 보던 그들의 놀나움이 如干 크지 안헛슬 것이다. 그들의 생각에 自己네 洞里는 今方 물로 亡해버릴 것 갓다. 그래서 저 慘極한 海林事件도 發生하 엿다는 것이다.

❻ 自作農

自作農 創定은 滿洲 農村에 잇서서도 時急한 問題인 것 갓다.

나는 그 翌日 百 里나 된다는 懷德 附近의 高麗城을 會社의 『튜럭』을 타 고 가본 後에 바로 奉天으로 나가랴 하엿는데 先是 李瑄根 氏를 京城에서 만 낫슬 때 同 會社의 安家農場을 보기로 紹介狀까지 얻어가지고 왓다가 日程 關係로 나는 못 가고 마럿다. 그런데 마침 社長 孔鎭恒 氏가 安家農場에 볼 일이 생겨서 가겟다고 나와 同行하기를 勸한다. 나는 豫定 日字가 느저서 못 가겟다 하엿더니 그래도 구지 큰 農場을 한번 보는 것이 조타고 勸해서 나는 그날 밤 새로 두時 車로 다시 哈爾濱을 向하여 出發하엿다.

安家는 拉賓線 五常의 못 미처인데 哈爾濱에서 百『킬로』를 吉林 쪽으로 나가는 조고만 驛이엿다. 東에는 山이 막켜잇스나 西쪽으로는 亦是 툭 터진 茫茫한 曠野가 뚤린 곳이다.

安家農場은 鐵道 뚝을 넘어서 西쪽으로 잇는 平原에 잇다. 忙牛河와 拉 林河 間에 介在한 이 農場은 滿人의 旱田과 下流의 低濕地帶를 包含한 約 四千 晌의 大農場이라 한다. 나는 孔 氏와 함께 今年 開墾된 區域을 巡視하 엿다.

그런데 이 農場은 特殊한 由來가 잇다 한다. 同 會社에서는 이 農場보다 먼저 五常縣의 平安鎭農場을 經營하고 잇섯는데 平安鎭農場은 日本 內地 農 民의 入植 區域에 編入되어서 滿洲의 國策會社인 鮮拓會社에 賣渡하게

되엇다 한다 그 代身 滿蒙會社는 未墾地의 安家農場을 엇게 되엇다는데 農場 經營費로 鮮拓에서 百萬 圓을 低利로 借入하고 滿洲國 政府에서는 十四萬 圓의 補助金을 바더서 昨年부터 拉林河畔으로 堤防工事를 始作하엿다 한다. 延長 約 五十『키로』의 堤防에 工事費만 四十 萬 圓을 要한다는 것이다.

그와 同時에 그 會社에서는 平安鎭 農場의 五百 戶 小作人까지 떠마텃는데 今年에 于先 一百三 戶를 移住시켜서 三百 町步를 開墾하엿다는 것이 벼가 줄방죽가치 잘되엇다. 나는 新墾畓이 이러케 벼가 잘될 수 잇는가 疑心하엿다. 每 晌에 十七 단 收穫은 無慮한데 每 戶에 五 晌式 分配하고 小作料는 一 晌 四 단式 作定하엿다 한즉 作人의 차지가 十三 단式 될 것이다. 그러면 七十五 단이나 所得이 되는 셈이니 朝鮮으로 치면 거의 벼 百 石 秋收나 하는 폭이다.

그런데 그 會社와 그들의 自作農 創定 計劃에 對하여 多年間 經驗으로 理想的 方法을 案出하엿다 한다. 그것은 鮮拓이나 滿拓의 長期平均償還方法과 달리하여 速成自由償還方法을 硏究 中인데 今年부터 그것을 實施하리라 한다.

即 農民의 土地에 대한 愛着心은 마치 慈母의 子女에 對한 愛情과 가태서 그들의 土地 所有와 非 所有의 觀念은 作農 上 非常한 關係가 잇다 한다. 따라서 自己 所有라면 金玉과 가치 貴히 여기지만 남의 논을 小作하는 것이라면 그러케 생각치 않는다 그것은 언제나 生活의 不安을 갓게 하여 早晩間 作權이 떨어질 것을 豫想케 한다 於是乎 自作農 創定이 그들에 必要한 바이나 그것을 十五 年이나 二十 年의 長期를 두고 償還케 한다면 作人의 心理는 벌써 前途遙遠한 感을 가지게 할 뿐더러 해마다 地力은 遞減하여 所出도 減少해질 것인즉 每年平均償還方法으로 하다가는 그 동안에 무슨 支障이 잇슬런지 모른다는 것이다 그래서 그 會社에서는 于先 初年부터 作人의 餘裕

잇는 대로 地價에 依하여 土地를 現金으로 賣渡할 作定이라 한다 그러면 作人은 于先 自己가 買收한 坪數만은 自己의 所有로 移轉되는 同時에 來年부터는 그 땅의 小作料를 안 물게 되니 그들의 自作農 創定의 完成은 不出數年에 可能하다는 것이다.

나는 粗雜하나마 以上으로써 本文을 끗막겟다 처음에 三 回 分을 豫定한 것이 倍를 더 써 六 回가 되엇스나 橫說竪說이 張皇만 해지고 도리어 할 말은 못 다한 것 갓다. 未盡한 것은 이다음에 機會를 달리하여 써보겟다. 참으로 只今 나의 머리는 小說을 짜내기에 餘念이 업다. 끄트로 나의 이번 旅行에 만흔 便宜를 주신 各地 朝鮮日報 支局長과 有志 諸位의 厚意를 기피 謝禮한다. (完)

— 『朝鮮日報』, 1939년 9월 26일~10월 3일, 6회 연재

燕京遊記

文章郁

떠나든 첫날

『上有天堂、下有蘇枯[01]』이라는 말을 들은 적이 있었다. 이것은 年前 南支[02]巡遊를 맞이고 돌아온 한 親友가 나의게 蘇枯[03] 兩 州의 勝景을 紹介한 一節이다. 이 말을 듯고 한때 南支 方面으로 발길을 내칠 번 한 일은 잇었다 그러나 이번에 北京行脚을 뜻하게 된 것은 누구의 勸誘를 받은 것도 아니요 누구들과 같이 例의 視察을 뜻함도 아니었다. 그저 大陸의 新凉을 마지하면서 敎學機關을 視察하게 될 것이 얼마 동안 華北 大部에서 逍遙의 紀行을 짓게 된 動機라 할 수 있을 것이다.

『人生鞭[04]得有年間[05]』이라고 옛사람은 말하였다. 百年 間에 우리의게 幸福을 줄 것은 아니지마는 멀니 北鮮을 나가보지 않은 이 몸으로 太平洋을 지

---

01 "枯"는 "杭"의 오식 - 편자 주.

02 "南支": 지나(支那) 남부 - 편자 주.

03 "枯"는 "杭"의 오식 - 편자 주.

04 "鞭"은 "難"의 오식 - 편자 주.

05 "間"은 "聞"의 오식 - 편자 주.

내온 지 數年이 되도록 변변한 旅行 한 번을 뜻하지 못한 것은 奔忙한 生涯의 所致라고 말할 수도 있을 것이다. 이제 北京行의 機會를 어더 秋風千里北國의 文化을 翫賞하게 된 것은 『人生易得片時間[06]』의 一事가 아닐는지!

北京行 列車에 몸을 실은 八月 二十三日 午後는 아즉도 남은 더위가 漢陽의 人士를 苦로움게 하든 그때이었다. 京城驛을 떠난 列車는 北으로 北으로 開城을 지나 멀니 달닐 뿐이며 車窓 밖으로 뵈이는 沿路 風光에 사로잡인 나의 心境은 그저 讚賞의 아름다움을 禁할 수 없었다.

京城 以南의 旱災를 보든 거북한 머리는 다시 開城 附近과 그 北部 山川의 淸新한 田畓을 볼 적마다 마음의 慰勞는 여간이 아니었다. 니어서 米洲南部에서 沙漠과 荒原을 지나서 귤나무와 葡萄덩쿨이 茂盛한 캘리포니아로오든 생각이 聯想되기 始作한다. 紐育[07]에서 自動車를 모러 三千餘 哩의 大陸을 橫斷하고 羅城[08]으로 向하면 그때의 爽快란 참으로 比할 데 없었다. 夕陽의 新幕、黃昏의 沙里院、暗黑의 平壤省을 지나온 나는 다시 寢臺에 몸을 감추었다. 大同江 흐르는 물결에 그리운 浿城을 作別하고 威化島 거치른波濤와 함께 國境에 鐵橋를 넘어서 安東縣에 다다르니 때는 午前 一時 半 困한 꿈을 깨우치며 行裝 檢閱과 旅券 調査를 맛치고 一路 奉天을 向하였다.

錦州、山海關、天津

奉天에서 山海關까지의 마침 景致와 처음 보는 異國情調는 旅路의 疲勞

---

06 동상.

07 "紐育": 뉴욕 - 편자 주.

08 "羅城": 로스앤젤레스 - 편자 주.

를 잊을 만치 아름다웠거니와 錦州에 다다를 제 茫茫한 地平線을 글자 그대로 眼界에 展開되어 心神을 爽然케 하였다.

月得十分放光處、
風無一點借聲枝。

이 글은 前日 兪漢緝이 遼東七百里의 廣坦한 平野를 如實히 描寫한 名句이다.

前에는 나무찿아 없었는지 모르거니와 수수밭 너른 벌판에 웃득웃득 서있는 버드나무가 있다고 한들 大陸의 陣風을 막기에는 너무도 弱할 것이다. 東西로 平野 左右로 平野인 이곳의 달빛은 坦坦 數百 里의 無限大한 蟾光을 끝없이 發揮할 것이다. 廣野의 달밤을 이곳에서 마지할 수 업는 것을 遺感으로 생각하며 地平線 넘어로 버들숲 속에 點綴해있는 民衆이 土屋들로 視線을 돌니었다. 택사쓰의 平原을 지나면서 『大都如天車輛疾、平蕪滿池里閭稀』라고 써본 일이 있거니와 遼東의 平野는 民家로 落落하다.

錦州는 錦承線(錦縣 — 承德)의 起點地、奉山[09]線의 中間驛으로 北으로 奉天、南은 山海關、西는 承德을 相距하고 交通과 貿易이 殷盛한 地方이다 驛外로 벌녀있는 市街의 全貌를 한눈으로 거둘 수 있는 것을 기뻐하면서 달니는 火車와 함께 山海關을 내려간다. 長城의 偉蹟이 눈에 띄이기 始作한다。萬岳千峰을 눌너가며 蜿蜒 數千 里 嘉谷[10]關에 抵達한 이 長城은 天下의 壯觀이며 世界의 驚異이다.

---

09 "奉山線": 봉천(奉天, 지금의 瀋陽)부터 산하이관(山海關)까지의 철도 - 편자 주.

10 "谷"은 "峪"의 오식 - 편자 주.

山海關은 滿支[11]의 國境으로 人口 約 三萬 五千을 갖인 要地이다. 縣城、東羅城、西羅城의 三 城을 所有한 山海關은 天下第一關、玄陽洞、角山寺 等의 名所를 가지고 있다. 天下第一關의 名勝을 後日의 機會로 미루고 旅裝의 檢査와 旅券의 提示를 맞이고 貨幣의 交換을 行하였다. 國境의 通過가 이같이 쉬운 것을 생각할 제 前日 加奈陀[12]의 반코버와 墨西哥[13]의 틔유아나[14]를 지날 때 하도 애쓰던 經驗이 聯想에 흐르고 있다.

平野를 지내고 長城도 보내고 나니 나그내의 功緖는 그윽하기 짝이 업다.

平野秋色遠、
長城夕照多。

의 一句를 남겨두고 부슬부슬 나붓기는 雨絲風片과 함께 天津에 다다렀다. 未曾有의 水害로 因하야 慘狀을 이룬 이곳은 水國化 한 天津站을 비롯하야 市街의 거의 全部가 水魔의 侵害를 밧고 있다、天津에 머물너 旅勞도 쉬일 兼 數三 知友를 만나기로 豫定했든 心算은 餘地없이 挫折을 當하고 直走 北京을 向하게 될 제『天津橋杜鵑聲裡萬物傷心』이란 이것을 두고 이름이 아닐는지? 부다치는 비바람에 車窓을 밧고 보니 당나귀 타고 일하려 가든 農夫들도 볼 수 업고 小鷄子를 팔든 驛頭의 뽀이들도 그림자가 머러졌다。나는 車안에서 알게 된 K 兄과 談話를 繼續한다。午後 十一時 即 北京時

---

11 "滿支": 만주(滿洲)와 지나(支那) - 편자 주.

12 "加奈陀": 캐나다 - 편자 주.

13 "墨西哥": 멕시코 - 편자 주.

14 "틔유아나": 티후아나(Tijuana) - 편자 주.

間 二十三時(北支에서는 午前 午後의 區別이 없이 一日 二十四 時間數를 부른다)에 北京驛에 到着할 豫定이던 九號 列車는 세 時間이 延着되어 北京에 到着하였다. 天津에서 水災 避亂民들을 담북 실고 온 汽車가 北京에 到着되자 驛頭는 混亂千萬을 이루고 있다. 게다가 暴雨가 퍼붓고 있다는 것은 여러 가지로 初旅者의 마음을 조리게 할 뿐으로 曉頭 北京에서 飯店(旅館)을 찾다 못해 車中에서 알게 된 K 兄의 宿所에서 困한 몸을 쉬이게 되었다 四五 個의 旅所를 두다렸으나 天津 災民으로 因한 超滿員은 나로 하야금 北京 飯店으로 발길을 내치게 하였다. 이름은 飯店이나 房만 빌려주는 旅館인데 一流 호텔임이 分明하나 엄청난 宿泊料에는 놀나지 않을 수 없었다.

北京城의 偉觀

北京에서 敎學機關을 視察한 나마에 名勝도 數 處 探賞하게 되었다. 視察에 關한 張皇한 事實을 쓸 만한 餘裕가 업는 것이 遺感이다마는 짜른 時日을 通하야 數 個 目的한 機關을 보고 알고 배우고 늦기게 된 것은 多幸한 일이다. 國立北京大學、燕京大學、北京神學院、滙中學[15]、崇貞學園、貝滿中學、育英中學 等을 視察했다는 것만은 말해두기로 하자.

北京은 禹貢 冀州의 遺跡으로 最初의 建都는 燕에 封한 召公이라 하며 其後 遼、金、元、明、淸、五 朝와 民國 初年에 各各 此地에 建都하야 都合 八百四十 年을 繼續하였던 것이다. 北京이라 稱하기는 約 五百 年 前인 明의 成祖 永樂 元年(皇紀 二〇六三、西紀 一四〇三) 癸未 二月에 都邑을 定하

---

15 "滙中學"은 "滙文中學"의 오식 - 편자 주.

고 北平府를 廢하야 처음 北京이라. 改稱하며부터 北京의 命名을 가지게 된 것이다. 以後 京師라 改稱하다가 民國 十七年(一九二八)에 다시 北京을 北平이라 變하얏다가 다시 北京이라 變하야 今日까지 온 것이라 한다.

『地當海陸之雄 鐵道之會 東西南北 俱有指揮睥睨之勢 遼金元明淸及民國 初年奠都於此』

以上 都思聰 氏의 所說을 보더래도 亦是 非常이 五 朝의 四 都임과 地勢의 重要한 것을 알 수 있는 것이다.

北京은 面積이 約 七百十八 方公里에 人口가 約 百七十萬을 算하고 있다. 城垣은 凸字의 形狀으로 外城 內城의 二分되었으며 內城 안에 皇城이 있고 皇城 안에 宮城 卽 紫禁城이 있어 四重의 城壁을 둘너싸고 있다 外城은 南環되고 內城은 居北인데 外城의 周圍는 十六 公里、內城의 周는 約 二十三 公里 皇城 十 公里나 된다. 第一로 北京은 城의 都市라 부를 수 있다.

城의 都市 北京은 많은 門을 가지고 있다. 外城에 七 門、內城에 九 門、皇城에 四 門、紫禁城에 四 門、合 二十四 門을 가지고 있다. 城의 都市가 이와 같은 多數의 門을 開放하지 안코는 到底히 交通을 便利하게 할 수 없을 것이다. 이제 二十四 門의 名稱을 쓰자 하니 거북하기 짝이 없어 다만 優秀한 者를 들어 參考에 供할가 한다 무엇보담도 內城 南面에 屬한 正陽門 崇文門을 말하지 않을 수 업고 西面에 西直門、東面에 朝陽門、北面에 安定門을 다음으로 들 수밖게 업다. 外城에는 永定門、廣安門이 있고 皇城에는 南에 天安門、北에 地安門、東에 東安門、西에 西安門이 있다. 皇城은 東西로 나누어 東部에는 紫禁城이 되어있고 西部에는 西苑은 北、中、南 三海로 되었으며 區內에 前日 總統府、省政府 跡과 現下 市政府가 되여있다. 南海의 南으로 午門 北으로 神武門 東으로 東華門 西으로 西華門 四 門이 있으며 城內의 南部에는 太和殿、中和殿、保和殿의 俗稱으로 三大殿이 둘너있다.

至今은 이곳을 開放하야 古物陳列所로 使用하며 北部에 있는 淸廷의 故宮은 故宮博物院으로 開放하고 있다. 이와 같이 北京은 많은 門이 있을 뿐 아니라 洋車를 타고 大路를 달여가면 어대서든지 通路의 上部로 높이 소슨 丹靑이 燦爛한 美裝한 路門을 볼 수 있다. 北京은 門의 都市이다.

燕京大學과 頤和園

어느날인가 西郊의 名勝을 찾기 爲하야 京香遊覽公共汽車[16]에 몸을 실코 西直門을 나섯다. 門의 內外로 널려있는 貧民들의 生活相이 눈앞에 띄이기 始作하며 郊外의 農村이 또다시 村舍의 가을빛을 傳하는 것도 異彩의 하나이엇다. 農村試驗場을 지나 뻐스는 燕京大學 正門에 머믈렀다.

彩色이 輝煌한 宮闕 같은 校舍들이 空中에 漂渺함을 보고 놀나지 않을 수 없었으며 水塔의 높은 姿態가 行客의 발길을 머뭇거리게 할 제 다시 한 번 校庭에 나타난 建築美를 感歎하지 않을 수 없었다. 幽邃한 中央의 蓮못、蜿延한 校庭의 行路、美化한 燕南苑의 住宅街가 모도들 豊裕 淸新한 氣風을 뵈여주는 듯하였다. 때마침 入學時期임으로 새로 選拔된 百單八 新選學徒를 發表했을 뿐이고 校內는 쓸쓸하기 짝이 없었다. 「女賓止步」라고 써있는 男子寄宿舍의 區內를 지나 悠々히 발길을 돌여 萬壽山으로 向하였다.

西郊의 名勝으로 著名한 곳은 西山、八大處、妙峰山、香山、碧雲寺、臥佛寺、玉泉山、圓明園、萬壽山을 들 수 있고 그中에 萬壽山과 昆明湖가 있는 頤和園은 참으로 世界一을 말하는 勝地이며 絶景이다. 幽雅하고 靜溢한

---

16 "公共汽車": "공공버스"의 중국어 - 편자 주.

山水花鳥의 美와 雄偉하고 壯傑한 宮殿樓閣의 勝이 舉世에 無匹이라고도 過言이 아닐 것이다.

頤和園 北方에 있는 圓明園은 일즉이 英佛聯合軍의게 灰燼이 되고 말었다. 淸 咸豊 十年(一八六○) 八月에 文宗帝 熱河로 蒙塵할 새 英佛軍이 北京으로 侵入하야 圓明園을 불태운 것이다. 以今은 敗瓦와 頹垣만이 故墟에 쌓여있어 前日의 壯觀을 찾을 곳이 바이업다. 以後 孝欽后가 海軍費를 옮겨다가 圓明園 西便에 頤和園을 重建한 것이 今日의 俗稱 萬壽山이라 부르는 곳이다.

나는 燕京大學을 떠나서 垂楊이 느러진 沿路로 海甸村의 秋風을 마시면서 前日 宋哲元의 兵營이라는 큰 建物을 지나 頤和園 門前에 다다렀다. 正門인 東宮門을 드러스니 昆明湖의 幽雅한 姿態가 나를 마저준다. 玉瀾堂 茶亭에서 「코카콜라」를 마시면서 우으로 莊嚴한 離宮을 바라보며 아래로 鏡面같이 맑은 湖水를 對할 제 爽豁한 氣風은 比할 데 없었다. 드르니 頤和園은 二十四景을 가지고 있다 한다. 山前八大景、山前六小景、山後十景, 이 數많은 景을 다 볼 수 없어 重要한 것만을 보앗거니와 일흠이나 적어두어 이 勝地를 紀念할가 한다.

一、山前八大景
東宮門、趣諧園、玉瀾堂、樂壽堂、
德和園、排雲殿、石丈亭、南湖。
二、山前六小景
景福閣、智慧海、畫中遊、聽鸝館、
延淸賞樓、養雲軒。
三、山後十景

淡¹⁷寧堂、眺遠齋、善現寺、眩春園、構虛軒、
花承閣、綺望軒、賣買街、須彌靈境、寅輝城關。

玉瀾堂、夕佳樓、樂壽堂을 지날 제 日月登¹⁸輝、月¹⁹樓暎夕²⁰、水木自親
等 遊閒한 곳도 많이 있다。大景에 如醉한 내 몸은 마음속 詠歎을 거듭할 뿐
邀月門 지나서니 長廊이 앞을 引導한다。끝없이 뵈이는 數百 丈의 廊下 山
水花鳥의 彩畵도 妙하기 極하거니와 長廊과 平行된 大理石의 石欄이 水面
을 스쳐가며 百인지 千인지 水와 山의 기슭을 限界한 그 結構가 더욱 奇하고
妙하다。長廊과 石欄 새이에는 步道와 花園이 있고 中間中間에 茶亭을 베풀
어 行客을 쉬이게 하였다。

이 廊、欄과 道、園의 四線平行이 끝없이 뻗쳐는가 하면 山水의 屈曲을
따러 左로 돌니고 右로 꾸부려 自然과 人工을 調和롭게 發露한 것은 萬壽山
만이 자랑할 수 있는 勝狀이라 할 수 있다。서투른 이 붓으로 穩前한 이 景
致를 쓰기가 거북할가 하야 짐짓 멈추고 발길을 돌려 排雲門으로 올너갔다。

北側에 雲輝玉宇、南側에 斗²¹拱瑤²²樞란 牌樓가 서있고 芳輝殿、紫霄殿
을 左右로 높고 排雲殿 德輝殿이 層々이 높이 소서 大空에 나붓기는가 하면

---

17 "淡"은 "澹"의 오식 - 편자 주.

18 "登"은 "澄"의 오식 - 편자 주.

19 "月"은 "丹"의 오식 - 편자 주.

20 "夕"은 "日"의 오식 - 편자 주.

21 "斗"는 "星"의 오식 - 편자 주.

22 "瑤"는 "遙"의 오식 - 편자 주.

그 우으로 弗[23]香閣、智慧海가 四重으로 屬立하고 있다. 雲輝玉宇는 前日 西太后의 遊亭이었다 하며 排雲殿은 西太后의 寢殿이라 한다 이만 하면 萬 壽山에서 王者의 榮光을 누리든 西太后의 豪華를 可히 想像할 수 있을 것이 다. 絶頂에 智慧海를 隔하고 萬壽山의 前後가 分岐되어있다. 智慧海는 佛 殿인 듯한데 正門이 굳이 닫쳐 드러갈 수 없었다. 智慧海 닫은 門 앞에서 昆 明湖를 바라보며 左右로 叢立한 宮殿樓閣을 살펴볼 제 感懷는 끝없이 일어 난다

> 永劫의 智慧大道 이 門 속에 숨었는가
> 말 없는 萬壽山에 夕陽한[24] 빗겼으니
> 두어라 人生靈活를 물어 무엇 하리오.

> 排雲殿 너른 뜰에 가을 풀 荒凉할 제
> 當時의 貴한 榮光 찾을 곳 어대인고
> 興亡이 有數하니 더욱 슬허하노라.

佛香閣을 내려와 淸華軒 雲錦殿、秋水亭을 거처 魚藻軒에서 사이다를 마 시었다. 그다지 시원한 맛이 없다. 淸遙亭、石丈亭、寄欄[25]堂을 지나 淸晏 舫(石舫)에 발을 멈추니 疲困한 다리가 더 前進하기 싫여한다. 大理石으로 맨든 이 石舫은 船形을 取한 建築의 一種으로 色硝子를 使用하야 「사라센」

---

23 "弗"은 "佛"의 오식 - 편자 주.

24 "한"은 "만"의 오식인 듯 - 편자 주.

25 "欄"은 "瀾"의 오식 - 편자 주.

式의 窓과 柱를 가진 洋支混用의 建築이다. 일즉이 西太后는 이 畫舫에서
大宴을 베풀고 歌舞와 珍味로 月夜를 미지하였다 한다. 이 石舫은 銅牛와
함께 萬壽山의 名物이다.

萬壽山前一策過、昆明湖上夕陽多。
石舟蘸水銅牛沒、年代蒼茫間[26]幾何。

한 거름 두 거름 萬壽山 앞을 지나갈 제
夕陽은 왜 昆明湖 너른 물가에 채웠는고、

석주도 잠기우고 銅牛도 또한 무쳤으니
뭇노라 지나친 年代가 그 얼마인든고。

故宮과 北海

　故宮과 北海를 보지 안코는 北京의 名勝을 말할 수 없었으리만이 둘이 다
莊嚴하고 華美하다. 故宮은 即 淸帝의 故居인데 宮闕치[27] 壯麗하고 殿宇가
輝煌할 뿐 아니라 宮城 北方에 聳峙해있는 景山이 蒼翠하게 對立하야 더욱
美觀을 던저주고 있다.
　나는 故宮을 찾기 前에 먼저 景山에 오르기로 하였다. 人造의 五山이 眼

26　"間"은 "問"의 오식 - 편자 주.

27　"치"는 "이"의 오식인 듯 - 편자 주.

界에 鮮娟한데 峰上의 五亭은 雲下에 漂渺한 듯 涼風에 옷깃을 헤치고 步々 前進하였다.

莊烈帝의 殉死處라 稱하는 幽僻한 곳을 거처 萬翠가 滴如한 山路에 올너 上峰에 다다렀다. 故宮, 三大殿이 眼下에 展開하야 燦爛한 黃瓦가 千波萬 頃을 이루었을 뿐 아니라 西으로 萬壽山, 香山을 指點할 수 있고 南으로 正 陽門, 祈年殿을 바라볼 수 있다. 御河橋, 北海의 白塔, 中南海公園, 國立圖 書館 그리고 北京의 파노라마를 一眸에 거둘 수 있는 것은 無限한 壯快가 아 닐 수 없었다. 周賞亭을 내려와 神武門으로 드러가니 燦然한 故宮이 文照에 빛최어 古色을 자랑한다.

乾淸宮을 드러서니 「正大光明」의 四字가 乾隆의 筆跡을 남기고 있다. 交泰殿, 坤寧宮, 承乾宮, 景仁宮, 景陽宮, 鍾粹宮과 그 外 일흠도 記憶할 수 없으리만치 여러 宮殿을 지나치며 無數한 玉器, 銅器, 瓷器, 種類, 陶 器, 書畵類 等의 陳列을 보앗다. 玉製의 會員[28]九老圖의 彫刻品이나 列立한 二十五 顆의 歷代 寶璽는 記憶에 닞을 수 업는 珍見이라 하지 않을 수 업다. 歸途, 御花園, 堆秀山, 擒藻堂을 지나서 古物陳列所가 되여있는 三大殿으 로 步武를 옴기면서 아래와 같은 拙作을 남기였다.

旅遊觀覽到燕京、宮闕荒涼有古城、擒藻堂深秋草沒、乾淸宮 屹夕陽明、
歷代帝王過去跡、千家豪傑幾稱名、剪彩移春今復睹、景山煙 樹但禽聲。

---

28 "員"은 "昌"의 오식 - 편자 주.

北海公園은 中南海、十利海의 遊覽地보담 훨신 高貴하고 淸雅하며 鮮娟하고 壯美한 곳이다. 蒲藻가 繽粉하고 禽魚가 翔泳하는 自然의 美도 있으려니와 金鰲이니 玉蝀이니 하는 大理石製의 二 橋와 樹林이 翳鬱하고 石塔이 高峙한 瓊島의 壯觀도 갖일 수 있는 곳이다.

陟山門을 드러가서 見春亭에 다리를 쉬노라니 茶亭의 光景이 視線을 끌고 있다. 때마츰 日曜日 午後임으로 靑春男女들의 納凉行脚은 끈일 줄을 모르고 있다 荷花가 滿開한 碧波를 헷처가며 뽀트를 저어가는 그들의 享樂은 그 얼마이며 垂楊이 욱어진 江가의 뻰취에서 風月을 議論하는 그들의 心境은 果然 어떠할가 우리도 뽀트를 저어 悠々히 對岸의 滋香亭、浮翠亭으로 차저갓다. 同行과 함께 夕食을 맞이고 떠오르는 달빛을 맞하면서 北海의 夜景、月下의 荷香에 마음을 헤치든 이때의 情趣는 참으로 내가 갖인 北京의 追憶이 아닐 수 없다.

　　萬柄荷花瓊島殿、膏々石塔出雲天、
　　古人往跡問無處、存廢中原今幾年。

天壇과 中南海를 보고 東安市街와 正陽門 밧 雜沓한 市街도 보기는 하였다. 그리고 所期의 視察도 맞이기는 하였다. 마는 歸路 天津水災로 因하야 北京停車場에서 이틀 동안이나 汽車를 기대리기에 苦悶하든 생각을 하면 北京도 멀미가 날만치 되었다. 그러나 내가 본 北京은 크고 아름다웠다. 萬壽山의 夕陽、北海의 달빛은 내가 바든 北京의 贈物이다. (끝)

—『朝光』, 제5권 제11호, 1939년 11월

北滿巡旅記

(一)

上三峰에서 朝開線[01]을 박궈 타고 豆滿江을 넘어서니, 듯는 말과 다름 업시 風土가 完然히 달으다. 今年은 어디나 마찬가지로, 눈이 적고 바람이 甚하여 對岸인 開山屯에서 일어나는 검으테테한 몬지가 넓은 벌판을 휩싸고 돈다. 『滿洲의 黃塵』이라고 흔히 말하나 黃土色이라기보다 黑灰色 몬지가 벌판을 뭇지르고, 亦是 黑灰色으로 마치 童話에서 느끼는 아라비아의 모래 언덕 가튼 丘陵을 이리저리 감도는 것이 陰울한 氣分을 자아낸다. 沿線 一帶에는 朝鮮 農家와 같은 草家가 或은 數十 戶씩 或은 數 戶씩 드문드문 벌판을 點綴하고 잇고 朝鮮式 牛車와 울타리와, 또 그 집들의 全般的 雰圍氣가, 背景인 風土가 다를 뿐 完然히 朝鮮이요, 朝鮮의 延長이다.

이런 風景을 감상하는 동안 어느덧 龍井에 이르다. 龍井이라면 間島로 알아왓고, 間島라면 龍井이라고 생각하여왓다. 그런 우리다. 그만큼 龍井은 朝鮮사람과는 因緣이 기픈 곳이다. 事實 朝鮮사람의 滿洲 移住의 母胎는 龍井이라고 할 수 잇다 다만 그것이 地理上으로 滿洲에 屬할 뿐이요 그 開拓

---

01 "朝開線": 차오양추안(朝陽川)부터 카이산툰(開山屯)까지의 철도 - 편자 주.

한 歷史로 보거나 現在의 朝鮮사람의 動態로나 施設로 보나 龍井은 곳 朝鮮이라고 해도 過言이 안일 만하다.

市街를 一巡햇스나 期待와 달리 整然하지도 못하고 淨潔하지도 못하다.

宏大한 建物이 櫛比한 거리도 업거니와 道路의 施設도 充分타 할 수 업다. 그러나 그러한 雜然한 속에도 滿洲의 어느 다른 都市보다도 자랑할 것이 잇스니 그것은 곧 敎育、宗敎의 施設이다.

宗敎는 朝鮮의 縮小、아니 世界의 縮小라 해도 誇張이 안일 만치 各 敎、各 流派가 모여잇다. 施設의 完備를 期할 수는 업스나 그러나 이것은 거의 다 朝鮮人 中心의 敎會이니 龍井은 이것만으로도 可히 精神的 糧食의 缺乏을 늣기지 안을 것이다.

敎育機關은 朝鮮의 큰 都市도 따를 수 업슬 만치 多數인 데 놀라다. 專門以上 學校는 업스나 中學校나 小學校는 建物에 잇서 遜色이 업고 內容에 잇서 充實하다. 朝鮮人 學生만 二千餘 名 收容하는 小學校가 잇스니 可히 그 宏大함을 알 수 잇다. 그러나 한 가지 遺憾인 것은 朝鮮 學制를 따르지 안는 것이다. 우에서도 말햇거니와 龍井은 모든 點으로 보아 朝鮮이다. 그 生活樣式이나 그 文化의 程度로나 朝鮮과 다름이 업다. 그럼에도 不拘하고 滿洲國이란 點으로 朝鮮人 學生도 滿洲國 學制를 따르게 된 것이다. 勿論 滿洲國 學制라도 그것이 우리의 文化程度와 가틀진대, 우리는 快히 이것을 마즐 것이오、決코 不平不滿이 잇슬 까닭이 업다. 敎育의 根本精神의 하나가 國民의 文化 向上을 意味하는 것이라면 龍井의 朝鮮人 敎育은 正히 이에 對照되는 敎育이다. 敎育에 多少라도 關心이 잇는 사람이면 누구나 不滿히 여길 것은 물론、一生을 敎育에 바친 사람으로는 痛歎을 마지 안을 것이다. 더욱이 半世紀 동안 自己 自身은 勿論 後世의 어린 世代를 爲해서 멀리 異國의 荒蕪地를 開拓하여 一生을 바친 그 偉大한 開拓者들의 功勞를 생각한다면

決코 疏忽히 看過할 問題가 아닐 것이다.

龍井에는 未久에 醫科專門도 新設되리라고 한다. 事實 龍井은 官公署의 中心都市도 될 것이고 位置로 보아 商工都市로서의 發展도 可望이 업다. 그러나 그보다도 教育都市、말하자면 文化都市로서의 大成할 基盤이 잇다.

龍井을 떠나 國際 新京에 내리다. 旅館에 들러 簡單한 旅裝을 풀고 下女에게 觀光뻐스券과 『亞細亞』의 急行券을 付託하고는 市街로 나가다. 노래에도 흔히 잇다.『酷寒 零下 三十餘 度』를 體驗할 樣으로 나서기는 햇스나 그러케 甚한 酷寒은 아니다. 그래도 거리의 琉璃窓은 全部가 서리에 씨워서 마치 全市가 公休日인 듯 키[02] ─ 튼을 친 늣김이 잇다. 滿洲人 市街에 들어서니 갑자기 浴湯 생각이 난다. 滿洲의 浴湯이 特異하단 말을 들엇는지라 그것부터 먼저 求景할 생각이 난 것이다. 한동안 내려가니 浴池라 써부친 커다란 大門이 잇다. 大門에 들어서 넓은 中庭을 지나니 玄關 같은 事務室이 잇다. 닷자곳자로 드러가며 獨湯을 請한다. 正方形으로 된 조그만 房에 案內되어 보니 한便에 사기로 만든 말숙한 浴桶이 잇다. 사람 하나가 들어갈 만한 것으로 넓이 一 尺、기리 五 尺 半 可量의 것이다. 다른 한便에는 寢牀이 잇고 浴桶과 寢床 사이에 조그만 卓子 하나가 壁에 부터잇다. 卓子 우에 茶道具 사이에 재떠리 같은 것이 노혀잇다 浴桶에 물을 채우는 동안 茶를 마시며 通치 안는 滿洲語로 말수작을 부치고는 몸을 닥는 사람까지 請하다.

(二)

浴桶에 들어갓다 나오니 몸을 닥는 것이 아주 굉장하다 그냥 안처노코는

---

02 "키"는 "커"의 오식 - 편자 주.

목덜미와 팔을 닥고 잡바티려노코는 가슴、배、다리를 닥고 업치어놓고는 잔등、볼기짝을 닥고 모로 눕혀노코는 겨드랑이 갈비때를 닥거준다 도모지 처음이 되어 어색하기도 하거니와 우습기가 짝이 업다。

속으로 이놈들이 이리 번지고 저리 업처놋는 법이 아주 그냥 산 사람을 튀하듯 하는구나 하고 생각하니 우슴이 터져나온다。몸을 닥근 後 벌거버슨 데로 크다란 手巾만 둘르고 理髮部에 가서 면도하다 다시 房에 도라와 寢床에 누워본다。이것은 滿洲人의 習慣이라 나도 그들이 하는 대로 숭내내어보는 것이다。그들은 大槪 寢牀에 누워 한잠을 자고 난다。아닌 게 아니라 나도 한잠을 청하고 십다。事實은 내게도 잠이 사르르 기여드나 잠잘 時間이 업다。한동안 누엇다가 뛰여 일어나 옷을 입고 나오다 생각하면 滿洲에서나 볼 大陸的이오 浪漫的한 性格의 하나다。

馬車를 잡어타고 旅館에 오니 벌써 觀光뻐스가 떠날 時間이다 付託한 뻐스券을 받어들고 『튜예리스트 뷰에로 —03』로 가다。이러케 추운 때임에도 不拘하고 二十五人乘 『뻐스』 두 대가 滿員인 데는 놀래지 안흘 수 업다。

舊市街는 以前 長春이란 곳으로 相當히 큰 거리다。그러나 그 보다도 新京의 新京 된 所以는 그 新市街에 잇다。新市街는 곳 國都建設計劃으로 새로히 된 거리를 말암이니、이것은 純全히 計劃的으로 遂行된 것이라고 한다。그것이 計劃的인 以上 理想的이 아닐 수 업스니 무엇 하나 우리의 눈을 놀라게 안는 것이 업다。道路만 보아도 最大 幹線 道幅이 六十 米突이다。그것이 車道만도 두 줄로 나누어저서 急行車道 緩行車道로 區分되어 잇고 그 두 車道 中間에 綠樹帶라는 것이 境界線을 이루고 잇다。마치 電車의 安全地帶 가튼 것이 同一한 間隔을 두고 느러젓고 그 우에 나무가 서잇

다。三十 米突 四十 米突의 幹線道路는 市街의 中心을 이리저리 貫通하고 아직 建物 하나도 업는 平野를 뚫고 視野 박그로 버더저잇다. 끄칠 줄 모르게 뻐더잇는 이런 道路는 어느 것이나 다『애스펠트』로 되어잇서 마치 마른 잔디벌판에 검은 絨緞을 까러노흔 듯하다. 幹線道路의 重要한 交叉點은 전부『로―타리』式으로 되어잇고 電信、電燈線은 全部 地下『케―불』로 되어잇다. 그러므로 新市街에서는 電柱 한 대 볼 수 업고 街路는 말할 수 업시 말고 깨끗하다. 理想的이란 이를 두고 하는 말이려니 홀로 感歎하다.

道路도 道路려니와 그 建物에 넘처흐르는 淸新한 氣分은 어떠타 形言할 수 업다. 깨끗한 設計圖를 그냥 그대로 옴겨노앗다고나 할까. 富裕한 사람들이 돈을 액기지 안코 마음 내키는 대로 힘자라는 대로 지어놓은 建物이라고나 할까. 도모지 돈이라고는 念頭에 두지 안코 建設된 都市로밖에 생각이 안 된다. 所謂 新京의『丸之內[04]』라는『비지네스·센타―』는 그 櫛比한 高層 建物로나 그 街路와 相副한 新□한 點으로나 整然美麗한 그 品格으로나『丸之內』를 凌駕하고도 남음이 잇슬 것이다.

廣大無邊한 平野에、百 平方粁의 宏大한 都市를 새로히 建設한다는 것은 現代의 科學으로도 容易한 일이 아닐 것이다. 二十 平方粁의 第一期 五個年 計劃은 임이 完成되엇고 六十五 平方粁의 第二期 區域은 目下 建設 中이라고 하나 우리의 눈으로는 언제나 完成될 지 그 廣大한 것으로 미루어 前途遙遠을 느끼게 한다 그러나『로―마』도 하루에 된 것은 아니다. 이만큼 建設해놓은 것도 新興한 國家로서는 偉大한 努力의 結晶이 아닐 수 업다.

한 말로 하면 新京은 그 이름과 같이 새롭고 맑고 雄大하다.

---

04 "丸之內": 마루노우치(まるのうち), 일본 도쿄의 번화한 상업구역 - 편자 주.

(三)

『뻐스』는 이러한 깨끗한 氣分을 滿喫시켜주며 中心市街를 지나 어느덧
南嶺戰跡地에 오다 뻐스의 說明役인 젊은 處女가 여기 와서는 얼굴에 愁心
을 띠우고 當時의 奮戰을 歷歷히 解說한다。車內는 별안간 哀愁에 빠지다。

뻐스는 느릿느릿 四十餘 粁을 돌고 三 時間 後에야 도라온다。

新京에서 업서서는 안 될 것은 馬車일 것이다。事實 馬車는 市內 交通의
王座를 占하는 것으로 新京은 馬車로 새고 馬車로 진다고 하느니만큼 馬車
의 存在는 絶對의 것이다。洋車 自動車 뻐스는 다만 이것을 補助하는 機關
에 지내지 안는 듯하다 어디로 나서든지 馬車 한두 臺가 업는 곳이 업다。電
車가 업는 大都市라 馬車의 必要가 切實히 느껴질 수밖에 업다。그러나 그
런 代身 馬車가 가장 頻繁하게 來往하는 停車場 附近 一帶는 여기저기에 馬
糞으로 덥혓다。겨울이라 얼어붓는 關係로 깨끗이 掃除가 안 되는 모양이
다。여기 對해서는 여러 가지로 考慮하는 모양으로 馬車에 馬糞 받는 器具
를 장치한다는 말도 잇다。

新京의 人口는 四十萬이라고 하는데 其中 約 十萬이 內地人이라고 한다
(其中에 朝鮮人도 勿論 포함되어 잇다) 數로만 보아도 四 對 一이다。그러므
로 우리가 처음 하는 旅行이라도 조금도 不便이 업다。

東京이나 京城이나 新京이나 무어 다를 것이 업다。京城에 朝鮮人 市街
가 잇고 新京에 滿洲人 市街가 잇는 것이 다를 뿐이다。그박게는 다 미친가
지다。言語나 行動에 잇어서 內地式이기만 하면 萬事가 『오·케』다。何等 不
便이 잇슬 까닭이 업다。그러므로 朝鮮사람도 內地人 行勢를 하는 모양이고
비록 朝鮮사람끼리라도 그러는 모양이다。무어 滿洲에까지 와서 내가 朝鮮
사람이라고 벗대일 것도 업슬 것이니까。

滿洲인은 朝鮮사람 알기를 발바닥으로 여기지 안치만 內地인을 알기를

하늘가치 여기다. 朝鮮사람이 內地人 行勢를 하는 가장 큰 理由는 이러한 蔑視를 피하기 爲함이다. 비록 그것이 虛僞의 手段이라 할지라도 對 滿洲人 生活에 잇서 無可奈한 일이다.

新京을 떠나 哈爾濱에 닷기는 午前 六時 頃이다. 新京에서 付託한 『亞細亞』의 急行券은 四、五 日 後가 아니면 어들 수 업서서 普通車의 寢臺券으로 滿足하지 안흘 수 업섯다. 旅館에 드니 거의 일곱시다. 그러나 아직도 밤中가치 캄캄하고 매운 듯이 차다、그날 寢臺에 드러누어 한잠을 자고 나다. 이 地方의 日出은 매우 늦다. 아홉時가 되어야 겨우 해빨이 보인다. 東京에 比하면 아마 두어 時間 느즐 것이다.

旅館이 바로 露人街인 『기다야스카야[05]』街에 잇는 關係로 아침 먹고 門을 나서면서부터 아주 『엑조틱』한 感을 자아내게 한다. 한나지 다되엇는데도 『쇼 — 윈도 —』의 서리빨이 新京의 그것보다도 더 甚하게 씨워젓잇다. 안에는 무에 잇는지 도모지 알 수 업다. 더욱이 看板이나 廣告板이나 門牌나 할 것 업시 모다 露語라 무얼 파는 商店인지 무얼 하는 建物인지 도무지 눈 뜬 장님이나 마찬가지다. 이런 거리를 캄캄한 氣分으로 걸어가노라니 삐라가 한 장 손에 쥐어진다. 펴들고 보니 全部가 露語다. 속이 캄캄하여 못 견딜 지경이다. 부스려 비벼 던질려고 하다가 다시 펴들어 본다. 或 英語나、獨、佛語의 한두 가지도 잇지 안흘까 期待하면서 그러나 추운데 떨어가며 다시 펴 본 것만도 徒勞엿다. 눈 뜬 장님이란 事實 이런 氣分을 말함이리라 혼자 嘆하다. 예전 農村에서 文字普及을 시킬 때 文盲은 눈 뜬 장님이라

05　"기다야스카야": 기타이스카야, 러시아어로는 Китайская(중국의, 중국인의). 하얼빈의 대표적인 상업가로 현재 '중앙대가(中央大街)'로 불린다. 개발 초기에 중국인들의 거주구역인 데서 유래한 러시아어 지명이다 - 편자 주.

고 하로에 몃 번씩 지꺼려도 그게 그저 그런 말이려니 하고 지낫슬 뿐 참말로 눈 뜬 장님의 眞體를 내 自身 體得하기는 이번이 처음이다.

이곳 추위는 新京 以上이다. 北極의 酷寒을 여기서 맛보는 듯하다. 해벼티 아무리 잘 드는 南向이라도 琉璃窓의 서릿발은 녹을 줄을 모르고 길바닥의 눈 어름이 꿈지럭도 안는다. 아마도 겨울 동안은 녹아볼 줄 모를 것이다.

오늘이 一月 九日인데 이곳은 요 사이가 『크리스마스』인 모양이다 秋林[06]이란 어지간히 큰 百貨店도 그로 因해 三日休業이란 牌가 나붓텃다 그것도 露語로 크게 쓰고 여페 조그만케 日語로 몃 者 적어노핫다. 『크리스마스』에 여러 날 休業하는 것도 그러커니와 모든 것에 露語 中心인 것으로 보아 哈爾濱은 露人의 都市란 느낌을 준다 哈爾濱驛 構內에서 본 것인데 一二等 待合室 한 모퉁이에 『로맨 캐도릭[07]』敎徒의 『그리스도』의 偶像을 모신 것이 잇다 여러 사람이 奇異한 듯 드려다보고 잇는 中에 露人이 와서 초ㅅ불을 켜노코 무릅을 굽혀 祈禱하고 그리고는 『그리스도』의 손에 接吻한다. 그 光景은 如何튼 白系露人의 偶像이 他國의 驛內에까지 安置되엇다는 것은 多少 異常한 感을 갓게 한다. 事實 哈爾濱의 露人의 存在는 輕視할 수 업는 것인 모양이다 市內交通에는 國都 新京에 업는 電車가 잇슬 뿐이고 그 박게는 新京과 다를 게 업다 馬車는 新京에 比할 배 못 되고 電車의 通路는 京城에 比가 아닐 듯이 생각된다.

新京은 처음 旅行이라도 別로 不便 업시 그래도 充分히 보앗다고 할 수 잇스나 哈爾濱은 그러치 못하다 뜻 맞는 동무의 案內도 업고 酷寒이여서 마음대로 나다니지 못하는 關係로 귀에 익히 들은 그 엑조틱한 裏面 生活은 섭

---

06 "秋林": 러시아어 ЧУРИН, 1900년 하얼빈에 설립된 러시아계 백화점 - 편자 주.

07 "로맨, 캐도릭": 영어 Roman Catholic - 편자 주.

섭하게도 살피지 못한다.

(四)

未練을 남기고 牧[08]丹江行을 타다 어느 車나 다 그랫지만 이 車도 大滿員이다. 단지 滿員이라고만 말해버릴 수 업슬 만치 昏亂하다. 滿洲人들은 手荷物로 부칠 만한 큰 보따리도 그냥 들고 들어온다

坐席이 滿員이라 다락도 滿員이다. 그들은 보따리를 通路에 놓고 그냥 서서 간다. 通路는 꽉 차서 便所 가기도 거북하다. 食堂車에 갈래도 車가 停車하기를 기대려 『플래트랫홈』에 내려서 찾아가야 하고 다시 停車하기를 기다려야 비로소 제자리에 차저온다. 車內는 人間으로 飽和되고 特異한 滿洲人의 내음새가 코를 찌른다. 間或 坐席을 獨占하고 누어잇는 洋服쟁이도 잇다. 그러나 滿洲人들은 그 여페 서서 가면서도 敢히 가치 안기를 請치 못한다. 滿洲人 車掌이 지나다 이걸 보고 흔들어 깨우면서 여페 선 사람들과 같이 앉기를 勸한다. 그러나 聽而不肯인데야. 車掌도 無表情으로 지나가버리고 선 사람도 無表情으로 다만 黙黙히 서서 갈 뿐이다 마치 聖者와 같이 超越한 듯 一切의 不平도 秋毫의 愛着도 업는 듯하다. 國民性이라 할까? 또는 무에라고 할 것인가? 나는 걷잡을 수 업는 異常한 衝動에 사로잡히다. 民族間 文化의 優劣이란 어떻게 말할 수 업시 不快한 것이다. 그러나 또 생각해 보면 엇지할 수 업는 일이다.

눈을 돌려 沿線을 내다보니 想像 以上으로 山이 뻐더잇다. 그러나 모두

---

08 "牧"은 "牡"의 오식 - 편자 주.

빡빡 깍근 중대가리山이다 山이라 해도 우러러볼 것은 못 되고 그냥 건너다 볼 만한 裸山들이다. 한 자도 못 되는 가둑나즌무[09]가 잔디풀과 가치 누러케 말러잇슬 뿐 그박게는 나무라고는 한 대도 업다. 이 無限大한 平野와 이 山만 보아도 問題의 治山治水가 難事의 難事임을 可히 알 수 잇다. 山에는 朝鮮에서 흔히 보는 墓는 한 자리도 안 보이고 電柱도 흔치 안다. 廣漠한 平野에 何必 山에다 電柱를 박을 까닭도 업슬 것이다.

於焉間 牡丹江에 닷다. 이곳은 圖佳線[10]과 濱綏線[11]의 中心交叉地로 將來를 囑望 밧는 都市다. 驛 附近 一帶의 新市街는 大都市로서의 面目을 가젓스나 舊市街는 依然히 千篇一律의 雜然한 滿洲式 市街다. 舊市街의 西쪽 끄트로 나가보니 朝鮮사람이 모혀 사는 마을이 잇다. 內容도 그러커니와 外形도 참담하다. 滿洲의 物價가 朝鮮에 比해 휠신 高脹한 까닭도 잇겟지만 이런 『마찌하즈레[12]』의 기우러지는 草가집 房 한 間에도 十 圓 以上의 貰를 주어야 겨우 엇을 수가 잇다고 한다. 物價가 그러코 집세가 그러하니 어지간한 收入으로는 生活이 潤澤할 수 업슬 것이다.

牡丹江은 잠간 둘러만 보고 그냥 圖們으로 向하다.

滿洲에서 내가 탄 汽車는 공교롭게도 全部가 다 延着이다. 十 分 內外는 그만두고라도 三十 分 以上 延着이 흔하다. 어느 驛을 勿論하고 延着의 揭示가 나부텃다. 아마 延着은 普通인 모양이다. 그러나 後에 當한 일이지만 圖們서 朝鮮을 向할 때 意圖的은 아니나 三 分 늦어 나갓더니 車는 이미 正

---

09 "가둑낮은무"는 "낮은 가둑나무"의 오식인 듯 - 편자 주.

10 "圖佳線": 투먼(圖們)부터 자무스(佳木斯)까지의 철도 - 편자 주.

11 "濱綏線": 하얼빈(哈爾濱)부터 수의화(綏化)까지의 철도 - 편자 주.

12 "마찌하즈레": 일본어 町外れ(시외, 교외, 변두리) - 편자 주.

刻에 떠낫다. 三 四 分 느저도 탈 수 잇스려니 하고 나간 것만도 너머 얏자
바본 것이 아니냐고 탓햇도 辯明은 업다.

圖們에는 밤 열한시에 내리다. 朝鮮 旅館을 차저 오래간만에 溫突방에서
便히 쉬다.

圖們은 豆滿江을 사이에 두고 南陽을 對한 新設한 市街라 도무지 滿洲땅
이란 印象을 주지 안는다. 南陽이나 圖們이나 무어 달을 것이 조금도 업다.
마치 漢江을 사이에 두고 京城 市內와 鷺梁津이 對하고 잇는 듯한 感을 준다.

滿洲 旅行 中 가장 不快를 느낀 것은 水質의 不良함인데 圖們도 이 例에
빠지지 안는다. 그러나 한번 江을 건너 南陽에 이르면 水質은 完然히 다르
다. 圖們、南陽의 다른 點은 水質에나 잇다 할가. 그것은 如何튼 水質의 良
不良은 山勢와 地勢의 關係일 것이니 이런 것으로 보아도 自然이란 맹낭한
것이다. 왜 그러냐 하면 우리 人間이 政治的으로나 文化的으로나 또 무슨
的으로든지 國境을 흐트러놋는다 하더라도 自然은 어디까지 그걸 固執할
게니까 말이다.

圖們을 떠나 歸路에 들다. 滿洲를 돌고 오니 朝鮮의 山水가 새삼스러히
아름다워 보인다. 흔히 外國 觀光客들이 朝鮮에 들르기만 하면 판에 박은
듯이 朝鮮은 아름답다고 하는 말이 異常히 느껴졌으나 決코 그것이 禮儀的
言辭가 아닌 것을 깨다럿다. 말하자면 滿洲를 보고야 비로소 朝鮮의 美를
認識한 모양이다. - (完) -

— 『朝鮮日報』, 1940년 2월 28일 ~ 3월 2일, 4회 연재.

天壇

韓雪野

얼마 前 이곳 新聞에 실린 어떤 內地人의 隨筆을 읽으니까 다음과 같은 意味의 말이 씨어있었소.

『요지막 內地에서 觀光客들이 많이 오는데 北京이란 곳이 워낙 너르고 名所가 많기 때문에 어느 곳부터 案內했으면 좋을지 몰라서 大概 遊覽 뻐쓰를 타도록 勸하는데 그 사람들의 感想은 열이면 七、八은 다 구경하고 나니까 싱겁다는 것이다』

나는 勿論 이 觀光客들의 思想에 同感이라는 것은 아니나 자미있는 말이라 생각하오. 大體로 이곳의 自然이나 人工은 우리들 좁은 地域에 살든 사람과는 親하기 어렵소. 차라리 사람을 威壓하는 感이 있소.

우리들이 보아 온 自然은 特히 內地의 그것은 우리들이 朝夕으로 呼吸하고 翫賞하는 庭園의 延長이라 볼 수 있소. 白頭나 金剛은 世界의 靈地라는 것이 妥當할 것이니 論外로 하거니와 저 有名하다는 耶馬溪에도 實로 庭園의 性格이 如實히 나타나 있는 것이오. 아니 실상은 사람들이 그 自然을 模倣해서 庭園을 만들었든 것이겠지오. 하니까 말하자면 그 庭園은 그 自然의 雛形이나 縮圖에 지내지 않을 밖에 없지요.

그래서 그와 같은 庭園과 自然 속에 살든 사람이 그 頭腦 그것을 가지고 와서 갑자기 이 大陸의 自然이나 人工을 對하려니까 낭중은 어안이 벙벙하고 입맛이 싱거울 밖에。그러나 그것은 이곳의 自然의 罪도 아니요 人工의 罪도 아니요 말하자면 보는 그 사람의 罪겠지요。

얼마 前 나는 上田廣의『地燃ゆ』라는 小說의 讀後所感을 쓰는 데서 이를 이른바 大陸을 取材하는 作家들은 中國人을 제 性味에 맞는 侏儒로서 조고맣고 아담하게 倭小化하는 데 依해서만 自己의 것으로 創作한다는 意味의 말을 쓴 일이 있소。實로 여기에 이 小說의 稚拙性이 있는 것이요。또 우리들의 不滿이 있는 것이요。

이와는 좀 동떠러진 말인 듯하나 얼마 前 朝鮮의 新聞에서 作家로 하여금 三週 間의 滿洲 旅行을 시키고 大陸文學을 쓰라고 한 일이 있었소。또 그것을 往古未聞의 大書特筆로 紙上에 發表하고 그 實際 作品을 뒤이어 실은 것도 事實이요。그러나 나는 여기서 그 作品의 成果를 말하랴는 것은 아니요。다만 그 시기는 사람이나 그대로 하는 사람이나 또는 그 사람들의 隣人인 우리들의 牲格이 大陸이라는 것을 意識하고 呼吸하고 把握하기가 어렵다는 것을 말하면 그만이요。

아닌 게 아니라 이곳의 自然은 ― 自然이라는 것 보다 自然과 人工의 合作은 實로 거창한 것이요。이곳의 著名한 勝景은 大概나 이와 같이 自然과 人工의 合作으로 된 것인데 그러면서도 어디까지가 自然이요 어디까지가 人工인지 알 수 없소。그러면 또 그런대로 거기 끄치는 것이 아니라 찬찬이 보면 모두 自然 그것 같고 또 人工 그것 같기도 하오。卽 自然으로 보면 변통 없는 自然이요、人工으로 보면 놀라운 人工이요。

北京에 있어서 이러한 勝景의 代表的인 것은 아마 天壇일 것이요。天壇에 한 발 들어서보면 솔깃이 大陸人의 性格 一班이 드려다 보여지는 것 같소。참 놀라운 곳이요。

天壇은 昔日 天子의 祭壇으로 其餘의 여러 祭壇 即 地壇、社稷壇、日壇、月壇、先農壇、先蠶壇 等 諸壇의 꼭지로 그 外壇의 周圍가 約 六 粁(十五里)요 그 面積이 八十一萬 坪인데 그 境內 全域에 四、五百 年 묵은 아람드리 槐樹、香樹가 들어서서 欝蒼한 가지가 하늘을 덮고 있소. 그 아래는 항시 깊은 그늘이 있어 白晝에도 무척 음침해 보이는데 더욱이 그 나무 아랫도리에 커다란 검은 洞穴이 생겨서 그 속에서 자든 곰이 튀어나온다든 옛날이야기를 想像케 하오. 그 樹木에는 한 나무 한 나무마다 番號가 붙어있는데 이 나무 亦是 이 天壇이 竣工되든 明初에 심은 것일 것이니 지금으로 보면 明、淸、民國 三代를 누리는 대단이 소중한 나무들이요.

이밖에도 民國이 되면서、또는 最近에는 冀東政府가 되면서 심은 記念植樹도 處處에 보이오만 아직 매우 어리오.

正門을 들어서면 바른 便에 『○○部隊』라는 看板이 붙어있고 그 南으로 너른 兵營이 내려다 보이오. 옛날 第八路軍이 있든 자리라 하오.

西便 正門으로부터 正東으로 놓인 큰길가 욱어진 나무 아래를 이윽히 걸어 들어가니 이른바 天壇이 나지요. 이 壇은 境內 中央에 한 길 남게 花崗岩 大理石 等 무섭게 큰 돌을 쌓아올린 五 里만큼 긴 石築 우에 北은 祈年殿을 中心으로한 諸 建物을、그리고 南은 圜丘臺를 中心으로한 諸 建物을 配置한 것이요. 建築의 美로 보든지 그 規模의 큰 것으로 보든지 그 壯嚴한 것으로 보든지 北京 諸 名所의 總帥가 되기에 조금도 부끄럽지 안소.

皇宮의 여러 殿閣樓臺가 크고 놀랍지 않은 것은 아니나、거기는 그래도 地上人間의 居所따운데가 있지만 이곳 天壇은 人間의 生活을 超越한 神의 곳이라는 森嚴한 雰圍氣를 주오. 아닌 게 아니라 天壇을 보면 中國人의 敬天思想이란 얼마나 엄청난 것인지 넉넉이 알 수 있소. 그 圓形屋蓋가 뾰죽하게 하늘 가운데 드솟아 있는 것을 보든지 또는 그 屋蓋의 琉璃瓦가 蒼穹의 빛 그대로인 것으로 보아도 天을 尊敬하고 天神의 存在를 景仰하였든 것을 넉넉히 엿볼 수 있소.

이것은 天子의 祭壇으로 그 祭式은 單純히 天子가 祖宗을 祭祀하는 것과도 달리 두 가지의 法式을 取하고 있소。即 그 하나인 祈年殿의 祭式(昊天上帝)은 太廟와 같이 三 層의 屋蓋 아래 即 殿內에서 올리는데 그도 天井의 龍과 天子가 三跪九叩하는 敷石인 天然 龍紋石(雲南에서 난 天然石으로 龍이 그려저 있소)이 一直線으로 되어 바루 하늘을 向하고 있고、南의 圜丘臺는 古昔에 天子가 南郊에 불을 피우고 天을 祭하든 郊祀에 조차서 아무 建物도 覆蓋도 없는 둥그런 石臺(圜丘臺) 우에서 亦是 昊天上帝를 祭하게 되었소。

우리는 일즉『論語』에서『祭如在、祭神如神在』라는 글을 읽은 일이 있소만 天壇은 바루 그 思想을 象徵化 한 가장 代表的인 祭壇이요。그러니만치 누구든지 祈年殿 龍紋石 앞에 서든가 圜丘에 올라서면 어깨에 神을 느끼게 되오。

神이 있는지 없는지는 알 수 없는 일이오만 어쨋든 우리의 눈에 보이지 않는 것을 보이게 하려 하고 느끼게 하려 한 거기에 人間의 創作이 있은 것이요 또 苦心이 있었든 것이 아닐는지요。어쨋든 무릇 모든 創作行爲란『有에서 有』라는 平凡한 用意에서는 생겨날 수 없는 것인가 싶소。이렇게 말하고 보면 곧『無에서 有』라는 것을 생각하게 되어 이때껏 우리가 가저온 바 慣習으로 보아 말이 매우 웃습고 모호하게 되는 듯하나、그러나 실상은 亦是 創作이란 이렇게 모호하고 또 常識을 無視하고 存在하는 것이 아닐는지요。말이 좀 딴 길로 들어간 듯하오만、所謂 創作을 人生 一代의 職業으로 하는 사람의 버릇이라고 보면 이따위 遊覽記도 눌러 볼 수 있지 않을는지요。

나는 天壇 境內에 들어와서 路順을 北으로 取하여 맨 첨으로 祈年殿엘 들

어갔소. 이까지 가는 데에도 勿論 全판이 花崗岩과 大理石이요. 리[01]으리
해서 다리가 꼬일 지경이나 그보다도 祈年殿 앞 正門의 무섭게 길고 큰 돌
문턱에 다리를 걸치고 그리고 그 높은 門 아래에서 바루 그 안에 드려다보
이는 祈年殿을 한동안 멀거니 보고 있으려니까 아닌 게 아니라 얼빠진 사람
같쇠다. 祈年殿 높이가 近百尺이오 그 直徑이 八十尺이요 그 밑바닥 石壇
直徑이 三百七十尺인데 이것은 크고 높은 것으로 놀랍거니와 저 아스렇게
쳐다뵈는 三層塔 最上部의 圓維[02]型 屋蓋의 雨傘쌀같이 密集한 瓦列은 비쌀
같이 가늘게 보이어 그게 또한 사람으로 하여금 한동안 입을 버리게 하오.
그리고 그 빛나는 琉璃瓦의 가느단 瓦列이 한데 모인 最上部 복판에 상투 같
은 丹錐가 하늘을 찌르고 섰소. 그도 그럴 것이 이 祈年殿 복판에 깔린 龍紋
石과 이 殿의 天井에 색여진 龍트림과 이 殿上의 丹錐가 한 垂直線을 그리어
그 아래 엎드린 天子의 祈願이 이 垂直線을 타고 昊天上帝에 이르도록 마련
되어있는 것이요.

龍紋石 바루 앞에 昊天上帝의 神位를 올리는 높다란 壇이 있고 그 左右에
멀직이 八座의 神壇이 있는데 그것은 淸朝八皇의 神位를 모시는 곳이요.

入口 안에 한 六十餘歲되어 보이는 老守直이 서있는데 보매에도 사람이
좋암직해서 서트른 華語를 붙혀보왔지요.

『이게 모두다 무언가요』

하고 내가 殿內神壇들을 가르쳤드니 아닌 게 아니라 이 老守直은 우선우
신한 낯으로 비록 누런 이똥은 보이나 그 꾸부정한 허리와 길다란 소매가 행
결 親切을 드읍는 듯 中國人 一流의 빠른 말씨로 길다렇게 說明을 내리오.

---

01 "요으. 리"는 "요. 으리"의 오식.

02 "維"는 "錐"의 오식 - 편자 주.

『이게 昊天上帝의 자리요 이건 淸朝八皇의 자리요。』

하고 여들 인군의 자리를 하나씩 세오。康熙와 乾隆 兩帝를 特히 힘을 주어 세는 것 같음은 오로지 듣는 나의 귀나 욕심 탓이 아니라 그도 응당이 聖君에 對한 景仰의 意識이 오랜 동안 그 血管에 배여서 그를 부르는 소리가 特히 높고 떨리는 것인가 보오。實로 이 兩帝는 近代의 堯舜이라 할 만하오。이 兩朝의 文化가 오이려 漢唐을 누를 만한 것을 보아온 나도 어쩐지 感激과 追憶에 떨리오。그러니 自然 말이 또 外題로 흘르는 것을 어찌하오。

『香妃의 이야기를 아시오』

하고 老守直에게 물었지오。香妃란 乾隆帝의 寵妃요。하나 그 巷間傳統에는 信憑키 어려운 浪說이 많아서 어떤 것이 眞說인가 알려고 궁금해 하든 차요。

『香妃요? 네 알지요 有名한 어른이요』

『乾隆帝의 寵妃니까 말이지요?』

『네、乾隆帝도 有名한 어른이요、香妃도 有名한 어른이요』

하고 老守直은 길다렇게 느러놓는데 나의 쥐꼬리만한 華語로는 이 옛 이야기의 구수한 맛을 샅샅이 알 수 없으나 그 눈짓、손짓、語音들을 綜合해서 보면

『香妃는 本是 西藏王의 王后요。그런 것을 乾隆大帝가 西藏을 치시고 香妃를 皇城으로 모셔왔지요。그러나 香妃는 烈女요、또 乾隆皇帝는 聖君이었소。그래서 乾隆皇帝는 香妃를 무척 寵愛하셨건만 그 烈女의 높은 節介를 꺾으시지 않으셨소。그리고 그저 皇城 안에 계시게 하고 맘으로 寵愛하셨지오。그렇건만 乾隆皇后는 두 분 사이를 疑心하시고 香妃를 죽이셨소。皇城外朝의 浴德堂에는 香妃가 沐浴하시던 훌륭한 浴室이 있소』

大槪 이런 意味의 말인가 보오。

乾隆帝와 香妃의 艶史는 相當히 有名한 것인데 그 傳說이 옳은지 이 老守直의 말이 옳은지는 모르겠으나 乾隆帝가 이 香妃를 寵愛하셨던것 마는 事實인 듯하오. 지금도 皇城外朝(古物陳列館)의 武英殿 西쪽에 浴德堂이란 土耳其[03]風의 浴室을 附設한 一殿이 있는데 이것은 지금의 中南海公園이오 옛날의 皇宮의 西苑이든 南海의 正門인 新華門과 아울러 香妃의 傳說을 가지고 있는 이름난 곳이오. 또 堂內에는 아직도 伊太利로부터 歸化한 卽[04]世寧이란 畫家가 그린 二 幅의 香妃 肯像이 있는 것으로 보면、하마 그랬을 理는 없지만 乾隆帝께서 香妃가 죽은 後에 그 肯像이나마 보시려고 한 것이 아닌지、또는 한 장도 아니오 두 장인 것은 或是 紛失될까 念慮하신 것이나 아닌지? 이런 부질없은 想像을 가지게 되오.

내가 暫時 默想을 하고 있는 동안에 老守直은 龍紋石 앞에 엎드려서 부지런히 고개를 찧고 있소. 얼른 보아도 그것은 옛날 天子의 三跪九叩를 숭내내는 것이오.

『皇帝께서 昊天上帝께 이렇게 하셨습니다』

하고 老守直은 다음으로 龍紋石을 가르치며 이것은 龍의 눈、이것은 如意珠를 문 龍의 입하고 꼬리까지 石紋을 쫓아 說明해 주오. 그리고 엎드린 채 龍紋과 天井의 龍트림을 번갈아 가르치오. 그 몸 動作과 말씨가 황겁하다리만치 빠르오. 中國人은『慢慢的』라 해서 느린 것의 代表로 치지만 어떤 境遇에는 이 사람들처럼 다급하고 재바르고 싹싹하고 귀끼 빠른 것은 없소. 汽車나 汽船을 탈 때의 황망해 하는 것과 왁자지껄 떠버리는 것은 나뿐 習性

---

03 "土耳其": 터키 - 편자 주.

04 "卽"은 "郞"의 오식. 朗世寧(Giuseppe Castiglione, 1688~1766), 이탈리아 선교사, 1715년 카톨릭 예수회 수사의 신분으로 중국에 온 뒤 궁정 화사(畵師)로 일했다. - 편자 주.

이라 하겠으나 이도 오래도록 內亂 속에 살아왔고 또 權勢와 秩序가 없는 가운데서 살아 온 사람의 다만 살기 爲하여서의 꾸여진 慾心에서 나온 것이라고 생각할 수 있지 않을는지오。 그러나 내가 지금 말하고 싶은 것은 그보다 길을 걸으면서 본 中國人의 버릇이오。 이들은 그렇게 뜨건만 뒤에서 人力車나 사람의 急한 소리가 나면 잽싸게 앞을 避해주오。『慢慢的』라는 사람들이지만 누구보다도 민첩해 보이어 뒤로 오던 사람의 氣分히 매우 感謝해지는 때가 있소。 假令 네거리 같은 雜踏한 가운데 서서 보아도 그렇게 벅작궁 고아내건만 事故가 없는 것은 이러한 日常化한 性格 때문이 아닐는지오。 大體로 文明人이니 무어니 하고 쪼를 빼고 턱을 높이는 人間 따위는 거만한 탓인지 公衆이니 公道니 하는 그들의 아름다운 文字와는 딴판으로 길을 비키기를 꺼려하고 뜨고 오만하오。 해서 萬一 이들 所謂 文明人이라는 치들만 모아서 이 北京의 雜踏한 네거리에 휘몰아 넣는다고 하면 每日같이 交通事故가 續發할 것이오 피투성이의 慘劇과 爭鬪가 演出될 것이오。

나는 이 老守直을 보면서 中國人이란 남의 好意나 善意에 對해서는 非常히 싹싹하고 敏感하고 다급한 性格을 가지고 있거니 하고 생각하였소。 그것은 내게도 매우 질거운 일이었소。 老守直이 돈푼이나 생길까 하고 그렇게 親切해진 것이라고 넘잡는 개가운 버릇이 우리에게 있는 것이 事實이나 사람이 누가 돈을 싫다겠소。 사흘을 굶겨놓면 아마 도적질 안 할 사람이 없을 거요。 事實上 이들 下層民은 지금 지극히 배가 고픈 모양이요。 생기는 것은 적고 용은 많고 物價는 비싸고 하니 어찌하오。

『당신 薪水(月給) 얼마요』

하고 내가 물었더니 그는 별반 꺼리는 氣色도 없이

『十八 圓이오。 예전에는 八 圓을 받은 때도 있었소』

하고 웃으며 對答하오。

『그걸로 生計가 되오』

『네 그럭저럭 되지오. 이런 洋服이랑 신이랑 그저 내주니까요』

『그래 여기 있은 지는 몇 해나 되오』

『올에 꼭 마흔다섯 해째요』

『마흔다섯 해?』

나는 입을 하아 버리고 말았소. 그리고 딴 말을 물었소.

『이 집들은 지은 지가 몇 해나 되오』

『대개는 明나라 初 것이오. 그러니 지금으로부터 五百餘 年이지오. 그러나 한 四十 年 前에 大修理를 하고 참 이 祈年殿은 내가 여기 들어 온지 四年만에 벼락이 내려서 불이 붙었지오. 그래서 그해에 다시 지었는데 工費는 百五十萬 兩이라고 하나 明나라 때 것도 다 못하오. 그러나 이 밑바닥 石築만은 明나라 때 것이오』

『그렇지만 이것도 훌륭하오, 저 天井과 이 大圓柱가 다아 놀랍소』

『그렇지오 圓柱가 넷이지오. 春夏秋冬 四時를 따라서 넷이지오』

거기를 나와서 祈年殿 周圍를 돌아보니 三 層의 大理石 圓壇에 龍을 색인 나즈막한 石欄子이 둘어서있소. 그리고 그 사이사이 八 個所에 내려가는 石階가 있는데 前面의 石階 中央部는 天子가 다니시던 데라, 지금은 一般의 通行을 禁하고 그 左右로 오르내리게 되어있소. 그 中央部는 三 層의 石階로 層層대가 되어있는 것이 아니라 二 間 쯤씩 되는 길다란 大理石 석 장에 各各 雲波、鳳凰、龍을 색인 것을 三 段으로 놓은 것이오. 이것을 雕石이라고 하는데 磨滅을 避하기 爲하여 지금은 通行을 禁止하오.

祈年殿 앞 너른 뜰에는 一面으로 흰 돌을 깔아놓았는데 모다 九의 信[05]數

---

05 "信"은 "倍"의 오식 - 편자 주.

를 使用하였다 하오. 참 너르고 좋소. 우리도 이미 映畵에서 본 일이 있지만 이렇게 널르고 크고 훌륭할 줄은 몰랐소. 아담한 庭園을 사랑하든 사람은 여기를 보고 어안이 매켜서 無意味한 誇張이라고 고개를 저었다 하오. 그러나 이 고장 사람은 洋車夫(人力車꾼)들까지도 그렇지는 않소. 아마 사람들이 서로 다른 탓이겠지오.

祈年殿 뒤 石階를 내려가면 一段 낮은 곳에 淨潔하고 閑寂한 皇乾殿의 一郭이 있는데 正門이 닫혀 들어갈 수는 없으나 이것은 神位들을 奉安한 곳이라 하오.

祈年殿 東方에 祭器庫, 神庫, 宰牲亭이 있고 이것들을 連하는 長廊은 길이가 二百 米나 되는데 祈年殿 祭天 時에 祭物을 날르던 通路요. 이 長廊 南쪽에 數個의 怪石이 있소. 傳說에 北斗七星이 떨어진 것이라 하오 하나 그것은 隕石도 아니오, 또 정말 하눌서 떨어진 것이라면 지금 北斗七星이 보이지 않을 것인데, 그렇건만 傳說의 힘이란 무서운 것이어서 여직도 그렇거니 하고 구경들 하오.

祈年殿을 나와 南쪽의 一郭 圜丘台를 가려고 그쪽을 내려다보니 다시금 놀라운 것은 그 機描의 큼이오, 石材의 많고 큼이오. 그런데 더욱 北部 中國에는 石材가 없음에도 不拘하고 建築과 造山마다 巨岩怪石을 지천으로 만판 푸지게 늘어놓았으니 아니 놀라는 장수가 있소. 나오면서 거듭 石材 많음을 嗟嘆했더니만 默默히 혼자 다니던 家兄의 말이 옛날 西蜀, 지금의 泗[06] 川 땅은 一邑 一郡이 全部 岩石이어서 한 바위 우에 住民 十餘 萬이 사는 데가 얼마든지 있다고 하오. 참 놀랄 일이오.

南郭의 正門을 들어서니 皇穹宇의 園墻이 둘러치여있소. 그 옛날 벽돌의

---

06 "泗"는 "四"의 오식 - 편자 주.

굳고 곱고 훌륭한 것은 웬만한 돌보다 났소。 또 그 構造의 美와 圖의 壯이 그저 사람을 놀라게 할 뿐이오。 同行 金 君이 그 담을 손으로 만지면서 혼잣 말로

『안될 걸、안되지、안돼』

하고 중얼중얼하기에 그 뜻을 물었더니만

『西洋사람도 안된단 말이오』

하고 웃소。 나도 웃었소。

皇穹宇는 그 앞 露天 祭壇인 圜丘台에서 祭祀드릴 神位를 奉安하는 곳이오。 祈年殿보다는 매우 적으나 그 殿前 陛下의 敷石 上에 서서 一叫하면 特殊한 反響이 들린다 하여 그 敷石을 찾았으나 어덴지 알 수 없고 아무데서나 큰소리를 불러보나 別로 딴 울림을 알 수 없든 中 正門 左便에서 回音壁이라는 看板을 發見하였소。 거기는 다음과 같이 씌어있소。

『甲乙分向東西墻壁、能互相談話、雖以極微小聲音、亦能清晰』

그래서 곧 金 君은 東壁으로 나는 西壁으로 갈라서 갔소。 壁은 圓形으로 되고 正門 一 個所만 트였을 뿐이오。 壁 周廻도 相當히 길고 庭園도 꽤 널르오。 이 庭園 北에 皇穹宇、東과 西에 길다란 兩 殿이 서있소。

그래 金 君은 東殿 뒤로 돌아가고 나는 西殿 뒤로 돌아왔소。 그러니까 사람은 勿論 보이지 않는데 金 君의 하는 말이 바루 내 곁 壁에 와서 커다랗게 울리오 나도 무슨 말을 했더니만 金 君은 똑똑히 들린다고 하오。 그 對答 소리가 크게 들려오는데 저편에서 말을 크게 해서 그런가 하고 났게 하기를 請했더니 金 君은 내사 끄는 短杖 소리가 다 들리는데 아무리 낮은 말인들 그게 들리지 않겠느냐고 하면서 깔깔 웃는군요、가만히 들으려니까 金 君의 말이 둥그런 壁 안배에 맞아서 삐익 이 便으로 돌아오는 듯하오。 말하자면 말이 어름지치기(滑氷)를 하는 것 같소。 그런데 그 말이 壁에 매켜서 放散되

지 않고 도리혀 壁에 마쳐서 크게 울리는 것인 듯 싶소.

누구든지 이렇게 담을 쌓아놓면 될 일이겠지만 그 말소리가 크고 맑게 反響되는 것으로 보아 이 築墻에 使用한 옛날 靑벽돌의 質이 얼마나 좋다는 것과 또 그 構築이 얼마나 完美하다는 것을 넉넉히 엿볼 수 있소.

우리는 皇穹宇 뒤뜰에서 서루 만나서 圓墻을 다시 만저보며 웃고 嗟嘆하고 하였소.

대체 우리가 늘 보는 저 苦力를 보는 때마다 蔑視하지 않을 수 없는 저 勞働者들 아직도 大道 邊에 大便을 버리고 家畜의 死體를 버리는 이 거리의 賤民들을 使用해가지고 어떻게 이 놀라운 建物 ― 藝術문을 만들어놓았는지 그것을 보면 이른바 위된 사람의 사람을 쓰는 재주와 精神에 달려서 世道人事가 天壤之判으로 갈려지는 모양이오。 그러니까 사람사람이 다 착해서 太平煙月이 오는 게 아니고 사람사람이 다 惡해서 末世가 되는 게 아닌 듯싶소。康熙 乾隆이 나서 비로소 漢淸 兩族이 同化되었나니 在上者의 힘이 얼마나 偉大한지 足히 알 수 있는 것이오。

皇穹宇 南쪽에 圓丘台가 있소。 이것은 天壇의 主體로 一名 祭天台라고도 하오。明나라 嘉靖 年間에 築造한 것인데 乾隆帝時代에 大修理를 加한 것이오。近年의 修理가 古色을 없세고 東洋 特有의 古典味를 傷失케 하는데 反하여 乾隆 年間의 大修理가 조금도 前代의 色과 形과 韻을 잃지 않는 것은 다만 技術의 問題만이 아니라 精神의 問題라고 생각하고 싶소.

이 圓丘는 大理石으로 築造한 三層壇인데 石數는 亦是 九의 倍數를 使用하여 天數에 照應시켰소。이 나라는 古來로 九天이라는 말이 있거니와 九를 天數라 하오.

三層壇 맨 아래 卽 第一 너른 下層의 直徑이 百八十二 尺、高가 五 尺 四寸이오、中層이 直徑 百三十 尺、高가 五 尺 四 寸이오、上層 直徑이 七十八

尺 高가 六 尺 二 寸이오。

昔者 여기서는、每年 冬至日에 昊天上帝의 神位를 이 壇上에 移奉하고 거기 皇視[07]皇宗 及 大明、星辰、夜明、雲雨、風雷의 諸 神位를 配한 다음 日出 前 七 刻(一刻은 十五 分)에 皇帝 親히 北面하여 三跪九叩의 禮를 行하셨다 하오。 그 東南에 있는 琉璃벽돌로 만든 燔柴爐는 神靈을 부르기 為하여 柴木을 태우고 또、祭後에 祭物(犧牲)을 焚化하든 곳이오。西南隅에는 當時의 照明이든 燈杆台도 아직 남아 있소。

이 祭壇은 祈年殿과는 달리 開放的인 것인데 그렇건만 亦是 露天祭壇인 社稷壇(現 中央公園)과도 달르오。

社稷의 社는 土地之神、稷는 黍屬으로 漢民族이 本是 農業民族이었던 關係로 土地之神을 祭祀하여 五穀의 豐穰을 빌었던 것이오。 그리고 이 土地之神의 祭壇인 社稷壇의 上部는 흙이오 中央은 黃土요。黃色은 中央色이라 하오。即 天子는 中央에 居하여 四方에 君臨한다는 意味로 이 中央色인 黃色을 取하여 祭壇中央에 黃土를 두었던 것이오。이 社稷壇 四圍의 낮은 壁은 北은 黑、東은 靑、西는 白、南은 赤、이렇게 各異한 四色이고 거기 中央의 黃色을 넣어서 五色이 되오。 이 五色은 漢時代로부터 傳해 온 五行說에 依한 것이오。

그런데 이곳 天壇은 오로지 天을 祭하는 것이니만치 그 圍壁은 全部 蒼空色의 琉璃瓦로써 이었소。어쨌던 모든 범절이 天神의 存在를 믿게끔 으리으리하게 마련되어있소。그리게 民國功臣의 白骨 우에 帝制의 寶座를 깔려던 當代의 風雲兒 袁世凱도 弘憲이라는 帝號까지 지어놓고 어마어마한 龍床에 앉으려니까 天井에 달린 銀珠가 神의 造化로 頭上에 떨어질까 겁이나서 龍

---

07 "視"는 "親"의 오식 - 편자 주.

床을 비켜놓은 걸 보니 神이란 特히 中國人에게 있어선 매우 무서운 存在였
든가 보오。

圓丘台를 돌아 나와 皇穹宇 西便 늙은 香樹 아래 茶店에서 香茶에 瓜子兒
(수박씨)를 까면서 이런 이야기를 하려니까 요지막 줄곧 내려부치는 百 度
의 더위도、씻은 듯、맑고 시연한 하루를 보낼 수 있었소。

모르면 몰라도 아마 한여름 내 내처 避暑해 볼 늘어진 八字가 되어볼 상
싶지 못하니 하루의 納涼記를 쓰는데 끄칠 밖에 ……

十五年 六月 於 北京琉璃廠寓居

— 『人文評論』、第12號、1940년 10월

겨울의 하르빈

金管

I

어느 都市든지 그렇지만 겨울의 프레류우드[01]는 秋季競馬와 交錯되면서 소리를 친다.

하르빈의 겨울도 이미 十月이 잡아들면서 競馬場의 三色旗빨에 휘갈기는 눈에서부터 始作된다.

黃葉이 기운 없이 마치 사라지듯이 줄어들면은 겨울의 발자최는 벌써 알레그로[02]로 變해진 것을 안다.

十一月 — 松花江岸에는 어느덧 가지각색의 旗빨을 휘날리고 있는 輪船 떼가 웅크리고 있고、江 건너 松浦와 太陽島는 납덩이같은 하늘 아래 까물까물 졸고 있는 것 같다.

---

01 "프레류우드": 영어 prelude - 편자 주.

02 "알레그로": 영어 allegro - 편자 주.

II

石秋瓦로 깔아놓은 키타이스카야街는 하얗게 얼어붙었고、 밤늦게 술김에라도 「안테카」 기둥에 걸어놓은 氣溫計를 들여다보면 零下 二十 度를 가르키고 있는 것은 例事다.

一月이다 — 初旬에 松花江 어름짱을 깨트리고 그 물속에서 擧行되는 希臘正敎의 洗禮祭 때는、 하르빈의 極寒期다. 凜冽한 치위는 얼음장과 눈 속에 파묻힌 채、 납덩이같이 沈沈하고 간얄푼 해빛이 繼續되는 北國의 겨울이 소리없이 흘러간다.

零下 二十 度로부터 때로는 四十 度까지 내려가는 一月달이다.

III

밤늦게 키타이스카야街에서 醉客을 기다리는 「보로」 택시와、 궤짝만한 防寒靴를 신고、 두터운 슈 — 바(毛皮外套)를 머리부터 발끝까지 휘둘러 감고 마치 큰 곰(熊)과 같이 거리의 벤치 우에 걸터앉아있는 商店직이(監視人)가 여기저기 눈에 띨 時間이면、 「모데룬03」의 트리오도 끝났을 때고、 거리의 少年歌手도 사라진 뒤다. 그때부터 하르빈의 밤의 天國은 開幕할 時間이었지만、 그것도 最近에 와서는 時間制限으로 없어지고 마랐다.

---

03 "모데룬": 러시아어 модерн(현대, 현대적인), 유태계 러시아인 요세프 알렉산드로비치 카스페(Иосиф Александрович Каспе)가 1906년 개업한 하얼빈 최초의 서양식 호텔, 중국어 명칭은 "馬迭爾賓館"- 편자 주.

IV

호텔房 안의 겹窓으로 내다보이는 거리거리, 스카이라인과 집웅 꼭대기
는 마치 따스한 春光에 쨍인 風景같이 錯覺이 든다。페 — 치카나 스팀으로
攝氏 十五、六 度를 保持하는 室內溫氣는 거리의 酷寒을 모르고 있는 關係
로 때때로 季節에 對한 錯覺을 갖는 수가 있게 된다。

지루토록 기나긴 밤、책과 이야기와 音樂과 술과 춤과 그리고 孤獨과 思
索의 時間이 소리 없이 흘러가는 房안의 세계의 餐[04]宴으로써 準備되어 있
는 것이다。

하르빈의 겨울은 G線의 레시타티이부[05]다。(一月 十三日)

—『博文』, 第15輯, 1940년 2월

---

04 "餐"은 饗의 오식 — 편자 주.

05 "레시타티이부": 영어 recitative - 편자 주.

復活祭의 밤

― 哈爾賓 왔다가 露西亞 名節을 보고-

松花江人

　　文豪 「톨스토이」의 名作 「復活」에 나오는 가츄샤와 「네푸르도푸 公爵」과
의 復活祭날 저녁의 로 ― 멘스로 露西亞의 復活祭는 젊은 사람의 好奇心를
자아내게 하는 바、 이제 기다리던 그 「復活祭」가、 지난 四月 二十八日、 哈
爾賓에서 擧行되었다。 마치 朝鮮의 「端午名節」 모양으로 新綠의 좋은 철에
열린 이 名節은 이곳 사람의 唯一한 즐거운 날로써 偶然히 奉天을 거처 哈爾
賓에 旅杖을 이끌어따가 이 異國情調를 맛보고、 그 날 절차의 몇 절을 적어
보낸다

　　哈爾賓에 와서 뜻 있는 나그내의 첫 感想은 이만큼한 露西亞사람 數와 經
濟力을 가지고서、 세운 절간으로는 宏壯히 크고 華麗하다고 하리만치 훌륭
한 寺院이 있다。 그네들은 한 개의 寺院을 짓는데 있어서도 먼저 淨財를 모
으고、 그 돈으로 可能한 範圍 안에서 工事를 始作하며、 돈이 끊어지면 몇 해
던지 工事를 쉬었다가、 또 第二次의 淨財를 모아 工事를 계속하여、 몇 해던
지 根氣 있게 하여、 畢竟은 저렇듯 훌륭한 寺院을 建築하고 마는 것이다。 여
기에도 安住의 地를 가지지 못하는 放浪의 民族 固有의 性味가 흘너 보인다。

　　그러기에 이렇게 애써 지은 좋은 寺院에서 맞는 復活祭는 一年 中 가장

기쁜 名節로써、「크리스마스」보다도 더 기쁜 날이 되어있다.

봄을 象徵하는 細柳

이 復活祭 때마는 그들 自由의 에미그랜드(無國籍)의 天下로、굉장하지만 그 半面엔 亦是 알지 못할 放浪民族 特有의 哀愁에 가까운 것을 잊지 못하는 양이다.

쫓겨온 그 옛날의 祖國을 생각하고 끊을 내야 끊을 수 없는 妻子血綠[01]을 생각함에、눈물이 엉킬 뿐이다.

그런데 細柳는 元來、棕櫚 代身으로 한다. 基督의 發生地 파레쓰치나[02] 及、南邦 諸處에선 棕櫚를 使用한다. 南方地方에서 第一 먼저 싹이 트는 것이 棕櫚임으로、그것을 쓰게 되는데、地理的 關係를 復活祭 前에는 棕櫚는、아직 發芽하지 않고、細柳가 대신 먼저 發芽하므로 棕櫚 代身 쓰게 된 것이 어느 사이에 그것이 習慣이 되어 드디어 細柳로서 聖像을 裝飾하게 되고 말었다.

그러면 어째서 봄철이 들면서 싹트는 나무로써、復活祭 때의 聖像을 裝飾하게 했는가 한즉、그것은、極寒冷酷 겨울 — (即 死를 象徵한다)보다、春風駘蕩한、그리고、平和한 봄 — (이것은 復活을 象徵한다) — 에 爲先 무엇보다도 빨리 新生의 싹이 트기 시작하는 것으로부터 始作될 일이다.

어쨌든、槪要한다면、宗敎的 意味로부터의 復活에 因해서 그것을 象徵한 것으로、露西亞에선、細柳를 取擇한 것이다.

---

01 "綠"은 "緣"의 오식 - 편자 주.

02 "파레쓰치나": 팔레스티나 - 편자 주.

벨바(細柳)라 하면、露西亞人은 이미 本能的으로 즐거운、優雅한 感情을 惹起한다。그래서 將次 닥처올 復活祭의 즐거움을 聯想한다。

結婚할 수 없는 齊戒期

그런데 이 즐거운 復活祭 前 七 週 間은 포스트라 하는 齊戒期를 거치지 않으면 안 된다。이 齊戒期는 크리마쓰 前에도 있는데 復活祭 前의 齊戒期만큼 重하게 보이지 않는 模樣이다。

그것도 「時代」라는 물결에 밀려서 퍽 齊戒에 對한 意識이 稀薄해졌다고 老人들이 艱歎하는 바이나、事實 이런 傾向은 顯著히 눈에 보이는 모양이다 하나、特히 祖國이란 背景을 못 가진 無國籍인 惡條件으로선 無理도 아닌 일이다。恒常 不安定한 浮萍草처럼、떠다니는 그들에게 있어선 七 週 間의 긴 期間으로 定해진 齊戒를 完全히 맞일 수 없다는 것도 肯定한다。라고 하지만 이 其間 中엔 結婚은 一體 못하게 되어있다。「清淨을 保存한다」라는 데서 起源된 모양이다。

재미있는 것은、이 포스트 前이면、相愛의 젊은 男女들은 七 週 間을 기다리지 못해서 얼른、結婚해 버린다。그런데 이것은 意外로 新婚의 꿈과 復活祭의 기쁨을 享有하려는 一石二鳥式의 賢明한 計劃인지도 모른다。

結婚과 同時에、齊戒期間 中에는、肉食 一體를、멀리한다。肉類는 勿論、鷄卵 牛乳、빠터、等도 그 制度 範圍 內에 包含된다。

七 週 間의 齊戒期 中에도、가장 嚴格하게 施行되는 것은、最後의 一 週 間으로서 이 週間만에는 比較的 齊戒規律을 지키는 모양이다。

그리고 習慣的으로、이 週間에는、寺院에 가서 懺悔한다。그들 家庭에 가면、此 週間엔 다음과 같은 會話를 들을 수 있다。

「난 지금 寺院에 가서 懺悔를 했읍니다. 어떻게 마음이 깨끗해진 것 같습니다」라든지、

「빨리 가서 懺悔하지 않으면」 하고 말하는 것도、 들을 수 있다.

復活에 因한 裝飾物들

이지음부터 물건 사는 것이 시작된다 거리는 明朗해진다. 各 商店의 裝飾은 될 수 있는 대로、 한껏 해노는다. 햄 쏘 — 세지、 菓子 等은 벌서 滿員이 되어 列을 지어 順番을 기다리고 있다.「파스하」[03]라는 달디 단 菓子는、 떡 비슷한 것으로 어느 家庭에서든지 한 個씩은、 테 — 불 우에 둔다.

그리고、 색칠한 삶은 닭알、 곱게 模型을、 그레넣은、 닭알들이 裝飾해 있다. 이렇게 해서 復活祭의 準備는 火急的으로 되어간다. 테 — 불 우엔 수북한 飮食 접씨들이 몇 개든지 놓여 있다.

復活에 依해서、 새로운 生命이 約束된 것처럼、 一年을 通해서 봄과 함께 그들에게도 새로운 생명이 更生한 것이다. 그들 身上에、 運命的으로、 던저지운 嶮한 荊棘의 길을 거리낌없이 걸어갈 生命力을 넣어주는 한 箇의 象徵이라 생각해도 좋다.

謝肉祭의 밤은 즐겁다

그런데 재미있는 것은 齊戒期의 직전에、 謝肉祭라고 하는 것이 있다. 마

03　"파스하": 러시아어 пácxa, 부활제 때 먹는 응유(凝乳) 과자 - 편자 주.

— 쓰레니소아[04](歐州에선 카 — 니발이라 한다)라 해서、 이 週間에는 露西亞人들은 실증나도록 먹고 마시고 노는 習慣이다 謝肉祭 舞踏會가 숨이 막히도록 여기저기의 廣場에서 열린다。 — 勿論 그들은 밤이 밝을 때까지、 춤을 춘다。 그리고 「부링[05]」이라는 特種의 食物을 準備해서 客을 招待한다。 여기에 火酒가 없으면 안 된다。 그것이、 添附되지 않으면 無意味하다。

어쨌든 普通 많이들 먹는 露西亞人들이、「얼마던지 容恕한다」라는 가벼운 마음으로、 될 수 있는 대로 많이 먹고 많이 마실려고 하는 것은 凄慘할 지경이다。

元來、 露西亞에선、 이 週間엔 훌륭히 꾸민 트로이까를 타고 멀리 떠나는 習慣이 있는데、 여기 哈爾賓에선、 그 볼만한 風景에 接하지 못하는 것이 遺憾스럽다。 그 爽快한 방울소리、 白雪 위를 꿈같이、 달리는 트로이카의 姿態는 마음 있는 旅人의 想像의 自由에 맡긴다。

이렇게 해서 肉體的으로 疲困한 때에 이르면 齊戒期에 들어가게 됨으로、 생각하면 재미있는 듯도 하다。

거룩한 밤 모임

이윽고 復活祭 當夜가 되면、 露西亞人들은 집을 죄다 비우고 寺院으로 간다。 열두時가 되면 一齊히 寺院의 종소리가 높이 울리는데、 그 소리는 이른 봄밤의 寂靜에 餘韻을 풍기며 멀리로 사라진다。 하늘엔 오늘의 復活을

---

04 "마-쓰레니소아": 러시아어 ма́сленица, 사순절 시작 직전의 축제 - 편자 주.

05 "부링": 러시아어 блин, 속을 넣지 않고 구운 러시아식 지짐이 - 편자 주.

반기는 듯 星群이 빛을 發한다. 露西亞人들은 堂內에 다 못 들어가고、 밖에 선 채로 한 손에 촛불을 켜들고、 敬虔한 얼굴로 祝福의 祈禱를 디린다.

「예수는 다시 사러나신다」라는 말을 뇌운다. 기도가 끝나면 그들은 喜色이 滿面해서 집에 도라간다. 거기서 父母 兄弟 親知들이 서로 껴안고 입을 마추며 復活祭의 기쁨을 이야기한다. 이때마는 모든 憎愛의 情을 超越하여 서로들 容恕하지 않으면 안 된다.

그것이 끝나면 비로소 食卓에 돌아앉아、 붉은 葡萄酒잔을 들어 마시며

「예수는 다시 사러나신다」「人類에게 幸福이、 있으라」 하고 祝福하는 것이다. 實로 復活祭에 있을 만한、 그들의 心情이 아니라 할 수 없다. 이래서 復活祭의 밤은 깊어 간다.

-(끝)-

—『三千里』, 第12卷 第6號, 1940년 6월

北支紀行

韓雪野

E 兄

오래간만이외다。제가 이리로 온 줄은 여직 몰랏을 것이오。떠나기 前에 葉書라도 보냇어야 할 것이고 또 보내려고도 했으나 너무 忽忽히 떠나게 되어 미처 알리지 못햇소、容恕하시오。

兄도 아시다싶이 最近 邦貨의 北支 流出이 激增해서 그것을 防止하기 爲한 一策으로 지난 五月 二十日부터 北支旅行制限令이 생긴다 하지 안헛소。그래 五月 十七日에 불이야 불이야 旅行證明을 얻어가지고 그 翌朝 急行을 타고 그날 午後 二時 頃에 京城에 내렷소。

本是 내 걸음이란 期限을 定하기 어려운 터이라、十年을 爲限하고 떠낫더라도 一朔이 못 돼서 돌아갈 수도 잇는 것이지만 그래도 예부터 일러오던 燕京路 三千 里란 말이 어느새 벌서 鄕愁 버젓한 것을 자아내서 朝鮮은 떠나기가 못내 섭섭햇고 섭섭한 나머지에 文友 멧 사람이라도 만나서 며칠의 淸興을 얻어 성수를 돋아가지고 오려고 하엿엇소。

그래 一夜를 서울서 뭇고 翌朝 和信으로 寢臺券을 사러 갓엇소。即 寢臺券을 사노코 며칠 맘 노코 놀 心算이엿지오。한데 일이 요상히 되려니까 공교히 게서 天津으로 간다는 어떤 젊은 夫婦를 만낫지오。그 사람 말이 二十

日까지 滿支國境인 山海關을 넘어야 말이지 그러치 안흐면 도로 쫓겨 온다고 하는군요。

　그러나 저는 아모려나 며칠 서울 잇을 생각이 가시지 안허서 外事課나 警察署에 알아보려 하엿으나 또 한 번 더 공교하게 마침 日曜日이여서 바루 丁字屋 警察案內所로 갓었소。한즉 그 係員 말로 亦是 二十日까지 現地를 過하는 것이 安全하다고 하는군요。

　그래서 하는 수 없이 그날 午後 四時 半 急行으로 총총히 서울을 떠나고 말앗엇소。勿論 寢臺券은 사지 못햇소。五日 前이 아니면 살 수 없다니 대체 이 무슨 旅行 景氣입니까。어떤 사람의 말을 들으면 요지막은 所謂『闇取人』여라는 게 盛行해서 편지나 電報도 危險性이 잇기 때문에 서루들 場所를 約束하고 게서 만나노라고 汽車 旅行者가 만타고 하오。

　汽車 안은 그말로 修羅場이엇엇소。짐작같이 乘客은 자그만 처밀리는구려。이 속에 앉어서 燕京三千里를 가야 할 참이니 정말 寒心하엿소 아모리 最大急行이라 하더래도 北京까지 자그마치 三十 餘 時間이 걸리니 그 사이 엉덩이에 못이 백일 것은 勿論、그 보다 四肢를 쓰지 못하게 될 것만 같앗소。

　그러나 사람이 그만 것을 못 견디어서 될 말이냐고 떡심 조케 그 복닥판에 백여잇엇소。한데 急行이라 途中에서 停車하는 驛도 별로 없고 가사 停車한다 하더라도 내리는 乘客이라고 거의 없구려、서서 가는 乘客들은 앉은 손님이 내리면 그 자리를 물려가지려고 그 곁에 붙어 서서 바라고 잇으나 앉은 손님들은 서서 가는 손님들이 어서 내리면 어깨를 좀 펴고 앉으려고 도루 그 사람들이 하다못해 오금이라도 제려서 내려버렷으면 싶어 하는 얼굴들이다。

　平壤에서 稅關官吏가 올랏소、乘客의 所持金額申告를 받고 또 主로 金品을 調査하기 爲한 모양이엿소、旅行에 必要치 안흔 金부치는 本籍地에 돌려

보낸다는 것이엿소。亦是 金의 流出을 防止하기 爲하여서겟지오。税關官吏
들은 날마다 밤마다 이 사람답새기 속을 자아다니며 이 노릇을 하자니까 神
經이 어지간히 뽀죽해젓을 것이나 기실 그 態度와 말투는 善良한 사람에게
는 감당키 어려울 만치 不快한 것이었소。그러나 할 수 없는 일이지오。해서
말없이 저므러가는 沿道의 江山을 혼자 물끄럼이 바라보고만 잇엇소。

뮌도 滿洲나 支那를 旅行해보엇는지 모르겟소만 정말 滿洲나 支那를 旅
行해보아야 이 땅이 錦繡江山인 것을 때기 알게 될 것이오。內地 山川의 雅
淡함에 比하면 아직 遜色이 잇으나 그러나 滿支에 比하면 錦繡라는 말이 決
코 誇張이나 부질없는 修飾이 아닌 것을 잘 알 수 잇소。

正밤中에 國境을 지나서 어디가 어디인지 알 수 없엇으나 우르르 울리는
鐵橋 소리만 들어도 自然 鴨江이 意識되엇소。安東縣에서부터 滿洲國 税關
官吏가 올라서 또 所持品 旅具 等을 調査하엿소。그리고 日銀券、또는 朝鮮
券을 滿洲國貨와 交換하라고 해서 驛賣店으로 갓더니만 百圓짜리만 바꾸고
그 담 것은 상관없다고 하오。

約 三十 分만에 汽車는 다시 떠낫소。먼동이 터오며 날이 밝기 시작하니
車窓 左右로 시연히 열린 滿洲의 大野가 내다보이오。기왕에는 여러 번 와
본 일이 잇고、또 한 번은 移住까지 한 일이 잇으나 滿洲國이 되어서는 이번
이 처음이오。하나 언제 보아도 너르고 살진 조흔 벌판이오。여기 나와서 보
면 그렇게 길고 빠르던 急行列車도 마치 참새새끼가 할닥그리며 날아다니
는 것 같소。제 고장만 크고 너르고 조흔 줄 알고 잇던 井底蛙같은 사람들의
맘도 여기 오면 얼마큼은 새로운 驚異에 어른다워지는 것 같소。사람은 마
땅히 널리 다니고 널리 聞見을 求해야 할 것이오。그러면 獨善的인 옹졸한
自尊心이 없어지고 좀 사람다워질 것이오。

아침 八時 頃에 奉天에 到着하엿소。편지도 부치고 또 오래간만에 보던

奉天 市街나 바라보려고 車室에서 나왓엇소만 포스트 잇는 데까지 나가려면 時間이 만히 걸리겟고 乘客은 다 밀리고 해서 驛手에서 부탁하고 다시 내가 탄 車室 앞으로 왓엇소。

아! 그런데 이 쩌른 時間 동안에 이게 어찌된 일입니까 커다란 보따리를 걸머진 滿人들이 車室 앞마다 까마케 결진했구려 이 人城을 뚤을 장수는 없소。그러케 엎치고 덮치고 하는 滿人들도 연신 조여만 드는 그 人城을 뚤을 수 없어서 車窓으로 넘어 들어가오 안에서 한 사람이 손을 잡아 끌어주고 뒤에서 다른 한 사람이 궁둥이를 떠받들어 주건만 그래도 이 위인들은 본디 몸이 군둔해서 당기고 끌리고 떠받드는 세 사람이 모다 시컴언 이빨을 내노코 낑낑 갑자르는데 그 必死의 찡긴 몰골이 가관이오

滿支人은 性質이 慢慢的하기로 有名한데 이런 자리에 오면 어째 그리 황겁을 해 하는지 알 수 없소 남에게 뒤질가봐 이리 뒤고 저리 뒤는데 또 어찌 떠버리는지 精神이 뗑 하오。大體로 滿支人은 車中에서 몹시 지꺼리는 편이오。아마 汽車 타는 것이 무슨 慶事를 만난 것 같은 모양이지오。

나는 내 자리를 찾아 들어가는데 十 分 以上이 걸렷소 滿人의 보따리를 밟고 어깨를 집고 떠다 밀고 하면서 겨우 자리에 와서 앉엇소。그제야 숨이 하아 나왓오。滿人들은 그 커다란 짐짝을 선반에 잔뜩 엏어노코도 남음이 잇어 그것을 바닥에 내려노코 그 우에 걸처 앉어 가는구려。그러니 通路라는 게 잇을 택이 있소。車室 밖 昇降段까지 乘客으로 꼭 찻오。그런데 이 滿人들은 떠들기는 하나 담배를 덜 피이는 것이 좃오。

汽車는 亦是 一望無際한 廣野를 달리고 잇소。滿支는 歐羅巴大陸보다 더 널른 곳일 뿐 아니라 本是 六韜三略 等 兵法의 나라라서 그런지 地形도 그 兵法과 같이 緩急이 잇는 듯 싶소。北部로 말하더라도 山東이나 山西같은 險峻이 있고 南方으로 말하면 現今의 四川省 即 昔日의 西蜀은 ―『蜀道之

難、難於上天』이라 해 그 險峻함이 하눌을 올라가기보다 어렵다고 하고『一
夫當關、萬夫莫開』라 하야 一夫로서 萬夫를 막을 수 잇는 難關이 잇으되 그
關門만 넘어서면 沃野千里 天富之國이 展開되어잇어 옛날부터 戰耕을 똑같
이 例常事로 한 感이 잇으니 아마 싸움은 이 나라의 宿命인가 부오、

이 奉山線의 驛舍는 構造부터도 安全地帶의 堡壘式으로 벽돌담으로 높
게 前面을 둘러쌋소。敵彈을 防備하자는 거겟지오、錦縣이라는 곳에서 滿
洲國 憲兵隊 警察隊가 올라서 旅客의 旅券을 調査하기 시작하엿소。滿人들
의 調査가 더 嚴密하드군요。衣服과 所持品을 뒤저보기도 하오。

이윽고 山海關에 다엇소 奉天으로부터 온 車掌과 係員은 下車하고 北京
으로부터 온 車掌과 係員이 올르고 또 稅關官吏들이 올라서 行李와 所持品
等을 들추는데 참 거창한 일이엿소 支那人은 本是 짐을 手荷物로 托送하기
를 실허하고 또 짐을 椅子삼아 깔고 안기 爲해서 全部 가지고 車室로 들어오
는데 그 數多한 짐을 털어노차니 마치 鷄卵 속에서 소를 잡는다는 俗談과 같
구려、그 몬지와 惡臭에 코를 들 수 없소。그러나 滿支旅行을 기왕 떠난 사
람은 이런 것을 실허하는 조고만 潔癖만을 지켜서는 정말 이 地方 旅行의 眞
味를 모르오。무엇이니 무엇이니 해도 이것이 이 地方人의 大部分의 生活
狀態를 如實히 말하는 것이오 이것이 곧 오늘날의 이들의 民度를 말하는 것
이니 滿支[01]를 알려면 이 냄새와 몬지를 꺼려서는 안 되오 또 滿支人들을 보
면 相當히 富裕하고 깨끗한 사람도 이들 下層民에 對하야 우리들처럼 이마
를 찡기는 일은 없소。그들은 苦力이라도 亦是 自己네와 相距가 멀지 안흔
隣人으로 接하고 섞이고 하오 都大處 이 大陸人들은 우리들처럼 人間과 人
間關係를 甚한 差別 우에 노코 보지 안소。

---

01 "滿支": 만주(滿洲)와 지나(支那) - 편자 주.

여게서부터 滿貨 及 日貨는 못쓰오. 그래서 日銀劵、朝銀劵 滿洲貨들을 바꾸노라고 貨幣交易所는 감자를 싯듯이 오골보골 야단법석이오. 그 더러운 衣服 속 어디서 十圓짜리 百圓짜리들이 쑥쑥 나오는지 滿支人의 품속에서는 各色 貨幣가 그득 나오는구려. 그러케 넘보이든 그 사람들의 손에 쥐인 紙錢 뭉치를 볼 때 나 自身의 몇 푼 안 되는 돈을 내들기가 면구해서 남 안 보는 사이에 술적 밖워가지고 車에 올랏소. 미처 바꾸지 못한 사람은 車中 賣店에서 바꾸라고 係員이 메카폰을 들고 소리를 치자 車는 다시 떠나려 하고 사람들은 엎치락덮치락 車로 뛰여올랏소. 참말 무슨 死傷이 날 것 같이 벅적 고아댓는데 그래도 한 사람 실수 없이 죄다 다시 올랏소.

이 법석통에 그 有名한 山海關驛의 月台(브릿지)를 구경하지 못햇소. 여게 올라서면 山海關의 全市가 내려다보이고 저 有名한 萬里長城의 東端인 『天下第一關』의 大文字가 보이는데 그걸 보지 못햇소. 그 前에는 支那人들이 프래트홈에 熟鷄、熟卵、밥、반찬 등 여러 가지 食料品을 펴노코 안저서 旅客들은 停車 中 낸려서 요기를 햇는데 지금은 그것이 없소 이 附近에 北支 唯一의 避暑地인 北戴河 秦皇島가 있소.

山海關서부터 支那人 『우리꼬[02]』가 올르는데 이름이 우리꼬지 거게 앉은 苦力이나 별다르지 안케스리 차린 험상구진 支那人이 왜가리 같은 소리를 질르며 茶水를 팔라 다니오 커다란 茶壺에 茶碗까지 껴서 二十 錢 씩이라 하오.

목은 말르지만 첨은 敵히 마실 엄두를 못냇소. 우리꼬의 차림새라든지 그 茶器의 때를 보구는 참아 먹을 수 없엇소. 그런데 바루 내 곁에 앉엇던 支那人이 茶를 사가지고 첫잔을 내게 주는구려. 구지 사양햇으나 勸하는 사람의 誠意가 여간해야지오 도무지 支那人의 親切에는 어찌할 수 없구려. 그

---

02 "우리꼬": 일본어 "売り子"(차내 판매원) - 편자 주.

러나 나는 한사코 사양햇오.

햇더니 그 支那人은 다시 내 맞은편에 앉은 內地人에게 또 勸하오. 한즉
그 사람도 나만치나 당황히 사양하드군요. 그러니까 그 사람은 제 맞은편에
앉은 支那人에게 茶를 勸하고 그제사 제가 마시오. 이것이 大陸人의 禮儀인
가 부다고 그제사 나는 맞은편에 앉은 內地人에게 첨으로 말을 걸엇소.

이 사람과는 京城서부터 同行인데 二十餘 時間만에 비로소 첨으로 말을
交換하게 되엇으니 두 사람 다 어지간히 말눈이 뜨다고 할 것이나 이 위인들
도 말을 바꾸게 되니까 多辭한 사람보다 되려 더 이야기가 만하저서 나는 내
가 二十 年 前에 北支 旅行 하든 이야기를 창황히 펴노코 그 사람은 그 무서
운 山西山賊戰의 實況을 이야기하는구려. 그 사람은 應召하야 二十 年 間
山西에 잇엇는데 지금 華北交通會社에 就職되어 간다고 하오.

그의 이야기는 퍽 興味있는 것이엇오. 나는 슬며시 성수가 나서 그담은
곁에 앉은 苦力을 붓잡아가지고 쥐꼬리만 한 華語를 試驗해보기로 하엿소.

그들은 哈爾濱에서 濟南으로 간다 하오. 일은 鐵路工事라는데 日賃 一
圓에 食費가 六十 錢이라 하오.

車는 어느새 山海關 一帶의 險山 地帶를 지나 다시 坦坦한 大野에 들어섯
소 唐山에서 天津 附近 唐沽에 이르는 沿道는 一望無際한 灰色의 鹽田이 펼
처저있소. 참말 너르오 우리들이 가진 너르다는 概念으로는 到底히 想像할
수 없는 너름이오. 하눌 끝에서 하눌 끝에 다은 것 같소. 한데 바닥이 너무
도 반반하고 고르기 때문에 더 너른 것 같소.

이 鹽田 여기저기는 風車가 쉴 새 없이 돌아가고 잇는데 이것은 即 海水
를 水路로 引水하는 裝置오 또 그 鹽田 여기저기 洋館이 보이는데 이것은 製
鹽工場이오 히멀끔한 丘陵 같은 것은 소금을 그러 모아논 소금뗌이오.

支那는 소금이 대단히 귀한데 이 鹽田은 實로 北支 二億 人口에 소금을

提供하고 있소。

이 鹽田에는 大小의 運河가 잇는데 그리로는 쉴 새 없이 荷物船이 오르내리오。

잠북 荷物을 실은 뱃머리에 밧줄을 매여가지고 한편 언덕으로 五六 人의 苦力이 끌고 荷物船 우에서 한 사람의 船夫가 노를 가지고 배의 方面을 잡아주고 잇소。가도 가도 끝이 없는 이 벌판과 運河에서 이들은 자고 깨는 것 같이만 지나는 行客에게는 생각되오 그들을 보고 잇는 동안에 어쩐지 알 수 없는 旅愁가 생기오。

天津 附近에서부터 다시 沃野가 展開되오。遠山 近山 할 것 없이 北支의 山에는 樹木이 없으나 그 代身 平野에는 樹木이 만소。이 나무가 아니면 이 더운 여름을 이 고장의 農夫들은 일을 해내지 못할 것이오。田穀들과 野菜가 매우 장하오。그밖에 길길이 자란 또랑의 雜草도 고이찬흔 風物이오。문득 朝鮮의 山川을 생각하게 하는 것은 기쁜 일이오。또 서운한 일이기도 하오。

支那人은 天津에서 大部分 下車해서 예서부터 자리가 좀 편편해젓오。생각하면 무릇 三十 時間을 단잠 한 번 못 자고 내처 앉어 왓는데 그러컨만 그러케 疲困한 줄은 몰랏소。새것을 아는 것처럼 기쁜 일은 없다고 하는 것 같이 비록 어지러운 風景이나 이 大國의 人情風俗을 見聞하는 것은 장이 맘에 흠썩한 일이엇던가 보오。그리게 도시 疲困이라는 것을 느끼지 안치오 萬一 그 雜踏과 惡臭가 실허서 되도 안흘 앙탈을 써가며 코를 막고 입을 막고 눈마저 막는 시늉을 하고 잇엇다면 나는 벌서 궤젓처럼 녹초가 되여버렷을 것이오。그리고 보니 몸을 아끼지 안는 것이 實은 몸을 아끼는 일인가 보기도 하오。

밤 十時 四十分에 北京驛에 내렷소 二十 年 前에 보든 그대로인 것 같소。그 동안 驛名도 한 번 邊햇엇고 또 가진 風霜도 겪은 모양이어나 亦是 예 보든 그 모습이 그대로 잇는 것이 못내 반가웟소。

더욱이 積阻햇던 家兄 家族과 近者 病院을 開業한 親族이 나와주어서 더욱 반가웟소。他鄕逢故人이란 것을 四喜에 너흔 옛사람의 心情을 可히 알수 잇소。

驛前에는 洋車(人力車)가 결진해잇소。아마 누구를 勿論하고 이 洋車를 北京名物의 하나로 치는 데는 아무 異議가 없을 것이오、아무리 조고만 골목(胡同)에 간다 하더라도 이 洋車 없는 데는 없소。또 五 錢이나 十 錢을 내고 單獨으로 탈 수 잇는『乘物』은 人力車뿐이오、

보기도 너절부러해 보이나 안즌 품은 朝鮮 人力車보다 편하오 車夫도 모르면 몰라도 朝鮮 車夫들보다 십상 쉬을 것이오。乘客이 半몸을 뒤로 기대면 그 무게에 앞채가 들릴 사 하는 것을 車夫가 누르고 잇으니까 客의 무게에 車夫의 몸이 가볍게 추겨지며 개볍게 달려갈 수 잇소。

人力車에도 眞鍮裝飾에 琉璃燈을 거들먹그리는 아주 하이칼라車가 잇는데 그 우에 쏙 빠진 中國美人이나 안저노면 自動車 따위는 명함도 못 드릴 지경이오。

北京에만 營業用、自家用 等을 合하야 한 五萬 臺 된다고 하니 한 車夫家族을 五 名으로 잡으면 二十五萬 名은 이 洋車 바퀴에 목숨이 달린 셈이오。나는 거리로 다닐 때마다 人力車 뒤에 붙은 番號를 留心해 보오。지금가지 본 것으로는 三萬 八千 號까지인데 自家用 外에 또 許可 없이 하는 것이 적지 안흘 터이니 實數는 五萬 臺도 훨씬 넘으리라 推定되오。電車와 뻐쓰도 勿論 잇기는 하나 人力車가 돈도 過히 더 들지 안코 또 어쩐지 이것을 타고 싶소。나는 지금 每日같이 이 洋車를 타고 市 內外 名所 구경을 다니고 잇소。그러나 八字 늘어진 遊山客으로는 생각지 마오。

참 兄께 진작 말할 것을 잊엇소。

兄은 필시 나의 北支行에 對하야 一변 이상히 생각하고 잇을 것이오 또 一변 저놈이 원 엉뚱한 생각을 다 하는구나 하고 웃을 것이외다。 다시 말하면

『저놈이 만날 글과만 씨름해도 될지 말지 하다는데 왕청되게 北支는 웨 갓을고……』

하고 의아해 할 것이오 의아하면서도 그 뒤짝에는

『올컷다 요지막 北支 소식이 떠들석하니까 한목 끼어보려고……』

그러나 事實은 그런 것만도 안이오。 한번 발을 죽 펴고 살아볼 생각이야 없을 까닭이 잇소만 그르트라도 이번 걸음은 決코 時流에 한번 돛을 달아보자는 射倖心에서가 안이오

簡單히 말하자면 北京은 나의 二十 年 前의 負芨의 地요、 또 家兄 家族이 잇는 곳이라는 것이 이번 北京行의 한 理由이지오、 그리고 좀 더 들어가서 생각하면 그 보다도 오래도록 世間과 家累와 뜻 없는 俗事에 시달리고 부대끼고 해서 사람의 氣가 몹씨 옹졸해지고 小膽해진 데 對한 一種의 自己反撥이 나를 四千 里 먼 旅行을 떠나게 한 거요。

그러나 얼마동안 家兄의 食客이 되어 이 文化의 古都를 구경하고 나서 글이나 쓰면 내 旅行의 目的은 다하는 셈이오。 天津서 畏友 H、 R 兩 兄을 만나니 어서 구경이나 하고 朝鮮 가서 글이나 쓰라고 하고 北京서 文友 R 兄을 맞나니 예서 무슨 事業을 하자고 하야 나는 둘을 다 고맙게 들엇으나 그 어느 것이 될지는 나도 몰으는 일이라 차치하고 于先 北京 遊覽이야기나 쓰겠오。

그러나 정작 쓰려고 드니 너무 만아서 무엇부터 시작할지 몰으겟오。 北京 市內만 하더라도 東洋뿐 아니라 世界에 자랑할 名所古蹟이 數十으로 세일 수 없고 近郊 遠郊까지 치자고 들면 몇 달이 걸릴지 모르니 무엇부터 쓰리까。

그러나 생각하면 北京은 二千 數百 年 來의 皇城이니 이 이야기부터 쓰는

것이 글의 順序요 이 都市에 對한 禮儀일가 하오

그런데 그 前에 먼저 알아두어야 할 것은 北京城의 槪要일까 하오。北京
內城은 周圍 二十四 粁(約 六十 里)인데 東面이 五 粁 四、西面이 四 粁 七、
南面이 七 粁 北面이 六 粁 八이어서 東西가 조금 기오。그 바루 中央에 皇
城이 잇오。皇城의 周圍는 一〇 粁 四(二十五 里)로 그 高는 一八 尺이오。

이 皇城을 一名 紫禁城이라고 하는데 皇居禁城에 『紫』字를 노흔 까닭은
天上天帝의 居座인 紫微星에 由來한 것이라 하거니와 實로 누구나 곧 天이
라는 것과 關聯해서 생각하리만치 이 宮城은 壯觀이오。可謂 四百餘 州에
君臨하는 皇帝의 尊嚴을 象徵하는 大建物이오。距今 五百 年 前에 이런 큰
建物을 겨우 十四 年 동안에 完成햇다는 것도 놀라운 일이오

皇城은 南北 二 所로 노나서 南은 外朝、北은 內廷이여서 이 禁城 안에서
도 朝와 廷의 區別이 判然하야 外朝의 諸殿과 內廷의 諸宮은 그 規模와 構
造도 各異하고 用途도 달렷다 하오。

내가 二十 年 前에 왔을 때에는 이 禁城 안에 廢帝가 幽居하섯는데 그 뒤
大正 十三年엔가 馮玉祥의 구테타로 因하야 宣統帝는 여 淸朝 三百 年의 禁
城을 民國에 내맡기고 恨 많흔 玉步를 醇王府로 옴기섯소。

紫禁城의 正門을 午門이라 하오。이 門은 紫禁城 外朝의 正門으로 東西
에 兩 廟가 달렷는데 城門으로는 世界 最大의 것이라 하오。참말 말할 수 없
이 크오。穹隆形의 通路에 들어서나 이 炎熱에도 冷氣가 어께로 내려오고
마치 山中同穴에 들어선 것 같소。

午門 안은 널디널븐 大理石、花崗岩들을 一面으로 깐 들인데 數百 年의
秘密을 품은 듯 푸르고 이끼 낀 濠水 위로 다섯 개의 金水橋가 半圓形을 그
리고 잇소。

門樓는 天子 出入 時에 울리는 鉦鼓를 設한 곳이오 또 凱旋將軍을 맞어

獻俘의 儀를 行하든 곳이라 하나 지금은 歷史博物館으로 一般에게 公開하고 잇소. 지금 눈으로 보아도 무엇이 무엇인지 분간할 수 없으나 그 크고 오란 데에는 一種 말할 수 없는 美와 깊이가 잇어 그저 驚嘆할 뿐이오.

金水橋를 넘어 大朝 時 文武百官이 參列하든 너른 石庭 마즌편 基壇 우에 太和門이 잇고 그 앞에 한 雙의 銅製獅子가 잇소 이 太和門은 天子의 正朝이든 太和殿의 前門인데 지금은 茶店이 되어잇소. 이곳뿐 아니라 北京의 名所古蹟 中 이르는 곳마다 茶店이 잇소. 茶店 使童은 연신 『야스미03』를 부르며 外來의 손을 請하고 잇소.

太和門 안 三 層의 白石 基壇 우에는 太和殿이 잇소. 그저 놀랄밖에 없는 宏壯히 큰 建物이오 그도 그럴 것이 中原 四億의 蒼生을 代表하는 文武百官이 朝會하는 天子의 正朝가 아니오. 太和殿은 正面이 約 二百十七 尺이오 깊이가 百十 尺이오. 어떠케 크고 널고 높은지 이 炎熱에도 아직 겨울이 나가기를 잊은 듯이 선득선득한 바람이 사람을 놀라게 하오.

太和殿 中央 後面에는 寶座을 設하고 그 우에 斧鉞을 그린 玉座가 노여잇 엇다는데 지금은 그 寶座가 조곰 비켜 노여잇오. 그것은 袁世凱時代에 그러케 해논 것이라는데 袁은 中原天子를 꿈꾸면서도 天命이 아닌 것을 알앗던지 太和殿 天井 中央에 내려드린 銀珠가 떠러저서 非命橫死할가봐서 그랫다 하오.

兄도 아시다 싶이 光緒帝가 時代의 趨勢에 鑑하여 海軍擴張費를 徵收해 논 것을 平和時代에 洋夷와 密通한다고 西太后에게 讒誣해서 그 돈으로 萬壽山 別宮을 짓게 한 것도 袁世凱엿고 光緒帝를 萬壽山과 南海에 幽閉케 한

---

03 "야스미": 일본어 "休み"(휴식, 쉼) - 편자 주.

것도 袁이었고 淳親王에게 그 검은 뱃속을 들켜 西山에 가첫다가 黎元漢[04] 武昌起義에 際하여 鎭亂의 大任을 맡아가지고 出征하엿다가 黎元洪과 合作하야 南風不競의 淸朝를 피 안 보고 엎지르고 그 功으로 大總統이 된 것도 袁이엿고、大總統이 되고 보니 民國이니 共和政治이니 하는 따위는 無用의 長物이라 은근히 中原天子가 되려고 宋教仁 以下 新興中國의 先覺先驅와 同憂具眼의 士를 暗殺하여 그 白骨 우에 帝制의 한 幕 演劇을 꾸미여 弘憲皇帝라는 이름까지 지여노코 急逝한 것도 袁世凱엿소. 그가 昔日 文教革新의 大任을 맡앗든 康有爲의 飛激[05]에 魂飛魄散해서 그같이 急逝햇는지 모르되 어쨋든 天子가 天命이 아닌 것을 걱정했든 것만은 事實이게 玉座를 비켜 논 것이 아니겟소 하나 萬乘天子를 꿈꾸며 中原의 近代 武人으로 아무도 해내지 못한 閱兵式을 天安門에서 親閱하든 一代의 風雲兒 袁世凱도 靑雲의 뜻을 이루지 못하고 가버렷소. 생각하면 사람의 일이란 참으로 無常한 것이오.

太和殿 안에 비켜 앉은 玉座 左右 月台에는 銅鶴과 銅龜와 함께 東에는 日晷가 가잇고 西에는 嘉量이 配置되어잇소. 그리고 댓돌 아래 左右에는 十八 個의 寶鼎이 잇소.

銅鶴과 銅龜는 聖上의 萬壽를 象徵하는 것인 듯하고 寶鼎은 夏禹氏의 九鼎이 傳國의 寶엿는데 準하야 帝位를 表徵한 것이 아닐지오. 그리고 日晷는 天子가 萬民에게 正時를 보이는 것이오 嘉量은 蒼生에게 正量을 가르치는 것으로 施政의 要諦[06]를 삼든 古代의 遺風이라 하오. 現今 寶座 앞에 陳列해

---

04 "黎元漢"은 "黎元洪"의 오식 - 편자 주.

05 "激"은 "檄"의 오식 - 편자 주.

06 "締"는 "諦"의 오식 - 편자 주.

논 正從十八品의 品級山은 朝儀 時 이것을 階下에 펴노코 左右의 班次를 알리든 것이고 八旗의 戒服은 前淸時代 南苑의 大閱에 使用하던 것인데 그 當時 元旦、冬至、萬壽의 三大節과 國家的 大慶典이 잇는 때 天子 親臨하사 賀表를 받으섯다 하오。

太和殿 바루 뒤애 잇는 中和殿은 天子가 太和殿으로 出御하시기 前 扈從하는 大官大衛의 行禮를 받으시고 또 壇廟의 祭祀(例하면 先壇、太廟祭祀 같은 것) 前 그 祝版을 親閱하시고 先農壇親耕에 祭하여 農具를 보시든 곳이오。

지금 이 中和殿에 陳列되어잇는 兩 個의 鐵牌는 順治帝의 鐵詔요。即 淸初 世祖 順治帝께서 前 明朝의 宦臣 等이 跋扈할가 念慮하야 그 弊를 豫防하기 爲하야 내리신 詔勅을 鐵牌에 새겨서 內廷 十二 個 所에 建立햇 든 것 中의 하나여오。東西의 氣營은 袁世凱 帝政時代의 遺物이오。

中和殿 바루 뒤에 잇는 保和殿은 每年 除夜에 天子 出御하야 外蕃을 饗宴하시고 科擧 때 殿試를 行하던 곳이오 이 三大殿 東에는 文華殿이 잇고 西에는 武英殿이엇는데 前者는 天子가 春秋로 徑筵을 行하던 곳이오 後者는 所謂 殿版 即 欽定刊布의 諸書를 校刻、裝潢、貯藏하던 곳이오

그러나 그 寶書들은 明治 三十四年 六月의 雷火로 燒失되었다 하오。明治 二十二年에는 天壇의 祈年殿이 亦是 雷火로 燒失된 일이 잇거니와 支那에는 雷火의 變이 종종 잇엇든 모양이오。요 며칠 前 雷雨 時에서 市內 古木에 벼락이 내린 일이 잇소。建物이나 樹木은 우중충 높고 음산한데 避雷針이 없는 關係로 雷禍가 만은가 보오。

이 三大殿 東西에는 大小의 殿閣이 無數하나 지금은 雜草만 길길이 욱어지고 사람의 발자최조차 없소 다만 그 中에서 武英殿 西쪽 浴德堂이라는 土

耳其風의 建物이 저 有名한 乾隆大帝의 寵妃인 香妃의 艶史를 품은 책[07] 지나는 손의 눈과 情懷를 그윽히 끄을고 잇을 뿐이오。

袁世凱帝政時代(大正 三四年 頃) 熱河 及 奉天의 兩 離宮에 있던 前 淸帝室의 古書畵와 古董品을 가저다가 文華 武英 兩殿에 陳列하야 東洋美術의 金字塔을 만들어 노왓으나 그 뒤 數次의 政變에 依하야 北京爲政者가 갈리는 때마다 연차 자최를 감추어버리고 그 뒤 熱河事變 當時 남은 寶物 中의 逸品은 모조리 南京政府의 손으로 上海 方面에 옴기어서 지금은 추리고 남을 殘品이 남아잇을 뿐이오。

內廷 即 지금의 故宮博物館은 바루 保和殿 뒤에 잇는데 明淸 兩朝의 帝后의 日常生活은 大部分 여게서 보내셧다 하오。內廷은 大畧 內中、內東、內西 外東、外西의 五路로 갈리여엇소。內中路 中 乾淸宮은 天子 親臨하야 政事를 들으시고 臣僚를 召對하시고 外蕃、屬國、外臣들을 引見하시고 歲時에 잇어서 內廷의 謁表를 받으시고 饗宴을 賜하던 곳이오。또 皇帝의 寢殿으로도 쓰시엇다 하오。乾淸宮 뒤 交泰殿에는 寶璽 二十九 個와 銅製의 漏刻과 大時計(乾隆年間 所制)가 安置되어잇고 그 北쪽 坤寧殿은 明代와 淸初에는 專혀 皇后의 寢殿이엿는데 淸朝 中葉 以後 滿洲의 風習에 따라서 宮殿 中央을 祭神殿으로 하고 샤 ― 만敎의 神을 모섯는데 지금도 穆哩罕、畵像神、蒙古神 等의 神像이 잇고 또 巫女가 使用하든 腰鈴、手鈴、神鈴 鸞刀、琵琶、三弦、鐵□鼓 等이 陳列되어잇소。祭神殿의 東方 二 間은 天子의 大婚에 際하여 合졸의 禮를 行하던 洞房이라 하오。

內東路에는 祖宗을 奉祀한 奉先殿、皇子의 居所인 毓慶宮(東宮)、壇廟祭祀 時 齋戒하든 齋宮 等이 잇고 또 皇后와 妃嬪의 居所이던 所謂 東六宮이

07 "책"은 "채"의 오식 - 편자 주.

잇는데 그 中 鐘粹宮은 光緖皇后의 寢宮이고 永和宮은 光緖帝의 瑾妃、景仁宮은 光緖帝의 珍妃의 居所엿다고 하오.

內西路는 淸末의 皇帝와 后妃의 起居하던 곳으로 養心殿은 宣統皇帝께서 大正 十三年 出宮 當時까지 起居하시던 곳이오 그 뒤 西六宮 中、儲秀宮은 宣統皇后、長春宮은 民國 二十年에 離婚하신 宣統妃(淑妃)가 起居하던 곳이라 하오.

外西路는 皇太后의 正殿과 居所이던 慈寧宮과 壽康宮을 비롯하야 喇嘛供拂[08]의 諸殿이 있는데 그 中 兩[09]花閣은 三層閣으로 屋蓋에 金瓦를 使用하야 紫禁城의 異色이오. 그리고 南에는 內務府가 잇는데 이것은 말하자면 宮用 御用을 辦理하는 宮內省같은 것이엿다 하오.

外東路는 寧壽宮을 中心으로 한 太上皇 養老의 諸 殿閣이 잇소 西太后도 晩年을 이곳에서 보냇다 하오. 이 中 가장 우리의 注目과 好奇를 끄는 것은 內廷演劇所인 暢音閣의 大舞臺와 重華宮의 小舞臺요、지금은 찾아보기 어려우나 그 놀라운 東洋美術의 殿堂인 이 禁城의 宮廷演劇은 가위 볼만하엿을 것이오. 樂壽宮은 乾隆皇帝의 寢宮으로 構造 複雜한 一大宮殿인데 그 一室은 西太后의 寢室이엇다 하오. 西北의 符望閣 一帶는 宮廷의 遙樂을 傳하는 음침한 곳으로 그 北方의 우물은 西太後가 光緖帝의 寵妃인 珍妃를 投殺한 곳으로 鬼氣 아직도 보는 사람의 몸을 치 떨리게 하오.

太廟는 舊 皇城의 一部로 淸朝 帝後의 神位를 奉祀한 곳으로 中殿 東쪽의

---

08 "拂"은 "佛"의 오식 - 편자 주.

09 "兩"은 "雨"의 오식 - 편자 주.

東廡[10]는 功王 十三 人、西庶[11]는 功臣 十三 人을 配亭[12]하엿다 하오. 이 太廟는 天壇과 아울러 祭神如神在의 支那 古代의 思想을 그대로 象徵한 森嚴한 建物이오. 그 境內의 雰圍氣와 自然은 人間을 威壓하는 感이 잇으나 이것은 神의 存在를 믿은 그들 思想의 具現이라 아담한 庭園을 보는 눈으로만 보아서는 안 될 것이오.

以上은 아직 北京의 한 개 點描에 지나지 안흐나 이미 豫定의 紙面도 훨씬 넘고 햇으니 이번은 이것으로 擱筆하는 수밖에 없소.

昭和 十五年 六月

於 北京琉璃廠寓居

—『東亞日報』, 1940년 6월 18일~7월 7일, 7회 연재

---

10 "廡"는 "廟"의 오식 - 편자 주.

11 "庶"는 "廟"의 오식 - 편자 주.

12 "亭"은 "定"의 오식 - 편자 주.

燕京의 여름

北支의 氣候는 大陸的이어서 여름은 굉장히 덥소 그런데다가 더욱 바루 北方에 저 廣漠한 고비 沙漠을 가지고 있고 또 비가 덜 오니까 행결 더 더위 가 甚한가 보오。

北京서 멀지 않은 黃河 流域 一帶의 黃泥堆積層은、한여름의 太陽 直射 를 받아서 발이 빠지도록 큰 龜裂이 생기오。

내가 二十 年 前에 北京 왔을 때는 一 年 남아 있는 동안에 한 번도 비다 운 비와 눈다운 눈을 본 일이 없는데 이번은 온 지 三 周도 다 못 돼서 벌서 二三 次나 豪雨라 할 만한 큰비를 보았소만 그래도 이 地方의 더위는 朝鮮의 그것과 比할 것이 아니오。苦力과 人力車夫들을 보면 벌서 굉장히 땀을 흘 리고 있소。더우면 부채를 쓴다든가 손수건을 쓴다든가 하는、우리들의 常 識으로는 到底히 想像할 수 없으리만치 무섭게 땀을 흘리오。진종일 몸에서 땀이 칠철 흐르고 있오。그러컨만 이들 勞働者는 거리의 綠陰 아래 쉬는 때 마다 더운 茶水를 마시고 마시고는 또 땀을 빼오

이 거리에는 勞働者만을 相對로 茶水를 팔라 다니는 茶水 行商이 따로 있 소 그들은 물 나오는 부부리가 달린 커다란 항아리에 끓는 茶水를 잠북 넣어 가지고 그것을 두툼한 보재기로 싸서 막대로 꾀어가지고 大槪 어미와 딸이

기행문II **515**

나 姉妹들끼리 마주 들고 다니면서 人力車夫나 一輪車를 밀고 다니는 勞働者나、馬車夫나 行商들이나 난전 보는 回回敎徒들에게 茶水를 파오. 커다란 보시기 한 잔에 一 錢이라니 싸기도 하오만 그러나 이들이 茶水 먹는 量은 또 무지하게 많소. 시골 농부들은 하루에 五六 升을 먹는 치가 다 있다니 大陸人의 물 먹는 一事만에도 우리의 常識을 미칠 수 없소. 어쨋든 쉬는 짬짬이 茶水를 마시오.

그리고는 그야말로 瀑布같이 땀을 흘리오. 땀 흐르는 것을 부채질하는 일은 決코 없소. 또 수건으로 씻는 일도 없소. 정녕 甚하게 내려와서 눈을 못 뜨게 될 지경이면 손으로 땀을 쥐어서 뿌려버리오 그러니 몸 어디를 쥐어도 땀 한 줌씩 쥐어지지오.

깨끗한 것을 좋아하는 우리들은 그 끔찍한 얼굴을 보고 이마를 찡기오 그러나 그것은 모르는 소리요. 이들의 이 땀은 實로 여러 가지의 利役을 하고 있는 것이오. 첫째 이렇게 땀을 흘려야 新陳代謝가 잘돼서 日射病 같은 것이 안 걸리오. 그리고 이들 勞働者는 대개 一生을 通하야 沐浴이라든가 목간을 다니는 일이 없는데 제창 땀 목욕을 해버리면、돈과 時間上 經濟가 여간 아니지요.

땀 흘리기를 싫어하는 우리들은 기실 이 橫暴한、自然에 견디기가 십상 어렵소 요 日前에도 新聞을 보니까 어느 露天 式場에서 小學校 兒童 四五百 名 中에서 百六十餘 名이나 日射病으로 卒倒한 일이 있다 하오. 그도 日射病에 걸릴 素質이 있는 아이들은 미리 추려내고 健康하다는 아이들만이였다는데 그 지경이니 大陸의 더위란 참 무서운 것이오.

이곳에는 여름이면 물꺼가 많소 빈대 벼룩은、勿論이고 朝鮮에서는 보도 듣도 못 하던 白蛉이라는 보이지 않는 물꺼가 있소. 이 벌레가 몸에 붙기만 하면、그 자리가 가려워서 견딜 수 없소. 그래서 긁을 수밖에 없는데 그러면 皮膚가 베껴지고 부르트고 하오。그뿐인가요 가려운 것도 워낙 大陸的이여서 하루 이틀에 낫는 것이 아니라 一 週 乃至 甚하면 二三 週를 두고두고、가렵소。가렵다는 것은 매우 부드러운 用語이나 이놈의 가려운 것이란 속으로 디려 아리아리해서 나중엔 뼈짬까지 저리고、이뿌리까지 시어지오。그러나 이 白蛉이란 놈은 원체 微物이라 눈에 보이지 않는 까닭에 사람들은 그저 무슨 무서운 皮膚病에 걸린 것이라고 황겁해서 病院으로들 가오。그래서 注射를 맞곤 하는데 患者는 모르니까 할 수 없지만 醫師란 참 엉터리지오。

이 白蛉은 파리 잡는 藥에 수이 죽소 또 물린 자리도、殺虫水를 바르면 곧 죽어버리오 그런데 이 地方 사람의 말을 들으면 사람은 물꺼에도 물려야 한다 하오 그래야 몸이 鍛鍊되고 抵抗力이 생긴다는 意味인 모양인데 어떤 醫師의 말을 들으면 그것은 單純히 그런 뜻만、아니라 醫學上으로도 根據 있는 말이라 하오 即 물꺼에게 물려서 몸을 긁으면 體內의 老廢物들이 毛孔으로부터 물려나오게 되어서 몸에 좋다고 하오。듣고 보니 그도 그럴듯한 말이오。미상불 이 大陸은 水質이 나빠서 體內에 老廢物이 생겨서 잘 排瀉되지 않는데 그런 方法으로라도 新陳代謝를 도아야 할 것이오。

그러나 北支의 더위는 아직 아무 일 없는 편이오 上海 같은 데는 햇볕에 寒暖計가 百六十 度까지 올라가는 일이 있소。그뿐인가요 南方으로는 꽤 선선하고 樹木도 많다는 南京의 저 漢詩로서 有名한 秦淮의 水邊도 밤중까지、百 度를 오르내린다니 놀랄 일이 아니오 이 秦淮의 물가에서 밤새도록 게집들이 놀아옌다고 해서 옛 사람은 『商女不知亡國恨』이라는 慷慨한 詩를 불렀지만 생각하면 그 女人들도 그 더위를 제치고 살아보자는 것일 것이니 살아가는 일을 또한 크지 않다고야 할 수 있소。

나도 日前 天下絶勝 萬壽山에 가서 昆明湖畔에 길길이 욱어진 갈밭 옆으로 뽀 ― 트를 저어가며 不知中 이 詩를 불러보았소만 그게 다 寒水凉風에 더위를 잊은、 신선한 속에서 생겨난 詠嘆이리라고 생각하고 혼자 웃은 일이 있소。

어쨌든 北京은 南方에 比하면 天下에 드문 納涼地요 避暑地오。 北京은 一名 樹海라고 하리만치 굉장히 樹木이 많고 茂盛한 地요。 또 北海、 中海、 南海、 什刹海 等、 景致 좋고 서느러운 바다같이 너른 湖水가 있소。 그리고 우리가 『東洋 平和의 길』이라는 映畵에서 본 北京의 天壇은 옛날의 皇室 祭祀터로 두세 아름의 巨樹가 하늘을 덮고 그 넓이가 八十一萬 坪이라니 놀랄 일이 아니오 그리고 造山으로 有名한 景山은 大北京을 한눈 아래에、 俯瞰할 만치 높은 山이오。

北京에서 겨우 三百 里밖에 안 되는 天津에는 나무가 없는데 그리고 이 地方은 비가 極히 적은데도 不拘하고、 北京만은 樹林이 鬱鬱蒼蒼하고 세네 아름 되는 四五百年의 古木들도 지금까지 依然히 茂盛하고 있소 그래서 市內外 이르는 곳마다 槐樹、 香樹、 柏木、 海棠、 藤、 芍藥、 櫻桃 나무、 楡木 藤이 기수없이 叢立하야 景山이나 高層建築에서 내려다보면 北京 一帶는 全판이 樹雲에 덮여있고 그 中에 다만 城門과 高樓、 巨閣 等이 높게 드솟고 있을 뿐이오。 街道 左右에도 굉장히 큰 나무들이 서있어서、 綠陰이 깊게 길바닥을 덮고 있소。

그리고도 이직 더위에 못 견디어서 天棚이라는 것을、 치오 이것을 얼른 쉽게 말하면 曲馬團 덕 같은 높은 덕에 朝鮮서 흔히 보는 갈로 짠 노전(삿자리)을 친 것인데、 必要한 데마다 바줄을 달아놓아 그것을 당기면 노전이 말려서 문이 되도록 마련된 것이오。

여름이 되면 웬만한 家庭은 대개 들악 全體에 집보다 훨씬 높은 天棚을 쳐두오。 그리고 街路樹 없는 거리의 가게 앞에도 이것을 치오。 그러면 그 아래는 깊은 거림자가 생겨서 日中이라도 매우 서느럽소。

그러나 大陸的 自然의 暴威는 그까지 것으로 물러서리만치 만만한 것은 아니오。어쨌든 사람을 못 견디게 굴고 그러면 사람들은 좀 더 서늘한 避暑地로 나가게 되오。

한데 간 곳마다 사람이 살도록 마련된 것이 이 北京이라는 곳에는 市外는 말할 것도 없고 市內에만도 避暑할 곳이 기수없이 많소 더욱 電車나 뻐스 外에 洋車가 있어서 별로 큰 힘 들이지 않고도 선선한 곳으로 갈 수 있소 거기만 가면 편편한 자리에 茶水가 準備되어있고 또 公衆 椅子가 있어서 얼마 안 되는 돈으로 終日 푸짐하도록、納凉할 수 있소。

北京 안에서 納凉地로 有名한 곳은 여러 곳이나 그 中에서 가장 이름나고 사람이 많이 모이는 곳은 南海、中海、北海와 社稷壇과 景山일 것이 이 몇 곳은 市街 中央에 있어 다니기도 편하오。

南海는 宮城 北便에 있는 넓은 湖水요、正門인 新華門(寶月樓)은 故宮 안 浴德堂과 아울러서 有名한 乾隆帝의 寵妃인 香妃의 傳說을 지닌 곳이라 거듭거듭 行人의 注意를 끄으오。또 그 마즌편 南海 中에 突出한 一島는 光緒帝가 西太后에게 幽閉되었다가 여기서 駕崩한 곳이라 또 더욱 遊人의 感懷를 자아내게 하오。

여기서 暫時 光緒帝가 幽閉된 顚末을 이야기해야、듣는 이도 興味와 感懷를 느낄 것이오。光緒帝는 國運이、이미 衰殘한 淸末의 皇帝로 後世에 傳할 높은 이름은 없으나 그러나 어진 임군이었던 것은 事實인 것 같소 그는 기울어지는 國運을 挽回하려고 康有爲에게 文敎刷新의 御名을 내리고 袁世凱로 하여금 陸海軍을 大擴張케 할 準備로 四億의 巨金을 徵收하였소、그런데 袁世凱는 本是 漢族인데 淸朝의 臣으로서 淸朝가 엎어지기를 은근히、바라는 次라 여기서 한 꾀를 생각하였소。即 西太后에게 光緒帝가 洋夷와 符同해서 太平時節에 海軍을 大擴張한다고 密告하였소。

西太后는 光緒濟의 叔母요。即 光緒帝는 西太后의 兄의、아들인데 웬일인지 西太后는 光緒帝를 미워해서 后妃와 別居시키고 늘 一擧一動을 警戒하였소。그러던 次라、이 말을 듣자 大怒해서 光緒帝를 처음 萬壽山 玉瀾堂에、幽閉하였다가 다시 이 南海의 一 島 即 瀛臺로 옮겼소。

그 뒤 西太后는 그 海軍 擴張費를 가지고 萬壽山 別宮에、大建築을 加하는 一方 光緒帝와 外部의 連絡은 絶對 嚴禁하였소 그리하여 光緒帝는 이 섬 中에서 不遇한 一生을 마추었는데 그 死因에 對하여서까지 巷間에 傳하는 말이 수수하니 그 얼마나 悲痛한 一生인지를 짐작하고도 남음이 있소。

光緒帝 駕崩의 땅인 瀛臺는 조고만 섬이나 外部로 보면 五彩玲瓏한 琉璃瓦가 빛나는 樓閣 亭宇를 奇妙하게 配置하여 매우 아담하게 보이오 섬의 三面에는 모양이 各異한 水閣 셋이 있고 奇巖怪石의 造山이 있고 푸른 물 우에 가지를 느린 古樹가 있어 風景으로 보면 더할 나위 없소 그러나 한 번 그 殿閣 中으로 발을 옮겨보면 비록 幽閉의 몸이라 하더라도 이것이 萬乘天子가 起居하던 곳인가、疑心하게 되오 그렇게 크고 어마어마한 것을 좋아하는、이 나라 殿閣으로는 너무도 規模가 적소 모르면 몰라도 權臣功將의 邸宅들은 이보다 훨씬 클 것이오。

帝가 날로 기우러가는 淸나라를 걱정하면서 마지막 눈을 감으신 涵元殿은 지금 長竹을 물고 때기름 묻은 입성을 입은 사람들이 들어앉아 있는데 그 門에 辦公室이라는 간판을 붙인 것을 보니 무슨 事務室로 쓰는 모양이오。

涵元殿 뒤로 中國 古代 建物에서는 보기 드문 二 層 翼廊이 鶴의 두 나래와 같이 벌어지고 그 後面 湖中으로 水閣이 내달아서 自然과 人工의 景致가 偕調를 맞추어 絶景을、이루고 있소 舊 皇城과 壇廟 等 建物과 그 周圍 自然에 威壓되던 머리로 보면 이곳은 가장 人間과 親하기 쉬운 곳이오。

더욱이 光緒帝의 이루지 못한 높은 뜻을 생각하니 수이 발이 떨어지지 않고 거듭 말없는 옛 殿閣을 바라보게 되오 참말 아름다운 風景이오 湖畔의 가지 느러진 楊柳가 微風에 건들거기고 푸르른 湖水의 여기저기를、 덮은 蓮잎과 이끼는 물방울을 싯고 바람에 불려 잠잠히 搖曳하오 조고만 물새들도 사람을 따라 滌暑를 하는 심인지 湖水에 뱃대기를 그으며 날라가오。

나이 지긋한 사람들은 亭子에 낙시를 드리우고 젊은 축들은 뽀 ― 트를 저어 湖水를 오고 가고 하오。

그런데 이 水上의 風景이 그대로 아니 더 길게 그 모양을 푸른 물속에 던지고 있어 南海 속에 南海 邊 風景이 또 하나 더 들어있소。

다만 南海 北쪽의 조고만 못과 뽀 ― 트를 넣는 높다란 樓閣 一帶는 몹씨 음침해서 낮에도 오히려 鬼氣를 생각하게 하오。南海 北岸에는 豊澤園이 있고 그 東岸에는 石造의 流杯渠가 있는데 이것은 多分히 詩趣를 돋우는 옛날 流觴曲水의 遺址오 그러나 지금은 물도 흐르지 않고、 또 잔을 띄우는 사람도 잔 잡아 勸하고 마실 사람도 없고 다만 無心한 雜草가 그 속에 길길이 욱어저있을 뿐이오。

中海는 조고만 다리 하나로 南海에 連해있는 南海보다 훨씬 넓은 湖水요。역시 楊柳와 香木이 욱어저있는 데 中海 西南部의 大禮堂 附近에서 올려다 뵈는 北方의 眺望은 天下의 絶景이오 멀리 景山의 翠峰을 바라보고 가까히 北海의 白塔을 바라보는 그 앞 발 아래 湖面에서 蓮잎이 微風에 떨고 느러진 버들가지가 水面을 건드리오。

아닌 게 아니라 알고 보니 이 一帶는 北京八景의 하나라 하오 이 南海、中海、北海는 皇城의 西苑으로 옛날에는 太液이라고 불렀소。本是 北京은 가을이 第一 좋지만 特히 이 太液의 가을은 더 아름답다 하오。北京八景의 하나인 太液秋風은 이 一帶의 風景을 이르는 말이오。

聖君 乾隆帝는 文物百般에 亘하여 萬古의 儀表 될 만한 行跡을 남기셨거

니와 自然에도 또 깊은 理解가 게서、中海湖 中의 水雲樹에『太液秋風』이라는 御筆碑를 남기셨소. 조고만 亭子 하나라도 乾隆帝와 因緣이 있는 것이면 中國人은 無條件하고 머리를 숙이오. 우리도 물론 그렇소 두말할 것 없이 書畵街인 琉璃廠이나 寶石 古董의 거리인 廊坊二條의 商人들도 손이 구경을 가면 그 많은 물건 中에서 乾隆時代의 製品을 처들고 그저『乾隆』하고、외마디 소리를 치오 乾隆이면 다시 두말할 것 없으니 사람은 첫째 어질구야 볼 것이오 乾隆은 아직도 몇 年 몇 萬 年을 이들 萬百姓과 같이 살는지 모르겠소.

中海 西岸의 愛翠樓 附近은 全部 造石山인데 낮으나마、奇峯 迷路가 參差羊腸하고 暗壑隧道가 忽開忽閉하여 길을 잃어버리기 여러 번、같은 亭閣으로 거듭 돌아오기 또 몇 차례 迷廻하기 한참만에야 겨우 萬字廊으로 접어들었소. 이것은 卍字形으로 된 것인데 曲廊石脚에는 이끼 낀 푸른 물이 잡아있어 宛然 물위에 떠있소 그 北室 五楹에는『飛軒引鳳』이라는 懸額이 붙었소. 本是 德宗(光緖帝)이 讀書하든 곳이오 徐世昌 總統 時代에 國務會議를 열든 곳이라 하나 지금은 內部에 먼지 끼고 보잘 것이 없소.

西太后 쉬든 자리에는 지금도 大槪 걸첬든 椅子가、그대로 놓여있는데 光緖帝와 因緣이 있는 곳은 거지반、이 모양이니 西太后는 勿論 後人도 이 不出世의 어진 임금의 뜻을 알려고 하지 않는 모양이오.

萬字廊 南쪽에 袁世凱가 지은 石室(金匱函)이 있는데 이것은 全部 代理石으로 된 돌집으로 金庫를 넣었던 모양이오 참말 잊었소 이 南中海도 本是 總統府가 있든 곳이오 居仁堂、懷仁堂、紫光閣도 이 附近에 있소. 또 中海 東岸에는 萬善殿이 있으나 별로 볼 것이 없소.

大體로 南中海는 물과 나무가 渾然一體가 되여있어、그 風光이 아름다울 뿐、建物은 그다지 豪華하지도 雄大하지도 못하오 다만 人跡 드문 池邊楊柳

아래 구불고 긴 길을 걸을 때 알 수 없는 一抹의 哀愁와 詠嘆이 떠도는 듯한 것은 清朝의 頹勢를 말하는 듯한 涵元殿(光緖帝 幽閉處)이 있기 때문일지 또는 康熙와 아울러 清朝로 하여금 漢唐을 지나가 文化中原을 만든 聖君 乾隆의 寵姫 香妃가 놀든 追憶의 名所 新華門이 있기 때문인지.

中海의 北端에 놓인 金鰲玉蝀橋를 지나 저편이 이른바 北海요 南海의 一島는 너른 湖水 中에 조고만 絶景을 이루고 있으나 北海의 瓊島는 너른 北海의 복판에 富者집 맛며누리같이 그득차게 들어앉은 넓고 높은 섬이오.

이 섬은 一名 白塔山이라고도 하는데 그것은 즉 山上에 白色 喇嘛塔이 있기 때문이오 이 塔은 飄簞形으로 된 宏壯히 크고 높은 탑이오 清初의 建築이라 하오 喇嘛敎는 佛敎의 一派로 西藏을 中心으로 蒙古 及 滿洲에 盛行하든 宗敎니까 滿洲에서 發祥한 清朝에 있어서 이 敎를 崇尙했을 것은 勿論이오 지금도 北城에 있는, 喇嘛敎의 大本據인 雍和宮(喇嘛廟)은 그 規模가 크기로 有名하오、이 안에는 約 三百 名의 蒙古人 喇嘛敎徒가 있고 附近에도 붉은 띠를 띤 蒙古人이 散見되며 宛然 蒙古村을 이루고 있소 清朝가 根本을 잊지 않고 滿洲의 宗敎를 가저온 것이라고도 볼 수 있는 一方 또 清이 本是 邊防에서 일어난 나라라 邊地의 숨은 힘과 侵略을 저어하야 이 邊地 宗敎를 가져다가 蒙古 西藏 等을 懷柔한 것이라고 보는 것도 無意味한 일이 아닐 것이오.

石階를 돌고 돌아 白塔 앞에 이르니 北京 全景이 한눈에 드오 勿論 景山의 높이에는 밋지 못하나 坦坦한 平地 복판에 들어앉은 北京 市街를 俯瞰하기는 이만하면、넉넉하오 北京은 一名 樹海란 말이 옳소。高樓巨閣 外에는 一面 나무밖에 안 보이오.

이 山에 布置된 珍木과 奇石은 옛날 宋나라 汴京良嶽의 것을 金人들이 搬移해 온 것이라 하오 山後에는 亦是 全部 돌로 된 造山이 있고 그 石山 속에는 石洞과 隧道가 있소。참 진작 말할 것을 잊었소 北京 到處에 돌로 만든 石山이 있고 또 石庭과 石壇과 石殿이 無數히 있소 大體 어디서 그렇게 크고 훌융한 石材들이 오는지 보는 때마다 놀라게 되오 굉장히 큰 代理石 礎石이라든지 두세 아람 되는 石柱라든지 天子가 行步하시는 正路마다 깔아논 龍이나 鳳凰이나 鶴이나 거북을 山짐생 그대로、도두라지게 浮彫한 所謂 雕石이라든지가 어디서 오는지?

그러나 그도 그럴 일이오 지금도 四川省쯤 가면 바위 하나에 幾 十萬 人이 사는 市街가 들어앉어있다니 그것은 地下의 盤石이 露出한 것인지는 몰으되 地上의 바위로는 到底히 人知의 想像이 및일 수 없는 것이오 그러니까 石材가 貴한 北方에서까지 이렇게 아깝지 않게스리 만판 푸지게 石材를 使用한 것인가 보오만 그것을 運搬하고 싸고 깔고 다듬은 人力의 큼도 또한 놀라지 않을 수 없소。

대체 이 놀라운 工事들도 爲政者나 白手士人들이 했을 理 없고 우리가 흔히 보고 蔑視하고 함부로 부리는 勞働者(工匠까지도)들이 全部 했을 것이니 저 보잘것없는、더러운 人間들 속에 그만한 재주와 힘이 있으리라고、생각되지 안소만 그러나 저들이 만든 것은 事實이니 다시금 깊이 숨어 있는 智와 力을 가진 大陸人의 性格을 생각하지 않을 수 없소。

우리가 西洋人에게 一種 畏敬을 가지는 것이 事實이오、또 저들은 이 큰 땅덩이 우에 검은 野心을 가지고 阿片이다 宗敎다 또 무엇무엇이라 하는 것으로 이 땅 到處에 자기네 標本을 박아도 놓았지만 그러나 이 大陸人들이 만들어논 人工의 큼을 볼 때 우리는 열 번 百 번 왼 고개를 흔들지 않을 수 없소 絶對로 이 偉大함을 낳은 이 性格을 地球 上에서 抹殺할 수 없으리라고………

山 뒤 石山굴 속은 어두운 데도 있으나 大槪는 採光이 잘되여있소 그렇건

만 우리는 좁고 安全한 데서만 자라나든 小心한 性格들이 돼서 그런지 이 굴 속을 지나가기가, 오슬오슬하오.

굴을 빠저 山 아래로 내려가니 漪瀾堂、碧照樓라는 아름다운 이름을 가진 建物이 있소 참말 그럴듯한 이름들이오 北海의 물결은 錦紋과 같고 左顧右眄에 都是 碧 一色이오 水中마저 그 빛이나 碧照란 文字가 또한 그럴듯하오

이 아름다운 두 建物을 中心으로 하고 瓊島 西北岸을 테두리 한 一大 回廊이 있고 그 앞에 白鶴이 오고 가는 北海 푸른 湖水가 있소. 湖面에는 蓮잎이 덮인 外에도 古色蒼然한 이끼와 같은 것이 띠엄띠엄 덮여있어서 아득히、먼 옛것의 美를 나타내고 있소. 이 山 東北麓에는 乾隆 御筆인 『瓊島春陰』이라는 石碑가 있으니 즉 이 北海도 北京八景의 하나인 것이오.

우리는 이 섬 北岸에서 배를 타고 對岸으로 向하였소. 물은 깊지 않으나 대단히 맑소. 그도 그럴 것이 北京 市內의 湖水와 城濠는 全部 玉泉山에서 흘러와서 아래로 빠지기 때문에 흐리거나 썩거나 하는 일이 없이 늘 맑고 푸르오.

坦坦한 平野로 물을 끌어다가 北京 城內에 호수를 만들고 城壕를 만들고 그리고 飮料水까지 提供하게 한、古人의 景致와 上水道를 並한 設計는 現代의 技術로도 驚歎하야 마지않는다 하오.

그뿐 아니라 宮城、官衙、住宅 及 道路 等 諸般 設計가 거의 完全에 가까워서 우리 朝鮮처럼 이미 있던 집을 파헤치고 새 길을 내는 等 事를 하지 않아도 建物의 外像만 약간 加工함으로써 아주 번듯한 새 거리가 되오. 全支中 가장 훌륭하다는 北京의 外國人居留地든지 또는 近代式 新市街도 파헤치고 새로 지은 것이 아니라 實로 若干의 點睛으로써 그렇게 된 것이니 이들 支那 往昔의 都市計劃이란 얼마나 놀라운 것인지 알 수 있지 안소.

瓊島 對岸에는 五龍亭、極樂世界、萬佛樓、闡福寺、小西天、大西天、九

龍壁 及 北門 內의 先蠶壇 等이 있어 모두 볼만한 것들이오. 萬佛樓는 그야 말로 萬佛이 사는 곳이오. 이것은 드높은 亭閣 中에 數萬 峰의 山嶽模型을 마들어놓은 것인데 그 東西南北 四面의 높고 낮은 峰 아래에다 層層으로 佛像이 서 있는데 下部는 빽빽하고 올라갈수록 성기게 섰소. 그러다가 맨 꼭대기에는 단 한 사람, 그것이 天上天下唯我獨存이라는 釋尊이오 바로 그 위 天井에서, 極樂世界라는 懸板이 아득히 우리들을 내려다보고 있소 맨 아래 쪽 부처도 必是 聲聞緣覺쯤은 될 것이니 우리 衆生界와는 幾百 由旬의 相距가 있을 것인데 그 下部 우묵히 들어간 곳에 或是 乞人이 들어가서 잤든지 지금은 鐵網을 둘러쳐 놓았소.

南門(承光左門)에 連한 團城에는 承光殿이 있고 그 안에는 有名한 白玉佛과 玉甕이 있소. 白玉佛은 白 大理石으로 만든 緬甸[01]式 佛像이오.

또 附近에는 有名한 九龍壁이 있는데 이것은 皇宮 內 皇極門 外에 있는 九龍壁과 아울러 乾隆朝에 製作한 것으로 有名하오.

北海 東面에 大高元殿이라는 圓殿이 있는데 이것은 天子가 衆生을 代身하여 祈雨하던 靈場이오 그 門前 兩 亭은 鉤簷과 鬪桶[02]이 人巧를 다한 것으로 距今 四百 年 前 明나라 建築이라 하오.

이 大高元殿의 東이 바로 皇居禁域의 鎭山인 景山인데 이것은 北京 內城의 中央이오. 이 山은 北海、南中海 等을 파낸 흙을 가져다가 싸은 造山이라 하오. 山은 全部 五 峰으로 되고 中央峰이 第一 높고 거기 선 亭閣도、第一 크며 그 안에는 巨大한 佛像이 安置되어 있소 이 中央亭은 萬昔亭이라 하고 그 東이 周賞、觀妙 兩 亭이고 그 西가 富覽、輯芳 兩 亭이오 이 景山은 傳說

01 "緬甸": 미얀마 - 편자 주.

02 "桶"은 "栱"의 오식 - 편자 주.

에 의하면 備荒의 意味로 그 속에 石炭과 食鹽을 暗藏하였다 하며、 그 通路
는 너른 皇城 어디로 通하여있다는데 그 眞否는、 未詳하나 이 山의 一名이
煤(石炭)山인 것으로 보아 무슨 緣由가 있는 듯하오。

　景山과 後面 一帶에는 屢百 年의 槐樹、 香木、 柏木이 一面에 서있소。 山
前 綺望堂 앞 花草를 一瞥하고 바로 그 뒤인 中峰으로 直行했으나 危險하다
는、 패木이 있어 西쪽으로 돌아가서 한참 石階를 올라갔소 輯芳亭 있는 데
서부터 내려다보는 視野가 차츰 넓어지며 北京 全市가 그 안으로 좁아들기
시작하오。 亭子에 小憩한 後 富覽亭으로 올라가니 좀 더 眼界가 넓어지고
中央峰 萬春亭으로 올라가니 北京 全景을 歷歷可指외다。

　바루 景山 앞이 舊皇城인 紫禁城이오 이 城 周圍는 十粁 餘요 城中 天子、
政事를 行하시고 臣僚를 召待하시고 外藩、 屬國、 外臣을 引見하시고 歲時에
內廷의 上賀를 受하시고 宴을 賜하시고 또 寢殿으로 하시든 乾淸宮은 南面
으로 中和殿、 保和殿、 太和殿、 太和門、 午門、 端門、 天安門、 中華門、 正陽
門의 諸 殿文과 北으로 文奉殿、 坤寧宮、 坤寧門、 天一門、 飮安殿、 順禎文、
神武門、 北上門、 壽星殿、 地安門 等이 定規를 대고 그은 듯이 一直線上에 놓
여있소。 여기서 보면 北京은 宛然 城廓의 거리요 北京 內城이 밖을 둘러치고
皇城이 內中을 둘러친 外에 大小의 城壁이 곳곳에 一廓을 이루고 거기마다
城門과 碑樓(朝鮮으로 치면 홍살門 같은 것)가 서있소。 그래서 民家나、 官衙
있는 데까지 城壁이 둘러치여 或是 무슨 別閣이나 아닌가 하고 疑心할 일이
종종 있소 그러므로 北京 거리를、 걷는 것은 언제든지 무슨 宮城 안을 걷는
것 같소。 어떤、 길에도 碑石을 깔아놓고 左右에 琉璃瓦를 인 城壁이 있소。
그리고 石經 左右에 짜개돌이 박인 것도 그저 함부로 뿌려논 게 아니고 注意
해 보면 둥글고 긴 小石을 가지고 菊花꽃이나 또는 다른 模樣을 새여 넣은 것
임을 알 수 있소。

萬春亭 바로 아래에 日皇宮이 歷然히 내려다보이오. 참 宮도 많고 殿도 많고 門과 閣과 樓도 많소. 정말 天子의 살림이란 억세가 큰 것이오.

天子 계시던 乾淸宮、皇后 계시던 坤寧宮도 바로 거기 보이고 大婚 時 合졸하시던 華燭洞房도 거기 내려다보이오.

以上이 皇宮의 中央部인데 그 西便으로 눈을 돌리면 宣統 皇帝 게시든 春[03]心殿、皇后 게시든 儲秀宮이오.

그 西便 즉 皇城 안 맨 西便에는 皇太后의 正殿인 慈寧宮과 宮中 辦理의 內務府가 보이고 喇嘛 供佛의 諸 殿閣이 보이는데 就中 雨花閣은 三重栱으로 金瓦를 이어 禁城 中의 異色이오 豪華版인 感이있소.

皇居 中央部 以東으로 눈을 돌리면 우리들이 첫재 무엇보다 好奇心을 가지게 되는 것은 暢音閣의 大舞臺와 重華宮의 小舞臺요 이것은 宮中 藝苑의 本營으로 그 놀라운、美術 古董을 낳은 이 나라 宮中演劇은 또 어떻했을지、大體로 이 나라 사람은 演劇을 좋아하오 北京 貧民街 天橋엘 가보면 二 三 錢으로 구경할 수 있는 茶店 兼用의 演劇、漫談、琵琶、古劇口演 等 별별 演劇이 다 있소 또 이 貧民街 梨園(?)에서도 有名한 名花가 나온 일이 있다 하오 이 貧民街의 女優를 『坤角』이라고 일르는데 劉喜筌、新艶秋 같은 女子는 坤角 出身의 名花들이오. 그러니 暢音閣 重華宮의 舞臺에 오르던 사람 中에는 얼마나한 妖花、名花가 있었겠소.

이곳 寧壽宮은 本是 太上皇 養老의 場所인데 挽近에는 西太后가 그 一室에 起居하였다 하오.

樂壽堂은 乾隆大帝의 寢宮으로 有名하고 또 構造 複雜하기로 有名하나 景山에서 내려다보아서는 그 內部를 알 수 없소.

03　"春"은 "養"의 오식 - 편자 주.

乾隆 末年 宮廷의 涯樂을 널리 宣傳된 符望閣도 보이오、 이 一帶는 지금도 매우 음침하다 하나 내려다보기에는 黃色 琉璃瓦가 燦爛히 빛나는 大端히 아름다운 風景이오。

그 北方은 光緖帝의 寵妃인 珍妃가 團匪事件 時 兩宮의 西安 蒙塵에 當하여 西太后의 손에 投井된 아슬아슬한 우물이 있으나 景山에서는 보이지 않소。

景山에 서서 이윽히 左右 景致를 굽어보자니까 下山할 맘이 없소。 멀리 뵈는 北海의 나는 白鶴도 수월치 않은 一景이오 萬春亭 바로 東便에 防空싸이렌이 裝置되어있소。

周賞、 觀妙 兩 亭을 지나 내려오려니까 周圍에 낮은 石壁을 둘러친 늙고 고분 槐樹 하나가 보이오 그것은 다름 아닌 明나라 마지막 임군 思宗이 縊死한 나무요 그 앞의 『明思宗殉國之愛[04]』라는 碑石과 아울러 이 늙은 槐樹는 그윽히 行人의 懷慨를 도웁소。 나무는 늙어서 아랫도리가 두 홀로 쪼개지고 휘엿한 구분 가지로 縊首하기 알맞게 되어 지금도 三百 年 前 옛일을 彷彿히 그리게 하오

思宗은 明末에 있어서 當時 陝西省 西北部에서 峰起한 流賊 李自成이 北京을 侵略하여 마침내 帝都를 蹂躪當한 結果 萬民之上으로 깊이 責任을 느끼시고 手書로서 血詔를 남기시고 이 山下에 玉碎하여 明朝 三百 年의 社稷은 이 山 아래에 마처버렸오。 이 血詔는 보는 사람의 눈물을 자아낸다 하거니와 瓦全을 버리고 玉碎를 取한 그 心情만 생각해도 가슴이 무거워지오。

그런데 여기서 한 가지 附言할 것은 이 紫禁城의 黃瓦에 對해서요。 이 안의 建物은 大小를 勿論하고 全部 黃色 琉璃瓦요 天下에 滔滔한 요지막의 拜金思想으로 보면 黃金色을 取한 것이라 하겠으나 決코 그런 것이 아니오 이

---

04 "之愛"는 "處"의 오식 - 편자 주.

것은 漢時代로부터 내려온 五行說에 基한 것으로 五行에 依한、各色 中 黃色을 天子의 色으로 하였던 것이오 그래서 天子의 御衣는 黃櫨染으로 하고 皇城은 黃瓦로 이었든 것이오。社稷壇에 가보면 이 思想을 確實히 알 수 있소 社稷壇 四壁은 各異한 四色(黑、靑、赤、白)으로 하고 中央에 黃土를 놓아 黃色을 보이고 있소 이것은 即 天子는 中央에 계서서 四方에 君臨한다는 뜻을 말하는 것이오 그러나 皇城 建物 中에는 昊天上帝 계신 蒼天을 따라 紺靑色琉璃瓦를 사용한 것도 있소。天壇은 大部分이 紺靑色 藍瓦를 使用하였소。

그리고 光緖帝 幽閉의 땅인 瀛臺 같은 것은 黃色 及 紺靑色 其他 雜色을 混用하였소 또 지금은 거리로 다녀도 이따금 黃瓦를 使用한 建物과 낮은 建壁을 보는데 지금은、皇居 中心部와 멀리 떨어져 있으나 昔日은 그렇지 않었든 것을 알 수 있소。

閑話休題하고 以上의 諸 海外의 여름 行樂地로는 什刹海를 칠 수 있소 이것은 宮城 後壁 即 北海 뒷벽을 지음처 城 밖에 있는 길다란 湖水로 湖畔에 楊柳가 있을 뿐 建物다운 建物도 없소 그러나 이곳은 貧民의 納凉地로 한 목아니 셀 수 없는 곳이오 楊柳 아래에 天棚을 처놓고 그 아래 簡單한 茶水를 準備해놓았소 별로 큰 돈 들이지 않고 수박씨나 까며 그야말로 古詩의『濯淸川而自潔、坐茂樹而終日』式으로 더위를 避할 수 있소。

한참 길다라케 좋다는 納凉名所들을 列擧해놓았소만、事實 나와 가장 因緣이 깊은 곳은 이 什刹海요。

그개 바루 二十 年 前 일이오 그때 나는 北京에 留學하고 있었소 그러나 예 이제 다를 것 없는 貧者生이라 돈 많이 드는 名所로는 갈 수 없고 해서 이 湖水가에서 한 여름을 보냈었소 그 해는 참 유난히도 더웠소。

그때 이 湖畔의 楊柳 아래 앉어서 綠陰 덕을 입으려고 하나 어찌 무더운지 견딜 수 없었소。해서 一計를 案出한 것이 그 附近 貯氷窖였소。마침 炎

熱이라 얼음은 거이 파내가고 조금 남은 것을 人夫들이 파내고 있었소。

그 안은 무척 너르고 선선하였소。오히려 추울 지경이었소 깊은 땅속인데다 어름이 무첬으니까 그럴 거 아니오 매우 선선하다고 좋아하면서 나는 每日 이리로 와서 讀書도 하고 休息도 하리라고 혼자 萬悅에 잠겼었소。

그런데 웬걸 夕陽에 나오니까 아주 죽을 지경이오 구려 대체 밖은 어찌 더운지 숨이 칵칵 맥히겠지요 밖에 있던 사람은 그렇지도 않은 모양인데 선선한 데 있다가 별안간、밖으로 나오니까 空氣가 마치 무슨 불김 같았소。참 죽을 번했소。

그래서 모처럼 發見했던 納凉地나마 來日부터는 다시 안 들어가리라고 하였소。그제서 가만히 보니까 다른 사람들은 벌써 그런 줄을 다 알고 안 들어간 것을 나는 내가 發見했다고 다른 사람에게 알리지 말고 혼자 行樂하리라고 생각했소 그려 날과 같이 호주머니 협협한 친구들이 나의 내숭한 생각、그러나 어리석은 慾心을 알었든들 얼마나 웃었겠소。

나는 이 湖畔을 거닐며 지금도 혼자 웃고 있소。

北京 琉璃廠 寓居 六月 十日

— 『朝光』, 第6卷 第8號, 1940년 8월

四 年만의 北京

崔南善

　　四 年만에 온 北京에 드러온 나의 눈에는 온갓 것이 情다웁게 생각되엇다 前門 驛頭 數만흔 택씨가 죽 — 버려잇는 것 主要한 大街(따-체[01])에 뻐스가 달리는 것 가튼 것을 보고는 洋車[02](양처) 細民의 일을 생각해보고 조금 머리를 기웃거렷스나 한편 北京의 街路 風景을 構成하는 兩 分子인 洋車 타는 人種과 洋車 끄는 人種도 以前에 比較하야 몃몃 倍의 氾濫을 보이고 잇는 것을 보고 이만하면 하고 다시 고처 安心하엿다 事變[03] 以來의 北京이 土着人 新來人 다 갓치 發展을 이루어 何等 서로 壓階하는 일 업시 北京 自體의 繁昌을 독구고 잇는 것이다

　　東安市場(동안시 — 창[04])으로 드러가 보앗다 如前히 土卵 씻는 以上의 混雜인데 여기에 용소슴치는 人波의 半分은 確實히 日本人이엇다 카 — 키 —

01　"따 — 체": 중국어 "大街"의 발음은 "따제"로 여기서 "체"는 "제"의 오식인 듯 - 편자 주.

02　"洋車": 인력거를 뜻하는 중국어 - 편자 주.

03　"事變": 노구교사변(蘆溝橋事變), 1937년 7월 7일 일본 관동군이 중국침략전쟁 확전을 목적으로 일본 병사의 실종을 빌미로 중국군을 습격한 사건 - 편자 주.

04　"동안시 — 창": "東安市場"의 중국어 발음 - 편자 주.

服의 軍人과 긴소매의 鄕人이 압서기니 뒤서거니 하면서 各其 需要品을 손
가볍게 가지고 잇섯다 紙幣 뭉치에 싸흰 商人들의 얼골에는 풍성풍성한 빗
치 完然히 보엿다 內地로 가는 適當한 선사품이겟지만 例의『盧溝曉月』이
라는 石板 一 其實 木板으로 박인 것은 끈힘업시 팔려가고 잇섯다 賣手의 內
容 이야기를 들으면 事變 以來의 總 賣數는 畿十萬 □를 헤일 수 잇다는 것
이다 事變으로 因하야 支那人이 意外인 德을 보고 잇는 一例로 보아 興味
잇는 同時에 如何한 事象 속에도 반드시 人間生活의 속 기픈 互相關係가 存
在한 것을 생각할 수도 잇섯다 섯달이 半이고 보면 아모려나 秋冬을 讚하게
되는 北京 風物이라고 하지만 街路樹 입에 가려진 가지에 무엇이라 할 수 업
는 寂寞이 흐르고 잇섯다 그 덕택으로 景山의 眺望은 언제나의 靑靑한 樹海
가 아니고 비눌처럼 빗나는 蔓波인 것 도한 興趣가 잇섯다 景山에서 멀리 바
라보는 瓊華島의 例의 白塔도 아모 거리낌이 업는 만큼 실컷 美를 나타내고
잇섯다 黃寺 黑寺를 爲始하야 北京城의 內外에는 喇嘛敎의 堂塔에 無數하
고 妙應寺의 白塔 가튼 專門家 嗜好의 塔姿도 一二에 그치지 안치만 幽幻味
와 現實感의 相反한 情趣를 渾然히 合一한 一種의 神秘的 靈感은 景山에서
보는 瓊華塔에 限하야 感受할 수가 잇다

　瓊華島의 白塔은 詩想 美感을 外로 하고 그리고 또 歷史的 感興 우에 一
層 더 솟는 맛이 잇는 것은 아는 사람이나 알 것이다 中南海를 건느고 北海
(베 ― 하이)를 가로 건너 몸이 한번 白塔 下에 서서 四方을 둘러보면 金元明
淸의 絢爛한 興發圖가 正히 一眸 下에 펼처오는 듯 蒙古人의 元朝가 中原의
땅을 다스다[05]랴 하자 漢人을 統帥하기에 西藏民族과의 聯繫가 必要한 것을
깨닷고 後에 滿洲人도 帝業을 國內에 推進하자 역시 塞外的 一體性을 限定

05　"다"는 "리"의 오식 - 편자 주.

한 蒙古民族과의 緊密한 結託이 要求되엇든 것이다 그리하야 먼저『말을 쏘라』는 筆法은 西藏人과 蒙古人의 마음도 把握하고 잇슨 喇嘛教를 自己의 것을 삼지 안흐면 안 될 것에 氣를 채엿든 것이다 外面만의 交際와 속 드려다 보이는 利用態度가 아니고 全혀 自己의 精神을 통드리 相對 側의 心裡에 맛겨 던져버리고 內的 感應融合을 一途로 實現하야버렷든 것이다 그들의 傾國才略과 民族政策의 聰明한 것을 象徵하는 不滅의 華表야말로 瓊華島의 白塔이라 할 것이리라

먼젓번에 修理에 着工하고 잇든 것을 본 故宮의 묵직한 殿宇와 大學 鼓樓 等은 工程도 支障 업슨 듯 金碧이 燦爛히 온통 一新되어 잇섯다 事變 進行 中의 煙塵塲이라고 생각되지 안흐려만 하다 東城의 觀象臺를 가보앗다 軍事 關係이므로 어떨까 하엿스나 저윽이 來意를 通한즉 快히 參觀을 許諾하야주엇다 이러한 文化的 同情이 온갓 것에 고로 가고 잇섯다 層階를 밟으며 高臺 우에 오르니 雄大精巧 놀날 만한 諸種의 觀測儀器는 完全히 保護되어 風竿의 움직임도 바람 부는 새이새이에 술렁술렁 돌고 잇섯다 "사라□" 科學과 遼西文化의 精義가 서로 잇대어 꼿을 피우고 그것을 바든 淸朝에 依하야 一發의 整備를 더하게 된 此等 儀器는 正히 人類의 文化的 協同力의 아름다운 成功을 말하랴는 廣長舌인 듯도 하얏다 臺에 잇대인 城壁 우에 나아가 보니 넓드란 野原 구블구블 흐르는 시내 그 사이에 點綴한 고요한 部落에 따스하게 愛日의 빗치 갓득 퍼지고 잇섯다

귀의 北京은 何如間 눈의 北京에는 아모런 暗雲도 차저낼 수 업는 것이 事實이다 아모러컨 物資는 豊富하고 秩序도 相當히 整頓되어잇고 오랫동안의 風塵 끄치라는 點은 얼른 차저낼 수 업슬 지경이엇다 그러면 今日의 北京은 完全한 樂土이엇드냐고 뭇는 者가 잇다면 遺憾이지만 나만은 否라고 對答할 박게 업다 何故오 하면 北京의 圖書典籍이 種類나 數量이나 매우 적

어지고 게다가 그 代價가 함부로 비싸진 까닭이나 언제든지 살 수 잇스리라고 생각하얏든 것 얼마 만큼이면 손에 드러올 수 잇스리라고 생각하얏든 것이 琉璃廠(류리챵[06])과 隆福寺(룽부츠[07]) 乃至는 한갓 路傍商人에 이르기까지 차례차례로 들려가는 데는 哀愁가 □深치 아니할 수 업섯다 昔日이면 正價 가튼 것이 잇슬 理 업든 安價의 書籍도 古本집에서까지 所謂 正價에 반드시 五 割、十 割을 加算하는 것이 通例가 되어잇섯다 萬人이 踊讀하랴는 今日의 北京을 내가 호올로 咀呪할 義理가 업느니 만큼 書肆 間에 逍遙하는 내 얼골에는 어떠한 苦色이 떠잇섯슬까

―『滿鮮日報』, 1941년 1월 1일

燕京雜記(第二信)

李想白

五臺山 六月大會

聖地 五臺山의 六月 例會가 迫近하다 하여 北支 一帶의 善男善女들은 聖地巡禮 準備에 바쁜 모양이다. 五臺山은 古來로 中國의 四大道場의 하나로 第一이 文殊菩薩의 五臺山(山西省)、第二가 觀世音菩薩의 普陀山(淅[01]江省舟山列島 中)、第三이 普賢菩薩의 峨眉山(四川省)、第四가 地藏菩薩의 九華山(安徽省)인데, 그 中에도 第一 規模가 크고 信者가 많은 隨一의 聖地가 이 五臺山이다. 開山은 距今 千九百 年 前後 漢明帝 때 印度僧 摩騰、竺法蘭 二人이 釋迦佛教와 四十二章經을 帝의게 進上하고 天通眼으로 五臺山이 華嚴經에 있는 淸凉山이라는 것을 알고 帝의게 奏하여 五臺山에 伽藍 建立을 빌어서 지은 것이 現在의 名刹 顯通寺라고 한다.

五臺山의 一名은 淸凉山인대 그 所自來는 「歲積堅氷 夏乃飛雪 曾無炎暑 故曰淸凉、五峯聳出 頂無林木 有如壘土之臺 故曰五臺」라 한다. 五臺는 東西南北中 五 臺가 있어 東臺는 高 約 三十八 里 周 三 里 中臺는 高 三十七 里 周 一 里 西臺는 高 三十五 里 周 二 里 北臺는 高 約 四十 里 周 四 里 中

---

01 "淅"은 "浙"의 오기 - 편자 주.

臺는 高 三十九 里 周 五 里 이 五 臺를 中心으로 해서 內外에 佛敎의 寺院과 元朝 以來로 盛하여진 喇嘛의 廟 俗稱 靑(佛)黃(喇) 兩 廟가 從前에는 三百 餘 所가 있어 歷代 帝王의 典建한 것이었으나 지금은 다 消沒하고 現存하는 것은 凡 六十八 모다、寺 그 中에도 菩薩頂 羅睺寺 鎭海寺 文殊寺 廣華寺 紅 泉寺 極樂寺 十大禪處 南山寺 金閣寺 靈境寺 大門巖 殊像寺 塔願寺 大顯通 寺 圓照寺 碧山寺 八大寺院 黛螺頂 五郞廟 九龍閣 古佛寺 普濟寺 臺麓寺 玉 花池 觀音洞 등이 가장 勝名하다 한다。

이번 五臺山 六月大會라는 通稱의 本名은 六月誓願會라는 것이 當然하 며 菩薩頂에서 擧行하는대 이 誓願會의 由來는 西藏의 宗敎改革家 宗喀巴 大師가 圓寂할 때 山西省 五臺山을 東方聖地라 해서「我將當在五臺山講說 菩提道」라 하였으므로 그 後로는 西藏의 拉薩[02]에서 하는 바와 같은 大誓願 會를 열기가 된 것이고 淸朝帝王의 勅示와 達賴喇嘛 五代의 特囑으로 五臺 山 菩薩頂에서 이 大會를 여는 것이라 한다。

行事는 陰曆 六月 十四日부터 菩薩頂에서 十日 間 十方僧衆을 모아서 誓 願하고 六月 十五日에 羅睺寺에서「跳舞[03]」를 擧行한다 그「跳鬼」의 意義는 「恭請諸佛菩薩臨降 以事供奉 原來所謂衆生具爲我等過往與未來父母 因我 等自無始以來 即罪孽深重 故須懺悔之 母將難得之人身無爲空過應速刻苦修 行以證佛果 修行中之息災 增益 敬愛 降服 四者最爲重要 跳舞時帶各色各種 面具 以博諸神之歡心 供養莊嚴跳舞最後有大威德金剛 將伏惡魔 且威出于大 慈悲心之降魔」라고 하니 勿論 喇嘛儀式이다。

이 五臺山은 從來로 오래동안 中國에 가장 有名한 佛敎의 聖地오 佛敎

徒의 欽慕不已하는 仙境이므로 每年의 이 六月大會에는 中國本土 外에 滿洲 蒙古 西藏 等에서 數十 萬의 信徒가 參加하려 모아들던 것이다. 閻錫山은 基督敎者이므로 이 大會를 冷視하였으나 아직 彈壓은 하지 않고 다못 寺廟의 頹敗가 甚하고 形勢가 不振하였다. 그 外에 閻이 山西를 脫走할 때 當時에 鎭海寺에 座鎭하였던 章嘉活佛을 帶走하여 아직 歸山하지 못하고 拘束을 받고 있는 地境이다. 그러나 事變 後에 第八路共産匪가 이곳을 根據로 하고 各方에 出沒하였기 때문에 五臺山의 大寺廟에 對한 赤化政策은 物心兩面으로 最大의 危機를 받게 되었다 한다 이番 大會는 이런 莫大한 困難을 겪은 後 四 年 間 中止한 나머지를 받아 事變 後의 第一次의 盛大廟會라고 敎徒들의 歡聲이 無極하다 軍과 警察 方面에서는 參詣證明書를 보내고 參拜者에게는 特히 蒙疆銀行券도 特別히 多額을 交換하게 하고 交通會社와 新民會 其他 機關에서는 各種 便宜를 計劃하여 汽車 自働車를 特別運轉하고 案內所 宿泊所를 臨時로 施設하고 每日 新聞에는 各 方面에서 團體募集廣告가 累累한 形狀이다. 어릴 때 無心히 들은 「五臺山」이니 「文殊菩薩」이니 하는 소리가 눈앞에 現實的으로 가깝고 梵鐘과 木魚 소리와 勤行하는 僧侶의 合誦이 귀에 쟁쟁하는 것 같아서 무슨 큰 誓願을 가진 몸은 아니나 好奇心으로도 한번 見學하고 싶은 마음은 切切하나 同行 없는 혼자길과 途中의 勞苦를 생각하니 다른 데 쫓기는 豫定의 計劃을 먼저 整理해야 되겠다는 광기를 혼자 自己에게 하게 된다. 이 亦 佛心이 不足한 無明人間의 不可避한 逃避인지 낮에도 어드운 密林 속을 猛獸를 避하기 爲하여 炬火와 銅鑼로서 入山하였다는 예전 사람들의 至誠이 아직 筆者에게는 없는 모양이다.

中國 現行 女子繼承權

近年의 中國 社會는 習慣과 風俗이 激變하여 가는 것을 아무라도 想像할 수 있으려니와 法律까지가 그 激變하는 時態와 政體에 따라 或進或停하여 가는 것이 너무도 異常하게 보이는 過渡期的 狀態가 적지 않다. 그 一例를 들어보면

現行法律에 女子에게 繼承權이 있나 없나? 女子도 그 兄弟들과 같이 遺産을 相續할 權利가 있나 없나? 하는 新聞紙上의 '法律相談欄'에 난 答이 다음과 같다.

在我國（中國）現行法第五編繼承法上女子與男子同等繼承權。該法係民國十九年十二月二十六日由國民政府公佈、二十年五月五日施行者、如父母在現行法頒行前死亡者 其效果則有左列之不同（指京津等北方地區言）。

一、父母死亡之時期在民國十七年北伐軍到達以前者女子無遺産繼承權。

一、父母死亡之時期在民國十七年北伐軍到達以後而在民國十八年八月十八日以前者唯未嫁女子與男子有同等遺産繼承權。

一、父母死亡之時期在民國十八年八月十九日「已嫁女子追溯繼承財産施行細則」公佈施行後者以迄於今則女子不問已嫁未嫁均與男子有同等遺産繼承權。 **04**

---

04 우리 나라(중국)의 현행법 제5편 계승법 상 여자와 남자는 동등한 계승권을 가진다. 이 법은 민국 19년 12월 26일 국민정부에서 공포하고 20년 5월 5일부터 시행한 것으로 부모가 이 현행법이 반포, 시행하기 전 사망한 자는 그 효과에 있어서 아래와 같은 차이가 있다(베이징, 텐진 등 북방지구를 대상으로 함). 하나, 부모의 사망 시간이 민국 17년 북벌군의 도착

法律의 判例에 「北伐軍到着」云云으로 劃期하는 것을 보면 그 激變하여 가는 政態에 따러가는 法則의 바쁜 形狀을 볼 수가 있다.

「來夷」

今朝의 新聞은 島居龍藏 博士가 五月 十七、八일 山東省 龍口에서 有史 以前의 人骨을 發見하였다고 報道한다 龍口는 山東半島의 東北部인데 龍口 市 地를 內海에 內包한 渤海灣 上을 西方에 突出한 半島다。그 街點의 砂丘 를 點綴하고 있는 貝塚을 調査 中、貝塚 堆積의 끝에 人骨이 썩은 草、木 밑 에서 나왔다 한다。埋葬한 人骨은 仰臥한 姿勢로 形狀은 完全하고 四肢를 바로 뻗고 있어 性別은 不分明하나 身長 約 一 米 七十 右肩 近處에 小犬의 遺骨 一 基가 가치 埋葬하여있고 野狐의 骨같은 것이 가치 있어 野狐도 家 畜으로 飼育하였던지 하는 疑心이 있다고 한다。이 遺骨의 上部를 덮고 있 는 貝塚은 蝸貝가 第一 많고 다음에는 サルボ貝[05] 其他 七八 種이 넘으며 그 深部에는 「鬲」의 土器 一種이 나오는 것을 보면 當時로서는 相當한 高度文 化를 가졌던 것을 알 수가 있다 한다。이렇게 貝塚 밑에서 人骨을 發見한 것 은 曾前未有한 例인바 島井 博士는 말하기를 「지금 骨格의 人類學 上의 特

이전일 경우 여자에게는 유산계승권이 없다. 하나, 부모의 사망 시간이 민국 17년 북벌군
이 도착 이후에서 민국 18년 8월 18일 이전까지의 사이인 경우, 출가하지 않은 여자만 남
자와 동등한 유산계승권을 가진다. 하나, 부모의 사망 시간이 민국 18년 8월 19일 "기 출
가 여자의 재산계승추소 시행세칙"이 공포, 시행된 후부터 현재까지인 경우 기 출가 여하
를 막론하고 남자와 동등한 유산계승권을 가진다. - 편자 주.

05 "サルボ─貝": 피조개의 일본어 - 편자 주.

徵에 對하여서는 石膏模型을 만들어 硏究 中이나 이것이 「來夷」의 것이라면 어데서 왔다던가 또는 人種 上 어느 系列에 들어갈 것인가 하는 等 史上의 疑問이 알게 될 듯하다. 大體로 山東省에는 萊州라든지 萊陽이라든지 하는 이름이 있을 만치 漢族이 이 땅에 들어오기 전에 「萊夷」「隅夷」 等의 異民族이 있어서 周王朝는 이들의 懷柔에 勞心하고 「萊夷」의 酋長을 周의 「侯爵」을 封한 來歷을 볼 수 있는 「萊侯」라는 이름이 文獻에 보이고 山東半島北部에 相當히 勢力을 부렸던 것을 알 수가 있다. 더군다나 渤海灣의 入口를 侯하여 點在하는 廟島列島는 古代에 滿洲로부터 山東의 益島 其他를 通해서 所謂 中原인 黃河 流域에 들어가는 海上交通路에 相當하고 日本의 遺唐使도 이 交通路를 利用한 例가 있고 長山列島 廟島列島에 남은 貝塚으로 보더라도 이 人骨은 古代의 滿洲와 關係 있는 人種이 아닌가 생각한다」고 말한다.

이 島井 博士의 發見이라는 것은 좀 더 기다려 眞相을 들어야 確實한 것을 알 것이고 同 博士도 方今 硏究 中이라 하니 그 結果는 追後를 기다리는 수밖에 없으나 今次의 發見이 果然 「北京人」을 周家店에서 發見한 것 같은 大發見이 될 지 지금은 判言할 수가 없다. 그러나 今年 봄에 東京帝大와 京都帝大가 協力 調査한 長谷部、梅原 兩 博士 以下의 長山列島 發掘調査라던지 이 方面의 硏究가 가장 前進하여가는 傾向은 우리의 興味를 가장 끄는 學界의 一 現象이다. 이것을 傅思年 等의 殷民族東來說의 影響이라고 볼 지 六六 先生의 殷民朝鮮滿洲說을 證明할 具體的 證據가 그 宗敎思想形態 外에、人類學 上으로도 明白하게 될 지 期待가 적지 않다. 참으로 學問의 길은 無窮하고도 갈수록 더욱 깊다 하겠다.

溥心畬 先生

溥先生 儒 氏를 알게 된 것은 偶然한 機會다. 心畬이라면 北京 뿐 아니라 中國서 一流畵家라는 말은 들었으나 그 길에 直接 關係가 없으므로 別般 留意치도 않고 또 이런 方面에 沒頭할 餘力도 能力도 없어 知人들의 이 方面 이야기나 듣고 或 書畵商鋪에서나 展覽會에서 同 氏의 署名 있는 것을 다른 이 곧 名流라는 齊白石이니 張大千이니 하는 이름 사이에 보기는 하였으나, 그 亦 汎然히 屬目寓耳하였을 따름이었다. 또 北京名勝의 隨一인 萬壽山 園長 王蘭 氏와 親密한 사이에 있는 關係로 때때로 閑談을 하는 中 同 氏가 萬壽山 안에 溥儒 氏가 지금 起居하고 있으니 한번 만나면 어떠냐 普通으로는 사람과 面會를 좋아하지 않고 더욱 政治關係 사람은 만나기를 싫어하나 당신은 政治에 關係도 없고 文雅의 道에만 專心하는 이라고 하면 나의 親友인 關係로도 歡迎할 터니 한번이 같이 놀자고 勸함을 받았으나 名士交際가 性味에 맞지 않는 野人의 몸으로 初面에 人事하는 것도 滋味 없고 더욱 國亡家敗하였더라도 舊 皇室의 宗親이요 現 滿洲皇帝陛下의 兄이라니 이런 時代에 무슨 威儀야 갖출 餘裕도 없으려니와 普通市井人과 만나는 것과는 그래도 다를 것이며 더욱이 이런 「양반」의 地位(?)와 中國 一流의 文雅를 가졌다는 이와 初面인사를 한들 陋資淺學의 이야기 資料도 없을 것 같에서 여러 번 萬壽山에서는 놀기도 하였으나 王 君의 好意를 謝絶하였던 터이다.

이렇게 하는 中에 어느덧 溥心畬라는 이름은 王 氏 關係로 自然 내 귀에도 익게 되어 그의 書畵가 有心히 보이던 次 어느 展覽會에서 同 氏의 筆跡 一 幅이 마음에 드는 것이 있어서 얻어다 두었다. 그 對聯은 「馬周銘釘非關酒、阮籍猖狂不爲貧」이라는 文句로 心畬 先生의 素志를 表示한 것인지 아닌지는 모르나 飄逸한 字樣이라든지 그 文句라든지 지금 隱士生活을 하는 同氏의 人物과 對照하여 興趣 있게 생각되므로 나의 愛藏物의 하나가 되었다.

그 後 王 君이 鄙宿에 와서 이것을 보고 實相인즉 溥 氏도 당신을 만나고 싶어 하니 꼭 한번 만나면 좋겠다 하며 王 君의 말은 지금 世上에 紛雜한 政治에 싸이지도 않고 權威와 富貴를 다툴라고 하지 않는 落落高踏하는 態度에 自己가 好意를 가지는 人物은 지금 自己 知人 中에 溥 先生과 당신이라 하여(나도 政治에 關係는 없으나 溥 先生의 참으로 高踏하는 逸士의 生活과 比하기 萬不當함은 當然 明白하다) 두 사람이 만나면 이야기도 꼭 자미가 있을 것이라 하며、自己도 溥 先生에게 당신 말을 하였으며 溥 先生도 만나고 싶다고 부탁이라고 强勸을 한다 王 君의 熱心한 好意에 나도 多少의 好奇心도 勿論 나고 心奮 先生의 風格에도 接하고 싶은 마음이 動하여 그러면 機會 있을 때 한번 拜面케 하자고 汎然한 約束을 하였다.

그 後 이 約束을 잊지 않았으나 空然히 東奔西走하는 雜然한 生活에 實行치도 못하고 그대로 지났더니 하루 밤 偶然한 일로 王 氏의 自宅에 가서 다른 親舊들과 數三 人이 雜談을 하는 中 一 中年 中國人이 밖에서 그 房으로 小孩를 다리고 들어와 우리 곁으로 지나서 다른 房으로 건너가는 中이었다. 이때 王 氏는 急하게 자리를 일어나서 禮를 하고 그이게 하는 말이 지금 마침 前에 말슴한 李 先生이 왔읍니다고 한다. 나는 勿論 무슨 영문인지 모르고 同席한 林 白 兩 君도 우리에게 關係 없는 이야긴 줄만 알고 우리 이야기를 繼續할라고 하니 王 君이 그이를 모시고 우리 자리 근처에 와서 나의게 하는 말이 李 先生 마침 지금 溥 先生이 城內에 오셨다가 時間이 늦어서 萬壽山으로 가시지 못하고(北京 西直門 城門이 午後 七時에는 閉門하는 關係) 우리 집으로 오셨으니 마침 좋은 機會니 爲先 인사라도 하시오 한다. 나도 不意에 놀나기는 하였으나 同席한 林 白 兩 君은 그이의 이름을 듣고 喫驚하여 자리를 일어서면서 數 步 後退한다. 衣服도 儉素하여 舊 皇室宗親은 勿論 지금 時世의 新式 作官한 微官小吏보다고 朴質하고 年歲도 뒤에 생각하니 矛盾은 하나 내 先入見으로 無意識的으로는 年高老成(그 文名이 높은 타인 모양이지)하게만 생각던 次라 五十 未滿의 多少 肥肉한 活氣 있는 堂堂한 體格에 놀났다. 初面인사를 치르고 한번 찾아가지 못한 謝過말을 하고 定座하여 數三 次 雜談을 往復하는 中에 先生의 活氣 있는 談論이 始作하여 到底히 말 감당을 하지 못하게 되어 同座의 白君에게 通譯을 依賴하여 내 日語를 白君과 王 氏가 先生에게 通譯하고 先生의 말은 第六感을 섞어 가면서 내가 듣게 하고 별안간에 그 座席이 一變에 전 中國과 朝鮮 사이의 文化交通에 관한 學術懇談會가 되여버렸다. 先生의 말은 中國 더욱 淸朝에 있어서는 朝鮮을 特히 優待했다는 이야기 淸人은 朝鮮사람을 自己들의 同胞로 알고 親愛感이 깊었다는 이야기、朝廷에서도 朝鮮人을 優待했다는 이야기、다른 나라 사람의 仕宦에는 極히 制限이 있었으나 朝鮮사람이면 侍郞이 例니 이것은 現今의 大臣이라는 例、金秋史의 이야기、自己는 古來에 中國에 온 朝鮮사람의 文學 上 文化事績을 調査할라고 多年 留心하고 資料를 收輯한다는 이야기、내가 中國사람에게 가장 有名한 朝鮮人이라면 新羅의 崔致遠이가 아니냐 하니 참 그「桂苑筆耕」을 꼭 한 벌 얻어야겠다고 하기에 勿論 中國書籍叢書 中에도 一二 種 들어있으나 朝鮮板本을 하나 求해 드리겠다고 하니、無限히 기뻐하면서 그것은 꼭 하나 얻어 달라 하며、내가 成親王 翁方綱 等의 朝鮮文士와의 交際와 影響을 이야기하니、成親王의 母는 朝鮮사람의 系統이니 더욱 當然하다하며 이것은 아마 先生의 誤記가 아닌가 싶으나 아직 詳細 探考치 않았으므로 置疑 金簡의 이야기를 내가 하면 先生은 그게 따라 朝鮮活字와 諺文 創造를 極度로 讚揚하여 列席의 諸士들에게 東洋 及 外國의 例를 比較하면서 그 優秀한 點을 列擧하는 熱心이다. 朝鮮사람의 中國文化에 對한 功勞라 할지 足跡을 알고 싶어 中國 側 資料를 찾으나 別로 詳細한 것이 없고 有名한 金簡이라도 詳細한 資料를 얻기에 어려우며 況 安麓村에 이르러서는 勿論 一 箇의 商人이나 그 著書는 지금도 書畫를 論할라면 不可缺할 藝術 類의 寶典의 하나인데 그 詳傳을 찾을 수가 없고 況 그 外에 이르러서는 當然히 많은 資料를 求하기 어렵고 찾기 어려우니 마침 先生이 그런데 留意하신다면 좀 敎導하여 달라고 하니, 그것은 自己의 所願의 하나이니 爾後도 서로 協力하자 하며 朝鮮 方面의 材料는 나에게 付託하여야겠다고 하여 相互 扶助하기로 口約을 하였다. 先生의 學問은 勿論 예전 文士의 式이라 嚴密한 近代的 科學的 方法으로 말하면 論議할 點도 있을지 모르겠으나 그런 頑固潔癖한 態度는 그만두고、金[06]唐詩 中의 奇姓을 論하고 朝鮮人의 文才를 論하고 話題는 그야말로 詩話 史話를 섞어서 興味가 津津하다. 先生은 말하는 동안에 생각이 넘치는 듯이 힘찬 熱辯이 連續 不絶하며、一面 이야기 中의 人名과 物名 같은 것을 그 名筆로 書示하면서 端正히 앉았던 椅子 우에 한 다리를 올려가면서 生氣를 이기지 못하는 듯한 熱心한 態度다. 내가 直接 中國말로 감당을 하지 못하고 通譯을 시키는 時間을 참는 것이 바쁘신 모양에 나도 未安한 마음을 禁치 못하였다. 나는 先生의 流暢한 辯論을 들으면서 그 口辯이라던지 그 風彩가 어떤 까닭인지 六堂 先生을 聯想하고 이 두 先生을 한 자리에 對座시켰으면 하는 생각이 문득 났다. 우리 두 사람이 어떻게 바쁘게 이야기를 하였던지 이런 方面에는 全然 門外漢인 列席 三 人들은 거저 啞然히 三 時間이나 傍聽하게 되었다. 어느덧 時間이 十二時를 報하기에 나도 몇 번째나 자리를 일어나 서다가는 先生에게 挽留를 받던 것을 謝絶치 않을 수 없게 되었으며、王 氏도 先生의 病狀을 걱정하여 몇 번째나 就寢을 勸하다가 拒絶을 당하고 歡談 三 時間 마침내 後機를 約束하고 作別을 하게 되었다 作別인사를 할 때 先生도 近來에

---

06 "金"은 "全"의 오식 - 편자 주.

이런 愉快한 날이 없었다 하며、나 亦 北京 온 後 記憶에 남을 榮光스러운 밤이라고 謝禮를 다[07]고 돌아왔다. 先生이 房으로 건너간 後에 王 君의 말이 오늘 밤 같은 先生의 風姿를 본 일이 없다 하며、내가 웃으면서 참 기운도 좋은 양반이구려 하니 平時에는 사람도 잘 만나지 않고 밤에는 九時면 就寢하는 例며、더욱 近來는 心臟이 弱하여 醫師에게 每日 가고 家人과 周圍가 極히 警戒하는 中이라 한다. 이 말을 듣고 나는 새삼스럽게 늦게까지 挽留를 받은 것을 後悔하고 잘 謝過하여 달라는 말을 王 君에게 付託하고 돌아왔다. 오는 길에 달이 너무도 밝기에 나는 洋車를 타지 않고 한참 동안 혼자 사람도 듬은 南長街 긴 거리를 걸으면서 머리 가운데는 여러 가지 생각이 走馬燈같이 돌았다. 참으로 사람 世上의 「歷史」라는 것이 깊이 생각히는 밤이었다.

끝에 事變 前에 어느 雜誌에는 「逸士傳」 先生의게 關한 短文의 一部를 轉載하여 先生의 面目의 一端을 보게 하자.

> 「溥氏心畬、名儒、清皇室、年三十四歲 鼎革後即奉母隱居西
> 山 以書畫自娛 嘗鑴小印、日西山逸樵 書追晉唐 畫法元宋、人
> 得其一紙 恒珍寶之 滿洲成立 遜帝數以書召之 輒以母老辭 嘗
> 彷杜工部哀王孫以見志 殆所謂傷心人別懷抱也、世以此多之
> 故 又有詩書畫三絕之譽。」

이것을 보면 先生의 年歲는 지금 아마 四十 남짓한 程度인 모양이다. 一見 老成하기를 五十 餘 歲같이 보이는 것은 所謂 傷心者인 所致인지 또는

---

07 "다"는 "하"의 오식 - 편자 주.

不飾身邊하는 儉素한 所致인지 모르겠다. 또 그 捨世隱居는 中國革命에 따라 淸室 滅亡한데 全然히 原因이 있으며 文中에는 滿洲國 成立 後 滿洲皇帝께서 屢次 召來하였으나 鼎革 時에 完全히 世上을 버린 사람이라 다시 世上에 나갈 意思가 없다는 것을 알 수가 있다 先生의 書는 晉唐을 追하고 畵는 元宋을 法한다 하여 世人의 欽仰을 받으나 有人 論評하기를 現代中國서 「詩書畵三絶」이라면 「北溥南張[08]」밖에 없다 한다. 그 中에도 先生의 三藝에 萬若 上下를 次例한다면, 아마 詩 第一 畵 第二 書 第三일 것이라고 하니, 先生의 詩品을 推想할 수가 있다.

先生은 世上에 나오지 않으나 그 風格을 欽仰하는 文人들이 때때로 紙上에 先生을 話題로 하는 詩文을 올리는 것을 볼 때가 있다. 今朝 新聞 紙上에도 學藝欄에 偶然히 左記의 詩가 있기에 抄錄한다.

贈溥心畬 南溪
翠微山色潤吟身、秀出天賦筆有神。
逸氣夙能爲世重、幽居端欲遠塵。
河陽畵裏煙雲濕、海岳胸中邱壑新。
每向西園涉遐想、先生猶是晉唐人。
(先生昔嘗蟄居西山、近爲染翰、時復設硯頤和園、葆其淸養其靜也)

이 後에 先生이 二三 次 밤에 나 없는 동안에 鄙宿에 찾아 오셨더라는 말을 後日에 王 氏에게 듣고 罪悚하기 無限하여 王 君에게 잘 謝罪 말을 傳해 달라고 付託하니、王 君의 말이 先生은 自己 마음이 動하면 偶然突然히 획

---

08 "張": 화가 장다첸(張大千, 1899 ~ 1986) - 편자 주.

휙 가는 것이니 介意치 말며 그렇다고 幾日 幾時에 가겠다고 豫約은 또 하지 못하니 「沒法子」라고 욿는다。先生이야말로 우리가 文字 上에만 보고 想像하던 中國의 高士라고 하겠다。

—『春秋』, 第2卷 第9號, 1941년 10월

吉林迎春記

咸錫彰

如何컨 기다리고 기다린 것이 봄인지라 三月 中旬 松花가 풀니자 나는 그 얼음물에 손을 적서 그의 굵은 脈을 觸察하엿다 풀니기를 苦待하든 松花! 꿈틀거리는 巨大한 그 律動 모든 것을 휩쓸여 가지고 나려가는 그 熱情 千古 変함 업는 그 氣槪 一貫한 그 論理 無限한 未來를 살피면서도 黙々潛々한 그 胸度 모든 것을 容納하고 모든 것을 包容할 듯한 그의 雅量 그는 내게 缺如한 모든 것을 가추가추 가지고서 스승과 가치 아부지와 가치 벗과 가치 꾸짓고 쓰다듬고 激勵하는 듯하지 안은가!

올흔지라 吉林의 봄이여 吉林의 봄은 爲先 松花의 解氷으로 始作되나니 저 먼 — 옛날 滿洲서 興敗起伏을 거듭하든 모든 族属의 文化発祥의 봄이 언제든지 이곳을 中心하여 니러나고 그들이 이 江을 가라처 「天河」란 意味를 부첫슴이 実로 至當한 일이다.

吉林通志를 들처 보건대 天章志高宗純皇帝御製詩松花江에

滾滾[01]遙源出不咸

大東王氣起龍潛

劈空解使山原折

接上邢辞霧雨添

兩岸參差靑嶂印

一川縈繆碧波恬

地中呈象原檜皴

石辨支機執[02]是岩

　　라는 것이 잇고 此 詩注에 「此江以松阿里烏拉得名 松阿里者郞國語天河
也」라 하고 同帝께서 吉林將軍署에 行幸하섯슬 적에 지으신

星漢南來直北流

縈迴澎洷衛神州

城臨鏡水蒼煙上

地接屛山綠水[03]頭

輻輳間閭市中日

往來舸艦織清秋

設教図入丹靑画

應擬宣城謝氏樓

01　"滾滾"은 "滾滾"의 오식 - 편자 주.

02　"執"은 "埶"의 오식 - 편자 주.

03　"水"는 "樹"의 오기 - 편자 주.

라는 詩注에 「國語松阿里烏拉松 阿里者即天河也 漢語因名松花江」이라 하야 本來의 意味는 「天河」라는 것과 松花江이란 名稱은 漢語式 命名이라 는 것을 밝히하엿다 高句麗、渤海、金、淸을 通하야 이 江을 速末水、栗末 水、宋瓦、松阿、松花라고 불러 或 字形의 差異는 잇지만 口音은 모두 相通 함이엇스니 淸의 女眞滿族뿐 아니라 그 前 모든 通古斯族이 한글가치 이 江 을 聖江으로 相伝相信하엿슴이 틀림업스며 欧洲의 께르만、노르만 앵그로 색손 等 諸 民族이 大同小異의 言語를 가진 것과 가치 属愼、挹婁、高句麗、 扶餘、渤海、女眞의 諸 族属이 大同小異의 言語를 가젓든 것이 推測되는 일 이다

말이 엽길로 쏠렷지만 左右間 이 江을 靈江으로 밋고 王氣가 숨어잇는 神 秘한 天河로 미든 것은 事實이며 高宗께서는 乾隆 四十三年에 勅諭를 내려 이 江가에 神廟를 建設하고 이 靈江을 祭祀하도록 親히 提議하섯스며 이듬 해 四十四年에 松花江神廟가 落成된 記錄이 잇다

×　　　×　　　×

나는 松花江의 開氷을 처음 求景하엿거니와 그 狀況이 実로 爆彈的 行進 이요 運動이엿다。前날까지 人馬가 걸어다니는 구든 어름이 하루 아츰에 군 대~ 물비츨 보엿다 그것은 마치 時期到來를 기다리던 뭇 志士가 곳곳에서 烽火를 들고 이러서는 듯한 尋常치 안흔 氣勢엿다 아차 이제야 松花가 풀리 기 始作하나부다고 생각은 하엿지만 流氷을 보기에는 아직 旬日이 다 잇서 야 되지 안흘가 하는 혼자 推測을 하엿고 그날 저녁때 다시 江을 지날 때도 아츰과 별다른 変化가 업는 것을 보고 도라왓다 그래든 것이 이튼날 아츰 내 가 江가에 나갈 때는 愕然히 놀나지 안흘 수 업섯는 것이 前날 군대~ 생겻든

물등지가 어느듯 줄기를 지어서 서로~ 完全한 連絡을 取하엿고 各自行動에서 淋漓히 全体行動에 올마간 것이엇다. 마치 어적께 烽火를 들고 各 곳에서 이러난 志士의 마음이 서로 黙然한 가운대서 煥乎히 相通하야 論議를 기다릴 새도 업시 가튼 目標에 突擊하는 그러한 氣勢이엇다 그러나 이날은 日沒때까지 이 以上 別다른 変化가 엄는 것을 보고 도라왓다. 眞実로 啞然히 놀란 것이 第三日 아츰 내가 江가에 나갓슬 때는 高大한 城壁을 부스러친 듯한 집채 가튼 큰 어름덩어리를 両岸에 山가치 밀어 올려버리고 우에는 数업는 破片을 띄운 채 澎湃滔々히 흘러가는 巨軀 松花가 展開하엿슬 따름이엇다 이리하여 今年에 내가 본 松花의 解氷作戰은 겨우 三 日에 目的을 達成한 電擊戰이엇고 晝間보다는 夜襲戰에 驚異的 効果를 거둔 것이엇다 그러나 이가치 사흘 동안에 完全히 凱歌를 올린 松花도 거듭 継続되는 残寒逆襲에 両岸에 堆積한 塊群과 上流로 몰려나리는 残屑을 完全히 肅清掃蕩하고서 알들한 江身만을 드러내기에는 約 三 週日 餘가 必要하엿다

이리하야 松花江은 풀렷지만 日氣는 아직 冷々하고 몃 번이나 吹雪까지 거듭하야 間或 바람 업는 날은 江邊을 徘徊함도 情趣 업는 일이 아니엇지만 大槪는 겨울과 가튼 추운 날이 継続하엿고 봄을 기다리는 내 마음은 依然히 充足을 느끼지 못하엿다 나는 이때쯤 故鄕의 버들가지 보드라운 灰色 꼬리를 아지랑이 속에 흐느적거릴 것 山비탈 진달래가 저윽히 그 紫色 봉오리를 二八少女의 젓부리가치 망울~ 불럿슬 것 陽地쪽에 고개 숙으린 안진방이꼿치 含嬌含態 갸웃~ 웃고 잇슬 것을 눈아페 그리여 唐時 張敬忠의 邊詞를 한동안이나 입속에 중얼대군 하엿다

　　五原春色旧來遲
　　二月楊柳未掛絲

即今河畔氷開日
正是長安花落時

$$\times \quad \times \quad \times$$

四月 初旬이 지난 어느 日曜日날 日氣는 쌀々히 추엇지만 바람이 잔々하
엿슴으로 陽地쪽에 풀냄새를 차저 待春渴慕의 情을 적시려고 막대를 동무
삼아 小白山에 올르기로 하엿다 小白山은 吉林市街에서 東南쪽을 約 三 키
로쯤 되는 山이다 市街를 더러지면 街道 左右에 平野가 벌러지고 길엽 가까
히써 農夫가 파바틀 다루고 잇다 亦是 봄이 分明하다 뉘 집인가 마당에서 거
닐던 닭이 꼴꼴거리며 문안으로 드러간다 알을 품고 잇다가 나와서 모이를
줍고 들어가는가 도야지가 코로 도랑을 뒤지여 집오리가 물가에서 깃을 다
듬고 잇다 모든 것이 추위에 졸아들엇든 몸길을 펴고 봄마지 氣分이 分明하
다 街道를 떠러저서 山徑을 밟을 때 혹 풀싹을 뒤저보고 나뭇가지를 만저보
고 혹 벌래 껍질을 주으며 거러가는 동안 마음은 오로지 山속에 풀려버리어
自己 手足을 意識하지 못하엿다 樵夫의 나무덜미 패는 소리가 굴근 音響으
로 山을 울리고 잇다 나는 杜甫의

春山無伴獨相求
伐木丁丁山更幽

를 입속에 외왓다 그리는 동안 일찌기부터 一見을 願하든 望祭殿神廟에
到達하여 暫時 다리를 수이며 풍경소리에 귀를 기우리고 綿々한 古事를 여
러 가지로 생각하엿다 문이 닷겨서 內部를 볼 수 업섯슴이 遺憾이엇고 寺廟

建築에 對한 鑑賞力이 缺乏한 나는 外形조차 기피 吟味하지 못하엿으나 祭
祀神位가 長白山神이라는데서 無窮한 感懷를 느낀다 大淸國을 建設한 滿洲
族 民族神은 우에 말한 바와 가치 長白山을 祖宗 発神의 靈山으로 崇拜하엿
고 長白山神을 民族神으로 奉祀한것이다 이 望祭殿은 雍正 十一年 世宗皇
帝가 創建하신 것으로서 以後 每年 春秋 吉林將軍이 僚属을 거느리고 무릅
을 꿀어 民族의 永遠無窮한 繁榮을 빌든 곳이요 當時 滿洲語로는 이 望祭殿
을 「溫德赫恩板」이라 부른 것이며 이 山을 溫德河赫恩山 或 溫德恒山 或 溫
德享山이라고 불럿는데 小白山이란 것은 俗稱이라

　高宗純皇帝御製時望祭長白山作을 보면

　　　詰旦升柴溫德亨
　　　高山望祭展精誠
　　　椒馨次第申三獻
　　　樂具鏗鏘葉六英
　　　五嶽眞形空紫府
　　　萬年天作佑皇淸
　　　風來西北東南去
　　　吹送膻香達玉京

이라 하엿고 뒤에 劉綸이라는 이가 御製韻에 次하여

　　　王氣長鍾協大亨
　　　禮光群望仰精誠
　　　蕭燔仙露開金殿

勺蕎神漿挹紫英

千丈高蟠俄杂碧

三江遠匯闔門清

願祈肝蠁昭靈貺

坤絡乾維護両京

이라하여 当時의 情景을 엿볼 수가 잇다

─『滿洲朝鮮文藝選』, 朝鮮文藝社, 1941년 11월

千山遊記

崔南善

遼東의 景勝을 말하는 이가 먼저 千山을 들믄 누구나 그 實을 가리지 못함이다 曆日의 봄이 느저가되 등허리가 그냥 으스스함을 견듸다 못하야 南枝를 그리워하는 마음이 四月 二十七日夜의 南行列車에 내 몸을 실허노핫다 新京 떠날 때의 찬비가 어듸서부텀 개엿는지 아츰 六時 奉天에서 잠을 깨엿슬 제는 다만 朝陽에 驕慢한 槐柳의 新綠이 자는 눈에 새 정신을 띄워줄 뿐이엇다 그리고 南으로 나러가는 一步는 그대로 春意增上의 一段이오 또 그냥 綠陰深濃의 一夜이랄가 밋 白塔이 가음아는 遼陽으로부터서는 大地가 暖陽의 미테 네 활개를 편 分明한 初夏의 氣分임에 놀라지 안치 못하얏다

首山 立山의 아련한 史情이 鞍山 一帶의 鉄塔과 煤煙에 가루가루 마아짐을 애달버하면서 車에서 나오매 同降客이 수북하고 駅頭로 나서매 留待者도 적지 안흠이 오늘이 尋常한 날 아님을 생각게 한다 듯고 보내 오늘부터 三日 동안 千山의 道觀에 王道安國大祈禱会가 設行되야서 遊山을 兼한 善男善女가 四方으로서 모여든 것이엇다. 大型『뻐스』五 臺가 꼬리를 물고 울퉁불퉁한 惡道와 싸호면서 沙河村 魏家屯 等 部落을 지내고 七嶺子에 다다라서는 山도 가찹고 松林도 드믄드믄 잇고 花崗石 부스러진 모래바닥으로 흐르는 개울이 滿洲에서는 희한하달 만큼 맑기도 하야 滿目風物이 죄다

朝鮮的임에 말할 수 업는 반가운 情이 난다. 站에서 山下까지 三十五 支那里에 꼭 一 時間이 걸럿다.

駝峰 가튼 巖石이 떼지여 쭝긋쭝긋한 山 모퉁이로 접어들면 시내를 끼고 洞天이 열리는 곳에 白雪을 업시녁이는 梨花의 무덕이가 遠近의 谷岡에 그득이 널려잇슴을 본다. 千山의 봄은 무엇보다도 梨花의 봄이오 따라서 깨끗하고 조촐한 春色이얏다 廟兒臺라 하는 洞天의 初入에서 車를 나리니 先客 특히 老小女人의 參拜群이 우글우글한데 이네의 주머니끈을 노리는 土産物商人도 꽤 만히 結陣을 하고 잇스며 그 물건이라는 것이 대단치 아니한 林産物인 中에 雍腫怪詭한 木纓 장사치의 만흠이 눈에 띄운다

松葉의 雙獅子가 직히는 松葉의 牌坊으로 드러서서 느진 목 石級을 올라서면 이른바 集仙臺라는 뿌다군이의 우에 開基始祖 劉太琳의 藏身塔과 함께 近世의 名冠인 듯한 『太淸堂上第二十代律師月潭葛眞人明新之墓』가 잇스되 塔이고 무엇이고의 意匠이 總히 佛道場과 다름업슴에 道敎의 藝術的 貧困이 새삼스레 생각남니다. 이쯤으로부터 奇巖과 異松에는 모조리 骨形의 名碑가 부터잇서서 風景과 傳說이 交錯한 雰囲氣가 마치 金剛山 中으로 다니는 듯한 느낌이잇다 가로대 猪首峰 象鼻峰 가로대 萬年松 龍蟠松 等等.

千山의 東北部를 占한 이 洞壑의 □領者는 無景[01]觀이라하는 道敎의 院宇ㅣ니 正堂에눈 太淸宮이란 匾額이 부터잇섯다 無量觀은 山中 道宮의 最大한 者로대 그 初建이 淸代 以後에 属하는 양 하야 故實의 徵할것이 업스며 張玉書의 遊記에도 이 一帶의 地를 祖越寺의 境內로 하고 石壁을 뚤코 居하는 律僧이 잇서 室에 顔하여 가로대 無梁이라 하얏슴을 적엇스니 대개 시방 無量觀은 寺의 一 區를 빌어서 차차 客反爲主가 된 것이오 名도 旧의 無梁

---

01 "景"은 "量"의 오식 - 편자 주.

에 因하야 조곰 變한 것인양이다 殿上에는 祈禱会에 相應한 蟠幢種種의 裝
飾을 하고 網巾紅衣의 老道士가 儼然히 서서 高上玉皇經을 諷誦하는데 經
文의 大□를 보매 대개 佛家의 普门品과 가치 念念의 功이 能히 諸種의 災
厄을 消滅한다 하는 趣意이얏다.

　宮後에 石階 三十三 級이 잇서 이르되 卅三天이라 하고 더 위 잡아 올라
가면 階가 다하고 二重의 石门이 잇서 니르되 天門이라 하고 门에 드러서 上
辺高処에 □血의 一龕室이 잇서 香烟이 裊繞한 것은 여페 세운 乾隆 二年의
『無量觀新老觀音石洞碑記』로서 白衣大士의 住処임을 알 것이다. 이 附近이
觀의 最高 地域임으로써 觀頂이라고 부른다 한다. 그 左方으로 鉅高한 巖壁
이 긔운 차게 하늘을 치바치고 발거리 될 만한 一線을 차저서 登七八을 타
고 鉄欄을 베푸러 올려서 억지로 向上의 一路를 通하기를 맛치 北漢山의 白
雲臺와 가치 한 것이 잇스니 여긔 『八步緊』이라는 名碑가 섯슴은 조금 더 用
力함을 激勵하는 意味인 듯하고 石面에 『化險爲夷』四大字를 深稱하고 下
에 細字成文한 一 碑板을 嵌入한 것은 아마 이 鉄欄 施主의 功德을 傳하는
것인 듯하다. 그것이 다하면 七步松이라고 이름 한 一 松下로 하야 다시 登
닐곱을 밥고 오르고 登이 다하면 몸을 뒤처서 岩石의 갈라진 틈으로 드러가
서 一便을 지고 一便을 안고 미죽미죽 橫行하야 한참 만에 간신히 빠저나가
서 말하자면 北漢의 『안돌이』、『지돌이』를 한데 가저다가 부첫다 할 곳으로
서 이르되 夾扁石이라 하는 것이다. 이것을 지나가면 上方에 丈餘의 平方石
이 잇서서 다시 鉄索의 손잡이를 붓들고 올라가게 생기니 이것을 一步登天
이라 하야 마조막 脚力을 시험하는 마당이요、游人들이 巖下에 서서는 『이
보등틔엔[02]』『이보등틔엔』하고 서두르면서 혹 決心하야 올으기도 하고 혹

02　"이보등틔엔": "一步登天"의 중국어 발음 - 편자 주.

그만두고 돌아서는 이도 적지 아니하얏다. 巖上에 안지매 山의 이짝 저짝과 끝의 구석구석이 一眸의 下에 원통 面目을 呈露하야 胸襟이 頓然히 灑落하야지며 골바닥과 산비탈에 数百 数千 株식 무덕무덕 梨花□은 지난겨울의 녹다가 남은 눈과 갓기도 하고 여기를 仙境으로 보이려 하는 玉樹瓊林과 갓기도 하야 千里의 風景에 당연히 그러함즉 하다는 생각이 난다. 이 梨樹의 生産이 실로 寺観 維持의 財源이 되야잇다 한다.

대저 千山은 본대 千頂山이라 하야 張玉書를 據하건대 『山多奇峰 巉屼稠疊 不可屈指 故名千頂』이니라 하니 시방 千山은 이 千頂을 略한 名이며 俗에 山의 峰이 본대 九百九十九뿐이더니 上人이 人工으로써 一峰을 만드러 千의 数를 채웟다 함은 무론 一 民间說話에 不過한 것이다. 여하간 南滿線의 車窓에서 건너다 보는바와 가티 千山은 滿洲뿐 아니라 어듸서든지 드믈게 보는 鉅齒形의 群峰序列的 山彙로서 千이야 차고 아니 차고 王筍의 爭秀가 진실로 一方의 奇観 아니랄 수 업다. 그런데 거긔 花崗巖의 風化를 말미암는 怪石美가 잇고 鬱蒼한 松林風籟音이 잇고 長谷과 淸溪가 잇고 蘭若와 塔姿가 잇서 風景構成의 要素가 꼭 우리의 故土와 틀림이 업다. 그래서 生面이 아니라 旧識과 갓기로 웨 그런고 하고 삷혀보니 여긔까지의 洞壑은 마치 逍遙山의 入口와 비슷하고 이 우에서 나려다 보는 谿谷은 흡사히 小藏山의 碧蓮奄前面과 갓다. 滿洲에서 朝鮮 山川의 風韻을 맛보기를 吉林의 松花江에서 한 번 하고 東寧의 萬鹿溝에서 두 번 하얏섯지마는 이제 千山에서 가치 錦繡江山 그대로를 対해보기는 일즉이 經驗도 업고 또 이 뒤에 거듭하기를 긔필치 못한 뜻하다.

그나 그뿐인가 곰곰이 생각하건대 千山과 우리 朝鮮人과의 因縁은 거의 重重無盡한 실마리를 풀어낼 수도 잇다 위선 山 全体가 長白山의 耒脈이 바다를 건너서 泰山을 만들라가는 過野임이다. 遼東半島란 원래 朝鮮半島와

매한가지로 역시 白頭山의 한 기슭인 것이다. 그러고 歷史를 말할 것 가트면 千山의 左右가 古朝鮮의 主要한 地域으로서 高句麗、渤海의 歷代에 언제든지 根本部的 意味를 가젓든 郡縣地이얏으니 이들에는 先民의 어루만진 자리가 잇고 이 흙에는 先民의 흘린 땀이 심여잇슬 것이다 아득한 녯일 뿐일가 近代의 滿洲 封禁期에 千山을 踏遍하야 그 拳石撮土로 하야금 항상 現實界와 因緣을 가지게 한 者는 鴨綠江 方面으로부터 山蔘을 케러 다니는 우리의『심뫼선』들이얏다 하니 말하자면 千山의 開発은 朝鮮人으로 더부러 서로 終始하얏다 할 것이다. 無量観 境內에 康熙十四年 建立『重修観音閣羅漢洞姓名碑記』가 잇서 그 中에『千山天地之鍾秀 三韓之巨観』이란 句가 잇고 各堂의 扁額에도『三韓丁鶴年書』를 署한것이 잇스니 이러케 千山을 三韓地視함이 진실로 偶然한 일이라 할 수 업다 내 이제 千山의 一峰頂에 서서 홈빡滿洲를 이러버리고 슬며시 故土의 생각을 품음을 누가 구태 탓할 者냐.

○

長白山 一枝脈에
千朶芙蓉 피여나서
窈窕한 저 그림자
遼海 기피 잠은것을
아는 이 몃치시던고
나만 본 듯하여라.

○

天门위 最高峰에 시름 업시 안젓거늘
松籟가 奏樂하고

梨花白雪 훗날리니

下界서 나를 보는 이

神仙이라 안흐리。

○

『빠보진[03]』 무서우냐

『이보동텐』 조흘시고

『쿠냥[04]』이 앗섯거늘

『로타이태[05]』 뒤짜라서

『만만듸』 이퀄춰』[06]하고

이염이염 올라라。

太淸宮으로부터 左로 轉하면 金蟬石、可憐松 等을 구경하면서 別完한 一
境으로 들어가니 이것이 西阁이라 하야 太淸宮의 齋醮処임에 対하야 道士
네의 修練地가 되는 곳인 양 하얏다。『紫氣東来』를 額한 门庭에 內外에 短
長無數한 桃樹가 羅列하고 보루퉁한 꽃이 밝으레하게 우서서 梨花千山에
따로 一 春色을 나타내엿다 네 아니 玄都觀가 나도 하마 劉朗이라 하면서 小
蓬萊门을 쓸고 南海雲臺라고 額한 一 堂宇에서 左右壁의 道藏을 瞻禮하고
그 右夾门으로하야 돌아가매 거긔가 羅漢洞이앗다。무던히 큰 巖窟의 中에

---

03 "빠보진": 중국어 "八步緊"의 발음 - 편자 주.

04 "쿠냥": 중국어 "姑娘(소녀, 처녀)"의 발음 - 편자 주.

05 "로타이태": 중국어 "老太太(노파, 할머니)"의 발음 - 편자 주.

06 "이퀄춰": 중국어 "一塊兒去(함께 가)"의 발음 - 편자 주.

道家的 天界像設을 主壁으로 하고 그 左右에 等身 十八羅漢像을 安置하얏스니 偃仰笑怒 — 각각 스스로 逼眞하야 手法이 자못 볼 만 하얏다 洞의 入口에 嵌壁한 碑版이 잇서 洞의 由來를 傳하니 이제 後考를 爲하야 全文을 抄錄하면 下와 갓다.

遼陽南六十里千山、三韓之巨觀也、貧道素慕其名、未睹其勝、
一日謝師参游、見其山石之巍巖、松林之茂盛、思山之茹可以
食、山之泉可以飮、遂居于斯、上有觀音阁羅漢洞、年久傾頹、
故址尙存、遂商之山主、謀諸家善价然重修、比及三載、修其
大殿、金其佛像、繪其羅漢、煥然一新、雖云微工、稍爲斯山之
一助云耳、故立石以誌之。

康熙己丑年孟秋吉旦立

觀音阁의 녑、伴雲庵의 아페 세운 八角石爐에도 無数한 功德主의 名字를 列刻하고 그 中에는 某寺 住持라한 文字도 判讀되지마는 대개는 磨□하야 그 詳을 엇기 어렵거늘 이제 이 碑版은 字跡이 鮮明하야 無量觀의 前史를 徵考하는 上에 아마 무엇보담도 主要한 文蹟이 도리 것을 생각하얏다. 그리고 여긔도 千山을 三韓物로 한 것이 또한 자미잇섯다.

洞에서 돌아 나와서 客堂에 이르러 茶라도 먹으려 하다가 一은 俗吏들의 □騷와 一은 道侶들의 그것을 迎合하는 醜態를 보다 못하야 이내 辞出하야 傳行하는 寫眞에서 눈닉은 庭前의 石製日晷計를 한참 어루만지고 鍾楼 아프로 하야 南天门을 나가서 嘉慶重修의 碑를 닑고 穹然한 一 石龕이 老松에 얽혀잇는 널따란 月臺에 臨하얏다. 나려다보매 脚下 一 寸이 곳 千仞陡壁이오 내다보매 웅긋중긋한 群峰이 다토아 媚嫵를 자랑하는데 淸風이 겨드랑이를 간지리고 好禽이 귀청을 할터서 動靜一如한 怳惚한 境界에서 한참 동안 모든 것을 이저버렷다. 문득 濁里에 淸을 먹음은 투드럭 툭탁하는 소리에 일헛든 나를 도로 차저서 삷혀보니 層段의 一隅에 空洞한 老木 한 토막을 노코 거긔 방망이를 달아서 游人으로 하야금 木磬 삼어서 그것을 두드리게 한 것이 잇다. 나도 가서 가벼이 방망이를 쥐고 은근히 몃 번을 두드려 마음의 때끌을 약간 부시는 신용을 하고 다시 西閣을 하직하엿다. 無量觀은 千山뿐 아니라 全滿에서도 有數한 大道觀으로서 시방도 百餘의 僧侶가 常住한다 하는데 網巾과 道袍에 상토 틀고 나룻을 기르매 形貌가 마치 우리의 學者님네를 対하는 氣分임도 자미잇섯다(網巾이라 하야도 실상은 幞頭감투 모양으로 생긴 것이야서 바로 우리의 그것과는 좀 다르지마는).

西閣으로부터 洞口를 向하야 나오다가 劉公塔에서 西南罔脊으로 通한 小經이 발을 祖越寺로 끄럿다. 路傍에 一 巨巖이 잇서 上에 太極石이라 刻하니 그런 것을 짐작하기 어려움도 그 南崗 上에 特立한 孤松을 正直松이라 한 것은 놉기 十餘 丈에 矗々直勁함은 이 이름 어든 所以임을 얼는 짐작케 한다. 마루를 넘어서매 이내 寺域이 되는데 背에는 喬嶽鉅巖이 威神을 나타내고 前에는 幽谷淸澗이 靜趣를 그득하게 한 中에 爽悅□曠히 一境이 自闢하야가 山의 中正을 붓잡은 好因招提境이얏다. 덜미를 누른 無量觀이 次第로 커지는 대로 寺様은 澗殘一路를 밟아온 양흐대 시방도 正堂이 □然하고 兩翼이 秩爾하며 鼓樓 鐘閣이 또한 整然히 対起하야 오히려 大梵宮의 体制를 保存하얏스며 淸淨閑靜하야 一點의 俗氣가 업는데 衲衣의 一 老衲이 마조보고 나와서 殷勤히 一禮를 함도 遠来의 游子로 하야금 愛敬想과 歡善心을 짓게 함이 無量하얏다. 寺에는 일즉 淸聖祖의 巡蹕이 미처서 □漢의 題□이 이제토록 傳하니 그『夏條含嫩葉 春卉発餘姸』의 句는 正히 今日 吾游의 光景을 미리 을푼 것이라 하야도 無妨할 듯하다. 堂前에『乾隆六十年勅建祖越寺重修碑記』가 잇섯스나 읽어볼 興이 업기 그냥 看過하고 法堂이 正

面에 바루 佛殿을 標示치 못하고 대신 『三教同風』이라고 揭額한 것에 一種의 哀情을 자으면서 山門 밧그로 나왓다.

谷徑은 이 쯤부터 더욱 幽□을 더하고 柳外의 鶯聲이 치우처 나를 부르는 듯 游興이 부덩부덩 괴여 올라오되 『뻐스』의 歸刻에 걸려 하염업시 지팽이를 돌라 잡앗다. 千山의 四十八 溪의 眞勝은 차라리 여긔서부텀이랴야 올코 니른바 九宮八觀、五大禪林、十二茅庵에 겨오 一觀 一寺를 보앗슴에 不過하니까 쾌쾌히 千山을 구경하얏다고 하기는 좀 염체업지마는 그 初入의 작은 한 모롱이를 밟은 것만으로도 千山이 景觀으로나 歷史로나 完全히 朝鮮의 一部임을 實證한 것은 이번 길의 愉快한 所得 아님이 아니엿다.

끄트로 千山의 地誌的 事實을 약간 附記하건대 千山은 長白山系가 西走하야 遼東半島를 構成하는 니른바 千山山脈의 中心部니 遼東城 南 六十里에 当하야 東西 寬 約 十五 里、東北 長 約 二十 里、面積 約 三百万 里(다 滿洲里)가 되여 北中南 三嶺에 난호여서 그 中間에 三谷이 形成되니 北谷은 곳 老觀溝로서 通稱호대 北溝라 하고 南谷은 곳 丁香峪溝로서 또한 南溝라고 니르며 北嶺은 通稱호대 北山이라 하야 傾斜ㅣ 좀 緩함으로 登陟하기 쉬웁고 西部의 五佛頂이 그 最高処로서 海拔이 千六百 尺이며 南山은 더높고 또 險하야 攀援이 極難하고 頂點(곳 千山의 最高點)인 仙人臺는 海拔 二千 尺에 達하야 渤海의 煙波를 一眸攬盡하기에 足하다. 遼東志(卷一 山川)에는 『世傳、唐征高麗、駐驛於此、峰巒秀麗、獨盛遼左、騷人墨客、題咏尤多』니라 하고 淸一統志(卷五九、奉天府 山川)에는 『本朝康熙二十一年有御製千山詩、十九年有御製欲遊千山□不果詩 四十三年有御製寄題千山詩』니라 하얏다. 游記가 적지 안치마는 明、程啓充의 遊千山記(遼東志一 所收)와 淸 張玉書의 遊千山□記(小方壺齋與址叢鈔 第四帙 所收)가 가장 參考에 供할 만하다.

— 『滿洲朝鮮文藝選』, 朝鮮文藝社, 1941년 11월

百爵齋半日

崔南善

밤 十時 発 車로 新京을 떠날 적에는 으스스한 날이 雪意를 먹음은 듯도 하더니 이틈 아츰 十時에 大連 駅頭에 나려서서는 이미 껴입은 속옷이 주체스럽고 星浦의 "호텔"에서는 南向한 窓戶를 죄다 열어 제치고 안짐이 더욱 딴 世界에 온 생각을 가지게 한다 「아가시아」行樹가 아직도 새파란 旅大[01]의 垣路로 快速車輪을 굴니는 것이 또한 일허진 봄을 도로 차진 氣分이다

어느덧 白玉山의 高塔을 마지하여 昨年 이만때보담도 浦上의 沙洲가 더 메어진 듯함을 놀라면서 日本橋를 건너서 비스듬한 臺地를 올라가매 左邊 一帶가 이른바 扶桑町이라는 別莊地区로서 羅振玉[02] 翁의 □居가 바로 그 初入에 잇섯다 新京의 本宅이 순전히 中國式 房子임에 比하여 여기의 洋灰

---

01 "旅大": 현재의 뤼순(旅順), 다롄(大連) 등 지역을 포괄한 행정구역 - 편자 주.

02 羅鎭玉: 나진옥(羅鎭玉, 1866 ~ 1940)은 청말(淸末)의 대신으로 끝까지 말대 황제 푸이(溥儀)에게 충성하여 '만주국' 성립 이후 감찰원장, 참의부 참의, '만일문화협회(滿日文化協會)' 회장 등 요직을 역임했다. 아울러 돈황(敦煌), 금석문, 고고 등에 상당한 조예를 가진 학자이고 중국 근대농학(農學)의 개척자이기도 하다. - 편자 주.

「쁘럭03」建築임이 아직 辮髮까지를 지키고 잇는 이 老人의 居處로서 도로혀 奇異하게 느껴진다

刺를 通하여 老人이 親히 出迎하는데 童顔和氣가 健康에 대한 念慮를 노혀주며 座에 入하매 마츰 宝熙04 翁이 先在하여 例의 큰 목소리로써 이 무슨 奇會냐고 驚빠함이 또한 든든하다 이 뒤를 대어서 壁間座上의 現物에 卽하여 書画를 品評하고 金石을 論訂하고 主翁의 近日 新刊인 「百爵齋所藏厂05 代名人筆蹟」 卷子 中의 椎漢公 李齊賢 우리 両 走正의 詩書를 撫玩하고 또 우리 內府 旧物인 羅漢図幅에 題跋한 金守溫의 履歷에 대한 質問을 應対하니 뜻밧게 天下의 両士요 滿洲의 一双國老로 더부러 무릎을 맛대고 海上談芸의 淸緣을 訂修함이 과연 一時의 快事 아니랄 수 업다

話頭가 돌자 收藏品의 一閱을 請한대 病餘에 親導하지 못함을 謝々하면서 令抱로 하여금 鎖鑰을 들고 따르게 하여 引導하는 대로 庭前의 一 小房으로 드러가니 거트로 보아서는 柴炭의庫와 가튼 이 一間이 어찌 알앗스리 海內無比 天下著聞의 雪堂吉金所藏이엇다 架卓에 그득하고 床壁에 드리찬 것이 죄다 商周의 鐘鼎彝器와 漢魏의 名器正珉들로서 하도 답싸혀잇기 때문에 도로혀 尋常하기는 하여도 가만히 살펴보면 그 一二両三만을 어듸다가 分離하여노하도 넉々히 博古聚珍을 자랑할 만하지 아닌 것이 업다 室隅에 一 小藏이 잇서 大小各樣의 飼爵(古代酒器의 名)만을 存하니 이것이 翁의

---

03 "쁘럭": 영어 block - 편자 주.

04 宝熙: 애신각라·보희(愛新覺羅·寶熙, 1871 ~ 1942), 청말(淸末)의 대신, 서예가. 청조가 멸망한 뒤 "판리청실선후위원회(辦理清室善後委員會)"를 조직하여 왕실의 5인대표 중 한명으로 참여했고 '만주국' 성립 이후 내무처 처장 등 직무를 맡았다. - 편자 주.

05 "厂": "歷"의 간체자 - 편자 주.

齋号를 百爵이라 하게 된 張本이라 한다 이것저것을 어루만지면서 勝読十年書란 생각도 하고 天下의 物이 偏在를 조하함이 이러한가를 느끼기도 하엿다

다시 後園으로 도라가서 一段 高地에 三層楼를 지은 것은 書의 所藏이엿다 따로 齋号가 잇느냐고 무른데 아직 定한 것은 업다 한다 曾前에는 玉簡齋라 宸翰楼 面城精舍等 号를 臨時하여 稱用한 일이 잇섯는데 시방은 도트러 百爵齋라고 일컷는 양 하엿다 殿板 聚珍板과 皮紙 开花紙와 高麗本 日本本과 乃至 西洋의 蟹行書까지 棟宇에 充扨한 것이 그 累万임을 모름은 무론이며 二層의 正中에 善本의 牌를 特掲한 架上에는 宋元의 珍槧이 또한 十百을 算함은 따로히 보는 눈을 밝게 하며 元板의 「居家必用」에 阿部無佛 翁의 印이 찌켜잇슴에는 새삼스레 翰墨世界의 流通이 無方함을 느끼게 하엿다 그러고 이 各層의 卓架 間에는 반드시 床椅筆硯의 設이 잇서 隨時隨処에 冊鉛의 功을 싸흔 자최를 봄은 主人의 八耋卲年에 益壯愈勤한 工夫를 못내 嘆服케 하는 것이엇다

書架 間에 委積한 古董이 또한 無数하여 이로 냄새만도 마를 겨를이 업거니와 翁의 功名을 世間에 不朽케 할 殷墟甲骨에 對하야는 少時의 玩味를 마다할 수 업섯다 더욱 「殷墟畵架菁萃」의 壓卷이 된 大全龜板에는 所思의 伊人을 驀地에 相逢한 듯한 반가움을 禁치 못하엿다 이러구러 時间이 만히 지낫슴을 생각하고 慌忙히 楼에서 나려와서 主翁의 力挽을 뿌리치고 그 順時珍啇을 申托하고 돌려지지 안는 발ㅅ걸음을 돌려 나오매 鷄冠 両 山은 夕陽에 밝아코 旅順口 外에는 百戰을 읇조리는 무놀이 하얀 혀를 널름널름하엿다.

—『滿洲朝鮮文藝選』, 朝鮮文藝社, 1941년 11월

南滿平野의 아침

申瑩澈

十月 二十一日 밤 十一時 十三分。 신경역을 떠난 우리 一행은 비좁고 시끄러운 객차 안에서 하로밤을 새고 여러 사람이 잠을 잣는지 꿈을 꾸엇는지 하여간 호석대(虎石臺)라는 조그마한 정거장에 다혓슬 때에는 동쪽의 새벽하늘이 훤 — 이 열리기 시작하엿습니다 열븐 잉크를 네멋줄 가로로 직직 그어논 드시 으슴프레햇습니다 나직나직한 산 그림자도 멀니서 보이고 연선(沿線) 가의 거뭇거뭇한 나무포기도 일흠은 모르겟스나 어둑어둑한 새벽빗 속에 포기포기 나나갓습니다 봉천역에서 일곱시 二十五分 발의 부산행 열차와 바꾸어 탓슬 때에는 아침해가 이미 올랏스나 서늘한 기운은 몸을 음습햇습니다

아침 벤또라도 사가지고 보니 하아연 쌀밥에 일본반찬이 담겨잇든 것은 옛날이야기 가텃습니다

그래도 자기네 손으로 농사를 지어 아직껏 쌀밥을 먹어오든 一행은 비로소 전시체제 하 물자절약의 바람이 이 벤또 속에도 부러 드러오고 동아식량적책에 단 열 섬 스무 섬의 쌀이라도 만드러 낸다는 것은 국민 중 특히 선게국민으로서의 임무와 명예가 크다는 것을 새삼스려이 인식하는 듯하엿습니다

물 맑은 혼하(渾河)철교 위를 지나 공업지대화 하야가는 소가둔(蘇家屯)

을 지나 하나 둘 조그만 역을 제처노코 화련책(火連寨)으로부터 본게호(本溪湖) 가는 동안에는 제법 산도 잇고 물도 잇스며 맑은 내물도 흐르고 잇서 어느듯 만주의 널따란 벌판을 이저버리고 산 곱고 물 맑은 조선을 연상케 하엿습니다

더우기 본게호를 지나면서부터는 멀리 가까이 산이 노프락 나지락 연해 잇기도 하고 혹은 편편이 혹은 기다라케나 누어도 잇스며 가다가는 그러케 놉지는 안흐나 산언득을 깍가내고 절벽 미트로 기차가 지나가는 곳도 잇섯습니다 괴이한 바위가 옹긋종긋 서기도 하고 자갈돌이 지질펀펀이 깔린 곳도 잇섯니다。 파아란 채마전이 촌락 가운데 잇는가 하면 노오란 조밭이 산 미트로 연하기도 하얏습니다。 어느 곳에는 나즌 산꼭대기까지 바틀 일고 가진 전곡을 심어 남만─대에는 벌서 경지(耕地)가 포화상태(飽和狀態)에 잇다는 것을 암시(暗示)해주고 잇기도 하엿습니다

山 사이에서 흘러나오는 물이 내가 되고 나루가 되어 조그만 거르쟁이배가 한가이 떠잇는 곳도 잇스며 조그만 아이들이 떼를 지어 물작난 하는 곳도 잇섯습니다 지나는 역마다 정거장 역내(域內)에 모닥모닥 각구은 화초가 가지각색으로 핀 것도 ─行의 눈을 즐겁게 하엿지만 들판 산언덕 일흠 모를 야생화가 제멋대로 피어 널려 손을 내밀면 잡을 듯한 그 광경도 넓고 거츨기만 한 광야지대에서 사는 분들에게는 또한 눈에 실치 안흔 광경이엇습니다。 더구나 ㄴ님[01]매(南坎)라는 곳을 지나면서부터는 山에 포기포기 조그만 나무에 울긋불긋 단풍이 들고 山 미테 조밧 조밧 사이에 농가가 끼어잇스며 새로 시집온 낙엽송도 새이새이 심겨잇는데 하늘도 맑고 기운도 상쾌한 가을 날세와 아울러 만주에도 이런 경개가 잇나 하는데 다가치 기이한 눈을 던지기

---

01 "ㄴ님매"는 "남매"의 오식 - 편자 주.

도 하엿습니다

봉황성(鳳凰城) 근처부터는 조선사람으로서 한때도 이저버릴 수 업는 쌀 짓는 논이 만히 보엿습니다 특용작물 담배 재배가 이 부근일대의 큰 산물이 엇스나 그도 가격 통제가 공정 실시 되면서부터는 수지(收支)의 수판이 안 마저서 근년에는 경작자가 작고 준다는 것과 또 봉황성과 (高麗門)지방에는 옛날양반이 만히 살기 때문에 배타적 사상이 상당이 세어 조선 개척민과도 잇다금 문제되는 것이 잇지만 만주 건국 이후 협화회의 노력으로 근일은 만 히 명랑화 하야간다는 것도 우연이 봉황성에서 승차하신 이곳 권오준(權五 埈) 씨에게서 드럿습니다

온천의 명지로 남만에 일흠 노픈 오룡배(五龍背)역을 지나 안동현이 가 까워올사록 가을의 들꼬치 난만히 핀 중에도 하늘~ 처녀의 옷고름과도 가치 가냘피 나붓기는 새꼬츤 얼마나 부드러우며 공밧머리 논뚝 위에 하야케 피 인 메밀꼿도 민요를 읽는 것이나 마찬가지인 듯합니다

무논뚝으로 하연 옷을 입은 조선 소년 두엇이 아랫도리를 거더부치고 고 무신을 손에 들고 거러가며 도란도란 이야기하는 광경 철교 밋 시냇가에 노 랑저고리 분홍치마를 입은 조선 각시와 색시가 빨래방맹이를 드럿다 노앗다 하는 풍경은 누가 만주를 멀다 하리까 정녕이 조선은 가까워 오는 것입니다.

—『滿洲朝鮮文藝選』, 朝鮮文藝社, 1941년 11월

南京行

宋志泳

◇ 海南線의 景物

처음부터 目標 하고 온 곳은 사실 上海보다도 南京이었는데 上海에 내리던 다음날부터 일에 억매이게 되어 그동안 멧 번이나 南京行을 꾀하면서도 뜻을 이루지 못하고 에운 지 꼭 두 달째 되는 지금 비로소 社의 일로 퍽도 가고 싶던 南京行을 實現케 되었다.

一行은 나까지 세 사람으로 한 분 張 先生은 三十 年 間 支那 生活에 南北 十餘 省을 아니 가본 곳 없고 또 처음서 끝까지 純粹한 支那通이어서 말도 朝鮮말보다 支那말이 훨씬 낳으신 그야말로 『老中國』이요 또 한 분 李遐軒은 四川省 人으로 新中國 建設에 熱을 다해 싸우는 壯年이다.

五月 一日부터 華中鐵道 當局에서 새로히 增設한 海南線 超特急 『飛龍』 號의 一等車室은 三分의 二쯤 찼다. 都塵이 漾漾한 大上海를 뒤로 두기 三十 里쯤 되어서부터는 그야말로 初夏의 江南風物이 眼界에 豁然히 展開되기 시작하는데 遐軒과 張 先生은 初行인 나를 爲하여 車窓 左右로 미처 돌아볼 새 없이 指點해가며 說明을 번갈아 해준다.

只今 막 밀보리가 고개를 숙고 한편에서는 모내기가 □□□□데 支那에

서도 江淅[01]의 沃野는 넓고 기름지기로 첫재라 하거니와 내 本是 農村에서 자라난 몸으로 數年 來 南北 都城에 漂流하면서도 매양 가는 곳마다 그 고장의 農村을 찾아보곤 하여 觀感을 별다른 곳에 옮겨보았었는데 이제 鐵馬에 몸을 싣고 江南平野를 내달리며 바라보는 農村의 情況은 惟獨히 지나간 날 어느 곳에서 보던 農村보다도 豊沃한 自然美와 어울려 水利며 切惠가 이야말로 天惠의 樂土라는 感興은 저절로 아니 나아낼 수 없을 만큼 크고 넓고 아름답고 또한 기름지기 그지없는 것이다.

더욱이 蘇州 가까이서부터 一重[02]無際하게 푸르고 連한 □이 □은 뽕(柔[03])밭임을 볼 때 옛글에서 읽던 『五畝之宅、樹之以桑』이란 實感이 文字以上으로 느끼어지며 湖水며 河川의 거미줄처럼 얽히고 매인 것이라든가 거기에 點綴한 風帆이며 小舟들의 極히 悠閑한 風光이며 또 竹林 속에 隱映이는 村落들이 모든 게 戰禍란 언제 있었더냐 싶게 어데까지 平和와 自然인 그대로의 江南다운 麗景들이다. 몇 번이나 汽車에서 뛰어내려 輕□□□히 그냥 걸어만 가고 싶은 衝動을 느끼곤 함은 나뿐이 아니리라

蘇州、無錫을 지나면서 아슬아슬 黃昏이 검은 帳幕 속에 싸이자 車 안은 저윽히 조용해지는 듯、車窓 밖 景物에 나도 나를 잊고 그냥 醉해 바라만 보고 있던 눈이 안으로 돌리니 遲軒은 어느새 잠이 들어 코ㅅ소리까지 높고 張先生 亦是 자는 듯 깬 듯 말없이 눈을 감고 부처님처럼 앉아있다.

---

01 "淅"은 "浙"의 오식 - 편자 주.

02 "重"은 "望"의 오식 - 편자 주.

03 "柔"는 "桑"의 오식 - 편자 주.

◇ 남경의 復興色

옛날의 金陵은 말할 것 없이 南京은 新支那의 首都이다. 抗日 蔣政權이 이뤄놓은 大南京이 오늘 와서 그처럼 悽慘한 戰禍의 나머지 오히려 一部分 破碎됨이 있을망정 南京이 가진 特色과 자랑을 그대로 保有하고 있는 것은 오로지 皇軍將兵의 友邦에 對한 正義와 禮敎의 感에서 알뜰히 保衛함을 얻은 所以인 것이다.

아직도 市內 處處에서 넘어진 기둥、무너진 壁、깨어진 기와조각은 부스러진 그대로 發見될 수 있지만 十의 八쯤은 거의 復舊되어있고 따라서 옛집을 찾아드는 主人도 날로 늘어가고 있으며 一般的으로 首都 復興의 새로운 建設이 不斷히 움직여 나아가고 있음을 南京市內 어데서든지 볼 수 있다.

還都 一週年을 지낸 首都의 百姓들은 確實히 安靜되어있다. 敵性租界를 가진 上海는 아직도 끊임없이 重慶 側 惡徒들이 跳梁하고 있어 一部를 除한 外에는 放心하고 나다닐 수도 없는 곳이지만 南京만은 六十萬 市民이 몸과 마음을 合하여 汪 主席을 擁護하고 그런 만치 和平과 秩序를 끔찍이도 사랑하며 사랑함으로써 南京만은 安定되어 있는 것이다.

上海를 動的、西歐的이라면 南京은 東洋風의 情緖를 나타내는 靜的인 都市이다. 한거름 나아가 都市의 美觀만으로 比較해보아도 南京은 上海보다 몇 거름 앞섰다고 볼 수 있다. 市區의 整理라든가 道路의 廣潤、布置의 得宜、이 모든 것이 南京은 짤 대로 째어있지만 但、膚皮의 巨大함이 아직도 修復과 救濟를 要하는 구석이 많음만도 事實이다. 試하여 紫金山이라든가 或은 鼓樓、鷄鳴寺에 올라 一眸 下에 大南京을 거두어보라! 얼마나 山河의 秀美와 景色의 明朧함을 感歎할 수 있는가를 …

◇ 明孝陵과 中山陵

中山陵을 찾는 길에 車를 몰아 明孝陵에 들리었다.

한때 大明天子의 威嚴도 威嚴이려니와 우수운 것은 朝鮮의 儒門老家들이 堂堂이 陵이 天下를 掌握했고 또 朝鮮의 王家로서 淸朝에 머리를 굽히어 貢物을 받힘에도 不拘하고 尊攘의 義를 말하여 崇明의 思想을 增養하던 일을 생각하면 진실로 是非를 캐기 前에 오늘 와서 油然浩歎을 禁할 수 없는 것이며 崇明의 極에 이르런 아무 因緣도 없는 華陽溪谷에 明廟를 꾸미어놓았던 일을 생각하며 오늘 그렇게도 朝鮮 儒生이 尊崇하던 明天子廟에 이르러 보고 느낌은 너무나 지나치게 荒凉한 寂寞感인 것뿐이다.

한때의 天子陵寢인 것만큼 規模의 宏大함은 可히 우러러볼 수 있으나 頹壁殘棟이 이즈러저 模樣이 쓸쓸키 짝 없건만 그대로 버리어두어 오직 몇 사람의 守衛만이 우두커니 서있음은 지나치게 蕭然하다.

車를 돌리어 紫金山麓의 욱어진 松林을 뚫고 中山陵으로 向하는 沿道에는 대추나무며 石榴、그리고 이름도 모를 當[04]綠樹、外 有名無名의 草花가 只今 한창 피고 지고 돋고 豊艶하기 그지없다.

國父 孫 總理를 모신 곳인 만큼 崇嚴莊嚴한 構築이 陵墓로선 자못 더할 나위 없을 만큼 그 善과 美를 다했다고 보아도 좋으리라.

西南으로 悠悠히 흐르는 揚子江의 구비가 一片湖水처럼 굽어보이고 前後左右로 棲霞山、湯山의 諸勝과 玄武湖、莫愁湖、燕子磯、雨花台 等의 勝蹟이 指呼하는 사이에 넉넉히 바라볼 수 있으며 그 外에 南京이 가진 모든 美와 景을 이 陵에서 모두 바라볼 수 있는 것이 얼마나한 大得이랴!

---

04 "當"은 "常"의 오식 — 편자 주.

이날도 總理陵寢을 찾아 恭遜히 절하여 新支那의 永久한 和平을 黙禱드리는 內外國 人士가 洛澤[05]不絶한 것은 陵寢도 陵寢이려니와 여기에서 觀賞할 수 있는 山河의 勝槪가 유별하매 더욱 많으리라

◇ 玄武湖와 鷄鳴寺

莫愁湖란 일음이 좋아서 또는 傳聞이 오래어 널리 알려졌을 뿐이지 사실상 그냥 하나의 湖水일뿐이고 뭐 그리 玩賞할 奇景異勝이 없고 玄武湖야말로 南京이 보여주는 유일한 景勝이며 또한 江南의 好景을 넉넉히 한자리 차지하는 곳이다. 이름 하여 五洲公園이라 함은 湖中에 적지 아니한 人家를 깃들인 다섯 섬이 分綴해있으므로서이라 한다.

아직 철이 일러 꽃은 채 봉오리도 않 맺힌 蓮葉이 그 넓은 湖心 一面에 보기 좋게 덮여있다. 蓮꽃이 한창 필 무렵이면 京中의 老少男女 수없이 나와 畵航[06]의 淸興을 누린다고、 아니나 벌써부터 노리배가 예저기 적지 않이 떠있고 風流도 덩달아 무르익은 곳이 적지 않다. 앵도가 하도 많기에 좀 사자 하였더니 값은 엄청나게 비싼 게 아닌가。 湖亭에 올라 冷茶를 부어놓고 湖上의 賣子를 불러 支那의 名物 삭두부며 삭김치를 사 올려 맛을 보며 해가 저므는 줄 모르고 勝景에 醉한 몸들이 一行 中 아무도 먼저 가자는 말을 끄내기 싫어한다.

國民政府 大禮堂 뒤를 돌아 城壁을 높아 鷄鳴寺로 올라가는 깊숙한 숲속

05　"洛澤"은 "絡繹"의 오식 — 편자 주.

06　"航"은 "舫"의 오식 - 편자 주.

이 여간만 幽遠과 寂寞感을 던져주는 게 아니다. 同行한 두 南京 아가씨가 참새처럼 조잘대며 앞서 길을 가르치는데 奔走히 무어라 說明해 주것만 아깝게도 나만은 이 아가씨들의 玉音을 十의 七八은 들으면서도 깨닫지 못함이 혼자 배움의 모자람을 부끄러할 뿐이다.

절은 規模가 상당히 크다. 隣接한 北極閣이며 天文台와 어울려 紫金山 기슭의 한 偉觀인데 겹겹히 門을 지나 절 마루에 앉아 내다보는 바는 눈 밑의 玄武湖며 南京 全市가 또한 별다른 角度로 美觀을 呈해준다. 寺內에 廣大한 休憩室이 있고 한편에 無料 圖書閱覽所가 있어 淸閑한 날을 보내기엔 無二한 勝地이며 寺主가 글씨에 能하여 數千 幅의 長軸과 短幅을 名句好辭로 써 壁에 주욱 걸어 一般의 觀覽에 供함도 또한 一 異趣며 한편 구석에 吉凶을 占치는 簽節이 있 길래 뽑아보았더니 一은 大吉이요 一은 大凶이라 一行의 拍掌哄笑가 한마[07]탕 찼었다.

장난삼아 배워본 漢詩를 一 首 을퍼보리라는 油然한 興感에 묵은 頭腦를 짜내어 韻을 고르고 四聲을 달고 하며 沈思하기 半 時가 넘도록 겨우 세 절귀를 얻고 끝을 종내 채우지 못하였다. 아씨들더러 을프라 하였더니 옛詩는 외어도 지을 줄은 모른다고.

◇ 하루밤의 雅會

사을재 되던 날 밤 뜻 아니 한 자리에 불리움을 받아 新支那의 젊은 벗들과 무릅을 같이하여 暢談할 機會를 얻은 것은 실로 이번 길의 가장 印象 깊

은 것이었다.

사흘 동안 公事도 냉큼 끝나지 않아 두루 바빴지만 조곰만 틈이 있으면 各 要路의 人物들을 만나 大東亞建設의 抱負도 들어보고 支那의 過去며 現在、未來를 通한 알고 싶고 듣고 싶던 이야기도 듣고 또 조곰만 틈을 엿보아서는 벗들을 이끌어 예 저기 觀光을 하노라 실로 지극히 바삐 지나왔는데 이렇게 바쁜 것이 因緣이 되어 몇몇 벗의 發起로 우리를 招請해 一夕宴을 베풀은 것이다.

모이는 場所가 어느 料亭인가 했더니 정작 이르고 보니 고맙게도 私人의 집 넓직한 사랑房이 아닌가。나그네는 우리요 主人 側은 中央黨部 劉 政治訓練組織部 副部長、宣傳部 部指導司長、宣傳部 楊 編審官 主任、行政院 黃 秘書長 등 國民政府의 中堅人物 아홉 사람이었다.

中山路 한편에 있는 이 집은 상당히 壯麗하여 庭園이며 室內의 修飾이 그닥 華麗한 것은 아니나 半洋式의 꾸밈이므로 여간만 雅淡치 않다。賓主가 一 卓에 分坐한 다음 主人마나님이 손수 만들었다는 四川料理가 하나씩 둘씩 나오기 시작하는데 이 四川料理란 또한 支那料理 中에서도 별다른 風味를 갖훈 것으로 짜고 매운 것을 特色으로 하므로 우리 입에 더욱 맞는데 그것이 料亭도 아니오 個人집에서 만든 것인 만큼 더욱 얻어 보기 어려운 山珍海肴가 그득히 나오는 게 아닌가.

紹興老酒와 巡杯가 잦아지자 一席의 談論이 風發하여 밤이 깊는 줄을 모르고 古今東西에서 話頭를 골라서는 주고받음이 十年知己처럼 사귐이 가까움을 서로 느끼었다.

反共和平을 부르짖고 東亞永遠和平의 大計를 꾀하는 新支那의 知識人들이라면 이네가 그 中堅份子들이라 새로운 意氣에 타는 情熱들이란 우리가 멀리서 생각하던 것보담 훨신 熱烈함을 볼 수 있음이 무엇보다 新支那의 更

生을 爲하여 여간만 마음 든든히 믿어지는바 아니다.

◇ 林栢[08]生 氏와의 一問一答

國民政府 宣傳部長의 要職에 앉은 氏에 關하연 세상이 다 아는 바이지만 氏는 廣東人으로 일직이 操觚界에서 意志를 練磨해온 人物로서 汪 主席을 따라 和平運動에 獻身하여 積極的인 □論布陣을 하다가 一 昨年 香港에서 重慶暴徒에게 襲擊을 받은 일이 있고 이어 汪 主席을 쫓아 上海로 왔으며 國府가 南京에 還都하자 곧 宣傳部長의 椅子에 앉아 爾來 對內外 宣傳工作에 不斷히 熱誠을 기울이어 鐵腕部長으로서의 聲望이 □리 두텁고 國民政府要人 中에서 年靑한 部長으로서의 上下의 信重[09]도 높아가고 잇다.

今次 南京行의 主要한 公務란 林 部長과의 만남이어서 방금 漢口 視察로부터 돌아온 部長을 宣傳部 部長室에 찾아 公務를 畢한 다음 몇 마디의 問答을 주고받았다.

無體眼鏡에 이날따라 淸楚한 灰色 漢服으로 淡雅스레 입은 氏는 一見 南方人다운 體軀며 별처럼 반이짝는[10] 두 눈, 둥그스럼이 튀어난 앞뒤 이마가 어데까지 氏의 聰俊多才함을 말해준다. 조용히 앉은 품이라던지 動作이며 말소리까지도 차근차근히 차례가 있어 보인다.

『朝鮮에 가보신 일이 있으시며 또는 朝鮮사람을 사괴어보시었읍니까 그

---

08 "栢"은 "柏"의 오식 - 편자 주.

09 "重"은 "望"의 오식 - 편자 주.

10 "반이짝는"은 "반짝이는"의 오식 - 편자 주.

러고 朝鮮사람에 對한 感想은"』

『아직 가보지 못했읍니다. 별로 사괴어보지도 못하고요. 따라서 갑작이 물으시니 생각지 않던 일이라 무어라 感想을 말하기 어렵습니다』

『언제 한번 안 가보시려우?』

『글세요 …』

從來 南方에는 朝鮮人이 별로 없었던 만큼 林 部長의 朝鮮에 對한 나의 물음은 참으로 뜻밖의 일인런지도 모른다.

『今後 重慶政權의 存在는 어떻게 되리라고 보십니까!』

『그야 沒落할 것만은 의미 決定的 事實이지요 더욱 最近 이르러 國共의 衝突이 날로 激化하고 따라서 對內外의 모든 情勢가 하루 이틀 不利해가는 것만은 세상이 다 아는 바이니까요』

여기엔 자못 決定的인 答案을 내리기에 서슴자않는 林 部長이다. 이 말을 하며 주먹을 두 번이나 쥐었다 폈다 한다.

『最近 淅[11]東 各地의 寧波라던가 福州 等地의 陷落에 따라 援蔣路截斷의 意義도 크겠지만 보다도 一般은 南洋 各地의 華僑들의 今後 動向에 對해 크게들 關心을 가지는 모양인데 장차 華僑들이 어떠한 態度를 取하리라고 보십니까?』

『到底抗戰의 無益을 깨달은 만큼 머지 않은 날에 반드시 돌아오리라고 믿습니다. 華僑들의 故鄉에 對한 愛着心이란 어느 누구보다도 깊으니만치 눈으로 보는 現實 앞에는 그네들도 한 걸음 씩 깨닫게 될 것만은 사실이지요』

『國府로서 이에 對한 特別한 工作이라든가 그에 對한 方針은 없습니까』

『웨요. 只今 準備工作을 하고 있으니까 不遠 具體的 案을 세워 積極的 工

---

11 "浙"의 오자 - 편 자 주.

作에 힘쓰기로 되었읍니다』

　『몇 시에 즈므시고 일어나시기는?』

　『早寢早起를 힘쓰지만 일이 워낙 바쁠 때엔 ……』

　이 外에도 여러 가지 意見과 抱負를 물은바 있으나 여기엔 쓸 必要를 느끼지 않기 略한다. 問答이 끝난 다음 『春秋』를 爲하여 『發揚東方道義精神』 여덟 字를 써 記者에게 친절히 주었다. (끝)

－ 五月 十二日 上海 旅館에서 －

－『春秋』, 第2卷 第6號, 1941년 7월

蒙古紀行・北支紀行
朴燕岩의 지나든 자최를 다시 찾어

日蒙親善使節兩女士의 手記

萬里長城을 넘어

京城日報 婦人記者 田熙福(田村芙紀子)

나는 어릴 때 蒙古라면 地平線 저쪽에나 있는、혹은 이야기 속에나 나오
는 세상에는、現存해있지 않는 곳처럼 알아왔다。그러던 곳을 이번 日蒙親
善을 目的하고、사꾸라와 또 다른 나무들을 선물해가지고 떠나는 一行에 끼
여 가보고 왔다。정말 이야기 속에서 듣던 대로、내가 생각하던 대로 그 곳
은 우리가 살고 있는 땅과는 무엇이나 달른 것뿐이었다。

우리는 北京驛에서 四月 二十五日 아침 京包線을 타고 張家口에 갔다。
이것이 바루 蒙疆의 首都였던 것이다。即 萬里長城으로 해서、支那 本部와
遮斷된 것이었다。

蒙疆地方으로서는 드물게 맑은 날세라는 車掌의 說明을 들으며 나는 어
릴 때 멀다고 생각하던、세상에는 있지 않을 것이라 생각하던 나라를 旅行
하는 기쁨에 가슴을、뛰였다。

蒙古는 五十萬 七千 平方키로의 面積 即 九州、四國 朝鮮을 合친 것 만하게 넓은 곳으로 人口는 여기에 比하면 極히 적어서、겨우 五百五十萬이라는 小數였다。東京市보다도 더 적은 셈이라 한다。

나무는 어디를 가나 없어서 푸른 빛 구경하기에 힘이 들었다。家屋은 기와집도 있지만 대개는 牧畜을 하는 關係上、洋털로 만든 담요 같은 것으로 「파우[01]」를 짓고 사는데 이것은 氣候를 따라 더운 데로 찾어단이는 그들의 生活에는 지극히 便利한 것이었다。

蒙疆副主席의 印象

우리는 苗木을 傳達하고저、蒙古聯合自治政府를 訪問하기로 되었다。主席 德王 氏는 病患으로 北京에 가고、副主席 于品卿 씨가 代身 우리 一行을 迎接해 주었다。

六十 歲가량 되어보이는 老人이었다。서로 말은 通하지 못하면서도、厚하고 부드러운 탓인지 벌써부터 알던 이 같고、또 마음과 마음은 서로 通해서 무슨 말을 하더래도 잘 들어 줄 것 같은 좋은 할아버지였다。

우리를 爲해서 친히 料理집까지 나와서 대접하는데 한사람、한사람 飮食을 손수 돌려주기에 분주할 形便이고、또 料理는 國賓이래야만 대접한다는 最上의 것이라 했다。정말 처음 먹어보는 것뿐이었다。支那料理와 같긴 하지만 여기서 우리가 먹는 그런 것이 아니었다。제비둥이로 만든 요리도 있었다。그리고 副主席은 우리 一行에게 蒙古刀라는 칼 한 자루씩과、蒙疆國旗 하나씩을 주었다。蒙疆에서는 가장 重要한 것이라 했다。國旗는 說明할

---

01 "파우": 몽골식 천막집, 중국어로 "蒙古包"라고 한다. "파우"는 "包"의 발음 - 편자 주.

것도 없이 貴重한 것인 것은 물론 蒙古刀라는 것도 그 곳서 重要한 것이었다. 그들은 牧畜業을 하느니만큼、누구나 칼을 차고 단이며 즘생을 잡어먹음으로 우리의 젓가락이나 숫가락보다도 더 긴요한 것인지 모른다.

蒙古自治政府에는 內鮮 女性이 合 百名 가량 勤務하고 있고 男子들도 千名 以上 된다고 했다.

在蒙半島人의 活動

지금 蒙古에 가 있는 半島出身이 一千八百 名이라는데 駐蒙朝鮮總督府公署、陣內署長으로부터 張家口在留同胞들의 現狀의 大體를 들어본즉、대개로 그들의 직업은 醫師、雜貨商、料理業 等으로 相當한 收入이 있는 者도 많고 寫眞師、생선販賣業、銀行、軍屬、運轉手 등 各 方面에 活動함으로 生活에 不自由한 일은 없다는 것이었다. 特히 新聞販賣路를 開拓하는 데는 용한 手段이 있어서 어디를 가나 歡迎을 받는 것이라 했다.

그리고 大同、包頭、豐鎭에는 半島人의 親和會가 잇는데、이것은 軍部요 領事館의 諒解를 얻어 設立된 것으로 親睦、向上、協力을 目標로 움즉이고 있다는 것이었다.

또 戰傷兵勇士의 慰問은 말할 것도 없고 戰歿勇士들의 葬禮式에 等 진실로、피와 힘을 애끼지 않고 거들어주며、包頭襲擊事件 때에도 半島 婦人들이 敵軍襲來의 第一線에까지 나가서 전혀 生命을 걸고 糧食 運搬과 밥 짓기와 看護 等에 全力을 다했다고 한다.

물과 果實과 나무가 없는 곳

蒙古는 물이 없다. 목이 말라서 冷水를 먹어야 할 때는 사이다를 먹는 형편으로 물 한 대여에 價格이 二 錢 五 厘나 되는 놀라운 現狀이었다.

참 매른 곳이었다. 비는 좀체 오지 않고 바람만 디리 불어서 밖에 나단일려면 보쟉이를 뒤집어 써도 흙보숭이가 된다. 어떻게 바람이 부는지、新聞社를 求景 갔는데 유리窓이 하나도 없이 거저 환하니 되어 있었다. 理由를 물으니、바람에 견딜 수가 없으므로 숫제、그대로 둔다는 것이었다.

물은 없고 몬지는 많고 나무는 없고 나무가 없기 때문에 물이 더 없고、바람이 더 분다고 하는 說도 있었다. 아닌 게 아니라、물이 없고 바람이 불드래도 나무가 푸르다면 그래도 싱싱한 맛이나 있을텐데、어디로 가나、푸른 빛 구경할 수가 없었다. 日蒙親善이 된 後로 해마다 보내주는 나무들을 심기는 했으나 아직 어려서 찾어보지 않으면 눈에 띠이지 않을 程度였다.

그러기 때문에 果實도 없었다. 姙娠 중에 果實을 많이 먹어야 한다는데 그렇지 못하기 때문에 營養不足으로 幼兒들의 死亡率이 많아서 걱정이라고 했다. 그러므로 싸구라도 좋지만、능금나무 배나무 같은 果實나무를 보내주는 것이 더 좋겠다고 말했다. 또、그것이 그 土地에서 매우 잘되기도 하고 ―.

天津、北京의 初夏

京城德成女子實業學校長 宋今璇(福澤玲子)

百聞而不如一見이란 말을 늘 들어왔고、또 써온 바이지만 실로 이번 내가 北京求景이야말로 이 文句를 빌지 않을 수 없다.

여기서 櫻花使節로 떠날 때는 갔다오면 본 것、들은 것、無數한 이야기를 모조리 하려던 것이나、정작 가보아 놓은즉 거저 입이 딱 버려질 뿐이었다. 사실 나는 天津、青島、上海 等地에도 가보았고、여러 곳에 旅行을 다른 사람보다 많이 한 폭인데 北京만은 내가 본 어느 곳보다 宏壯하였다. 그 굉장함이 너무 놀라워서 어쨌던 돌아와서 數日이 되것만 아무에게도 입을 못 열고、緘口無言으로 있다.

어떻드냐고 이렇게 묻는 사람에게까지 나는 말 한마디 못하고 거저 가보시요 할 뿐이다. 내입으로는 도저히 說明해낼 재조가 없음을 어쩌랴. 나만이 아니라、어떠한 아무리 言辯 좋은 사람일지라도 北京을 본대로 이야기해낼 수는 없으리라.

진실로 깊고、넓고、크고、雄壯해서 東洋文化의 根源地라고 새삼스레 깨달았으며 뉴―쓰나、映畵나、寫眞으로 紹介되는 北京은 내가 본 萬分의 一도 못됨을 알았다.

全部 人工이었다. 自然의 惠澤을、아주 받지 못한 바는 아니었으나 人工의 힘이 너무나 뚜렸하기 때문에 自然은 그 속에 숨기여버리고 만 것 같았다.

우리가 그 곳에 이르렀을 때는 더구나 라일낙의 한창 時節이여서 흐뭇한 香氣가 醉하리만큼 진하였고 또 그 우에 곳곳에 나무가 푸르러 초록빛 都市를 이루웠다. 우리는 이 참아 입을 뗄 수 없이 좋은 都市에서 사흘을 묵으면서 곳곳을 求景하게 되었는데.

西太后 政治하던 宮闕

中에서도 西太后가 정치하던 宮闕은 더한층 입을 딱 버리도록 되어있었다.

西洋의 어느 有名한 畵家를 불러다가 그리웠다는 西太后 肖像을 본다면 그다지 잘난 것은 아닌데, 가진 榮華를 누리다가 세상에서 갔다는 것은 그가 살던 宮闕만 보드래도 넉넉히 짐작할 수 있었다. 西太后는 散步하는 때까지도 땅을 밟지 않고 해빛을 보지 않은 것 같았다. 庭園은 복도와 복도의 延長이었다. 그리고 兩쪽 壁에는 四十八 個 省이 彫刻되어 있었다 庭園에도 奇奇妙妙한 나무와 바위와 돌뿐이었다. 案內人의 말을 들으면 마당 한 쪽에 놓인 바위는 泗[02]川省 어떤 富豪가 自己 집에 있는 것을 西太后한태 바치고 저 運搬하기 시작한 것이 그것이 어찌도 어려웠든지 運搬하는 사이에 그 사람은 늙고 가졌든 財産도 運搬費도 다 나가고 말었다 한다. 어떻게 되였든 女子로서 그만큼、榮華와 威勢를 부릴 수 있었다는 것은 特記할 일이다. 生存했을 때 쓰든 寢室의 寢臺도 그냥 있고 使用하든 化粧品과 거울도 아직 남어있어서、西太后의 面影을 눈앞에 보는 듯하였다.

半島人의 經營 慈善戒煙所

해가 가믈 가믈 저가는 저녁때 우리는 人力車를 타고 半島人 趙聖杰 氏가 經營하는 自善戒煙所를 찾기로 했다. 하늘은 참으로 곱고、街路樹에 五月 바람이 몹시 싱싱했다 꼭 한 가지 不安한 것은 길이 멀고 또 모래기 때문에 人力車군의 수고스러움이 안타가웠다.

戒煙所는 옛날 절간이든 것을 貰로 얻었다는데、터전이 萬坪에 넘게 넓고 건물도 낡기는 하나 절간이든 만큼 뜰에、이상과 돌과、白松과 또는 三

---

02 "泗"는 "四"의 오식 - 편자 주.

四千 年을 묵은 나무들이 있는 外에 아직도 절堂의 한 部分이 남아있어서 여기에 收容된 사람들 그 마음과 몸이 한태 荒冷해진 사람들이 부처님 앞에 무릎을 꿇게 되는 일이 있다고 했다.

收容되여있는 사람들은 內地人 朝鮮人을 合처 꽤 많고 그 中에 女子도 열다섯 名이나, 되는데 모다 內地人 女子와 朝鮮人 女子였다. 참말 帝國 國民으로서의 體面을 汚損하고 있는 것은 붓그런 일이요、遺憾스런 일이 아닐 수 없었다.

男子들도 그렇겠지만 女子들도 대개는 生活을 爲해서 阿片 小密輸를 하다가 차츰 차츰 먹게 되여 나종 中毒에까지 이르게 되는 것이라 했다.

누구든지 아무리 中毒되였드래도 이곳에 一 年 동안만 참아있을 수 있으면 씨슨 듯이 나을 수 있고、나은 뒤에는 女子에게나 男子에게나 職業까지 주선해주는 고마운 곳이였다. 女子로는 看護婦、事務員、男子도 각각 그 資格에 따라 주선해주는 것이였다.

또 한 가지 特記할 것은 여기선 阿片中毒만 떼는 곳이 아니라、그 精神修養과 體力復活에도 相當히 머리를 쓰는 모양으로 中毒이 다 풀린 뒤에도 隔離된 收容所에서 오랜 時日을 指導하는 것이라 했다.

인제 收容所 日課를 紹介하면 다음과 같다.

　　　午前 六 時 超床

　　　午前 七 時 掃除

　　　午前 八 時 神前 參拜 精神 講話

　　　午前 九 時 食事

　　　午前 十 時 讀書

　　　午前 十一 時 運動

午后 一 時 作業

午后 二 時 점심

午后 三 時 讀書

午后 五 時 掃除

午后 六 時 運動

午后 七 時 夕食

午后 九 時 研究

午後 十 時 就寢

但 每 一日 及 十五日은 定例 公休日이라 했다.

入浴은 每週 水 土曜日의 二 回였고 作業은 收益을 爲하는 것이 아니고、身心의 適當한 鍛鍊이요、患者에게 있어서 職業의 習得인 것이라 했다。作業 種類로는 男子에겐 煤球兒의 製造、木工 耕作、구두짓는 것、양말 만드는 것이고、女子는 양말 코 꿰여매는 것과 채소밭에 물 주는 것쯤의 일이라 했다。

누구나 돈 한 푼 없이 이 收容所에서 병을 곤치고 걱정 없이 먹고 살어갈 수 있으며 또 將來까지 돌보아주는 것이였다。

여기에서 收容되였다가 나온 사람 中에는 現在 第一線에서 나라를 爲해 活躍하고 있다는 자랑스런 뉴一쓰도 있었다。

-끝-

―『三千里』, 第13卷 第7號, 1941년 7월

엮은이
소 개

최 일

중국 연변대학교 조선언어문학학과 교수. 2002년 동 대학교에서 문학박사
학위를 취득한 뒤 한국 근현대문학, 재중 조선인문학, 중한근대문학의 교류
등 방면의 강의와 연구를 진행하여 「민족상상과 일제식민지 말기 한국문학
중의 '만주국'형상」, 「이기영의 만주 상상과 『대지의 아들』」 등 논문과 『위만
시기 문학자료 정리와 연구·조선작가작품집』, 『'중국현대문학과 한국' 자료
총서』 등 편저와 역저를 완성하였다.

박미혜

중국 흑룡강성 치치하얼시 출생. 연변대학교 중국어학과를 졸업 후 동 대학
교 조선언어문학 학과에서 석사학위를 받았다. 현재 한국 성균관대학교 국
어국문학과에서 박사 과정을 밟고 있다. 한중 근현대문학 비교와 한국 근현
대소설, 번역문학, 대중문학 등 영역의 공부를 통해 한중 양국의 문학을 비교
적으로 넓게 접근하는 중이다. 최근에 1920년대부터 본격적으로 시작한 한
국 아동문학으로 시야를 넓히고 있다.

'한국근대문학과 중국' 자료총서 **9**

기행문 Ⅱ

초판 1쇄 인쇄 2021년 9월 17일
초판 1쇄 발행 2021년 9월 27일

지은이   최창규 외
엮은이   최 일 · 박미혜
기 획   『한국근대문학과 중국』 자료총서』 편찬위원회
펴낸이   이대현
편 집   이태곤 문선희 권분옥 임애정 강윤경
디자인   안혜진 최선주 이경진
마케팅   박태훈 안현진
펴낸곳   도서출판 역락
주 소   서울시 서초구 동광로 46길 6-6 문창빌딩 2층
전 화   02-3409-2060(편집), 2058(마케팅)
팩 스   02-3409-2059
등 록   1999년 4월 19일 제303-2002-000014호
전자우편   youkrack@hanmail.net
홈페이지   www.youkrackbooks.com
字 數   411,077字

ISBN   979-11-6742-024-4   04810
          979-11-6742-015-2   04810(전16권)